Voor bijna alles bang geweest

Lisette Lewin

Voor bijna alles bang geweest

Roman

Nijgh & Van Ditmar
Amsterdam 1992

Vijfde druk 1992
Copyright © Lisette Lewin 1989
Omslagillustratie Hans Bayens, *Annelies*
Foto achterplat Bert Nienhuis
Omslagontwerp Marjo Starink
NUGI 300 / ISBN 90 388 4632 0 / CIP

Voor mijn vader

Ik ben voor bijna alles bang geweest
    M. Vasalis, 'Angst' uit *Parken en woestijnen*

Je sais bien que le lecteur n'a pas grand besoin de savoir tout cela,
mais j'ai besoin, moi, de le lui dire
    J.J. Rousseau

Deel een
Siegfried

De Katwijker

Begin juli 1942 ontving Siegfried Morgenblatt, in zijn woning in Den Haag, een ambtelijk stuk dat er griezelig uitzag, compleet met haken- kruis en adelaar. Het behelsde een oproep. Binnen een week moest Morgenblatt zich melden op een bepaald adres, 'teneinde elders te werk te worden gesteld'. De mee te nemen bagage was nauwkeurig omschreven: enige kleding en toiletgerei.

De uitnodiging kwam niet onverwacht, maar hij had allang beslo- ten er geen gebruik van te maken. Hij vormde zich geen illusies om- trent de ideeën van de Duitsers over het oplossen van *die Judenfrage*. Hij had *Mein Kampf* gelezen en au sérieux genomen. Wat te doen? Om te beginnen: tijd winnen. Een week was te kort om een besluit te nemen. De huisarts, een goede vriend, onderzocht Sieg. Hij bekeek nauwkeurig Siegs borst. Daar meende hij, naar zijn zeggen, minuscule rode vlekjes waar te nemen.

Handoplegging op Siegfrieds voorhoofd wees uit dat er sprake was van oververhitting. Diagnose: roodvonk. De arts gaf daarvan kennis aan de bevoegde autoriteit. Op de voordeur van de Morgenblatts werd een papier geplakt met het opschrift: BESMETTELIJKE ZIEK- TE! ANSTECKUNGSGEFAHR!

Een onderduikadres voor de kinderen was wel te vinden. Maar het leek nauwelijks mogelijk om samen met Mathilde, een vrouw met een geprononceerd joods uiterlijk, een adres te vinden en daar de oorlog door te komen. Sieg wilde proberen met zijn vrouw het bezette Euro- pa te ontvluchten. Sinds augustus 1940 had hij contact met een onder- grondse groep. Hij had zich zelfs laten benoemen tot 'wijkhoofd'. Iemand uit deze groep bood hem contact aan met een man die via Bel- gië en Frankrijk een ontsnappingsroute naar Zwitserland had opge- bouwd. Hij kocht Duitse militaire vrachtrijders om. De prijs was hoog: drieduizend gulden per persoon, maar onoverkomelijk was dat niet. Toch wezen Sieg en Mathilde het aanbod van de hand. Ze ver- trouwden het niet. (Ten onrechte, hoorde Sieg achteraf. Alle joden die deze route volgden kwamen veilig aan in Zwitserland.)

Weken gingen voorbij. Getergd liep Siegfried door het huis, in pyjama en kamerjas, vanwege de zogenaamde roodvonk.

Half augustus kreeg hij een veelbelovend bericht van een bevriende advocaat. Sinds Sieg van zijn werkgever zijn congé had gekregen, dreef hij samen met de advocaat, een jood die Lerner heette en die geen praktijk meer mocht uitoefenen, een lucratieve handel in zilver, goud, juwelen en Perzische kleden. Ze hadden connecties met een reizende coupeur-kleermaker, Christiaan Beer. De man was zeer betrouwbaar. Hij had Sieg de kans gegeven zijn persoonsbewijs uit zijn zak te stelen, dat hij vervolgens als verloren aanmeldde. Bij Lerner thuis was het document, met Beers vingerafdruk, voorzien van Siegfrieds pasfoto en een nagetekend stempel. Als Christiaan Beer ging Sieg nu door het leven.

De echte Beer had in de trein kennis gemaakt met een man uit Katwijk, met wie hij regelmatig op en neer reisde. Op een avond dat ze samen alleen in de coupé zaten, vertelde de Katwijker in diep vertrouwen dat hij contact had met een groep, die tot taak had neergeschoten geallieerde piloten naar Engeland te smokkelen. Eén bepaalde Katwijkse visser stelde daarvoor zijn logger beschikbaar. Aan de buitengrens van de voor visserij vrijgegeven en door Duitse schepen bewaakte zone maakte de logger contact met een Engelse motorsnelboot, die de passagiers overnam. Zeer binnenkort was er weer zo'n ontsnapping op handen.

Het mooiste van de zaak, vertelde de Katwijker, was dat elke keer als weer zo'n zaakje werd georganiseerd een aantal jodenmensen de kans kreeg om mee te gaan; zo had hij al verscheidene families kunnen helpen.

Beer had bij dat verhaal direct gedacht aan Siegfried Morgenblatt. Als hij wilde, zei Beer, zou hij de Katwijker vragen hem thuis op te zoeken. Na enige aarzeling besloten Sieg en Mathilde de eerste stap te wagen.

Twee avonden later kwam Beer met de Katwijker. Deze maakte een goede indruk. Een flinke, stevig gebouwde vent, die je met zijn heldere blauwe ogen recht aankeek en goed uit zijn woorden kwam. Hij bevestigde het verhaal. Er waren op dat ogenblik twee Engelse piloten gered en de contacten voor het oppikken op zee waren gelegd. De datum stond nog niet precies vast; hij rekende op begin september. Het enige probleem was dat meer joden zich hadden aangemeld dan mee konden, zodat hij niets kon garanderen.

De Morgenblatts kregen van hem één dag respijt om een besluit te nemen; de volgende avond zou hij komen en dan moesten ze, als ze mee wilden, hem duizend gulden per persoon overhandigen. In dat geval zou hij zijn best voor hen doen. Hijzelf kreeg niets van dat geld; het was bestemd voor de schipper en de bemanning, die een vergoeding verlangden voor hun risico.

De volgende avond kwam de Katwijker terug. Hij kreeg zijn geld. De Morgenblatts moesten zich reisvaardig maken. Uiterlijk twee dagen voor vertrek zouden zij horen waar en wanneer ze moesten vertrekken, beloofde de Katwijker. Een koffer mochten ze niet meenemen, waarschuwde hij. Alleen een plunjezak. De kleding mocht niet te opvallend zijn maar moest warm zijn en liefst waterdicht.

Helemaal gerust op de goede afloop waren de Morgenblatts niet. De Katwijker leek betrouwbaar, maar nu hij in de trein zo loslippig was geweest tegen Christiaan Beer, kon het verhaal ook bij verkeerde mensen terechtkomen. Er was evenwel weinig keus. Risico's waren in deze tijd onvermijdelijk.

Een studievriend van Mathilde, Joop Verhagen, die in de Haagse Perenstraat woonde, was bereid de kleine Sieg, een jongetje van vijf dat aan toevallen leed, in huis te nemen, tot hij een ander adres had gevonden. Zijn vrouw Ans had een zuster in Wassenaar. Die wilde zich wel ontfermen over Emma, die bijna drie was.

In afwachting van het sein voor vertrek viel er weinig te doen. Sieg verborg het tafelzilver onder de vloer van de huiskamer. Familiedocumenten, een Chinese vaas, wat kleine kunstvoorwerpen verpakte hij in een oosterse sierkist, met een paar boeken, zoals het in zwart leer met zilveren opdruk gebonden standaardwerk van dr. Josef Kastein: *Eine Geschichte der Juden*. De benedenbuurvrouw, een lerares die alleen woonde, was bereid de kist te bewaren. Lerner liet een paar kostbare tapijten, handelswaar, ophalen en onderbrengen op een vertrouwd adres. Wat juwelen en gouden sieraden zouden Sieg en Mathilde op het lichaam dragen. Die zouden hen de eerste tijd in Engeland helpen.

Het waren dagen van nerveuze spanning. In het nachtelijk duister omhelsden Sieg en Mathilde elkaar in wanhopige uitbarstingen van liefde en hartstocht.

Eindelijk lag er een briefje van de Katwijker in de bus. Op zondag 7 september 1942 moesten de Morgenblatts de stoptrein Haarlem-IJmuiden nemen, die omstreeks negen uur 's avonds zou aankomen. Op het station zou de Katwijker hen opvangen. Op de middag van 6 september kwamen oom Joop en tante Ans de kleine Sieg en Emma afhalen.

De kinderen gaven hun ouders een vluchtig kusje en gingen vrolijk mee, blij dat ze uit logeren mochten. Emmaatje droeg om haar nek een lintje, waaraan haar moeder een kleine handleiding had bevestigd; zo laat melk, zo laat een hoopje doen en andere richtlijnen. 'In smarte geschreven' stond eronder, in het Latijn.

Dezelfde dag kwam Gert, een connectie van de advocaat, een goedmoedige veertiger, die zich voortbewoog als een zwaargewicht. Zijn grote handen hingen aan losse armen opzij, wanneer hij niets te dragen had. Meestal was dat wel het geval. Regelmatig bracht hij op de zwarte markt vergaarde kaas, boter, jenever en wat nog meer begeerlijk was naar het huis van de advocaat. Dat deed hij vermoedelijk uit dankbaarheid, omdat de advocaat hem eens doeltreffend uit de penarie had geholpen. Hij was vrijwel altijd beschikbaar om klussen op te knappen. Hij zou de Morgenblatts naar IJmuiden brengen.

Gert nam de plunjezakken mee. Even later, in de avondschemering, volgden Siegfried en Mathilde. Sieg droeg onder zijn regenjas het maatkostuum, dat coupeur Beer voor hem had gemaakt. Het huis, met al het meubilair, lieten ze achter zoals het was. Wel nam Siegfried vanachter de plint in de slaapkamer het 7,2 mm Mauser-pistool mee, dat hij in zijn functie van 'wijkhoofd' van een verbindingsman had gekregen.

Op de halte Benoordenhoutseweg, hoek Van Alkemadelaan, zouden ze de gele tram nemen, die via Wassenaar en de bollenstreek naar Haarlem reed. Daar zouden ze de trein nemen naar IJmuiden. Op het Haagse station, waar voortdurend werd gecontroleerd, zouden ze zich niet wagen.

Gehaast, om voor achten binnen te zijn, liepen ze naar het huis van Greet Smit, een oude schoolvriendin van Mathildes zuster Lea. Daar zouden ze de nacht doorbrengen. Greet woonde alleen met haar huishoudster op de Ruychrocklaan, vlakbij de Van Alkemadelaan. Ze was goed bevriend met een zuster van Wiardi Beckman. 's Ochtends gaf de gastvrouw Sieg een dichtgeplakte envelop. Die bevatte, zei ze, een boodschap voor de regering in Londen.

Sieg en Mathilde liepen naar het huis van Maurits en Saartje de Vries, die dicht bij de Benoordenhoutseweg woonden. Ook Saartje was een jeugdvriendin van Mathilde en haar zusters. Met het echtpaar gingen Sieg en Mathilde bijna dagelijks om. Saartje was doodsbang. Ze aarzelde maar liet haar vrienden toch binnen. Gert moest buiten wachten.

Aan tafel, in de huiskamer, tornden Sieg en Mathilde de jodenster van hun kleren. Zorgvuldig trok Mathilde, met trillende vingers, alle draadjes en vezeltjes uit de stof, die de plaats boven het hart zouden verraden.

Het was een leeg en angstig gevoel om op straat te lopen zonder die verdoemde ster. De tram was tamelijk goed bezet. Gert nam de kaartjes en bleef in de buurt. Sieg en Mathilde bleven de hele, eindeloos lijkende rit op het achterbalkon staan en keken naar buiten. Dat gaf de minste kans dat iemand hen in het gezicht keek – iedere passagier kon een verrader zijn. Maar alles ging goed. Opgelucht stapten ze uit in Haarlem.

Op het station kocht Gert een retourtje en twee enkele reis IJmuiden. Op een duister zijperron rolde een treintje binnen. Het vulde zich in snel tempo met mannen, stevige knapen, allen voorzien van een plunjezak. Uit de gesprekken viel op te maken dat ze uit Katwijk kwamen en de bemanning vormden van de vissersvloot. Kort voor aankomst begon Siegfried Morgenblatt een praatje met een paar reisgenoten. Hij had wel eens gehoord, zei hij nonchalant, dat er nog steeds af en toe vissersschepen ontsnapten naar de overkant. Zou dat waar kunnen zijn?

De mannen keken ongelovig. Naar Engeland? De laatste tijd? Nooit van gehoord. Geen sprake van.

Mathilde zei niets. De trein reed het station binnen. Ze stapten uit. 'Laten we teruggaan,' zei ze opeens. 'Je hebt het gehoord. De zaak is fout.'

Sieg keek naar Gert die de schouders optrok. Hij pakte haar hand. 'Waar moeten we naar toe,' zei hij. 'Dit is onze kans. Laten we doorzetten.'

In de menigte, op het station in IJmuiden, werden mensen herkenbaar aan wie was te zien dat ook zij hun ster hadden afgetornd. En daar was de Katwijker. Hij gaf een seintje om hem te volgen. Mathilde en Sieg namen afscheid van Gert met een handdruk. In de avondschemering liepen ze in kleine groepjes richting vissershaven.

Het was een eind lopen. Op een spitse hoek, die rechts naar de kade leidde, waar vissersschepen in een lange rij gemeerd lagen en die naar links uitliep op een afgesloten havengedeelte, stonden huizen. Het voorste, dat een kroeg was geweest, had een overdekt terras. Daar verzamelde de groep zich, ongeveer twintig mannen en vrouwen. De Katwijker gebaarde dat ze tegen de achtermuur moesten gaan staan. Hij fluisterde dat ze moesten wachten tot het helemaal donker was. Na ongeveer een uur was het zover, maar ze mochten nog niet gaan.

Sieg had het benauwd. Hij vertrouwde het niet meer. Hij schoof naar de Katwijker, maar voordat hij iets kon zeggen, legde de man zijn vinger op de lippen. Met een ruk trok Sieg zijn pistool uit zijn broekband en zette het op de borst van de Katwijker.

13

'Als het misgaat ben jij de eerste die er aan gaat,' siste hij.

De man schrok maar bleef beheerst.

'Maakt u zich niet ongerust,' fluisterde hij. 'Het komt allemaal goed.'

Zijn houding was vertrouwenwekkend. Sieg werd rustiger. Maar hij hield het pistool in de hand. Zelf had hij er geen idee van dat de Katwijker van hem niets te vrezen had. Hij had nog nooit met een pistool geschoten. Hij dacht dat het voldoende was om het veiligheids-hendeltje op te klappen maar wist niet dat hij, om te schieten, ook nog een patroon in de loop moest trekken. Had hij willen schieten, dan was metaalgeklik het enige resultaat geweest.

Eindelijk gaf de Katwijker het sein dat ze verder mochten. Ze moesten op de tenen lopen en mochten geen geluid maken. Een meter of vijftig verderop stond een stenen loods. Daar liet de Katwijker hen met de rug tegen de muur staan. Een van de schepen lag op vrij korte afstand. In het donker bewogen mannen. Hier en daar was een afge-schermd lichtje. Mensen praatten hardop en riepen grapjes naar el-kaar.

Sieg zag dat er onder de groep beslist geen piloten waren. Hij ging naast de Katwijker staan, met Mathilde naast zich, en vroeg hem zachtjes waar die piloten dan wel waren. Die waren, legde de Katwij-ker uit, al veel eerder aan boord gesmokkeld.

'Waarom mogen wij dan niet op ons schip,' vroeg Sieg. 'En welk schip is het eigenlijk?'

De Katwijker wees naar het schip dat het dichtste bij lag. Dat was hem, zei hij, en ze konden pas op het laatste ogenblik opstappen, als de andere zeelui op hun schepen waren. Pas na middernacht werden de trossen losgegooid. Het was immers zondag? Dan mocht niet ge-werkt worden.

Nauwelijks was hij uitgesproken of het geluid van een naderende auto werd hoorbaar. Even later zagen ze afgeschermde schijnwerpers. Een kleine militaire vrachtwagen stopte op tien meter afstand. Nog voordat hij stilstond, sprongen er soldaten af, een man of zes. Ze droegen de hooggewelfde Duitse stalen helm en hielden de karabijn in de aanslag. Hun gezichten bleven in de nachtelijke schaduw.

'Hände hoch!' schreeuwde een stem. 'Still stehen!'

Toen hij de auto hoorde naderen, zette Sieg zijn pistool op de rug van de Katwijker. Maar de overmacht was te groot. Hij pakte Mathil-des pols, de linker; in die hand droeg ze haar bundel. 'Lopen!' siste hij.

Ze rukte zich los. 'Nee,' zei ze.

Sieg pakte haar arm en wilde haar meetrekken. Ze bleef staan.

'Nee,' zei ze nog eens.

Sieg keerde zich om en holde weg. Aan de kadezijde rende hij de loods voorbij, de duisternis in.

'Stehen bleiben!' hoorde hij schreeuwen.

Er werd niet geschoten. Onder het lopen trok hij de voor Londen bestemde envelop uit zijn zak, waarvan Greet had gezegd: 'Zorg dat hij niet in verkeerde handen valt.' Hij overwoog de envelop in het water te gooien, maar bedacht dat hij zou blijven drijven en stopte hem weer in zijn zak.

De maan kwam op. Aan zijn linkerhand zag hij een zijstraat, die naar de andere, afgesloten haven leidde. Voorzichtig naderde hij de hoek en keek de straat af, links, rechts. Niemand te zien. Aan de kade lagen lage schepen, type oorlogsmarine. De maan scheen nu vrij helder. Hij sloeg linksaf om bij de havenuitgang te komen, nog steeds het pistool in de rechterhand, zijn bundel in de linkerhand. Zware stappen kwamen naderbij, van met ijzer beslagen laarzen.

Sieg liet zich plat op de grond vallen, in een klein portiek, tegen een houten deur. Twee jonge matrozen passeerden, genoeglijk pratend, geweer over de schouder. Sieg kon de laars van de man aan zijn kant aanraken. Het pistool hield hij schietklaar.

De mannen liepen voorbij. Het verbaasde hem, dat ze het bonzen van zijn hart niet hoorden. Toen ze ver genoeg weg waren, sloop hij langs de muur naar de puntige hoek, waar hij met de groep had staan wachten. Even verderop was een bosje. Hij dook weg in het struikgewas. Vandaar had hij een goed zicht op de beide havengedeelten. Het transportautootje waarin de overvallers waren gekomen, stond er nog. De groep stond nog tegen de loods.

Nauwelijks zat Sieg tussen de struiken of een open commandowagen en een militaire bus kwamen de kade oprijden. Hij zag het groepje verraden medemensen, onder wie zijn vrouw, in het busje kruipen. Met een klap gingen de metalen deuren dicht. De drie auto's reden weg. Voorop de commandowagen met twee officieren, dan het busje en achteraan de vrachtwagen met soldaten. Het geheel duurde een paar minuten.

Alles was stil. De meeste vissersschepen vertrokken. Puffend voer het laatste schip weg. In de haven heerste absolute rust. Sieg huilde. Daar zat hij, de succesvolle ontsnapper, gekweld door zelfverwijt. Hij had haar gedwongen, dacht hij, zich te storten in dit heilloze avontuur. Hij had haar verlaten toen alles was misgelopen. Hij zou haar nooit terugzien, dacht hij. Wat moest hij nog in dit leven?

Uit handen van die schoftige moordenaars blijven, dat moet ik, dacht hij opeens. Hij besloot richting Amsterdam te lopen zolang het nacht was en dan maar ergens zien te schuilen tot de volgende nacht.

Zo dicht mogelijk langs het Noordzeekanaal lopen, dan zou hij er ten slotte terecht komen.

Voorbij het station liep de weg naar het kanaal. Al spoedig had hij de laatste huizen van het dorp bereikt. Aan de overkant tekende het Hoogovencomplex zich af tegen de nachtelijke hemel. Sieg stapte flink door. Opeens hoorde hij op korte afstand voor hem Duits spreken en het geluid van soldatenlaarzen. Aan de kant van de weg stond een wachthuisje met wachtposten.

Staande in het portiek van het laatste huis van de straat observeerde hij een poosje hun gedrag. Kansloos; de weg was afgesloten. Hij keerde zich om en liep weg. Zo snel mogelijk wilde hij linksaf slaan. De eerste zijstraat liep dood op een groot gebouw; rijtjeshuizen met één verdieping, een tuintje achter langs die straat. Achter de tuinen liep een fietsgang, die aan de straatkant was afgesloten met een laag hek van draadwerk. Aan de andere kant was een hoge houten schutting. Hij liep het fietspad af tussen de tuinen door en kwam weer uit op het hoge gebouw, waarschijnlijk een school.

Siegfried verloor de moed. Uitgeput ging hij op de grond zitten. Hij wist niet meer wat te doen. Het was kil maar hij was bezweet en het duurde enige tijd voordat hij het koud kreeg.

Urenlang zat hij daar. Niets heeft meer zin, dacht hij. Laat ik er maar een eind aan maken. Hij pakte het prachtige, glanzende pistool, woog het op de hand en zette het aan de slaap om de koude loop te voelen. Hij drukte niet af; achteraf bezien had het weinig uitgehaald.

Hij had toch nog wel het een en ander te doen, bedacht hij. Voor de kinderen was het belangrijk dat een van de ouders bleef leven. En hij kon in elk geval proberen Mathilde los te krijgen. Een jaar tevoren was het hem gelukt door het omkopen van een corrupte ss-Sturmführer zijn broer vrij te krijgen uit de Scheveningse gevangenis.

Hij besloot de eerste woning in het rijtje waar hij een teken van leven zou zien binnen te dringen en onderdak te eisen.

Af en toe vielen zijn ogen dicht van vermoeidheid. Hij sperde ze open. De nacht leek eindeloos te duren. Tegen zes uur begon het te schemeren.

Opeens gebeurden er een paar dingen tegelijk. In het grote gebouw klonk een fluitsignaal en direct daarna stemmen, die op die grote afstand te herkennen waren als Duits.

Tegelijkertijd gingen in de woningen pal links en rechts van hem de lichten aan in de keuken, die aan de tuin grensde. Een ogenblik later ging in het huis rechts de buitendeur open. Een jonge man, in hemd en broek, kwam naar buiten met een stuk vaatwerk in zijn hand.

Sieg was opgestaan. Hij deed het klapdeurtje van het tuinhek open. Met snelle passen liep hij op de jonge man af. Hij zette hem het pistool op de borst en duwde hem terug, de keuken in.

'Ben jij een NSB'er?' beet hij hem toe.

'Nee, nee, helemaal niet,' zei de jonge man met trillende stem, dodelijk geschrokken.

'Goddank,' zei Sieg.

Hij liet het pistool zakken en vroeg om een glas water. In één teug dronk hij het uit, liet zich op de stoel zakken en keek de jonge man aan. 'Je hoeft niet bang te zijn,' zei hij. 'De moffen zitten achter me aan. Ik moet een poosje hier blijven, totdat de zoekacties voorbij zijn.'

'Dat moet ik eerst aan mijn vader vragen,' zei de jonge man. 'Ik moet om zeven uur op mijn werk zijn.'

Hij was elektricien bij de Hoogovens. Hij was alleen met zijn vrouw in huis. Hoe moest dat nu?

Sieg haalde het pistool weer te voorschijn. 'Roep je vrouw,' zei hij. 'Zeg haar dat ze naar beneden komt, zonder een kik te geven die mij in gevaar brengt.'

Een jong vrouwtje, met een kamerjas omgeslagen, kwam de trap af. Ze werd bleek toen ze Sieg zag maar bleef beheerst. 'Ga je vader maar halen,' zei ze tegen haar man. 'Hij woont vlakbij,' zei ze tegen Sieg. 'Hij is erg anti-Duits.'

Sieg dacht na. 'Goed,' zei hij. 'Maar als je binnen een half uur niet terug bent met je vader, zie je je vrouw niet levend terug. Mij trouwens ook niet.'

'Geen zorgen,' zei de man. Hij liep naar de deur. 'Goed dat u niet hiernaast terecht bent gekomen,' zei hij, voor hij naar buiten ging. 'Daar woont een politieman. Een felle NSB'er.'

Hij vertrok. Sieg zat op een stoel, het pistool in de hand, terwijl zijn gijzelingsslachtoffer koffie voor hem zette, boterhammen smeerde en lief tegen hem lachte.

Even later kwam de jongeman terug met zijn vader, een gepensioneerde onderwijzer. In het kort vertelde Sieg zijn verhaal. Het verhaal over de ontsnappingspoging kon de vader nauwelijks geloven. De moffen gebruikten dat havengedeelte als aanlegplaats voor onderzeeërs, zei hij. Zonder passeerbewijs kon er geen muis in of uit. Het moest afgesproken werk zijn van de Katwijker met de Duitsers om joden te vangen. Dat had Sieg allang begrepen. Handige bliksem, die Katwijker! Zo ving hij geld van de joden èn van de moffen.

'Boven is een logeerkamertje,' zei de vader. 'Daar kun je deze week blijven. Maar niet te dicht bij het raam.'

De Oekraïne

Kort voor Pasen 1882 – er was een nieuwe pogrom op komst – ging in Nikopol een jonge man scheep. Hij had zijn baard laten staan, pijpekrullen langs de oren en op zijn hoofd had hij – omdat God gebiedt dat de man het hoofd bedekt houdt – een zwarte ripszijden pet.

Het jaar tevoren, bij de ongeregeldheden tegen de joden na de moord op Alexander II, was de jonge man, die Mendel Abramov heette, zonder inkomsten geraakt. Hij had de talmoedschool doorlopen en kon zich godsdienstonderwijzer noemen, maar zijn eigenlijke vak was schrijnwerker. Bij de ongeregeldheden was het bedrijfje waar hij werkte met de grond gelijk gemaakt. Hij was godsdienstleraar, maar na de verwoesting van het vorige jaar was er geen jood meer die daarvoor zes kopeken lesgeld kon missen.

Mendels vader Jacov had een bloeiende wijnschenkerij gehad, annex godsdienstschooltje voor kleine jongens. Het was een wit gepleisterd, enigszins scheef gezakt huisje met een rieten dak. Het stond langs een smalle, hellende weg van zwarte modder.

Elke vrijdagmiddag of tegen de feestdagen schrobde zijn vrouw de planken vloer glanzend schoon. Behalve de gelagkamer was in het huis de keuken het enige vertrek. In een hoek, bij de kachel, lagen strozakken. Op vrijdagmiddagen, terwijl zijn vrouw Gita de klanten hielp aan wodka, brandewijn of een kom borsjt, gaf de herbergier aan de keukentafel een klasje kleine jongens met vrome pijpekrulletjes langs de oren les in thora en talmoed. Jaarlijks gaf hij vijftig kopeken aan een fonds voor Jeruzalem.

'Dat is voor mijn ziel,' sprak hij. 'Daar zal ik leven na mijn dood. Daar moeten ze kaddisj voor me zeggen.'

In Nikopol, een vrijwel geheel ongeplaveid stadje van ongeveer vijfduizend inwoners, woonden driehonderd joodse gezinnen. Van beroep waren de mannen marskramer, begelverkoper, herbergier, pachter, boer of onderwijzer op een joodse school. Sommigen waren erkende *luftmensjn*; ze leefden van de lucht en van aalmoezen, evenals de *sjtettlmesjoggener*, die viool speelde of fluit en treurige liedjes zong.

De pogrom in Nikopol van voorjaar 1881 duurde drie dagen. Jacov Abramov, een blonde, sterke kerel, wist dat de boeren in de omgeving hem haatten, omdat zij hun kopeken bij hem brachten en opzopen, in plaats van ze op te sparen, zoals de joden.

Toen de boeren in aantocht waren, stond hij klaar met een stuk hout en een mes. Zijn vrouw stond naast hem met een emmer kokende olie en een emmer kokend water. De boeren trapten de emmers omver, sleepten Jacov naar de kelder, maakten een mengsel van wijn, bier, brandewijn, cayennepeper, azijn, mosterd en zout en goten dat in enorme hoeveelheden in zijn mond, zodat het bloed uit zijn neus kwam en hij bewusteloos raakte.

Vervolgens sleepten ze zijn lichaam weer de trap op, naar buiten en smeten het in een sloot. Jacov Abramov kwam niet meer bij kennis en hij stierf de volgende dag.

Terwijl het gebeurde was Mendel in de schrijnwerkerij. Hoe het zijn moeder was vergaan en of hij zusters had en zo ja of ze mooi waren en of ze misschien, zoals andere joodse meisjes, na het gebeurde van ontzetting en vernedering met loshangende haren waanzinnig voor zich uit staarden, vermeldt de geschiedenis niet.

Een maand lang leefden de joden van Nikopol in staat van beleg, niemand durfde zijn winkel te openen, geen jood of jodin durfde de straat op want de leus van de bevolking was: 'Nu we de joden beroofd hebben, is het tijd ze te doden!'

De joodse gemeente had vóór de pogrom al nauwelijks een kopeke in kas. In 1804 had de tsaar de joden onverwacht verboden nog langer op het platteland en in de dorpen te wonen. Soldaten joegen honderdduizenden joden naar de steden en lieten hen daar op straat staan, zonder onderdak, zonder middel van bestaan.

In 1808 herriep Alexander I de maatregel. Joden gingen terug naar de dorpen en de landerijen. In 1823 werd hun plotseling het pachten van herbergen, kroegen, postkantoren en land verboden. Weer joegen soldaten duizenden joden met hun gezinnen naar de stad. Opnieuw raakten ze zonder middelen van bestaan. Na jaren kwamen ze terug.

In Kiev wilde de jongeman Mendel Abramov een oom van moederskant bezoeken. Deze oom, Meijer Lewin, was rijk. Hij bezat een bloeiende scheepswerf. Mendels ouders waren met hem gebrouilleerd. Hoewel hij trouw naar de synagoge ging, beschouwden ze hem als een afvallige. In zijn jeugd, als jongen van twaalf, was hij ontsnapt aan de ronselaars van Nicolaas I, die in 1827 een militaire diensttijd van vijfentwintig jaar verplicht stelde voor joodse jongens vanaf twaalf jaar.

Soldaten waren de huizen en huisjes binnengestampt, sleepten jongens en jonge mannen van zolders en uit kelders, trokken huilende kleine jongens, sommige niet ouder dan acht, uit de armen van de moeders en gooiden hen op karren.

De kinderen gingen naar de meest afgelegen gebieden in Rusland waar geen joden woonden. De meesten overleefden de scherpe wind uit de Noordelijke IJszee niet lang.

Meijer Lewin had in dit 'martyrium van de kinderen' twee broers verloren. Zelf had hij wat geld van zijn vader meegekregen en was de Poolse grens over gevlucht, naar plaatsen waar joden woonden, die hem in dienst konden nemen.

In 1844, toen er niet meer werd geronseld, kwam hij terug. Inmiddels had hij een gezin gesticht. In dat jaar stelde Nicolaas I Russischorthodox onderwijs verplicht voor joodse kinderen. De meeste joden verzetten zich daartegen en hielden de kinderen thuis. Maar Meijer Lewin, die zich in het verlichte Kiev vestigde, stuurde zijn kinderen naar een Russische school. Tegenwoordig was hij koopman van het Eerste Gilde en een vooraanstaand lid van de joodse gemeente.

Op de kade van Nikopol verdrongen de joodse drosjka-koetsiers elkaar en schreeuwden wanhopig tegen elkaar op: 'Vijftig kopeken!', 'Veertig!', 'Dertig!'. Het avondmaal van hun gezin hing ervan af of iemand in hun krakkemikkige vehikeltje zou stappen om zich over de hobbelige zandwegen te laten rijden.

De reis over de Dnjepr naar Kiev duurde twee dagen. Het was smoorheet. Het stoomschip was stampvol; plaats om te bewegen of te liggen was er nauwelijks. Aan boord waren honderden boeren, die allen een voorraad gedroogde vis hadden meegebracht; de stank was onbeschrijflijk.

Uitgeput stapte Mendel Abramov aan wal. Hij begaf zich rechtstreeks naar zijn oom, die in de Kievse wijk Topol woonde in een mooi, groot huis. Hij wilde hem om reisgeld vragen. Hij wilde naar Libau, in Letland. Een andere oom, van vaderskant, was ook in 1827 de grens over gevlucht en in Libau terechtgekomen. Daar had hij een schrijnwerkersbedrijf. Het ging hem goed, had hij laten weten.

Aan Meijer Lewins huis was te zien dat sinds de pogroms van vorig jaar de hekken, sloten, ruiten en deuren waren vernieuwd. Hij ontving zijn neef vriendelijk. In een restaurant liet hij koosjer eten voor hem halen. Aan tafel luchtte hij zijn hart. Het was aan de joden te danken, vertelde hij, dat Kiev van een groot dorp tot een handelsstad was uitgegroeid. Voordat joodse reders zich in Kiev vestigden, was er op de Dnjepr geen stoomscheepvaart. De eerste handelsbank in Kiev was joods. Meermalen waren de joden, in de loop der generaties, uit de stad verjaagd en met hen waren ook handel en welvaart verdwenen, zodat de verdreven joden, die zich berooid op het platteland hadden gevestigd en zich een nieuw bestaan hadden opgebouwd, met geweld naar de stad waren teruggejaagd.

Officieel was het verblijf in de stad verboden aan elke jood die geen koopman van het Eerste Gilde, geleerde of erkend handwerksman was. Voor het recht in de stad te wonen, moest de koopman van het Eerste Gilde jaarlijks achthonderd roebel betalen. Hij moest een vast aantal mensen in dienst hebben.

De joodse wijken vormden voor de Kievse politie een bron van inkomsten. Bij uitwijzing dreigde voor veel joodse gezinnen de hongerdood. Elke razzia leverde voor de Russische politieagenten een flink bedrag aan steekpenningen op. Het recht om in de stad te wonen verviel zodra de jood het bedrag niet meer kon opbrengen. Het was niet erfelijk.

'Een hond heeft het recht te lopen waar hij wil,' klaagde Meijer Lewin. 'Hij mag de lucht van Kiev inademen. Maar ofschoon ik hier achtendertig jaar woon, dertig jaar belasting betaal, ik en de mijnen aan alle verplichtingen hebben voldaan, mogen mijn kinderen hier, als ik sterf, niet blijven wonen.'

Hij nam een besluit. 'Ik zal je het reisgeld geven,' zei hij. 'Mijn zoons moeten maar met je meegaan. Ik zal het hen morgen zeggen.'

Libau lag aan een smalle landtong aan de Oostzee. Nadat er een spoorlijn van Koningsbergen naar Libau was aangelegd, stond de stad in verbinding met Wilna, Petersburg en Berlijn. Het werd een handelsstad van betekenis. Ook was het een modieuze badplaats met aan het strand het drukbezochte Nikolai-Bad en het Damenbad, dat ook warme baden bood.

De meeste grootgrondbezitters in de omgeving en de gezeten burgers van de stad waren Duitsers. In de loop van de jaren tachtig kwam een toevloed van joden naar de stad, die zich vestigden in het getto. Grote gezinnen woonden in vochtige kelders. De kinderen waren mager en bleek, met diepe kringen onder de ogen.

Mendel Abramov werkte in de schrijnwerkerij van zijn oom. 's Avonds en 's zaterdags las hij in de talmoed. Hij had ook een godsdienstklasje. Met zijn neven uit Kiev ging hij niet om. Ze waren niet vroom en leefden geassimileerd. In het getto vond Mendel een bruid. Ze heette Rebecca en was even vroom als hij. In 1885 kregen ze een zoon: Mendel. Het jaar daarop werden ze gezegend met nog een zoon: Jacob. Daarna kwam er nog een dochtertje: Deborah.

Begin jaren negentig heerste in de stad een sinistere sfeer, die Mendel maar al te goed kende. De joden sloten hun winkels en bedrijven. Ze repten zich door de straten en keken onrustig en wantrouwend om zich heen. Joodse vrouwen kwamen geschokt terug van de markt. Boeren hadden hen uitgescholden en met de dood bedreigd. Straatjongens gooiden bij joden de ruiten in. Ze trokken bij huizen van joden aan de bel en schreeuwden: 'Judenpack!'

Het niet-joodse dienstpersoneel van gezeten joodse burgers werd zo brutaal, dat de werkgevers 's nachts niet durfden te gaan slapen zonder een mes naast hun bed. 's Avonds voor het slapen gaan barricadeerden de joden hun huisdeuren. De messen van de jodenhaters werden geslepen.

Mendel besloot de nieuwe pogroms niet af te wachten. Een oom van Rebecca woonde in de Duitse stad Karlsruhe. Mendel pakte opnieuw zijn koffer en ging op reis, ditmaal met vrouw en kinderen.

Het warenhuis

Als kind was Siegfried veel verhuisd. In Düsseldorf was hij geboren. In Berlijn hadden ze gewoond, in Leipzig, in Lübeck, Dresden. Het langst woonden ze in Danzig. 's Zondags mocht hij mee naar het warenhuis. Terwijl zijn vader op kantoor bezig was, speelde de jongen op de speelgoedafdeling. De hele verdieping had hij voor zich alleen. Elektrische treinen liet hij rijden. Er waren uitgebreide spoorwegemplacementen. Als een razende reed hij rond in een vliegende hollander. Poppen waren er natuurlijk ook, en grote poppenhuizen. Die poppen waren mooi en groot, ze konden hun ogen open en dicht doen en 'Mutti' zeggen.

Nu en dan kwam zijn vader even het kantoor uit. Het warenhuis had een mooie glazen koepel en een lichthal in Jugendstil. Zijn vader stond op het bordes, met aan twee kanten trappen, 'als een kapitein op een schip.'

Als jongen had Siegfried op een document gezien, dat de vader van zijn grootvader in Nikopol, in de Oekraïne, in 1880 een 'Trankwirtschaft' had. Het document had in een la in zijn ouderlijk huis in Danzig gelegen, maar het was spoorloos verdwenen.

Zijn grootvader had zich met zijn gezin in Karlsruhe gevestigd. Zijn vijf kinderen groeiden op als Duitsers. Toen de oudste trouwde, nam hij de geassimileerde naam aan van zijn vrouw: Morgenblatt. Zijn voornaam Mendel veranderde hij in Maurice. Zijn jongere broer Jacob nam de achternaam over van zijn broer. Hij noemde zich Johann. Hun ouders hadden er meer verdriet van dan ze hadden gevoeld als hun oudste zoons waren gestorven.

'Maakt een omheining van de wet,' zegt het woord van Ezra en Jeremia. Mendel Abramov stelde zijn leven in dienst van die omheining, die het joodse volk al tweeduizend jaar beschermde. Zijn oudste zoons waren de omheining uit gestapt.

Maurice en Johann vonden emplooi in de branche van de toekomst.

Het grote warenhuis was in opkomst en verdrong de kleine winkels. Achter de toonbank van het filiaal in Frankfurt zag Johann Morgenblatt een jonge verkoopster staan, een mooi meisje met overvloedig rood haar. Ze was de dochter van een koosjere slager. Ze trouwden. Daarmee werd ook zij de orthodoxie der vaderen ontrouw. Haar voornaam Rachel veranderde ze in Helga. De eerstgeborene kreeg de naam Siegfried met, bij wijze van hommage aan zijn afkomst, als tweede naam Abraham. In Leipzig, toen Siegfried zeven was, werd zijn broer geboren: Klaus, die als tweede naam Jacob kreeg.

Als jongen van acht kwam Siegfried in Danzig te wonen, juist op tijd om er de Duitse revolutie mee te maken. Hij zag soldaten met geweren in aanslag en hij zag arbeiders te hoop lopen op de Schichau-werf, die na de Tweede Wereldoorlog de naam van Lenin zou dragen. Na een reeks vredesverdragen werd Danzig in 1919 verklaard tot vrijstaat, onder toezicht van de Volkenbond. Polen behield er een vrije haven.

Danzig was een van de mooiste Middeneuropese steden, met een centrum vol monumenten uit de gotiek en de renaissance, zoals de gotische Sankt Marienkirche, het stadhuis, het Arsenaal uit 1605 en oude koopmanshuizen met ornamenten en trap-, hals- en klokgevels. Johann Morgenblatt liet een huis bouwen aan de Kastanien Allee. Een kast van een villa was het. De gebroeders waren snel rijk geworden. Voordat ze erin trokken, liet Morgenblatt uit Berlijn een moderne binnenhuisarchitect komen. De architect kreeg carte blanche om het huis in te richten, zoals het hoorde bij de elite. Het behang was van geel damast, behalve in de eetzaal, waar het fluweelachtig bordeauxrood was, met fluwelen opdruk in grijs-groenachtige motieven.

De tafel bood plaats aan zesendertig eters. Vanuit de eetzaal kwam je in de muzieksalon, waar een fonkelnieuwe vleugel prijkte, half bedekt met een Chinees kleed. Er stonden gouden stoeltjes.

Na het diner begaven de heren zich om te roken naar de *Herrenzimmer*, waar ze plaatsnamen in leren fauteuils. Deze kamer was met hout gelambrizeerd. Er stond een gebeeldhouwde boekenkast met boeken, alles fonkelnieuw.

De binnenhuisarchitect koos ook de schilderijen. Er hing een kostbare ets van de achttiende-eeuwse Danziger kunstenaar Chodowiecki. In de serre stonden rieten meubels. Ook de slaapkamers richtte de architect in, met enorme gebeeldhouwde bedden.

Boven waren de kamers voor de meiden, de keukenmeid en Gertrude, het kamermeisje. De kindermeid sliep bij de kleine Klaus. 's Zaterdagavonds werden in de badkamer de briketten opgestookt, voor de meiden. Toen hij een jaar of dertien was, klauterde Siegfried aan de buitenkant van het huis op een richel. Hij stond op zijn tenen en gluurde de badkamer in, waar Gertrude aan het baden was, het kamermeisje met wie hij wel eens 'stoeide'.

In een cel-achtig kamertje boven de garage sliep de chauffeur, Herr Bosch, die tijdens de Eerste Wereldoorlog in het Oostenrijkse leger garde-officier was geweest. Bij het uitbreken van de revolutie had hij zich als vrijwilliger gemeld in het leger van de Kaiser. Voor de nieuwe machthebbers was hij gevlucht naar de vrijstaat Danzig. Bij de Morgenblatts was hij gekomen, samen met de nieuwe Benz, een lange, lage, open auto, diepgroen gelakt, met zwart afgebiesd, koperbeslag en koperen koplampen. Het nummer was DZ 242, bouwjaar 1921.

Dag en nacht, zon- en feestdagen was Herr Bosch beschikbaar. Bij in- of uitstappen van mevrouw of meneer hield hij het portier open en tikte aan zijn pet.

Er waren ook nog twee koetsen, een cabriolet en een landauer.

Van het gezin was Siegfried de enige die, zij het met grote tegenzin, gebruik maakte van de vleugel. Hij had pianoles, zonder veel resultaat. Soms, als er een diner was geweest voor notabelen der stad, speelde een ingehuurde pianist een stukje Schubert, waarna een revuezangeresje een paar liedjes ten gehore bracht. Siegfrieds vader kende verscheidene actrices intiem. Wanneer er gasten waren moest Siegfried aan de vleugel zijn vorderingen in het pianospel laten horen. Daarmee oogstte hij eens, op Mutti's Geburtstag, een kolossaal succes.

Zijn kleine broertje van nog geen vier leerde hij 'stoute liedjes', scabreuze smartlappen en ballades. Het kereltje leerde snel.

Voor deze feestelijke gelegenheid had hij met zijn broertje een *Moritat* ingestudeerd. Het publiek zat in de Herrenzimmer. De dertienjarige Siegfried zat aan de vleugel. Tussen de schuifdeuren stond het kleine, vertederende ventje met zijn blonde krullekopje, in zijn matrozenpakje en zong: '*Sabienchen war ein Frauenzimmer / gar hold und tugendhaft / Sie diente treu und redlich immer / bei ihrer Dienstherrschaft.*' Het tweede couplet luidde: '*Da kam aus Treuenbritzen / ein junger Mann daher / der wollte gern Sabienchen besitzen / und war ein Schuh-machér*.. In plaats van 'besitzen' zong het kereltje 'beitzen', maar verder verliep het optreden vlekkeloos. Uit de volgende coupletten bleek welk een schobbejak de jonge man uit Treuenbritzen was. '*Sein Geld hat er versoffen / in Schnapps und auch in Bier.*' Om hem ter wille te zijn steelt het Frauenzimmer zes zilveren lepels van de goede mensen bij wie zij dient. De diefstal komt uit. Met '*Schi-impf und Schande*' wordt ze weggejaagd. De booswicht wordt opgepakt. '*In ei-*

*nem finst'ren Kellerloch / bei Wasser und bei Brot, / da hat er sieb-
zehn Jahre gesessen / und endlich war er tot.'*

Eens per jaar, op Jom Kippoer, begaf Johann Morgenblatt zich naar
de synagoge, in *Gehrock*, een rok met gestreepte broek. Hij droeg een
zwarte hoge hoed. Omdat de joodse wet rijden op feestdagen ver-
biedt, gelastte Morgenblatt zijn chauffeur hem af te zetten op de hoek.

Op sabbat aten ze geen ham. De kinderen waren besneden. Voor
het besnijdenisfeestmaal van Klaus kwamen grootvader Mendel en
grootmoeder Rebecca over uit Karlsruhe. Speciaal voor hen had Helga nieuwe pannen, nieuw bestek en serviesgoed gekocht, om het voedsel strikt koosjer te houden.

Ze troonde haar schoonmoeder mee naar de keuken om het te laten
zien. Rebecca zag dat in de keuken, behalve vlees, ook melkspijzen
werden bereid. Ze zette een enorme keel op. Helga schreeuwde terug.
Woedend liep grootmoeder Rebecca de keuken uit, riep een dienstmeisje en liet voor zichzelf en haar man eten halen uit een koosjer
restaurant.

Op het menu stond reerug met roomsaus. Een groter belediging
voor de orthodoxe familie bestond niet: een ree heeft geen gespleten
hoeven en is derhalve onrein. Nog veel zondiger is vlees met een melk-
produkt, want staat er niet geschreven: 'Gij zult het bokje niet bereiden in de melk van zijn moeder'?

Grootmoeder Rebecca kwam niet aan tafel. Grootvader Mendel, de
talmoedgeleerde, wel, met zijn zwarte jas met hoge hoed. Hij at geen
hap maar glimlachte vriendelijk boven zijn lange witte baard.

Boven het portaal van het gymnasium stond: NON SCHOLAE SED
VITAE DISCIMUS, wij studeren niet voor de school maar voor het leven. Er was weinig wat de gymnasiast Siegfried ongeloofwaardiger
voorkwam. Doodsbang was hij voor de rector, die de paradoxale
naam Herr Zwerg droeg, een reus van een kerel, met een enorme witte
druipsnor, die uitliep in gele punten. Van het bier, zei men. Een pak
slaag was een normale straf. In het lerarenkorps bevonden zich mili-
tante antisemieten.

Siegfried was een eenzaam kind. Zijn klasgenoten pestten of negeerden hem. Met zijn ouders had Siegfried nauwelijks contact. Wanneer
hij van school thuiskwam, zat zijn moeder in de serre te borduren, alleen of met vriendinnen. Ze was al jong dik en deftig geworden, een
matrone. Morgenblatt was veel op reis, voor zaken of hij verbleef bij
een van zijn maîtresses, de een of andere Schauspielerin van het Stadt-
theater. Hij was een echte charmeur, met fluwelige, donkere ogen en

een dikke, zwarte knevel met opgekrulde punten. Dat was te zien op zijn huwelijksportret. Hij stond achter zijn bruid, die op een troon zat. Ze had een hoge, ronde boezem en zag er met haar rode, volle, opgestoken kapsel, dat op de foto blond leek, uit als een volbloed Duitse deerne.

Siegfried ging direct na thuiskomst naar zijn kamer. De kindermeid had hij verboden zich met hem te bemoeien. Die was er voor zijn broer, vond hij. Het gaslicht in huis was vervangen door elektriciteit. Siegfried zat op zijn kamer te experimenteren met de nieuwe vinding. Hij bracht veel tijd door met Herr Bosch, die zijn beste vriend was. Herr Bosch leerde hem in het geheim chaufferen. In het kamertje boven de garage voerden ze lange gesprekken. Herr Bosch hoestte erg en zag er slecht uit.

Op school was Siegfrieds enige vriend de zoon van een rabbijn. Toen deze hem eens uitlegde hoe de paringsdaad in zijn werk ging, keek Siegfried hem ongelovig aan. Wat een vuiligheid! 'Zulke dingen doen ze misschien bij de orthodoxen, maar bij ons niet,' zei hij beslist.

Siegfried aanbad zijn oudere neef Günther, de zoon van Onkel General, de Generaldirektor van het familiebedrijf. Het was duidelijk te zien op een foto, waarvoor ze samen hadden geposeerd. Ze zaten tegenover elkaar. Siegfried, een jaar of elf, had zijn handjes gelegd in de grotere handen van Günther en sloeg in ontroerende adoratie de ogen naar hem op. Een andere foto toonde Siegfried als scholier: een spichtige jongen met flaporen en een treurige glimlach, op spillebenen onder een korte Tiroler broek; op zijn rug een boekenransel.

Toen zijn dertiende verjaardag naderde, wilde hij bar-mitswa worden. Zijn vader voelde daar niets voor. Als zijn zoon met groot ritueel kerkelijk meerderjarig zou worden, dan hadden ze evengoed nog Abramov kunnen heten.

Siegfried ging naar de rabbijn, de vader van zijn schoolvriend. In een stoomcursus bracht de rabbijn hem de nodige godsdienstkennis bij en de omvangrijke Hebreeuwse tekst, die de aspirant-bar-mitswa uit zijn hoofd moet kennen.

Zonder haperen sprak Siegfried in de synagoge de tekst uit. Van de plechtigheid bleef hem vooral bij dat de rabbijn, onder het zegenen, hevig spuugde. Fier en zonder met de ogen te knipperen trotseerde de bar-mitswa-knaap de regen van speekseldruppels. Zijn ouders waren toch maar gekomen. En trots waren ze ook.

Op 21 december, toen hij dertien was, besloot hij zich van kant te maken. Het was de verjaardag van zijn moeder en tevens de dag dat hij zijn kerstrapport mee naar huis nam. Zijn moeder zat dan altijd in de salon, met visite.

'*Und das gerade zu meinem Geburtstag!*' zei ze onveranderlijk elk jaar, terwijl ze zuchtend het document in ontvangst nam. Daar zag hij zo tegenop, dat hij besloot zijn moeder ditmaal het rapport niet te overhandigen. Hij ging naar de garage en vroeg Herr Bosch zijn revolver te leen. Zijn vriend adviseerde hem wijselijk met zelfmoord te wachten tot Pasen, tot de overgang.

Kort daarop werd de zaak op een andere manier opgelost. Johann Morgenblatt had ruzie met zijn broer, Onkel General, die naar zijn zin te veel overheerste. Johann nam ontslag bij het warenhuisconcern. Hij begon een groothandel in textiel, in een straat in het centrum bij het raadhuis.

De opening was een groot feest, met een optocht en een diner. Nu zou Morgenblatt, zei hij, veel meer gaan verdienen. Hij stuurde zijn oudste zoon naar een plaatsje bij Zürich, naar een kostschool voor zoontjes van rijke kooplieden en wapenfabrikanten. De school was een opleiding voor *Diplomkaufmann*. De treinreis erheen duurde drie dagen en nachten. Kort na zijn aankomst moest Siegfried een groot verdriet verwerken. Hij kreeg bericht dat Herr Bosch, die een vader voor hem was geweest, aan de tering was bezweken.

Het systeem op de kostschool was op Engelse leest geschoeid, streng maar niet despotisch zoals op het stedelijk gymnasium in Danzig. Van antisemitisme was weinig merkbaar. 's Winters gingen de jongens skiën, 's zomers bergbeklimmen.

Op een dag kreeg Siegfried bericht dat hij naar het station in Zürich moest komen. Zijn vader was daar, op doorreis naar Wenen. Hij wilde dat zijn zoon in de trein zou meereizen, tot het volgende station, Bazel. Tegenover elkaar zaten ze in het rode pluche, tussen de geslepen spiegels van een luxe-compartiment. Het was een van de weinige gelegenheden dat ze samen een gesprek voerden. De jongen aanbad zijn elegante, meestal afwezige vader. Morgenblatt vroeg aan zijn zoon wat hij later wilde worden.

'Koopman,' antwoordde de jongen zonder aarzelen, 'net als jij.'

Morgenblatt zei dat hij andere plannen had. Voelde Siegfried er niets voor architect te worden? Op dat idee was hij gekomen na Siegfrieds laatste verjaardag in Danzig. Onkel General had een bouwdoos meegebracht, in luxueuze uitvoering, met grote, gecompliceerde stukken. 's Avonds, na het diner, nadat de heren zich hadden teruggetrokken in de Herrenzimmer en de dames in de salon, bleef Siegfried in zijn eentje achter in de eetzaal met zijn cadeau. Na een paar uur kwam iemand eens kijken en riep de anderen. De jongen had een ingewikkelde, metershoge constructie gebouwd. De prestatie had de gasten versteld doen staan. De jongen beloofde zijn vader dat hij over het voorstel zou nadenken.

Hij schreef een opstel over Danzig: 'Mijn stad'. De leraar prees het en beloofde het de volgende les voor te lezen.

Onder de les werd Siegfried bij de directeur geroepen. 'Morgenblatt,' zei hij, 'je moet je koffer pakken. Je vader is ziek geworden.'

De volgende ochtend liet hij Siegfried opnieuw komen. 'Je vader is dood,' zei hij.

Siegfried kon het niet geloven. 'Das ist nicht wahr!' riep hij. Het was onmogelijk. Nog geen maand geleden had hij met zijn vader in de trein gezeten.

De directeur werd kwaad. 'En als ik zeg dat het waar is,' schreeuwde hij, 'dan is het waar!'

Veel later nam Sieg wel eens het boek *Kleiner Mann was nun* van Hans Fallada uit de kast en las er een stukje uit voor. De hoofdpersoon is verkoper in een warenhuis. Het is crisistijd. Een mevrouw past een mantel en trekt hem weer uit. De verkoper ziet dat ze de mantel niet zal nemen. Hij ziet aankomen dat hij zijn kwantum niet haalt. Hij moet voor een bepaald bedrag verkopen, anders wordt hij ontslagen.

De verkoper krijgt een zenuwtoeval. Hij heeft vrouw en baby en kan 's nachts niet slapen van de zorgen. Hij barst in tranen uit. Handenwringend smeekt hij de dame of ze alstublieft de jas wil kopen. Wat maakt dat voor zo'n rijke dame nou voor verschil?

'Alstublieft mevrouw,' huilt hij. 'Neemt u die mantel!' Anders komt hij met vrouw en kind om van de honger.

De klant doet haar beklag. Op staande voet krijgt de verkoper ontslag.

Onder het lezen rolden Siegfried de tranen over de wangen. 'Zo was het,' zei hij.

Zijn vaders dood brak zijn opleiding af. Op zijn veertiende stond hij in het Kaufhaus des Westens in Berlijn, achter de toonbank met 'zijden stoffen'. Na het doodsbericht van zijn vader maakte hij de lange treinreis naar Danzig. Zijn medereizigers vertelde hij van zijn verlies. Zijn vader was, volkomen onverwacht, gestorven aan een hartverlamming. Ondanks zijn verdriet vond hij zichzelf wel interessant.

In Danzig ging hij langs bij een vriend van zijn vader, Onkel David, waar de hele familie op lage stoeltjes sjiwwe zat, de traditionele rouwweek.

Hij reisde naar Berlijn, waar zijn vader was gestorven. Negenendertig was Johann Morgenblatt geworden. In Potsdam werd hij begraven. Op de begrafenis werd grootmoeder Rebecca, die ze na het besnijdenisfeest, zeven jaar geleden, niet meer hadden gezien, op orthodoxe wijze hysterisch.

'Mijn zoon, mijn zoon,' gilde ze. Ze bonkte met haar hoofd op de kist, scheurde haar kleren, rukte zich aan de haren en jammerde luid.

Siegfried schaamde zich dood voor de andere begrafenisgangers. Hij voelde een doffe verlatenheid. Nog maanden ging hij naar de synagoge, om zijn vader te gedenken. Zijn moeder sprak nooit meer een woord over haar man. Als hij haar vroeg hoe zijn vader was gestorven, gaf ze geen antwoord.

Meer dan een jaar later hoorde hij hoe het was gegaan. De Morgenblatts maakten samen een reisje naar Berlijn. Helga was ermee verguld. Het was lang geleden dat haar man haar voor een reisje had meegevraagd. Ze namen hun intrek in het meest luxueuze hotel, Bristol aan Unter den Linden, in de duurste suite. Siegfrieds moeder ging winkelen. Toen ze terugkwam, in de suite, hing haar man aan de lambrizering, tussen de slaapkamer en de badkamer, met een touw om zijn nek. Hij had niet de moeite genomen een briefje te schrijven.

Siegfrieds vader liet grote schulden na. Het bleek dat hij had geknoeid met invoerrechten voor textiel uit Polen. Elk ogenblik kon hij worden gearresteerd. Zijn oudste broer wist iemand in Amerika die hem met zijn gezin een kans kon geven, maar dat wilde hij niet. Hij wilde wel naar Amerika, maar dan zonder gezin. Niet naar de gevangenis. Op grote voet wilde hij leven of anders helemaal niet.

Siegfried bleef het altijd een laffe streek vinden van zijn vader.

Het huis in Danzig werd verkocht, met inboedel. Siegfried had gehoopt dat hij ten minste de nauwelijks aangeraakte boeken uit de Herrenzimmer zou erven en de Chodowiecki, maar zijn moeder deed alles van de hand, voordat hij uit Zürich terug was.

Siegfried was te trots om hulp aan te nemen van Onkel General. Hij verdiende de kost voor zijn moeder en voor Klaus. Ze woonden in Berlijn, in een zijstraat van Unter den Linden, in een woonkazerne, met een binnenplaats. Op zaterdagavonden ging hij met vrienden van de joodse boksclub Makabi naar een van de vele kroegen van lesbiennes om te proberen daar een meid te versieren. Niet zelden lukte dat.

Verpletterd liep hij op een novemberavond in 1928 de schouwburg uit, de Schaubühne am Schiffbauerplatz. Ze hadden een nieuwe opera gezien, de *Dreigroschenoper*.

Siegfried Morgenblatt stond op de parterre van het Kaufhaus des Westens achter rollen 'zijden stoffen' en deed wanhopig zijn best een dame een lap aan te praten. De lap stond haar foeilelijk en om de een of andere reden was de dame beledigd. Op staande voet werd hij ontslagen.

Honger dreigde. Hij vond werk in Dresden en in Leipzig, weer achter 'zijden stoffen', jarenlang. Met vreugde ontving hij het bericht van zijn moeder dat ze een vriend had en wilde hertrouwen. Vol verwachting en hoop op een eigen leven reisde hij naar Berlijn. Maar de vriend, Herr Feldblum, die handelsreiziger was, kon niet aan de kost komen. Hij liep met veters langs de deuren. Zijn moeder verbrak de verloving.

Klaus kon zijn weg in het leven niet vinden. Met ongeluk in de handel verspeelde hij het geld dat het ouderlijk huis in Danzig had opgebracht. Daarna raakte hij in de schulden.

In Leipzig kwam op een dag Herr Kaufmann het warenhuis binnen, een zakenrelatie uit Danzig. Hij was dikwijls bij de Morgenblatts komen eten. Op de parterre, links bij de draaideur, achter rollen 'zijden stoffen', stond een zeer ongelukkige jonge man met flaporen.

Kaufmann liep op hem af. Hoe het hem beviel, vroeg hij. Siegfried wees uit het raam, waar een groepje nazi's demonstreerden.

'Ik werk nu in Den Haag,' zei Herr Kaufmann. 'Ik ben inkoper bij een warenhuis. Ik kan je daar wel werk bezorgen,' bood hij aan. 'Je vader heeft destijds mij geholpen.'

'Graag,' zei Morgenblatt. Het was 1931.

De emigrant

In Scheveningen woonden na Hitlers machtsovername veel Duitse joden. Armoedzaaiers waren het, al waren er artsen bij, psychiaters, advocaten, voormalige rechters en grote fabrikanten. Nederlandse joden keken op hen neer.

Siegfrieds moeder en broer waren overgekomen. Zijn moeder begon een pension, met table d'hôte. Siegfried woonde bij haar in. Zijn verwende moeder was lastig in de omgang. Klaus was en bleef een scharrelaar.

Siegfried werkte bij de Bijenkorf, op zolder. Hij bevestigde prijskaartjes aan artikelen. Nu en dan vroeg Kaufmann hem te eten. Aan tafel stelde hij examenvragen.

'Stel u was inkoper van een groot warenhuis,' vroeg hij bijvoorbeeld. 'En u had vijftienduizend gulden te besteden. Hoe zou u dat doen?'

De antwoorden scheen hij bevredigend te vinden. Hij liet doorschemeren dat Morgenblatt wel een kans maakte bij de inkoop hogerop te komen.

In de Bijenkorf raakte hij bevriend met een jonge verkoper, Fred Wiener. Op een zaterdag vroeg Fred of hij die avond meeging. Met een andere vriend had hij afgesproken om uit te gaan met twee meisjes. De vriend had afgezegd. Nu zat hij met twee meisjes opgescheept.

Morgenblatt was moe en had weinig zin. Maar een zaterdagavond in het pension was evenmin aanlokkelijk. Hij ging mee. Eerst gingen ze naar het adres van Freds meisje. In de kamer, op de divan, zat nog een meisje. Ze droeg een wijnrode jurk, met een vierkante, opengewerkte hals.

Siegfrieds hart sloeg over. Dat is de vrouw met wie ik ga trouwen, dacht hij. Ze gingen naar een dansgelegenheid. De hele avond danste hij met haar. Mathilde de Vos heette ze. Ze vond hem heel aardig. Maar ze had een vriend, een journalist. Hij was getrouwd maar hij zou binnenkort bij zijn vrouw weggaan.

Hij bracht haar naar huis. Ze woonde in een Haags pension. Ze werkte op een ministerie. Urenlang stond hij die nacht te kijken naar het raam waarachter ze sliep. Ook de volgende nachten stond hij daar. Hij wachtte haar op bij het pension en vroeg om een nieuwe afspraak. Ze aarzelde maar stemde toe. Nadat ze een paar keer samen uit waren geweest, verbrak ze haar relatie met de journalist.

Ze kwam uit een welgestelde Amsterdams-joodse familie. Haar vader was een bekende huisarts met een aristocratische praktijk. Van moederskant stamde ze uit een familie van schrijvers en journalisten.

Haar grootvader was journalist. Hij had vijf kinderen. Een dochter schilderde en trouwde met een journalist. Een andere dochter schreef romans. Een zoon werd een bekende toneelschrijver. In zijn studententijd woonde Mathildes vader met de schrijver op kamers. Uit genegenheid en bewondering voor zijn vriend trouwde hij met diens zuster, met wie hij weinig gemeenschappelijks had.

Mathildes moeder had geen literaire belangstelling, niets artistieks en geen enkele bohème-neiging. Ze was zeer standsbewust. Een volontair van de Bijenkorf vond ze voor haar dochter geen partij en een Duitse emigrant was helemáál ver beneden haar dochters waardigheid. Een huwelijk was uitgesloten.

Mathilde verdiende goed maar een ambtenares mocht niet trouwen, op straffe van ontslag.

Aan tafel bij Kaufmann, die hem weer had uitgenodigd, zei Siegfried dat hij een verzoek had. Hij wilde verkoper worden. Kon Kaufmann daarvoor zorgen?

Kaufmann verstarde. Een warenhuis drijft op het inzicht van de inkopers. De verkopers zijn ondergeschikten.

'En uw toekomst dan?' vroeg hij.

'Een verkoper verdient zestig gulden per maand,' zei Morgenblatt. 'Ik heb een meisje leren kennen. Ik wil wel eens met haar uit.'

Kaufmann verloor iedere belangstelling. 'Ik zal zorgen dat u op de verkoopafdeling wordt geplaatst,' zei hij koel.

Morgenblatt kwam weer achter de toonbank met zijden stoffen. Hij spaarde en nam ontslag. Hij begon voor zichzelf. Maar hij bezat al even weinig handelsgeest als zijn vader en zijn broer. Hij reisde in allerlei goederen, begon zonder succes een advertentieblad en vond een baantje in de lompenhandel.

Hij kwam tot de slotsom dat zijn toekomst in Palestina lag. Daarvoor wilde hij een vak leren. Hij besloot loodgieter te worden. Hij vond werk als leerling voor zes gulden in de week. Hij werkte hard en haalde zijn diploma. Nu verdiende hij per week twaalf gulden.

Mathilde voelde weinig voor Palestina, maar ze was bereid mee te gaan. Haar jongste zuster, Lientje, woonde er al. Ze had een diploma als onderwijzeres, maar in Nederland kon ze nergens werk vinden. Ze werd niet aangenomen, ook al was er een vacature. Dat moest antisemitisme zijn. Op aanraden van Sieg ging ze naar Palestina. Ze trouwde en ging er nooit meer weg. Mathildes oudste zuster Lea woonde met haar man in Indië.

Haar moeder protesteerde heftig tegen Siegs zionistische plannen. Nu zou haar lievelingsdochter, de enige die nog over was, ook nog vertrekken. Geen denken aan. Ze begreep nu wel dat Sieg als schoonzoon onvermijdelijk was. Haar dochter ging nu al vijf jaar met hem om.

Mathildes moeder had connecties bij de Bijenkorf. Ze bezorgde haar aanstaande schoonzoon een baan bij een kleiner warenhuis van hetzelfde concern. Het was een kwartjeszaak; elk artikel kostte een of meer kwartjes, geen enkel artikel was duurder dan een gulden. Het warenhuis heette de Hollandse Eenheidsprijzen Maatschappij, de HEMA.

Sieg nam ontslag als loodgieter. Zijn baas wilde weten waarom. Sieg zei dat hij ergens anders meer kon verdienen.

'Bij mij kun je twee gulden meer krijgen,' bood de baas aan. 'Veertien gulden.'

'Dank u, maar waar ik ga werken verdien ik 165 gulden per maand,' zei Morgenblatt.

De baas werd angstaanjagend rood. Hij boog zich naar voren over zijn bureau. 'Dat lieg je!' brulde hij.

Morgenblatt kwam bij de HEMA. Hij kreeg het toezicht over de afdelingen levensmiddelen, huishoudelijke artikelen, fournituren, cosmetica en worst. Nog jaren later beweerde hij dat de Gelderse worst van de HEMA, die zoute, van vet druipende, hevige dorst verwekkende substantie, de lekkerste worst was van het land.

De Sturmführer

De bruiloft van Siegfried en Mathilde werd een groot familiefeest. Als je later de trouwfoto bekeek, hoefde je er niet aan te twijfelen of dit was een huwelijk uit liefde. In 1937 werd hun zoon geboren, de kleine Sieg.

Morgenblatt maakte lange dagen. Een werkdag bij de H E M A duurde meestal twaalf uur. Hij leed er sterk onder de sfeer en de vernederingen. Hij dacht dat hij nooit meer iemand erger zou haten dan zijn directe chef, Frankfurter, een vulgair heerschap met last van geldingsdrang. Frankfurter greep in zijn vestzakje en haalde er een gulden uit.

'Ga jij eens om de hoek een sigaar voor me halen,' gebood hij.

'Ja meneer,' zei Sieg. Zelf had hij sigaren in huis van dertig cent, voor zijn schoonvader, goede, dure sigaren.

Op de eerste dag dat hij in dienst was, nam hij zich voor te gaan studeren, middelbaar economie. 's Avonds om acht uur kwam hij thuis. Hij at snel, las even in de krant en ging achter zijn studieboeken zitten. Achter hem, aan de eettafel, zat zijn vrouw te typen. Ze vertaalde detectives. Ze hadden weinig tijd voor elkaar. Bij het avondmaal at zijn moeder mee. Vaak moest Siegfried vrede stichten. Zijn moeder hield geen pension meer en werkte bij haar schoondochter in de huishouding.

De vrouwen stonden met elkaar op gespannen voet. Siegfrieds moeder deed boodschappen. Voor zichzelf kocht ze biefstuk. Ander vlees lustte ze niet, zei ze. Ze was het nu eenmaal goed gewend. Dat sloeg een gat in het huishoudbudget. Ook zonder dat was het moeilijk om rond te komen.

Een ander punt van wrijving was oma's onbedwingbare aandrang om de kleine Sieg om de haverklap uit zijn bedje te halen. Dat was in strijd met Mathildes opvattingen over opvoeding. Oma beloofde beterschap, maar telkens deed ze het weer. Ze kón het niet laten, zei ze. Na het eten ging ze naar huis.

Elke zondagmiddag, vrijwel zonder uitzondering, kwamen Mathildes ouders uit Amsterdam. Na de lunch, om twee uur, kwam hun auto de straat inrijden. Ze bleven de hele middag. Soms maakten ze met zijn allen een tochtje. 's Avonds, als ze weg waren, ging Siegfried weer studeren. Hij nam zich voor later zijn kinderen zo min mogelijk lastig te vallen met ouderlijk bezoek.

De zaterdagavond brachten ze door met vrienden, andere jonge stellen. Hun beste vrienden waren Fred Wiener en zijn vrouw. Achter de studieboeken was het moeilijk om niet in slaap te vallen, maar hij hield vol. Hij wilde weg bij de HEMA. Hij wilde dat zijn gezin het goed zou krijgen. En hij wilde zijn vrouw de status geven die haar volgens hem toekwam. Hij vergat nooit dat zijn schoonfamilie hem als huwelijkskandidaat niet goed genoeg had gevonden. De dagen waren zwaar maar aan de avonden, wanneer hij studeerde in de huiskamer, met in zijn rug het machinegetik van zijn vrouw, hield hij altijd een knusse herinnering. En de nachten, vertelde hij later aan zijn dochter, waren vol liefde.

Voor de dag van het examen vroeg hij vrij aan de afdelingschef. Die weigerde. Het was sinterklaastijd.

'Maar het is belangrijk,' zei Siegfried.

'Waarom dan?' wilde de chef weten.

'Dat kan ik u niet zeggen, maar het is belangrijk.'

'Bevalt het u hier misschien niet?' vroeg de chef. 'U kunt gaan wanneer u wilt.'

Dat was een zwaar dreigement, levensgevaarlijk. Morgenblatt nam het risico. Hij ging naar het examen. Als een van de weinige kandidaten slaagde hij.

'U bent ontslagen,' zei de chef toen hij de volgende dag op zijn afdeling verscheen. Sieg liep naar de afdeling van de directie en vroeg een onderhoud met de directeur.

'Ik heb vrij genomen omdat ik examen middelbaar economie heb gedaan,' zei hij. 'Ik wil u een paar economische adviezen geven waaraan u wellicht iets kunt hebben. Ik heb hier de gang van zaken bestudeerd. Het kan veel beter.'

De directeur was geïmponeerd. Sieg kreeg promotie. Was er geen oorlog gekomen, zei hij later vaak, dan had hij het er waarschijnlijk zelfs tot directeur gebracht.

In 1938 kwam neef Günther op bezoek. Hij woonde nu in Hongarije. Hij zag eruit als een Hongaarse landedelman, in bont en fluweel. Het ging hem goed en hij was optimistisch. Sieg bracht hem naar de trein. Hij zag hem nooit terug. Niemand zag hij ooit weer terug van zijn talrijke familie in Duitsland. God weet waar ze gebleven waren.

In 1939, na de inval van de Duitsers in Tsjechoslowakije, kwam een Duitse vriend bij hem langs. Hij was naar Amerika geëmigreerd en werkte daar bij een groot warenhuisconcern.

'Als je wilt,' bood hij aan, 'help ik je daar aan de slag.'

Sieg aarzelde. Het was kort voor zijn examen. Er was mobilisatie maar niemand geloofde dat de Duitsers werkelijk een inval zouden doen. Hij beloofde dat hij over het aanbod zou nadenken. Hij kon altijd later nog komen.

Toen hij naar Amerika wilde gaan, was het te laat.

Emma werd geboren op de dag dat de algemene mobilisatie werd afgekondigd. Toen haar vader haar geboorte op het bevolkingsregister ging aangeven waren er op het stadhuis biljetten aangeplakt, waarop dat werd meegedeeld. Emma was een lelijke paarse baby. Siegfried keek ernaar en voelde een liefde die hij niet had verwacht.

Hij was niet erg blij geweest toen zijn vrouw opnieuw zwanger was geraakt. Voor een tweede kind, dacht hij, had hij geen liefde meer over. Terwijl hij met het jongetje speelde, overspoelde hem soms een overweldigend geluk. De kleine Sieg was een mooi kind, met dik kastanjebruin haar, ogen van een ongewone, grijze kleur en lange wimpers. Hij was bijzonder voorlijk. 'Mackie Messer' kon hij zingen in het Duits, als jongetje van vier. 'We waren nogal trots op hem,' vertelde zijn vader later. Hij was een lief kind, veel liever dan Emma.

'Urenlang zat hij met zijn blokken te spelen. Hij bouwde een toren. Jij zat op de loer tot de toren klaar was. Dan gaf je er een duw tegen en de toren stortte in. Maar hij werd nooit boos. "Dat moet je niet doen, Emmaatje," zei hij geduldig.'

Maar op een dag werd hij zonder aanleiding hysterisch. Hij scheurde het behang boven zijn bed, schokte en schuimbekte. Er kwamen nieuwe aanvallen. Ze werden erger en frequenter. Mathildes broer Gerrit, die arts was, onderzocht hem en zei dat het toevallen waren. Misschien kwam het doordat het dienstmeisje hem eens had laten vallen. Misschien had het daarmee niets te maken. Zijn moeder leed er hevig onder. Urenlang lag ze te huilen, na zo'n toeval.

Emma's vader kreeg ontslag bij de HEMA per brief van 28 augustus 1941:

'DER TREUHAENDLER der Firmen N.V. Magazijn "De Bijenkorf", Amsterdam, N.V. Hollandsche Eenheidsprijzen Mij. "HEMA", Amsterdam EINSCHREIBEN.

Als Verwaltungstreuhändler der nebengenannten Firmen kündige ich ihnen hiermit Ihre Stellung zum 30. September 1941. Die Zeit bis zum Entlassungsdatum ist als Urlaub zu betrachten.

Der Verwaltungstreuhändler, Dr. Brandt.'

Hij adverteerde: 'Goud, zilver, juwelen te koop gevraagd voor parti-culier.' Met een vriend, de advocaat Lerner, huurde hij een kantoor-tje. Op het bureau stond een goudweegschaal. Het werd er druk. De mensen stonden in de rij om hun sieraden te verkopen.

Ze werkten samen met een handelaar in Perzische kleden en bont, De Boer. Hij leverde het beginkapitaal en gaf als sjabbesgoj de naam aan het zaakje. Een gewiekste scharrelaar was hij. In Zuid-Afrika had hij met groot succes blanke boeren verlost van antiquiteiten, waarvan ze de waarde niet kenden. Voor een schijntje maakte hij hen vazen, kleden en oude klokken afhandig. Met de eerlijkheid nam hij het niet zo nauw. Bij het wegen van sieraden hield hij zijn vinger op het andere schaaltje. Als Morgenblatt dat zag, deed hij het wegen nog eens over en maakte excuses tegen de klant. Er was een vergissing geweest, zei hij. Als je de mensen bedroog, hield je het niet lang vol. De Boer begon te schreeuwen. Morgenblatt was een schlemiel van een handelaar. Als hij de boel nog een keer versjteerde, dan sodemieterde hij maar op.

Op een middag kwam Morgenblatt aanfietsen. Voor de deur stond een Duitse overvalwagen. Doorfietsen! dacht hij in een eerste opwel-ling. Maar dan moest hij dezelfde dag onderduiken. Hij ging naar bin-nen. De Duitsers liet hij het register zien en zijn vergunning. Alles was in orde, wees hij. Vanavond om acht uur melden, beval de Duitser. Op het Binnenhof. Bij de ss-Sturmführer.

Toen hij weg was, zat Morgenblatt in angst en beven. 'Daarvan is nog nooit iemand teruggekomen,' zei hij.

'Wacht maar,' zei De Boer. Hij kende een radiohandelaar, ook een sjacheraar, die een Duitse vrouw had. Ze gingen er samen heen.

'Kun je duizend gulden op tafel leggen,' vroeg de radiohandelaar, 'dan hoef jij je vanavond niet te melden. Kom vanmiddag om drie uur.'

Op de afgesproken tijd ging Morgenblatt naar de radiowinkel. De winkelier deed de deur van de achterkamer open. Op tafel stonden flessen Schnaps en schalen met borrelhapjes. Op een divan lag de cor-rupte ss-Sturmführer. Nonchalant pakte hij de duizend gulden aan. Morgenblatt hoefde zich niet te melden, zei hij.

'Willst du sonst noch was? Neem een borrel.'

'Jullie zijn toch antisemieten,' zei Morgenblatt.

'Du bist ja verrückt,' schreeuwde de ss'er joviaal. Sieg zei dat zijn broer in de Scheveningse gevangenis zat 'en morgen is hij jarig.' Geen zorgen, beloofde de Sturmführer. 'Je broer viert thuis zijn verjaardag.'

De dag daarop ging bij de Morgenblatts de bel. Klaus, om zijn ver-jaardag te vieren.

De Perenstraat

Hij zag zijn vrouw nog één keer.

De onderwijzer stuurde Gert bericht van het gebeurde. Gert kwam. Hij bracht kaas, boter, drank en sigaretten mee. Sieg stuurde hem naar Aerdenhout, om een verzetsman, die hij daar kende, te vragen of hij daar een paar nachten mocht blijven. Hij wilde naar Amsterdam, naar de familie van Mathilde, maar vond het beter om nog even te wachten voor het geval de SD daar zou zoeken. Dat was verstandig.

Naderhand hoorde hij dat uit de groep van twintig joden op de kade van IJmuiden die avond ook een vrouw was ontvlucht. Ze rende weg. Onder het lopen verloor ze haar handtas, met al haar persoonlijke gegevens en haar adres. Toch ging ze gewoon terug naar huis. Daar kon de SD haar de volgende middag ophalen.

De verzetsman stemde toe. Gert begeleidde Sieg op de eerste etappe. Zo vertrok Sieg toch nog per trein uit IJmuiden.

In Amsterdam ging hij naar Mathildes broer Gerrit, die een Franse, niet-joodse vrouw had, Thérèse. Ze was elegant en geestig en zag er leuk uit. Met haar charme kreeg ze bij instanties veel gedaan.

Maandenlang zat Mathilde in de Scheveningse gevangenis, waar Thérèse haar bezocht. Een paar keer begaf Thérèse zich naar het *Judenreferat*, om te proberen Mathilde vrij te kopen. Maar daar was geen kans op. Morgenblatt, 'met zijn juwelenkoffer', zouden ze ook wel krijgen.

Mathilde vroeg om zeep en krulspelden. Vooral door dat laatste was Sieg erg ontroerd. Dat ze zich er in die omstandigheden nog om bekommerde of haar haar goed zat!

Intussen was hij tijdelijk bij Greet Smit onderdak, aan wie hij de brief voor Londen teruggaf. Thérèse kwam te weten wanneer en op welk tijdstip Mathilde met transport zou gaan naar Westerbork. Sieg maakte voor haar een ontvluchtingsplan. Langs de berm, bij het station in Utrecht, zette Gert twee fietsen neer. Hij zou kaartjes kopen voor hemzelf en Sieg tot Utrecht. Daar zou Sieg, wanneer de trein bij het naderen van het station vaart minderde, met zijn vrouw door het raam van de dames-wc ontsnappen. Samen zouden ze er op de fiets vandoor gaan.

In de vroege ochtend stond een personentrein, een gewone Hollandse trein, op het perron van het Staatsspoor. Politiemannen bewaakten het achterste deel. Daar zat, bij een raam, Mathilde. Ze droeg de kleren die ze bij haar vertrek uit hun huis had gedragen. Ze had de baret op die Sieg zo goed van haar kende. Ze zag er erg leuk uit, vond hij. Ze had een kind van een jaar of vier op schoot.

Sieg liep er naar toe en gebaarde dat ze het raam naar beneden moest schuiven. Ze deed het, maar herkende hem eerst niet. Hij had zijn haar geblondeerd, droeg een bril met glazen van glas en een overall. Snel legde hij haar het ontvluchtingsplan uit.

Mathilde weigerde. Ze hadden haar gedreigd, zei ze, als ze zou proberen te vluchten. Dan stuurden ze haar naar Ravensbrück. Dat was het allerergste, hadden ze gezegd. Nu ging ze naar een werkkamp. Ze was sterk en zou er wel doorheen komen. Ze wees op het kind dat ze bij zich had. Ze had beloofd daarvoor te zorgen.

'Ik ken de Duitsers beter dan jij,' zei Siegfried. 'Je moet ze nooit geloven en zo ver mogelijk bij ze uit de buurt blijven.'

'Ik kom er wel door,' zei ze. Ze vroeg of hij nog bij de dokter was geweest, of er nog nieuws was over de kleine Sieg.

'Ja,' zei Siegfried. 'Dat wilde ik je nog vertellen. De dokter zegt dat er niets aan de hand is. Met Sieg komt alles in orde.'

Hij loog. Stralend keek ze hem aan, met tranen van opluchting. Ze haalde een foto uit haar tas waarop ze lachend, met een baret scheef op haar hoofd, was afgebeeld op een boot. Dwars over de foto had ze geschreven: 'Wacht op mij. Ik kom terug!'

De trein vertrok. Ze wuifden elkaar toe.

Via verzetsconnecties in Westerbork deed hij nog twee pogingen haar vrij te krijgen, maar ze wilde niet meewerken.

Er kwam een met potlood geschreven briefje aan de familie: 'Jonkies, dat ik jullie nu eens eindelijk schrijven kan. 't Was een moeilijke tijd maar toch viel het nog mee en nu zal het wel weer gaan. Wat we zo graag willen zal waarschijnlijk niet mogelijk zijn. Ik denk wel zeker dat ik morgen meega of er moest opeens nog iets tussen komen. Maar moed houden jonkies, alsjeblieft. Net als ik. We moeten erdoor. We móéten. Ik vind het zo fijn dat ik jullie nog eens kan schrijven. Wat hébben ze me allemaal verwend, ik kón het gewoon niet meer aan,

toen ik de rugzak openmaakte, 't was overweldigend. Zo goed toege-
rust gaan er niet veel. Jonkies, wat zal ik jullie verder nog schrijven, ik
wil en zal terugkomen. Zullen jullie je flink houden, net als ik? Al de
zoenen die ik nog heb.'

Er kwam nog een met potlood geschreven briefkaart. Die was van
Siegs moeder. 'Lieve menschen, mijn lot is gevallen. ik ben op weg
naar Westerborg, ik ben kalm, blijft gezond, ik hoop tot ziens, harte-
lijke groeten.'

Thérèse bezorgde Sieg een onderduikadres, bij een boer in de buurt
van Rijswijk, waar hij met andere joden op het land werkte. Op den
duur werd dat te gevaarlijk. Hij dook onder bij Joop en Ans Verhagen
in de Perenstraat, die bij hem thuis de kinderen hadden opgehaald. De
kleine Sieg was nu ergens in Apeldoorn ondergebracht. Emma was
nog steeds in Wassenaar.

Het onderduiken stelde de vriendschap zwaar op de proef. Sieg
vond Ans dom en praatziek en hij vond dat Joop haar te veel vertelde.
Er waren veel ruzies. Joop bracht af en toe een fles jenever mee en
stond er op dat Sieg en hij die samen leegdronken. Na een paar uur rolden ze vechtend over de grond. Het eindigde er altijd mee dat Joop
schreeuwde dat Sieg zijn mond moest houden en hem dankbaar zijn.

De toestand werd onhoudbaar. Sieg vond onderdak bij de buren,
een politieman, die in het verzet was.

In juli 1943 werden Siegs goede vriend Lerner en Gert samen gearresteerd. Lerner ging direct op straftransport. Van hem werd nooit
meer iets vernomen. Gert ging de gevangenis in waar hij al spoedig tot
Flurwärter werd bevorderd. Het gevolg van deze arrestatie was ramp-
zalig. Gert verried – ongetwijfeld onder druk – Siegs adres aan de
SD.

Van de politieman hoorde Sieg dat de SD in aantocht was. Hij stak
de straat over en belde aan bij de overburen. Daar woonde de familie
Glastra. De jongste dochter, Tritske, kwam wel eens bij de Verhagens
op bezoek. Tegen Sieg had ze met nadruk gezegd dat haar familie ge-
reformeerd was en volgens het woord van Christus een mens in nood
niet in de steek zou laten.

De politieman werd gearresteerd, zwaar mishandeld en verhoord.
In de cel naast de zijne hoorde hij een vrouw gillen.

'Dat is je vrouw die wordt gemarteld en verkracht,' beweerden de
Duitsers. De politieman geloofde het, maar gaf het adres van Sieg niet
prijs.

Achteraf hoorde hij dat het niet zijn eigen vrouw was die had gegild, maar een jodin die hij niet kende. Zijn kinderen namen hem levenslang kwalijk, dat hij hun moeder wilde opofferen voor een vreemde.

Mevrouw Glastra, een stramme oude dame, deed open.

'Je kunt binnenkomen,' zei ze, 'maar dan kom je er niet meer uit voor de oorlog is afgelopen. Ga maar naar boven.'

Boven liep Sieg even naar het raam en keek naar de overkant. Hij hield zijn hart vast. Een paar straten verder, in de Bessenstraat, zat zijn allerbeste vriend Fred Wiener ondergedoken met zijn vrouw. Door hem had hij Mathilde leren kennen. In de Bessenstraat zaten nog meer joden, onder wie de journalist die met Mathilde bevriend was geweest voor ze Sieg kende. Ook de andere joden in dat huis waren goede vrienden. Zou de sd ook dat adres weten?

Hij zag een auto de straat binnenrijden. sd'ers stapten eruit. Ze belden aan bij de Verhagens. Even later kwamen ze naar buiten met Ans Verhagen. Ze had handboeien om. Het groepje zette zich in beweging, richting Bessenstraat.

'Godverdomme!' riep Sieg.

Mevrouw Glastra kwam naast hem staan. Ze pakte hem bij zijn schouder. 'Om wat je nu zegt,' zei ze streng, 'zal God je inderdaad verdoemen. Hier in huis wordt niet gevloekt!'

Siegs verblijf bij de familie Glastra, tweeëneenhalf jaar zonder buitenlucht, was begonnen.

Mevrouw Glastra was weduwe. Ze had vijf kinderen. Haar drie dochters woonden bij haar, Froukje, Afke en Tritske met man en baby. Ze waren pas getrouwd. De bruiloft was een 'moetje' geweest; Tritske was drie maanden zwanger. Haar broers zorgden voor bonkaarten.

Het was een dubbele portiekwoning. Op de derde verdieping was het atelier van een van de dochters, die coupeuse was. Er stond een naaimachine. Tegen de muur was een passpiegel aangebracht. De spiegel had scharnieren, onder de gouden lijst. Wanneer iemand op een knop drukte, draaide de spiegel en gaf toegang tot een uitbouw van het huis, die diende ter verfraaiing van het stadsgezicht.

Daarin woonden de onderduikers: twee echtparen en Sieg Morgenblatt. Soms kwamen er tijdelijk een of meer mensen bij. De uitbouw was maar smal, twee tweepersoonsmatrassen namen de hele breedte in beslag. De ruimte werd ook gebruikt voor opslag van voorraden, weckflessen, wapens en illegale kranten, zoals *Trouw*.

Van een eiken, antieke lakenpers werd een plank losgemaakt. Die werd aangebracht boven de voorraad erwten en bonen, op 60 centimeter hoogte. Daarop lag Siegfried, stram 'in de doodkist', zoals ze het voor de grap noemden, 's nachts tussen zijn zwaar ademende lot-genoten.

Een van de mannen snurkte. De ander had last van astma. Sieg kon slecht met zijn mede-onderduikers overweg. Het waren mensen met wie hij, behalve hun joodse afkomst, weinig gemeen had. Er was veel gekibbel in de kleine ruimte. Wanneer hij 's nachts uit de doodkist kroop, moest hij heel voorzichtig doen om de voeten van de anderen niet aan te raken. Meestal stoorde hij toch iemand. Dat was lastig, vooral wanneer je buikloop had, en dat was door het slechte eten een veel voorkomende kwaal.

Overdag zaten ze, wanneer alles veilig was, op het atelier. Sieg las veel, studeerde en schreef elke dag uitvoerig in zijn dagboek. Bij on-raad ging een alarmbelletje van beneden. Vaak kwamen ook Tritske met haar man en haar oudste zuster Froukje erbij zitten. Soms ook aten ze met zijn allen beneden.

In dat volle huis voelde hij de eenzaamheid loodzwaar op zijn hart. Dag en nacht dacht hij aan Mathilde. Naast zijn matras hing haar la-chende portret met de baret. 's Nachts keek hij naar de sterren en vroeg zich af of zij ze ook zag. Bij storm en regen maakte hij zich be-zorgd dat ze ziek zou worden. Zijn dagboek was voor haar bestemd. Op 5 maart 1944, haar verjaardag, beschreef hij uitvoerig de feestdag die het had moeten zijn. 's Ochtends vroeg wekte hij de kinderen. Op hun tenen liepen ze naar de slaapkamer en maakten mama wakker met kusjes en cadeautjes. Zelf gaf hij haar zijn zorgvuldig uitgezochte cadeaus en, zoals elk jaar, een bos lentebloesem. 's Middags kwam de familie uit Amsterdam. Mathilde liep af en aan met kopjes en glazen. 's Avonds kwamen de vrienden, Lerner, Fred Wiener en hun vrou-wen, Maurits en Saartje. Een hartstochtelijke liefdesnacht bekroonde hun geluk.

'Een mens moest zich eigenlijk niet zo aan een ander hechten,' schreef hij.

Op een middag dat ze in het atelier zaten, ging beneden doordringend de bel. Daarna ging zacht het alarmbelletje. Ze draaiden de passpiegel en kropen in de uitbouw. Er waren inmiddels nog twee onderduikers bijgekomen: een klein kind en een man met getatoeëerd s A-nummer op zijn arm. Hij was een vriend van de coupeuse en hij beweerde dat hij dat nummer had laten aanbrengen om de Duitsers te misleiden. Sieg was er niet helemaal gerust op, maar nu was het kind zijn grootste zorg.

De Duitsers kwamen naar boven. Langdurig doorzochten ze het

atelier. Ze klopten op de spiegel maar vonden de knop niet. Verlamd van schrik wachtten de onderduikers af. Het kind hield zich stil. Sieg zat klaar met het Mauser-pistool, vastbesloten de moffen niet levend in handen te vallen.

Deel twee
Emma

Ondergedoken

Uit die tijd had Emma een scherpe herinnering.

Ze zit op een muurtje. Om haar heen staan mensen. 'Hoe heet jij?' vragen ze.

'Emma Morgenblatt,' zegt ze trots.

'Wat een mooie naam, zeg!'

Ze hoort het de mensen zeggen, in koor.

Daarop volgt een hele consternatie. Ze kan niet langer bij tante Hetty blijven. Ze zit met tante Hetty in de trein. 'We gaan naar oma,' zegt tante Hetty.

Even later zit ze aan tafel met mensen die oma, opa en tante Pop heten.

'Kun je bidden,' vragen ze.

'Ja,' zegt Emma. Ze kijkt naar de grote mensen, knijpt ook haar ogen dicht en vouwt haar handen.

'Maar wát bid je dan?' vragen ze.

'Nee hoor, dat gaat zo niet. Wij zullen het je wel leren.'

Voordat hij bij de familie Glastra in huis kwam en niet meer naar buiten mocht, zocht Emma's vader haar af en toe op in Wassenaar. Emma had een vage herinnering aan keelpijn, een ijsje en haar vader naast haar bed. Haar amandelen waren geknipt en haar vader voerde haar roomijs.

Na een paar maanden kwam tante Hetty terug om Emma weer mee te nemen naar Wassenaar. Ze zou er dichter bij haar vader zijn. Emma hoorde het later van tante Pop. Maar lang was Emma niet weggebleven, vertelde tante Pop. Op een dag ging de telefoon. Het was dezelfde stem van de vorige keer. 'Dat plantje,' vroeg hij, 'kunnen jullie dat stekje nog een poosje nemen? Hier kwijnt het weg.'

'Nou, dat moesten we dan maar doen,' zei opa.

Het huis stond op de Veluwe en heette De Waringin want opa, oma en tante Pop hadden in Indië gewoond. Opa was daar commodore geweest. Dat was iets hoogs, wist Emma al vroeg. Het was generaal bij de vloot.

De Waringin was een vrijstaand huis met blauw-wit geschilderde luiken en een rood puntdak. Het lag aan een rulle zandweg met kuilen en boomstronken overdwars. Rondom het huis stonden hoge naaldbomen, maar achter het huis lag een kleine bloementuin met een moestuin en een rotstuintje.

Lag Emma 's middags in opdracht van tante Pop te 'rusten' in haar kamer beneden met de in ruitjes verdeelde matglazen ramen, dan hoorde ze aan het knarsen van het grind dat er iemand aankwam. Zelfs toen ze al volwassen was hoorde ze, als ze 's middags een slaapje deed, af en toe in haar verbeelding dat grind knarsen. Dan dacht ze even dat er iemand aankwam. Het gaf een vaag, feestelijk gevoel. Niet bedreigend.

In Emma's herinnering had de zolder twee grote, ruime kamers. Na de oorlog kwam ze nog vaak in het huis. Ze beklom de smalle trap naar boven en ze was elke keer weer stomverbaasd om te zien hoe piepklein die kamertjes waren. Toen ze volwassen was, kon ze er niet meer rechtop staan.

Tante Pop vertelde dat tante Hetty slecht voor haar was geweest. Ze had haar niet genoeg te eten gegeven.

'Je was een gezond rond kind toen je wegging. En nu zag je eruit, verschrikkelijk.'

Emma kon zich niet herinneren dat ze ooit honger had geleden. Ze betwijfelde het. Ze vermoedde wel wat de achtergrond was van het verhaal. In de tuin van opa en oma was een vierkante kuil gegraven. 's Nachts, als iedereen sliep, stond ze zachtjes op, ging door de achterdeur naar buiten, liet zich in de kuil zakken en begon met smaak te eten van de aardappelschillen. Voldaan kroop ze dan in bed.

Het duurde niet lang of ze moest braken. Opa, oma en tante Pop stonden bij haar bed met een teiltje. Emma genoot van die nachtelijke ontsteltenis. Het lukte altijd.

Ze had nog meer in petto. Als ze 's nachts wakker werd, trok ze haar broek uit, ging op haar hoofdkussen zitten en draaide een mooie gave drol. Ze zette het op een gillen. Opa, oma en tante Pop kwamen binnen. Ze kreeg een schoon kussensloop. Tevreden ging ze weer slapen.

Na gezamenlijk, zorgelijk overleg besloten oma, opa en tante Pop tot de enige remedie. Emma moest een pak voor de broek hebben. Tante Pop zou het beulswerk verrichten.

'We móésten je dat pak voor de broek wel geven,' vertelde tante Pop later. 'Opa liep de kamer uit. Die kon het niet aanzien.'

Emma draaide 's nachts geen drollen meer, maar er deed zich een nieuwe methode voor om voor opschudding te zorgen. Op een nacht had Emma naar gedroomd. Toen ze wakker werd, lag ze op de grond. Ze was uit bed gevallen. Weer stonden opa, oma en tante Pop om haar heen. Ze troostten haar, stopten haar in en gaven haar alle drie een zoen. Voortaan liet Emma zich regelmatig 's nachts uit bed vallen. Eureka! Wie kon bewijzen dat ze het expres deed?

In Emma's herinnering hadden opa, oma en tante Pop niets anders te doen dan zich met haar bezighouden. Tante Pop ging wel eens uit op de fiets. Ze kwam terug met nieuwe schoentjes en een keer met een celluloid pop.

'Van oom Ad van de ondergrondse.'

Oom Ad was verloofd met de dochter van de buren. Op een dag kwam haar moeder, tante Dien. Oom Ad was doodgeschoten. Dat hadden de rotmoffen gedaan.

'Hij was altijd zo lief voor me,' huilde tante Dien. 'Hij hielp me altijd met stofzuigen.'

Oma en tante Pop huilden ook. Van de weeromstuit begon Emma ook te huilen. Ze begreep absoluut niet waarom. Later vertelden oma en tante Pop dat ze 'kapot' waren geweest van de dood van oom Ad.

In De Waringin woonde ook een hond, een grote Duitse herder. Theseus heette hij. Zijn roepnaam was Tessie. Wanneer Emma rechtop naast hem stond kon ze met haar hoofd tegen zijn zijkant leunen; hij was groter dan zij. Er was ook een poes die Ketjil heette, wat 'kleintje' betekende in het Maleis.

Het meest hield ze van opa. Nooit was hij boos op haar, hoe stout ze ook was. De hele dag zat hij in een crapaud. Emma zat op zijn schoot en speelde met zijn horlogeketting, terwijl hij Engelse zeemansliedjes voor haar zong. Ook tante Pop kon mooi zingen, bijvoorbeeld 'Daar loopt door 't gehucht een wonder gerucht'. Ze zong van het karretje dat op de zandweg reed. Eigenlijk waren er twee karretjes. Van de ene reed de voerman 'met lusten'. Op de andere lag de voerman 'te rusten'. Het laatste couplet was heel droevig: 'Eén karretje keert behouden weer. Het andere heeft geen voerman meer. Waar kan hij zijn gebléééven. 'k Wed dat hij op de zandweg ligt. Of mooog'lijk ook daarné-é-é-éven. Hij komt nooit meer thuis, die vrind, die vrind. Hij komt nooit meer thuis die vrind.'

Het aangrijpendste lied was 'Lammetje loop je zo eenzaam te blaten'. Bij de laatste regel moest Emma altijd huilen.

'En als je dán nog zo klein maar niet was!'

Veel later, aan een cafétafeltje in een vrolijk gezelschap, wilde Emma dat lied nog eens zingen. Bij de laatste regel werd haar stem schor en moest ze haar neus snuiten. Het gezelschap barstte in lachen uit.

Ofschoon Tessie een Duitse herder was, haatte hij de moffen, zei tante Pop. Kwam er goed volk het grindpad op, dan kwispelstaartte hij, maar kwamen er moffen dan zou hij zijn tanden zetten in hun groene broekspijpen. Maar als er werkelijk moffen kwamen, deed Tessie niet veel meer dan blaffen. Er lagen tenminste nooit dooie moffen op het grind. Als iemand Emma iets vroeg, moest ze zeggen dat ze Emmaatje den Ouden heette. Zo heetten opa, oma en tante Pop.

Op warme zomerdagen van 1943 knoopten oma en tante Pop na het middageten een hangmat uit Indië vast aan de dunne stammen van twee naaldbomen op het erf. Daar sliep Emma in de schaduw, terwijl de vogeltjes boven haar een slaapliedje kwinkeleerden. Een paar keer sliep ze zo onrustig dat ze uit de hangmat viel, maar ze kwam zacht terecht op een verende laag dennenaalden.

Op het erf waren bosbessestruiken. Oma gaf haar een bakje mee om het toetje te plukken, voor het middageten. Je moest oppassen dat je de kleine donkerblauwe bessen plukte en niet de grote. Dat waren jeneverbessen, en als je die opat ging je dood.

In de herfst waren er cantharellen om te plukken. Wanneer je dorst kreeg, kon je in de keuken water drinken uit de grote soeplepel.

Eén keer ging Emma om even uit te rusten met haar bakje op een bergje zitten. Dat was een rode mierenhoop. De bewoners kwamen in opstand en begonnen haar te bijten. Huilend van schrik en pijn holde ze naar het huis. Ze werd getroost en tante Pop deed poeder op de rooie bulten.

Op een middag speelde Emma achter in de tuin, bij de vuilniskuil. Ze keek op en zag een grote man.

'Hoe heet je,' vroeg de man.

'Emmaatje den Ouden.'

'Waar woon je?'

Emma wees. 'Daar.'

De man ging weg. Emma ging verder met het bakken van zandtaartjes in een theekopje. Ze hoorde tegen het raam tikken. Tante Pop wenkte. Emma stapte naar binnen door de keukendeur, niet dan nadat ze netjes haar voeten had geveegd aan het traliematje.

Oma lag snikkend op de divan.

'Emmaatje kom hier!' gilde tante Pop. Opa zat te zwijgen in zijn crapaud.

Die man, hoorde Emma, was een bekende N S B'er.

'Ze mag nu niet meer naar buiten,' zei tante Pop beslist.

Wanneer het er naar moffen uitzag, moest Emma overdag naar bed. Boven, tussen de slaapkamer van tante Pop en de houten buitenbetimmering van het huis, was een open ruimte. Daarin was een grote kast gebouwd, een klein kamertje eigenlijk. Er kon precies een ledikant staan. Over de deur van het kamertje was behang geplakt, hetzelfde als op de muren van de kamer. Op de muur, over de deur heen, werd met punaises een sarong geprikt met daarop een koperen Indische salamander. Wie het niet wist, vermoedde niet dat daarachter nog een kamertje was.

Als Emma naar bed ging, haalde oma of tante Pop de sarong met de salamander los. Dreigde er onraad, dan schoven ze de boekenkast voor de deur en prikten de sarong over de kieren.

'Denk er om,' waarschuwde oma, diep onder de dekens kruipen. Als je stemmen hoort, mag je niet meer bewegen. Heel zachtjes ademen. Als de moffen je vinden, nemen ze je mee. Ze sleuren je aan je haren en dat doet erg veel pijn.'

Emma lag muisstil in bed. Ze probeerde niet te ademen. Ze hoorde mannenstemmen beneden, maar de deur ging niet open. Het duurde lang voordat oma haar kwam halen. Omdat ze overdag naar bed had gemoeten, kreeg ze appelmoes. Daar was ze dol op. Iets lekkerders kon ze zich niet voorstellen. Op haar verjaardag stond het altijd op het menu.

Later, toen ze al dertig was en af en toe bij tante Pop op bezoek kwam, was er altijd appelmoes. 'Ja, we weten wel wat Emmeke lekker vindt,' zei ze.

Niet elke keer was er tijd om Emma naar het kleine kamertje te brengen. Eén keer belden de moffen aan toen Emma in de keuken was. Opa deed de voordeur open en praatte met de moffen. Tante Pop nam Emma mee achter in de tuin. Ze deed de deur van de kippenren open, liet de kippen eruit en zei dat Emma erin moest gaan zitten. Tante Pop en oma droegen het hok, met Emma en al, naar het erf van de buren.

Op een avond waren de moffen onderweg van de buren naar De Waringin. Tante Pop pakte Emma bij de hand, nam twee dekens mee en deed de keukendeur open. Hand in hand liepen ze over het erf.

Ze klommen over het kippegaas, liepen voorzichtig over het erf van de buren van de Dennenhoeve, die NSB'ers waren, en gingen over de zandweg naar de hei. Ze wandelden een heel eind. Het was een beetje koud, maar het regende niet. Tante Pop zei dat er wilde zwijnen waren. Daarvoor hoefde je niet bang te zijn. Tante Pop wist hoe ze daarmee moest omgaan. Wilde zwijnen liepen in een rij. Als je midden door de rij liep, werd de wilde-zwijnenmoeder bang en viel je aan. Liet je de rij passeren, dan deden ze niets.

In een kuil spreidde tante Pop de deken uit. Ze gingen erop zitten. De andere deken legde ze over hen heen. Bij het maanlicht vertelde tante Pop het sprookje van de sneeuwkoningin. Emma viel in slaap.

Tante Pop maakte haar wakker toen het bijna licht was. Ze gingen naar huis, zei ze. Er kwam een man aan op de fiets, met twee melkbussen. Hij zei goedemorgen.

'Goedemorgen,' zei tante Pop.

Opgewonden vertelde Emma opa en oma over het uitstapje. Ze was al zo lang niet buiten geweest.

Wanneer er moffen kwamen, deed opa altijd het woord. Opa's ogen, zeiden oma en tante Pop, hadden een goddelijke kracht. Eens kwamen de moffen onder leiding van een officier het grindpad oplopen en belden aan. Tante Pop stuurde Emma snel de trap op. Ze liep achter haar aan om de sarong op te prikken.

Opa deed open. Na een tijdje vertrokken de moffen weer. Ze waren niet binnen geweest. Later vertelde tante Pop wat er was gebeurd. Aan het accent van de officier hoorde opa dat hij uit Bremen kwam. Toen opa dat zei, was de man zeer verrast. Ze maakten een praatje. Het bleek dat de officier de zoon was van een scheepskapitein, met wie opa vroeger had gevaren.

'Ik heb met uw vader het glas geheven op uw geboorte,' zei opa. 'Ik heb toen gezegd: moge dit kind een goed mens worden.'

'Heil Hitler! Wir gehen!' riep de officier beschaamd. Met zijn manschappen maakte hij rechtsomkeert.

De Duitsers kwamen zo vaak omdat ze een joods meisje zochten. Dat was – bleek later – niet Emma, maar een meisje van achttien jaar, dat in de buurt was ondergedoken. Terwijl opa de moffen aan de praat hield, trok dat meisje boerenkleren aan, vulde een mand met eieren en ging op de markt staan.

's Nachts, vertelde tante Pop later, stuurde God zijn gewapende engelen die het huis bewaakten. Eens kwam er een groep moffen het grindpad op en omsingelde het huis. De engelen keken hen aan met hun vlammende ogen.

Als door de bliksem getroffen bleven de moffen staan. 'Als ledenpoppen' draaiden ze zich om. Versuft gingen ze weg.

Nooit had Emma later kunnen doorgronden wat er werkelijk was gebeurd, waaróm de Duitsers het huis nooit hadden doorzocht. Tante Pop vertelde wat een buurvrouw had gedacht: dat Emma een onecht kind was van haar en een Duitse officier. Maar een andere buurvrouw, die aan de goede kant stond, zei dat geen mens eraan kon twijfelen of Emma was een joods kind.

'Het staat op het gezichtje gesneden.'

Emma kon zich uit die tijd geen angst herinneren. Het was wel gevaarlijk omdat het 'oorlog' was, maar opa, oma en tante Pop zouden wel zorgen dat alles in orde kwam. Aan tafel zaten ze in het schijnsel van de grote gebloemde stoffenkap met franje en kwastjes. Na het eten mocht ze bij opa op schoot en dan vertelde hij haar een verhaaltje of hij zong een liedje. Eens zat ze bij oma op schoot en zag in oma's ogen zichzelf weerspiegeld.

'Ik zie mezelf,' zei ze.

'Jij wóónt in oma's ogen,' zei oma.

Tante Pop had haar lezen geleerd. Ze bezat een plank vol sprookjesboeken met prachtige platen. Wanneer tante Pop op de fiets weg was geweest, had ze altijd wel iets voor Emma 'op de kop getikt'. Een winterjas of een houten karretje.

Een keer had ze een kinderboek bij zich. Het ging over een klein meisje dat erg vies en slordig was. Ondanks de bezweringen van haar vader en moeder weigerde ze zich te wassen. Ze zag er weerzinwekkend uit. Haar nagels waren wel een meter lang. Langzamerhand veranderde ze in een varken.

'Zoekt zij eikels in het bos,' stond er dreigend. Emma nam zich voor niet meer slordig te zijn.

Wanneer Emma iets niet mocht horen, spraken opa, oma en tante Pop Maleis. Dan werd ze razend van drift. Ze moesten er erg om lachen. Eens viel Emma met haar gezicht tegen een kast. Een paar melktanden zaten los. De andere zaten 'schots en scheef'. Via de ondergrondse kwam er een tandarts die te vertrouwen was. Een opwindende gebeurtenis.

In het laatste oorlogsjaar werd het eten schaars. Alle kippen en konijnen waren opgegeten.

'Kijk eens hoe klef het brood is,' klaagde oma terwijl ze onder de lamp probeerde boterhammen te snijden. 'Het plakt vast aan de plank.'

Af en toe aten ze pap van suikerbieten, lekker zoet. Omdat opa last had van zijn maag kreeg hij een bon voor een ei. Hij ging ervoor in de rij staan en kwam er mee thuis. Dat ei was voor Emmeke, besliste hij. Het werd gekookt en voor haar neergezet. Opa, oma en tante Pop zaten om haar heen en keken vergenoegd toe hoe ze het opat.

Die winter was er niet genoeg brandstof om meer dan één kamer te verwarmen. Ze huisden nu alle vier boven, met Tessie en Ketjil, in de kamer van tante Pop, waarachter het onderduikkamertje was. Ze wasten zich in een kom met de lampetkan.

's Nachts, als oma of tante Pop op de po gingen, zag Emma geshockeerd hun witte billen. Er werd gekookt op een petroleumstel, op de kamer. Toen het Kerstmis werd, haalde tante Pop een boompje uit de tuin naar boven en versierde het met slingers en ballen. Ze vertelde het kerstverhaal. Heel zachtjes zongen ze van het kindeke teer.

Er gebeurde een ongeluk. Oma en tante Pop droegen samen een pan met kokend water naar de kachel. Emma holde door de kamer. Het leek haar leuk om onder de pan tussen oma en tante Pop door te rennen. Ze stootte met haar hoofd tegen de pan en kreeg het kokende water over zich heen. Ze gilde.

'Stil,' sisten de grote mensen geschrokken. Er konden altijd moffen in de buurt zijn. Oma en tante Pop gooiden koud water over Emma's gezicht en stopten haar arm tot de elleboog in de lampetkan. Ze legden haar in het kleine kamertje op bed. Ze vonden dat ze heel flink was dat ze zo weinig huilde.

Opa zat de hele dag bij haar. Hij streelde haar over het hoofd, vertelde verhaaltjes en zong Engelse zeemansliedjes. Ze hield er een lelijk litteken van over, op haar linkerschouder en -bovenarm.

Een paar dagen na de bevrijding, zo vertelde tante Pop zo'n dertig jaar later, kwam de bakker aan de deur.

'Is dat joodse kindje er nog?' vroeg hij.

'God, hoe weet u dat!' riep tante Pop.

'Ach mevrouw,' riep de bakker, 'dat wisten we toch allemaal!'

Maar de mevrouw die in de villa Boschlust woonde, aan dezelfde zandweg, wist het niet.

'Had ik het geweten,' zei ze vinnig tegen tante Pop, 'dan had ik het aangegeven. Ja! Ik moet aan mijn eigen kinderen denken.'

'Nou, mevrouw, dan had u nu een heel klein gaatje in uw hoofd gehad!' antwoordde tante Pop snedig. – 'En toen had je haar moeten zien kijken,' vertelde ze triomfantelijk. 'O, o, ja, ja, meer kon ze niet uitbrengen. Ha, ha, ha!'

Emma zette haar kopje koffie neer. Het werd haar zwart voor ogen. Dat verhaal had ze al minstens twintig keer gehoord, maar onverhoeds overviel haar de betekenis ervan. Hier was geen sprake van goddelijke kracht in opa's ogen of van geharnaste engelen rond het huis, maar van een buurwijf dat haar alleen niet aan de Duitsers had verraden omdat ze het niet had geweten. De abstracte 'moffen' werden Duitse soldaten met helmen en geweren.

'Als ik niet was ondergedoken, dan was ik nu dood geweest,' had ze

altijd geweten. Maar dat was een mechanische gedachte, zonder inhoud. Wanneer ze over de concentratiekampen las of hoorde, had ze
aan haar moeder gedacht, niet aan zichzelf. Nu begreep ze opeens hoe
weinig het had gescheeld of ze hadden haar opgehaald. En waarschijnlijk hadden ze ook deze mensen opgepakt, die zoveel van haar
hielden. Ze stelde zich de angst voor, het verdriet, het heimwee van
een klein kind. De kinderbarak van Westerbork. De veewagen. De
dood in een gaskamer.

'Stel je voor dat ze me hadden gevonden,' zei ze schor. 'Stel je voor
dat ze me hadden meegenomen!'

'Dan hadden ze toch eerst opa moeten doodschieten,' zei tante Pop
resoluut. 'Hij had zijn kleine meisje nooit laten gaan!'

Vrede

'Ik snak naar de dag vol rood, wit en blauw,' was de eerste regel van een verzetsvers. Oma citeerde het vaak. Nu was de dag vol wapperend rood, wit, blauw, oranje. 's Middags mocht Emma met tante Pop mee met de bus naar Apeldoorn.

Overal op straat waren benen. Ze werd telkens opgetild. Tante Pop zei dat ze 'koet ievening' moest zeggen tegen de soldaten. Het werkte als een magische formule. Zodra ze die uitsprak kreeg ze kusjes en een stukje van iets waarvan ze zich altijd had afgevraagd wat het was: chocola. Ze wist niet of ze het lekker vond.

Ergens in de menigte stond een man op een verhoging. 'Godlof!' schreeuwde hij met geheven armen. 'Wij zijn vrij!'

'Toen je thuiskwam,' vertelde tante Pop later, 'zei je helemaal niets. Je zat met een wit gezichtje in een stoel. We vroegen ons bezorgd af of je al die indrukken kon verwerken. Je was zo lang niet buiten geweest. Opeens stond je op, klom op de stoel, deed je armen omhoog en gilde: "Godlof, wij zijn vrij!" Omdat we zo moesten lachen, riep je het telkens weer.'

De kamer was steeds vol visite. Van tijd tot tijd werd 'ons duikelaartje' uit de tuin gehaald en vertoond. De verhalen van de hei, het kippenhok, de NSB'er in de tuin en de tandarts werden verteld.

De visite klom de trap op om het kamertje te zien achter de sarong en de koperen salamander. Meewarig bekeken de nieuwe ooms en tantes het litteken. Ze heette nu weer Emmaatje Morgenblatt. Maar ze bleef 'ook een beetje' Emmaatje den Ouden. Want ze zou 'altijd blijven wonen in oma's hart'.

Opa, oma en tante Pop hadden haar graag willen houden op De Waringin. Ze dachten dat Emma geen ouders meer had. In Den Haag was een Morgenblatt gefusilleerd, maar dat was, bleek later, oom Klaus. Er kwam bericht dat haar vader leefde. Zodra hij kon, zou hij komen.

Er kwam nu een zekere 'pappie' ter sprake. Emma kon er zich geen voorstelling van maken wat dat zou kunnen zijn. Het was iets onwezenlijks zoals de zee, in oma's woorden 'een grote plas' en een wereld buiten de Veluwe.

Een 'pappie' was iets benauwends dat op handen was. Om zichzelf gerust te stellen rekende Emma er maar op dat het niet door zou gaan. Ze zocht bosbessen en bramen. Er waren nu andere kinderen om mee te spelen. Dat was beangstigend.

's Ochtends kwamen twee broertjes en een zusje van de overkant haar halen om te spelen. Emma zei tegen oma dat ze liever in bed bleef.

'Welk kind wil nou niet buiten spelen,' zei oma boos. 'Vooruit sta op.'

Ze was al bijna weer jarig en zou zes worden. Ze zou kip met appelmoes krijgen. Ze sliep weer beneden in de kamer aan het grindpad met de matglazen ruitjes.

Op een avond kwam tante Pop de kamer binnen en maakte haar wakker. Ze haalde een schone, gestreken jurk uit de kast. In Emma's haar knoopte ze een witte strik. 'Ben ik al jarig?' vroeg Emma.

Nee, pappie was gekomen.

Ze gingen de huiskamer binnen. In de crapauds zaten een man en een vrouw. De vrouw droeg een lange broek. Slaperig liep Emma op haar af.

'Dag pappie,' zei ze beleefd.

De man maakte een vreemd geluid en trok haar naar zich toe. Ze weerde hem af en maakte zich los.

Die avond, vertelde tante Pop later, ging onverwacht de bel. Toen ze opendeed, zag ze vreemde mensen in motorpakken met helmen en een motorfiets. De man stamelde iets wat ze niet verstond.

'Hoe zegt u,' vroeg ze.

'Mijn naam is Morgenblatt,' zei hij iets luider.

'Hij was zo verschrikkelijk zenuwachtig dat hij stotterde.'

'O, nu begrijp ik het,' riep tante Pop. 'U bent mijnheer Morgenblatt! De vader van Emma. Komt u binnen!'

'U hebt geen idee hoe opgelucht ik ben dat u zo reageert,' zei Emma's vader, terwijl hij zijn jas aan de kapstok hing. Verhalen over onderduikouders die het kind niet wilden afstaan deden de ronde.

'Hij zag er zeker tien jaar ouder uit dan hij was,' vertelde tante Pop. Later zag Emma een pasfoto van haar vader uit 1943. Een man met droevige ogen. Inderdaad, geen man van drieëndertig.

De vrouw heette tante Froukje. Bij haar en haar familie was Emma's vader ondergedoken geweest. Voorlopig liet hij Emma op De Waringin. Regelmatig kwam hij, soms op de motorfiets, soms liftend met militaire vrachtauto's. Altijd had hij cadeautjes bij zich. Samen maakten ze wandelingen, over de hei en door de dennenbossen. Wanneer ze ergens uitrustten, vertelde hij verhaaltjes. De prinses op de erwt, bijvoorbeeld.

'O, o!' piepte hij. ' "Ik heb geen óóg dichtgedaan vannacht. Ik ben bónt en blauw!" Toen wisten de koning en de koningin dat een meisje met zo'n teer huidje, dat door zeven matrassen en zeven dikke dekens de erwt nog had gevoeld, een héúse prinses moest zijn.'

Al gauw zat Emma urenlang voor het raam naar de zandweg te kijken of pappie er niet aankwam.

Op een dag kwam hij haar halen. 'Jij blijft ons kind,' zei oma. 'Dit blijft jouw huis.'

Ze ging opa een kusje geven, die in bed lag. Hij was al de hele zomer ziek.

'Toen je met je vader wegging,' vertelde tante Pop later, 'draaide je je nog eens om en zei vinnig: "En als het me daar niet bevalt, dan kom ik gauw weer in mijn eigen huis terug!" '

Ze liepen de zandweg af en kwamen aan de bestrate Hertenweg. Haar vader droeg haar grote koffer. Zelf droeg ze haar tas. Lang hoefden ze niet te lopen. Een vrachtwagen van het leger kwam aanrijden, vol soldaten. Haar vader stak zijn hand op. De auto stopte. Een soldaat tilde Emma in de achterbak. Haar vader klom achter haar aan.

In het dorp moesten ze eruit want de auto ging de verkeerde kant op. Er kwam direct weer een andere vrachtwagen met soldaten. Ze liftten naar Apeldoorn. De soldaten waren heel lief voor haar; ze streken haar onder de kin en namen haar op schoot.

'Ze is een echt soldatenliefje,' zei haar vader.

Vanaf Apeldoorn gingen ze met de trein. Ze reisden derde klas, op houten banken. In Den Haag nam haar vader haar mee naar het pension waar hij op kamers woonde. 's Avonds kwam tante Froukje, bij wie haar vader ondergedoken was geweest, om voor het eten te zorgen.

Een tijdje later, op een nacht, maakte haar vader haar wakker. Het was vier uur, zei hij. Om half zes moesten ze op het station zijn om de trein naar Amersfoort te halen. Daar moesten ze een uur wachten op de trein naar Apeldoorn. Vandaar zouden ze liften naar het dorp.

'Zal ik je wat voorlezen, pappie,' vroeg Emma in de trein. Ze had Prikkebeen bij zich.

'Doe maar,' zei haar vader. Emma las: 'Lieve zuster Ursula. Ik ga naar Amerika.'

'Het was ellendig koud in die trein,' vertelde haar vader later. 'De mensen zaten chagrijnig voor zich uit te kijken op de houten banken.

Maar toen jij een tijdje zat voor te lezen, met dat heldere stemmetje, kwamen ze om ons heen zitten. Je was een groot lachsucces.'

Een man van wie ze een lift kregen zette hen af op de zandweg, bij De Waringin. Het was rond het middaguur.

'Zet maar twee extra borden klaar. Emmaatje komt vandaag,' had oma die ochtend gezegd. Ze hadden er geen bericht van gekregen, maar oma zag Emma en haar vader in de trein, met haar tweede gezicht.

Opa lag op de divan. Hij was nog steeds ziek.

In het Haagse pension kwam een telegram. Tante Froukje nam het aan. Het kwam van de Veluwe, zei ze. Emma's vader was nog niet thuis.

'Mag ik het lezen,' vroeg Emma. Nee, dat mocht niet.

'Wat staat er in?'

'Dat opa heel erg ziek is.'

Tante Froukje ging naar de keuken om de aardappels op te zetten. Emma pakte het telegram.

'Vader overleden. Pop den Ouden,' spelde ze moeizaam.

Overleden, dacht Emma. Ja, dat woord had ze wel eens gehoord. Dat is geloof ik een erge ziekte, dacht ze beklemd.

'Overleden,' vroeg ze aan haar vader, toen hij thuiskwam, 'is dat erg?'

Tante Froukje werd boos. Dus Emma had het telegram toch gelezen. Dat had ze niet mogen doen, zei haar vader. Dat was heel stout. Tante Froukje had het haar verboden. Het was voor het eerst dat hij boos op haar was.

Gelukkig was hij even later weer lief. Hij nam haar op schoot en legde haar zachtjes uit dat opa er niet meer was. De blijdschap dat haar vader weer goed op haar was, overheerste het vage besef dat er iets naars was gebeurd.

Weer stonden ze vroeg op om de reis te ondernemen naar de Veluwe. Oma en tante Pop stonden in de gang handen te geven, helemaal in het zwart.

'Gecondoleerd,' zei Emma tegen oma zoals haar was geleerd. Ze probeerde haar lachen in te houden. Het was zo'n gek woord.

'Opa is om jou gestorven,' zei oma. 'Van verdriet omdat jij bent weggegaan.'

Emma kreeg een steek in het hart van angstige beklemming. Ze besefte opeens dat er iets onherstelbaars was gebeurd, iets onvatbaars.

De grote mensen besloten dat ze nog te klein was voor de begrafenis, maar ze mocht wel even naar opa kijken die in de kist lag. Het was zo'n eng gezicht dat ze gauw de andere kant opkeek.

Haar vader bracht haar onder bij vrienden van voor de oorlog: oom Maurits en tante Saartje. Die zouden beter voor haar kunnen zorgen dan hij in dat pension.

Ze hadden twee kinderen: Ies van twaalf en Lientje van veertien, die voor Emma al een groot mens was.

Oom Maurits was leraar. Hij was bijna kaal: 'Oom Maurits heeft een hele breje scheiding.'

In hun vrije tijd speelden hij en Lientje viool. Meestal studeerden ze vervelende toonladders, maar soms speelde oom Maurits in de huiskamer met krachtige streek een stukje uit het vioolconcert van Bloch. Dat was zo onverwacht, doordringend mooi, dat je er kippevel van kreeg; je haren gingen ervan overeind staan.

's Avonds kwam hij bij Emma's bed zitten en vertelde een verhaaltje 'wat je straks moet dromen'. Maar oom Maurits had weinig tijd om zich met Emmaatje te bemoeien. Ies en Lientje plaagden haar en lachten haar uit, omdat ze alles geloofde. Het was goedmoedig bedoeld, maar Emma was niet aan plagen gewend en ze kon er slecht tegen. Tante Saartje, die haar rechte, zwarte haar kort afgeknipt droeg, met een bakelieten speld opzij, was streng en meestal bits. Ze stelde vast dat de familie Den Ouden Emmaatje te veel had verwend. Ze moest beter opgevoed worden.

Regelmatig werd Emma, om voor haarzelf ondoorgrondelijke redenen, voor straf naar haar kamer gestuurd. Jokken bijvoorbeeld was streng verboden. Maar je wist nooit wanneer je had gejokt.

Er kwamen pakketten uit Amerika. Daarin zat chocola. Bij het ronddelen bleek meestal dat Emmaatje had gejokt en dat ze geen chocola had verdiend. Lientje en Ies kregen wél chocola uit het Amerikaanse pakket. Blijkbaar hadden ze niet gejokt.

Tante Saartje en Emma's vader brachten haar naar een bovenhuis. Een juffrouw die lekker rook en een zachte zomerjurk droeg, ving haar op en drukte haar tegen zich aan. Het was een tijdelijk noodklasje. Je moest er veel rood-wit-blauwe vlaggen tekenen, met een oranje, wapperende wimpel. In het wit moest je schrijven: VRIJ!

Later was de school van voor de oorlog, waar de Wehrmacht in had gebivakkeerd, weer beschikbaar. 's Winters zaten ze in de klas met hun jas aan. Ook kwam het voor dat je onverrichterzake naar school ging, omdat er geen kolen waren. Dat was altijd weer een heerlijke verrassing.

Emma vertelde tante Saartje eens dat ze een acht voor rekenen had.

'Dat is prachtig,' vond tante Saartje. 'Is het echt waar?'

Emma weifelde. 'Ik had twee fouten,' zei ze zenuwachtig. Het leek haar nu erg onwaarschijnlijk dat je als je twee fouten had gemaakt een acht had.

'Twee fouten,' zei Ies, de zoon van tante Saartje, die bij Emma op school zat, 'dan heb je geen acht.'

Tante Saar besliste dat ze had gejokt. Er was juist weer een pakket uit Amerika. Voor straf kreeg Emma geen chocola.

In dat pakket zaten ook schoenen, verschrikkelijke gevaartes met veters die je zigzag naar boven moest knopen. Die kreeg je, al had je nog zo gejokt. Het lukte haast nooit om ze zo te knopen dat je een gaatje oversloeg en gelijke uiteinden van de veters overhield, zodat je er een strik van kon maken. Van die schoenen werd een paar verstuurd naar de kleine Sieg, die in het gesticht zat. Maar er was ook een kleiner paar. Dat kon Emma goed gebruiken, vond tante Saartje.

Emma protesteerde. De schoenmaat was te groot. En ze waren zo zwaar. De andere kinderen in de klas liepen op lage, lichte schoenen. Ies en Lientje hoefden ze ook niet aan. Maar er hielp geen moedertje lief aan. Er was nog geen geld om voor Emma andere schoenen te kopen, legde tante Saartje uit.

Zodra ze uit school kwam, kroop Emma op de divan voor het raam. Op haar knieën zat ze urenlang te kijken of pappie er niet aan kwam. Ze moest iets gaan doen, adviseerde tante Saartje, spelen of lezen. Je moest niet werkeloos blijven wachten op een man, zei ze lachend. Dan duurde het wachten veel langer.

Het was een mooie zomer. Emma logeerde op De Waringin. De hele dag speelde ze in de tuin of in het bos, soms met buurkinderen, soms alleen.

Eens gebeurde er iets vreemds. Ze had een eind door het bos gedwaald om bosbessen te zoeken, waarvoor oma haar een bakje had meegegeven. Het raakte al aardig vol.

Er kwam een grote man aanlopen. Goedkeurend stelde hij vast dat ze al aardig wat bosbessen had. Hij ging op de grond zitten en sloeg met zijn vlakke hand op de grond naast zich. 'Kom eens even bij me zitten,' beval hij.

Hij sloeg een arm om haar heen. Met zijn andere hand wreef hij over haar broek tussen haar benen. Het was een afschuwelijk gevoel. Ze vocht om los te komen.

'Ik moet weg,' zei ze benauwd.

'Ach nee,' zei de man, 'blijf toch gezellig hier!'

'Ik moet naar oma en tante Pop,' zei Emma.

De man stond op en liep weg.

Later zei tante Pop dat hij was geschrokken toen ze het over tante Pop had. Tante Pop werkte bij de dokter. Iedereen kende haar.

Emma holde weg, de verkeerde kant op. Ze verdwaalde.

'Oma,' huilde ze. 'Oma!'

Er kwam een fietser aanrijden. Hij zette haar op de bagagedrager en bracht haar naar een grote villa. Een mevrouw gaf haar een beker melk. Even later kwam tante Pop haar halen op de fiets. Emma klemde nog altijd het bakje bosbessen in de hand.

'Geef die bosbessen maar aan de mevrouw, omdat ze zo lief voor je is geweest,' zei tante Pop.

'Nee, daar heeft die vieze man met zijn handen in gezeten,' zei Emma rillend.

'Dan gooien we ze maar weg,' zei de mevrouw.

De hele zomer bleef ze op De Waringin. Terug bij tante Saartje besefte Emma dat die scherpe pijn in de hartstreek, die je kon krijgen als je ergens anders was geweest, heimwee was. Je draaide je om in bed, dacht aan de tuin en het dennenbos, aan oma en tante Pop, huilde, voelde je ziek en dacht dat je het niet meer uithield.

Tessie stierf. Daarna stierf oma. Weer ging Emma met haar vader naar de Veluwe. Nu stond tante Pop alleen in het zwart handen te geven.

Op het laatst had ze met oma een moeilijke tijd gehad, vertelde ze. 'Oma, die nooit bang was geweest, klom in de gordijnen en riep: ' "Ze komen ons halen. De sd'ers komen er aan!" '

Emma's vader had werk gevonden. Een juwelier met wie hij in de oorlog had zaken gedaan, in de periode tussen zijn ontslag bij de HEMA en de mislukte vlucht naar Engeland, vroeg hem als compagnon. Koster heette hij.

De juwelierswinkel stond in een deftige straat in de binnenstad, vlak bij het Koninklijk Paleis. Aan het raam hing een bordje met 'hofleverancier'. In de etalage lag op een zwart fluwelen ondergrond meestal één sieraad, een paarlen ketting of een smalle gouden armband met briljanten. Er stond een zilveren vaasje bij met een orchidee.

Eindelijk had Emma's vader ook een huis gehuurd, in een nette buitenwijk, aan een zijstraat van de weg naar Scheveningen. Het was een ruim huis, met voor- en achtertuin en drie verdiepingen. Doordat hij vrijwel niets meer bezat waren de kamers zo goed als leeg. Sinaasappelkisten vormden overwegend het meubilair. Nu kon hij Emma in huis nemen. Een huishoudster zou voor hen zorgen.

De huishoudster liet noch bij Emma, noch bij haar vader enige indruk achter. Ze was spoedig verdwenen. Tante Saartje wist raad. Ze zou haar dienstmeid sturen: Nellie. Aan Nellie, die het eten op tafel zette en vervolgens geruisloos naar de keuken verdween, behield Emma een vage, nogal dramatische herinnering. Dat kwam door Nellies abrupte vertrek. Emma's vader had al enige tijd bezorgd opgemerkt dat Nellies buik een stuk dikker was geworden.

'Van de melkboer.'

Tante Saartje was uiterst verontwaardigd. Nellie was altijd een fatsoenlijk meisje geweest. Een dienstmeid van tante Saartje zou zoiets onwelvoeglijks nooit doen!

'Of het míjn schuld was,' vertelde Emma's vader later. 'En dat was het echt niet!'

Een zwangere meid viel vanzelfsprekend niet te handhaven. Een paar dagen zorgde Emma's vader alléén voor zijn dochter. Overdag nam hij haar mee naar de juwelierszaak, 's avonds aten ze bij de compagnon, de familie Koster.

Alweer bood tante Saartje uitkomst. Ze kende een juffrouw in Rotterdam, die zich bereid had verklaard tijdelijk voor Emma en haar vader te komen zorgen. Ze hadden de verloofde van de juffrouw gekend, een jood. De Duitsers hadden hem doodgeschoten.

Emma sliep in het zijkamertje boven, aan de tuinkant. Tante Saartje kwam om de grote kamer naast haar op te ruimen en het bed op te maken, 'voor tante Irma'.

Afgesproken werd dat de vrouw die voor Emma en haar vader zou komen zorgen, naar de juwelierswinkel zou komen, waar ze zou kennismaken met Emma's vader. Samen met zijn compagnon bezat hij een autootje, een bijna aftandse, groene Adler. Daarmee zou hij Irma en haar koffers naar zijn huis brengen.

Hij reed zijn fiets de winkel binnen en de gang. Het was in de vooravond. Emma had hij bij Saartje gestald.

In het kantoor zat een vrouw. Hij groette.

'Even mijn fiets wegzetten!' riep hij.

Hij zette zijn fiets tegen de muur, in verwarring.

Wat een mooie vrouw! dacht hij.

Hij ging het kantoortje binnen.

'Wil jíj mij helpen?' vroeg hij. Hij kon het nauwelijks geloven. Die vrouw was werkelijk een 'beauty'.

Ze knikte.

Onderweg naar zijn huis reden ze langs het Malieveld waar kermis was.

'Zullen we daar vanavond naar toe gaan?' stelde hij voor. 'Iets drinken? Er is ook een gelegenheid waar je kunt dansen.'

Ze schudde het hoofd. Ach nee, ze was een beetje moe. Ze gaf niet om dat soort dingen.

Het kostte hem geen enkele moeite haar te overreden bij hem te komen slapen. Blijkbaar had ze vanzelfsprekend aangenomen dat dit bij de afspraak hoorde.

'Nu kun je kennis maken met Emmaatje,' zei hij de volgende ochtend. Hij kon zijn geluk niet op. Wat hadden Emma en hij het getroffen!

Dat hoorde Emma allemaal heel veel jaren later. Zelf herinnerde ze zich haar ontmoeting met tante Irma nog heel goed. Ze kwam thuis uit school. Op de trap stond een vreemde dame. Op het eerste gezicht leek ze zoveel op de juffrouw op school dat Emma even dacht: Wat doet die nou hier? De dame droeg, net als de juffrouw, een zachte jurk en rook lekker.

'Dag Emma,' zei ze.

Er was iets in de manier waarop ze het zei, dat Emma niet beviel. Ze trok Emma tegen zich aan. Emma verstrakte.

Nee, dacht ze.

Na een poosje merkte Emma dat de kamer naast de hare leeg was en dat de nieuwe tante beneden sliep, in de kamer van haar vader.

Energiek begon tante Irma aan de taak Emma tafelmanieren te leren. Emma zag daarvan absoluut het nut niet in. Met mes, vork of lepel vastgeklemd in de volle knuist, kreeg je het bord heel handig leeg. Zo had ze het altijd gedaan. Met de vork losjes in je linkerhand en je rechterwijsvinger onder de bovenrand van het mes, kreeg je kramp in je vingers. Emma keek haar vader aan maar die keek goedkeurend. Blijkbaar had de nieuwe tante het recht zich te bemoeien met haar opvoeding.

Van het begin af aan was Emma ervan doordrongen dat tante Irma mooi was. Tante Irma bezat een midden-Europese schoonheid, zoals Emma later wel herkende in Duitse films. Lang, krullerig, zacht, bruin haar, dat ze droeg in een lage knoet. Krulletjes die zich niet lieten temmen sprongen eruit. Ze was klein van stuk, elegant met een natuurlijke en aangeleerde gratie en goede smaak. Grote donkere ogen, een klein mondje, een charmante glimlach en fijne handen, enkels en voeten. Voor de oorlog had ze in Rotterdam een wedstrijd gewonnen wie de mooiste benen had. Ze was muzikaal, speelde piano en zong, met een mooie, zuivere sopraan. Een hele stapel tafelkleden en servetten had ze al geborduurd; roomkleurige met beige steekjes voor diners; witte met bloemmotieven in kleurige kruissteekjes voor ontbijt of middagboterham. Als jong meisje had ze veel aanbidders. Ze liet zich nooit naar huis brengen want ze schaamde zich voor de buurt waar ze woonde. Haar vader, een kleine ambtenaar, voelde zich wel lekker in een rosse buurt. Haar moeder had daar sterk onder gele- den. Emma's vader veronderstelde dat er met Irma's moeder op een reis naar Midden-Europa 'een ongelukje' was gebeurd en dat de kleine ambtenaar haar van de schande had gered. Irma was de oudste. Ze leek weinig op haar broers. De familie was katholiek.

Het bombardement had Irma's jeugd van de aardbodem wegge- vaagd: haar lagere school, haar HBS, het kantoor waar ze had ge- werkt, de grote café's waar ze met aanbidders had gedanst.

Met een groepje jonge mensen had tante Irma in zomervakanties voet- tochten gemaakt door Midden-Europa; Tsjecho-Slowakije, Honga- rije. 's Winters ging ze 'skilopen.' Het was heel ongewoon, een Neder- lands meisje dat kon skiën. Ze was vaak in de bruisende steden Praag en Boedapest geweest.

In de mobilisatietijd had ze haar verloofde leren kennen, 'oom Ruud'. Hij was een jood. Ze gingen veel naar concerten en speelden quatre-mains. Hij begeleidde haar aan de piano, als ze zong. Schubert was hun lievelingscomponist. Van trouwen was het niet gekomen en later kon het niet meer.

Met hun vooroorlogse vrienden gingen ze in het verzet. Ze ver- valsten persoonsbewijzen en bonkaarten en distribueerden krantjes. 'Oom Ruud' droeg geen ster. Hij ging door voor niet-jood. Tegen het eind van de oorlog werd hij opgepakt. Hij werd ter dood veroordeeld en gefusilleerd. In de dodencel schreef hij zijn meisje nog een brief. Emma deed eens een la open, pakte per ongeluk die brief en las de aan- hef. 'Mijn eigen liefste lieveling' stond er. Ze vouwde de brief gauw weer dicht en sloot de la.

Na een jaar of twee kreeg Emma's vader bericht van het Rode Kruis dat hij zich als weduwnaar kon beschouwen. Hij had bericht van het Rode Kruis. Officieel was er geen kans meer dat Emma's moeder te- rugkwam uit Polen.

Saartje drong er sterk op aan dat hij met Irma zou trouwen. Dat was toch niet fatsoenlijk zoals die twee leefden.

Emma's vader haalde de schouders op.

'Goed,' zei hij. 'Dan trouwen we.'

Ze lieten elk hun twee ringen, Irma's ring en die van Ruud, Siegfrieds ring en die van Mathilde, samensmelten tot één.

De zaterdagavond na de bruiloft gaven ze een groot feest. Buren klaagden over het lawaai. De politie kwam aan de deur, maar onder de gasten was ook de inspecteur van politie, bij wie Emma's vader ondergedoken was geweest en die suste de zaak.

Een uitbundige gast deed de klep open van Irma's vooroorlogse vleugel, haar trots en glorie, en goot in het binnenwerk een volle fles port leeg. Irma zat in een hoekje. Ze glimlachte beleefd en wachtte tot deze avond, deze verstoring van haar orde, afgelopen zou zijn.

Emma werd wakker van het geschreeuw. Ze liep de gang op en stuitte op een lange rij hossende, zingende mensen. Sommigen hadden hoedjes op en feestneuzen. Een paar mannen hadden zich raar uitgedost in vrouwenjurken. Emma's vader droeg een rode jurk. Hij had een wijd uitstaande, gele pruik op.

Doodsbang rende ze terug naar bed.

Haar vader trouwde, zei hij tegen Emma, om haar een nieuwe moeder te geven. Emma hoorde het nieuws aan met een beklemd gevoel. Ze was bang voor tante Irma. Die kon hard zijn en scherp. Tante Irma was bij haar en haar vader in huis gekomen, om voor haar te zorgen. Nu zou ze op gelijk niveau komen met Emma's vader, die toch van Emma was. Hield hij dan van tante Irma? Emma was jaloers. En dan: haar eigen moeder was als vermist opgegeven. Elk ogenblik kon ze voor de deur staan. Haar vader en tante Irma mochten niet trouwen.

Het was geen goed begin. Emma wilde het goedmaken. Uit zichzelf bood ze aan tante Irma 'mama' te noemen. Haar vader was ontroerd. Nu had hij weer een gezin. Ze mocht niet zeggen dat 'mama' haar stiefmoeder was. 'Mama' was haar 'tweede moeder'. 'Stiefmoeder' deed te veel denken aan Sneeuwwitje of Assepoester.

Emma liep rond als levend bewijs van Siegs eerste huwelijk. In het begin besefte Irma misschien zelf niet hoezeer haar dat ergerde. Vol goede voornemens begon ze aan haar taak. Al liet liefde zich niet dwingen, ze zou het kind een goede opvoeding geven. Irma zou haar leren handwerken, verstellen en borduren. Emma moest een modelkind worden, proper gekleed, met goede manieren en een goede algemene ontwikkeling, netjes en behulpzaam, zoals Irma zelf voor het huwelijk was opgeleid.

Het was goed dat Irma, die al over de dertig was, nog trouwde. Ze had een aangeboren talent voor een huwelijk 'op stand'. Zat er visite in de kamer, dan sprak ze weinig – behalve om iets aan te bieden – met aangename, zachte stem. Terwijl de mannen met stemverheffing een gesprek voerden, hield ze glimlachend haar mond. Was er een echtpaar op bezoek, dan bemoeide ze zich niet met het gesprek van de mannen, maar richtte zich charmant tot de vrouw met een praatje over een nieuwe winkel of modecollectie van de Bijenkorf.

Niet dat tante Irma dom was. Met goede cijfers had ze de H B S doorlopen. Op school was ze goed in wiskunde. Ze sprak en las uitstekend Engels en Duits. Ze bezat een onmiskenbaar artistiek talent. Ze herstelde antieke poppen, die ze voor een paar gulden had gekocht, en kleedde ze aan. Ze restaureerde antieke kleden en kussens. Maar voor een vrouw paste het niet een al te intelligente indruk te maken.

Ze kwam niet op het idee een opleiding te volgen of haar talent voor iets anders te gebruiken dan om haar huis in te richten en netjes te houden. Ze had er slag van op veilingen servies en antiek te kopen, dat in de loop der jaren het veelvoudige waard werd.

Kopjes, schoteltjes, bordjes, glazen in alle maten stonden in de kast in het gelid als soldaten in een regiment. Elke la was opgeruimd. Elk voorwerp was, zo nodig, direct te vinden. Emma's vader kreeg zijn kopje thee of koffie aangereikt met het lepeltje achter op het schoteltje, met het oortje rechts, zoals het hoorde.

Energiek ruimde Irma de verwaarloosde tuin op, die onder haar handen, schop en hark in verbazend korte tijd werd omgetoverd in een parkje met kleurrijke perken rond een grasveld.

Maar de gezelligheid in huis was ver te zoeken. Dat kwam door Emma, die zich daarvan heel goed bewust was. Ze kon geen borduurnaald vasthouden, raakte onderweg steevast een strik kwijt uit een van haar vlechten, maakte haar kleren vuil, bezat een aangeboren slordigheid en was lastig.

Mama maakte voor haar, toen ze zeven of acht was, met engelengeduld een jurkje met smokwerk van voren – een beeldig jurkje. Maar Emma wilde het niet aan naar school. Niet één kind in de klas had zo'n opgeprikt jurkje. Ze zou er mee voor gek lopen, vond ze.

Mama had er veel verdriet van, zei Emma's vader. Emma had direct hevig berouw. Huilend ging ze mama bedanken voor het jurkje. Maar Irma vergaf het haar niet.

Allebei deden ze hun best, op hun manier. Irma om Emma netjes voor de dag te laten komen, Emma om steeds weer, na een scène, 'mama' terug te winnen. Ze voelde zich altijd weer schuldig, werd telkens weer gekwetst, werd kwaad, pestkopperig, probeerde het goed te maken door huichelachtige braafheid, voelde zich opnieuw gekwetst, werd stekelig en vervolgens weer gekweld door schuldgevoel.

Ze zou naar een kinderpartijtje gaan. Mama zat aan de ronde eettafel. Zorgvuldig pakte ze Emma's cadeautje prachtig in, met een grote strik.

Emma stond er bij te kijken. Een universeel schuldgevoel overspoelde haar, zo erg dat ze het haast niet meer uithield. Een stroom van tranen liep over haar gezicht. Misschien kon ze alles nog goedmaken.

Haar moeder vroeg wat er te huilen viel. Maar ze vroeg niet verder.
Emma wilde haar snikkend om de hals vallen, haar kussen en om ver-
geving vragen, maar ze durfde het niet.

Eens poseerde ze met mama voor een foto. Emma zat bij haar op
schoot. Naderhand, toen Emma die foto terugzag, herinnerde ze zich
haar verbazing dat haar moeder haar op schoot nam en het onwerke-
lijke, ongemakkelijke gevoel.

Ze was er zelf diep van overtuigd dat mama gelijk had en dat ze een lelijk, onaantrekkelijk, moeilijk te verdragen schepsel was. In haar klas,
toen ze een jaar of acht was, zat een meisje met een beeldschoon gezichtje en blonde krullen, maar met een onuitstaanbaar gedrag.

'Mooie meisjes zijn vaak zo vervelend,' zei Emma aan tafel.

'Ik ken er nog zo een!' zei haar moeder vinnig.

'Wie dan?' vroeg Emma stomverbaasd.

'Nou, dat weet je zelf ook wel!' bitste haar moeder.

'Ik weet het echt niet!' zei Emma, in alle oprechtheid.

'Emmaatje bedoel ik,' zei haar moeder.

'Ik?' riep Emma. 'Maar ík ben toch niet mooi?'

Mama raakte in verlegenheid. 'Je hebt een aardig gezichtje, als je
haar netjes zit, maar omdat je altijd zo vervelend bent ziet niemand
het,' vond ze.

Later zei ze nooit meer dat Emma er aardig uitzag. In de loop der jaren
kreeg ze van haar opgroeiende stiefdochter een afkeer die grensde aan
haat – een ergernis die voortwoekerde als een onstuitbare, onge-
neeslijke ziekte.

Later, toen Emma volwassen was, vroeg ze zich soms af wat daarvan de oorzaak was geweest. Ze probeerde zich te verplaatsen in de
gedachten van haar stiefmoeder. Ze zag zichzelf als kind. Ze had on-
uitstaanbare kinderen meegemaakt: verwende pestkoppen, lelijk, humeurig, brutaal en achterbaks. Was zij zo'n kind geweest?

Achterbaks was ze nooit geweest, eerder tactloos en al te oprecht.
Brutaal was ze in het ouderlijk huis ook niet. Het was een tijd dat je
dat niet in je hoofd haalde. Sprak je alleen maar over je moeder in de
derde persoon enkelvoud – 'ze zegt...' – dan werd er gevraagd wie
je met 'ze' bedoelde en je werd naar je kamer gestuurd.

Emma herinnerde van zichzelf eerder een vrijwel doorlopend gehui-
chel om in de smaak te vallen en een diep gevoel van vernedering en

beledigd zijn, dan brutaliteit of gemeenheid. Ze kwam tot de slotsom dat het de bescherming van haar vader was, die haar stiefmoeder haar nooit had vergeven.

Als Emma's vader thuis was, wilde hij weten waar de ruzie over ging. Soms gaf hij Emma gelijk. Irma voelde het als een diepe vernedering wanneer haar man haar verwijten maakte in het bijzijn van het kind. Naar haar mening was Emma een door en door gemeen schepsel, dat haar en haar man tegen elkaar uitspeelde. Zeker, het was waar dat Emma af en toe triomfeerde als haar vader voor haar in de bres sprong, maar veel vaker zat ze te hopen dat hij dat niet zou doen. Het maakte alles nog veel erger.

'Geef dat kind een groter stuk vlees,' zei haar vader aan tafel.

Emma hield de adem in. Laat hij toch zijn mond houden, smeekte ze inwendig. Het stuk vlees op haar bord was groot genoeg.

Mama werd kwaad. Ze was zich er niet van bewust, zei ze fel, dat ze het kind te kort had gedaan. Maar ja, ze was maar een stiefmoeder.

Emma's vader schreeuwde. Andere voorvallen werden erbij gehaald. Ze schreeuwden allebei. Mama begon te huilen. Zenuwachtig vertrok Emma haar mond.

'Ze zit erbij te lachen,' zei mama. 'Ze speelt ons tegen elkaar uit.'

'Ja, ze speelt ons tegen elkaar uit,' zei Emma's vader. 'Ga naar je kamer.'

Hard huilend holde Emma de trap op en kroop in bed.

'Hebben jullie nog wel eens ruzie?' vroeg Emma toen ze al heel lang op zichzelf woonde.

'Nee,' verzekerde haar vader haar, 'nooit. Die ruzies waren altijd om jou.'

In Emma's herinnering was haar jeugd een aaneenschakeling van huilbuien, maar ze had ook veel gelachen. Emma's vader was van nature goed gehumeurd en een grappenmaker. Emma lachte om zijn grapjes. Ze probeerde zelf ook geestig te zijn. Haar vader stimuleerde dat. 'Die is heel goed,' prees hij. 'Dat kind is intelligent, echt een achterkleinkind van de grote toneelschrijver.'

'God, wat zijn jullie weer leuk,' zei Irma vinnig. Ze hield niet van dat soort humor. Het sprak haar niet aan. Ze begreep het niet, voelde zich buitengesloten en werd kwaad.

In alle oprechtheid was Irma – ofschoon de twee mannen in haar leven joden waren – ervan overtuigd dat bepaalde uiterlijke kenmerken en eigenschappen 'typisch joods' waren en dat je die, voor zover mogelijk, moest onderdrukken of verbergen. Ze had zich tot taak gesteld Emma's uiterlijke verzorging op zich te nemen en haar goede manieren te leren. Daarbij hoorde vanzelfsprekend dat Emma moest leren zo min mogelijk 'joods' te zijn.

Krom lopen was joods, evenals je voeten naar buiten zetten in de 'woestijngang', hard praten, tactloos zijn, ad rem of geestig proberen te zijn, slordig zijn, je onvrouwelijk gedragen. – Die grote neus en joodse ogen had je nu eenmaal. Daar was niets aan te doen.

Emma was het allemaal volkomen met haar eens, maar toch schreeuwde ze geestigheden door het gesprek van de grote mensen, lachte ze hard, zei ze steevast tactloos de verkeerde dingen, bezat ze een aangeboren, niet te onderdrukken slordigheid. Door al dat gevit op haar houding ging ze nog krommer lopen en zette ze haar voeten nog verder naar buiten.

Haar moeder kon haar niet erger kwetsen dan door te zeggen dat ze er joods uitzag, dat haar houding joods was of haar gedrag. Dat deed ze nogal eens. Het trof altijd doel.

Soms dacht Emma dat alles goed kwam. Ze zat bij de radio, zeven jaar oud: 'Het klokje van zeven uur', de avonturen van Krokeledokus en koning Kaskoeskilewan. Haar vader had houtblokken in de open haard gelegd en aangestoken. Emma had haar warme, fluwelen kimono aan, een donkerblauwe met witte sterren en met een donkerblauw koord met kwasten. Mama had die voor haar gemaakt.

'En nu... naar bed!' zei de radiostem sonoor.

Nog even mocht ze opblijven. In de leunstoel zat haar vader een boek te lezen. Haar moeder bracht warme chocola. Emma keek in de dansende vlammen en moest bijna huilen van een onuitsprekelijk, niet te bevatten geluk.

Op een avond gingen haar ouders uit. Emma, acht, lag al in bed. Ze kwamen afscheid nemen. Mama, klein en elegant, droeg haar jurk van gebloemde zij. Ze rook heerlijk. Ze droeg haar mooiste sieraden, oorbellen van groen jade, met bijpassende ketting en een armband van goud en jade. Aan haar kleine vingers had ze dunne ringen met briljantjes.

Ze stonden bij Emma's bed. Om de een of andere reden begonnen ze te zingen. Ze zongen 'Die Forelle' van Schubert.

'Nu iets uit de *Zauberflöte*,' zei Emma's vader. Hij zette in.

'D'r naast,' zei haar moeder kattig. Ze corrigeerde de wijs. Ze kibbelden even over de toonzetting en zongen een duet. Daarna zongen ze een paar Duitse volksliedjes. *Muss i denn, muss i denn, zum Städtele hinaus, Städtele hinaus, Und du, mein Schatz, bleibst hier. Wenn i*

komm, wenn i komm, wenn i wieder, wieder komm. Kehr ich mein
Schatz bei dir.

Emma zat rechtop in bed. Ze was zo angstig gelukkig dat het pijn deed in haar ribbenkast. Ze wilde het geluksgevoel vasthouden en wist dat het onmogelijk was.

'En nu moeten we echt gaan,' zei haar vader.

Toen ze weg waren, overviel Emma in het donker de vrees dat haar echte moeder zou terugkomen. Uit de duistere diepten van dat verre Polen zou een vreemde, grote, angstaanjagend vermagerde vrouw te voorschijn komen. Onverwacht zou ze voor de deur staan en Emma en haar vader opeisen.

Hoe moet dat? vroeg ze zich af terwijl ze zich zwetend omdraaide in bed. Dat kan niet. We zijn nu gelukkig met elkaar.

De familie

Het huis waar Emma met haar ouders woonde, stond in een nette, vrij nieuwe buitenwijk. Aan de overkant van de straatweg waren 'de bosjes', met eeuwenoude bomen, stille vijvers en een groot park. In de ene richting strekte het bosrijke gebied zich uit tot aan Wassenaar, in de andere tot aan de duinen.

Bos, duinen, strand op loop- en fietsafstand, bomen om in te klimmen – voor een kind een ideale omgeving. Emma accepteerde dat alles als iets dat haar vanzelfsprekend toekwam.

In het benedenhuis woonde mevrouw Ruychrock.

In Emma's herinnering was die mevrouw nooit in iets anders gekleed, dan in een gebreide deux-pièces.

Ze had een dochter, vertelde ze bij de eerste ontmoeting, Elma.

'Waar is Elma?' vroeg Emma vol belangstelling.

'Elma is al groot,' zei de mevrouw. 'Ze werkt bij de Handelsmaatschappij.'

's Avonds kwam er een andere mevrouw thuis. Dat was Elma Ruychrock.

De teleurstelling was verschrikkelijk. Emma berustte er niet in. Voor haar was Elma zes jaar, net als zijzelf en ze sliep bij haar in bed. Ze vertelden elkaar alles. Elma vertelde dat ze haar moeder met die rare uilebril zelf ook een eng mens vond. Emma lag fluisterend te vertellen over school, de nieuwe tante die bij haar en haar vader woonde, over opa, oma en tante Pop en het bos.

Ze hadden haar gezegd dat ze moest gaan slapen, maar hoe deed je dat? Sinds ze uit het dorp was vertrokken, was ze zich dat gaan afvragen. Ze had wel slaap, maar zodra het licht uitging was ze klaarwakker. Hoe gingen andere mensen slapen? 'Nergens aan denken,' zei haar vader. Ze probeerde nergens aan te denken. Hoe moest je eigenlijk precies liggen? 's Avonds nam ze zich voor dat ze zou onthouden hoe ze lag bij het wakker worden, maar voordat ze eraan dacht had ze weer bewogen.

'Kind, wees blij dat je mag gaan slapen,' zei mevrouw Ruychrock.

'Als je zo oud bent als wij ben je blij dat je naar bed mag.'

Emma had het gevoel dat alles wat in haar leven misging, ermee te maken had dat ze niet wist hoe je in slaap moest vallen. Als ze fris en uitgeslapen was geweest, had ze de rekensommen wel begrepen. Ze zou niet zoveel op haar kop krijgen. Ze was suf. Ze zette de ketel op het vuur en vergat er water in te doen. Ze moest op de melk passen die op het vuur stond, staarde in het pannetje, zag de witte golf overkoken maar greep niet in.

Op een nacht stond Emma op en ging naar de huiskamer. Ze stommelde door de kamer. Per ongeluk stootte ze tegen een vaas. Hij viel op de grond en brak in scherven. Angstig wachtte ze de ochtend af.

Bij het opstaan was haar vader zo verdrietig om het verlies van de vaas, dat hij niet boos werd. De vaas was bewaard gebleven uit hun vroegere huis. Haar vader had haar in de kist verpakt die hij bij de buurvrouw had gestald.

Kort na de bevrijding, vertelde hij haar later, belde hij aan bij zijn vroegere huis, in de deftige Indische buurt. Er woonde nu een dominee. Hij deed open.

Emma's vader legde uit dat hij in 1942 zijn tafelzilver en een paar andere kostbare dingen onder de vloer had verstopt. Mocht hij even kijken?

'Geen interesse,' sprak de dominee.

Hij sloeg de voordeur dicht.

Mevrouw Ruychrock was kwaad, de ochtend dat de vaas was gebroken. Ze hoorde Emma door de kamer lopen, dacht dat het al zeven uur was en kleedde zich aan. Zo was mevrouw Ruychrock ook om vier uur opgestaan!

Voortaan moest Emma in bed blijven tot het tijd was. Vooral 's zondags was dat een opgave. Hoe kon je tot half negen in bed blijven als je om zes uur wakker was?

In het donker namen de kleren over de stoel en Emma's kimono aan de deur dreigende vormen aan. Eens droomde ze dat ze op een schip was. De kapitein vroeg om haar kaartje. Dat hadden haar vader en moeder, legde ze hem uit. Om haar heen dromde een dichte menigte passagiers.

'Waar zijn je vader en moeder dan?' vroeg de kapitein.

Emma zocht en zocht, maar kon haar ouders niet vinden. De kapitein pakte haar bij haar lurven. Geen kaartje, dan overboord. Een, twéé...

Gillend werd ze wakker. Het was nog avond. Haar vader kwam

naar boven. Ze mocht in de huiskamer en kreeg warme melk.

Een andere keer droomde ze dat haar vader zijn duim in zijn mond stak, vreselijke gezichten trok en krijsend ronddraaide als een priktol. Weer werd ze gillend wakker. Weer kreeg ze warme melk.

Een paar keer begon ze zomaar, zonder dat ze een nachtmerrie had, te gillen. Dat wekte wel de gewenste aandacht, maar ze was bang dat het zou uitkomen en ze hield er mee op.

's Zondags gingen haar vader en zij wel eens op bezoek bij haar broertje, in het gesticht. Het stond in een groot bos. Het gezicht van haar broertje was opgezet, met puistjes. Hij kwijlde. Dat kwam van de medicijnen, zei haar vader. Neuriënd speelde de kleine Sieg met zijn blokken.

'O, Marie...' zong haar vader.

Kleine Sieg viel in: 'O, Marie! 'k Ben blij als ik je zie. O, Marie! Ik trouw je een-twee-drie. O, Marie! 'k Ben blij als ik je zie. Ik trouw met kleine Emmeke en anders trouw ik nie.'

Dat liedje kende hij nog van voor de oorlog. De familie had er toen veel plezier om gehad. 'Mackie Messer' kende hij niet meer.

'We stappen maar weer eens op,' zei Emma's vader. – Kleine Sieg speelde met zijn blokken en keek niet op.

'Sieg, kleine Sieg, dag jongen,' zei haar vader. – Sieg reageerde niet.

'Laten we maar gaan,' zei Emma's vader. Hij veegde met een witte zakdoek langs zijn ogen.

Nu gingen ze iets gezelligs doen. Ze wandelden in het bos en gingen naar een uitspanning. Ze bezochten een nieuwe attractie: de Keukenhof. Een man kwam op hen af.

'Niemand vertellen,' fluisterde hij. 'Straks komen de prinsesjes hier.' Zo sprak hij iedereen aan.

Een pad langs de bloemperken werd afgesloten voor het publiek. Opgewonden stond Emma naast haar vader.

De prinsesjes liepen langs. Emma kon niet geloven dat die kinderen de prinsesjes waren. Lelijke mormels waren het, met peenhaar. Een prinsesje hoorde mooi te zijn, met lange, zachte, blonde, krullen.

Kleine Sieg nam de plaats in van Elma Ruychrock. Hij was nu al een grote jongen van acht jaar. 's Avonds in bed lag hij naast Emma. Hij kwijlde niet en hij had een gewoon gezicht, met zijn mooie grijze ogen en lange wimpers. Hij was haar grote, beschermende broer.

Hij was het altijd met haar eens. Hij was kwaad op hun stiefmoeder, omdat Emma op haar kop had gehad. Hij vond het onrechtvaardig dat ze vroeg naar bed moest. In het donker lag ze tegen hem te fluisteren.

Nog maanden na de bevrijding, vertelde Emma's vader haar later, zag hij tussen de mensen, op het station, op straat, in een winkel, Mathildes gestalte. Dát is ze! dacht hij dan, terwijl zijn hart oversloeg.

Hij was opgeroepen om te getuigen tegen de Katwijker, die in de oorlog met het verraden van joden aardig had verdiend. De Katwijker werd veroordeeld tot twee jaar gevangenisstraf.

Twee jaar later liep Emma's vader door een Haagse straat. Een man passeerde hem die hem bekend voorkwam, een man met blauwe kijkers, die hij nooit zou vergeten: de Katwijker.

'Als ik een pistool bij me had gehad,' vertelde hij soms, 'dan had ik hem neergeschoten. Maar ik had geen pistool bij me. Wat moest ik doen? Ik ben de straat overgestoken.'

Van zijn moeder was na de met potlood geschreven kaart, die ze onderweg naar Westerbork uit de trein had gegooid, nooit meer een levensteken vernomen.

Nog één familielid had Emma's vader, het dochtertje van zijn broer Klaus, Emma's nichtje Monica Morgenblatt, dat even oud was als zijzelf.

Monica was wees. Haar vader was doodgeschoten. Haar moeder was, nog in de oorlog, aan de tering gestorven. Emma's vader had Monica's moeder niet gekend.

Klaus en hij hadden veel ruzie gehad. Sieg had veel van hem gehouden, 'maar als een vader', vertelde hij, 'niet als een broer'. Doorlopend zat hij over hem in de zorgen. Klaus wilde geen vak leren en werkte zich telkens weer in de penarie. Maar Sieg had niet verwacht dat Klaus de bevrijding niet zou halen. Hij zwijnt de oorlog wel door, dacht hij op zijn onderduikadres. Hij is handig genoeg.

Monica woonde met haar familie van moederskant – grootouders en oom en tante – in een Haagse volksbuurt. Emma's vader zag het kind na de bevrijding voor het eerst.

Emma ging wel eens bij haar nichtje spelen. Het bovenhuisje was klein, voor zoveel mensen. Monica's oom en tante sliepen in de huiskamer.

Emma liep eens 's middags de slaapkamer binnen van de grootouders. Op het bed lagen oom en tante. Ze hadden haast geen kleren aan en lagen in een vreemde houding. Wat ze daar deden was een raadsel. Oom sprong op en smeet schreeuwend de deur dicht.

In Amsterdam woonde opa, de vader van Emma's eerste moeder. Hij woonde in bij tante Lea en oom Bernhard en hun drie kinderen. Ze woonden in Zuid, in een groot, deftig huis. De voordeur en de spijlen voor de ramen van het souterrain waren donkergroen en versierd met krullen. Het portaal was van marmer. Boven waren twee kamers en suite met glimmende parketvloeren. Er was een serre met veel planten. De zitkamer was ingericht met meubels en antieke siervoorwerpen uit Indië. In de straat liepen tramrails, nog van voor de oorlog.

'Stel je voor dat er voor je huis een tram rijdt,' zei Emma. Het leek haar het toppunt van luxe.

Inderdaad reed later door de straat een tram.

In een nog groter, nog deftiger huis aan het Vondelpark woonden oom Gerrit en tante Thérèse met hun kinderen. Oom Gerrit, die huisarts was, zag je vrijwel nooit als je daar logeerde. Hij was altijd aan het werk. Heel even kwam hij aan tafel, at vlug en ging naar zijn spreekkamer. In de voorkamer zaten patiënten in de wachtkamer.

Oom Gerrit was zwijgzaam. Emma was een beetje bang voor hem. Hun dochtertje Ondine, die Didi werd genoemd, was een jaar ouder dan Emma. Er was ook een neefje, maar die was te groot om mee te spelen. Er waren een poes en een hond en er was een grote tuin aan het water. Als er ijs op lag, kon je vanuit de keuken naar het Vondelpark schaatsen.

Tante Thérèse was Française. Ze zag er chic uit. Wanneer Emma en Ondine met haar gingen wandelen of winkelen, moest Didi witte handschoentjes aan. Voor Emma haalde tante Thérèse ook handschoentjes uit de la, maar Emma zei dat ze dat niet hoefde van haar moeder. Gelukkig drong tante Thérèse niet aan.

Emma en Didi leken op elkaar. Allebei hadden ze donkerbruine vlechtjes. Soms kwamen ze in de gang patiënten tegen.

'De kindertjes van de dokter,' zeiden die dan vertederd.

Bij tante Lea was de sfeer ruzie-achtig. Tante Lea was de kalmte zelve, maar de kinderen waren druk en lastig. Het concentratiekamp was geen goede opvoeding geweest. Oma was in het kamp gestorven. Opa was lief, maar hij zei niet veel.

'In het kamp heeft hij een muur om zich heen gebouwd,' zei Emma's vader. 'En die heeft hij nooit meer afgebroken.'

Doris Day

In de tuin van de buren stond een spichtig meisje. Ze had vlechtjes zoals Emma, maar dan blonde.

'Ik heb een poes,' verklaarde ze.

Ze keken elkaar aan.

'Wil je hem eens zien?' vroeg het meisje.

Emma knikte. De poes werd bezichtigd, een cyperse, die Diesje heette. Vervolgens werd een beertje getoond met een broekje en een truitje aan, Bruintje. Om daar iets tegenover te stellen ging Emma haar celluloid pop en beer Ollie B. Bommel halen. Ze stelden vast dat ze allebei zes waren, bijna zeven. Ze waren bijna gelijktijdig jarig, maar Emma was ouder, 'een maand min een dag'. Het meisje heette Renske. Ze had een broer, maar die was zeven jaar ouder. Om mee te spelen had je daar niets aan. Hij pestte haar en kneep in haar neus.

Evenals Emma wist Renske niet goed hoe je in slaap moest vallen en ook zij zag in het donker de kieren over de stoel verontrustend in beweging komen. Ze zat veel te tekenen. Dat kon ze goed. Voortaan ging Emma, zodra ze 's ochtends opstond, direct naar de buren.

Toen ze overging naar de derde, kwam ze bij Renske in de klas. Na schooltijd ging ze met Renske mee. Tegen het avondeten zei Renskes moeder dat ze naar huis moest gaan, maar daarvan trok Emma zich niets aan. Ze schoof aan tafel en kreeg ook een bord eten. Thuis had je je kamer niet opgeruimd of je step buiten laten staan of je moest rechtop lopen en je mes en vork goed vasthouden en je stak nooit eens een hand uit om te helpen met tafeldekken. Bij de buren had je daarvan geen last.

Renskes moeder was zanglerares. 'Rèèènskieie,' riep ze op zangerige toon als het eten op tafel stond. Dat had iets heel gezelligs.

Renskes vader was tekenaar, een knorrige man. Hij kon slecht tegen kinderen. 'Hier niet, hier niet,' riep hij als zij en Renske de kamer binnenkwamen. Emma had hem eigenlijk nooit iets anders horen zeggen.

Gebruikte Emma thuis het avondmaal, dan stond ze op van tafel zodra het was toegestaan en ging Renske afhalen. Meestal gingen ze dan op het tuinmuurtje zitten tot ze werden geroepen omdat het bedtijd was.

Ze maakten veel ruzie. Emma riep dan dat ze Renske nooit meer wilde zien en ging naar huis. Haar ouders zeiden dat ze ook eens een ander vriendinnetje moest zoeken. Het was niet goed om altijd maar met hetzelfde kind om te gaan. Dan ging Emma zo snel mogelijk naar de buren om het goed te maken.

Op een middag was Renske niet thuis. Besluiteloos liep Emma over straat. Daar kwam Renske aanlopen, met Nelleke, een meisje uit de buurt, van streng gereformeerden huize. 's Zondags speelde Nelleke niet buiten. Dat mocht ze niet van haar ouders, al was het weer nog zo mooi. Wel ging ze die dag twee keer naar de kerk, niet naar buiten.

'Wij mogen niet met joden spelen,' riep Nelleke op lijzige toon. 'Wij mogen niet met joden spelen,' echode Renske.

Verbluft keek Emma hen aan.

'Dat is op de radio gezegd,' riep Nelleke drenzerig.

'Dat is op de radio gezegd,' bevestigde Renske.

Huilend holde Emma naar huis. Haar vader was thuis. Hij trok haar op schoot. Haar moeder liep naar de kast en haalde de koektrommel te voorschijn. Ze gaf Emma een kokosmacroon. Ze moest er zich maar niets van aantrekken, zei haar vader. Nooit. Zoiets kon altijd voorkomen. Daar moest ze zich tegen wapenen.

Deze reactie had Emma absoluut niet verwacht. Wat een aandacht! Wat een heerlijke middag! Ze hoopte dat haar zoiets gauw nog eens zou overkomen. Maar dat gebeurde niet. Haar vader sprak ernstig met Renske en met Nelleke gingen ze niet meer om.

Voor zover Emma wist, zaten in de klas nog twee joodse kinderen, een jongen en een meisje. De jongen, die Abel de Hond heette, was de zoon van kennissen van Emma's ouders – een onuitstaanbaar kereltje. In de klas had hij geen vriendjes. Alle kinderen vonden hem belachelijk. Hij was afschuwelijk braaf. Altijd stak hij als eerste zijn vinger op.

'Ik zal dat varkentje wel even wassen, mijnheer,' verzekerde hij. 'Ja, dat is een streep door de rekening, vader,' zei hij vermanend, wanneer een klasgenoot strafregels kreeg.

Kreeg Emma op school straf, dan vertelde Abel het zijn moeder, die het altijd direct doorvertelde aan Emma's stiefmoeder. Zo kreeg ze het thuis ook nog een keer te horen. Abels ouders vonden dat Emma met hem moest omgaan. Ze negeerde hem zoveel ze kon, doodsbang dat de rest van de klas zou merken dat er tussen haar en Abel enig verband bestond.

Het andere joodse kind werd gepest. Toen Emma voor het eerst op school kwam, stond er een joelende kring op het schoolplein rond dat meisje.

'Ze is vies,' zei een meisje tegen Emma. 'Ze wast haar voeten niet.'

Instinctief begreep Emma dat het een joods kind was. Huiverend stond ze in de kring en schold ook maar wat, uit angst dat de anderen zouden merken dat ook zij joods was. In Emma's straat woonde een dikke joodse jongen van haar leeftijd. Jopie heette hij. Wanneer Jopie op straat speelde, hing zijn moeder uit het raam en bemoeide zich ermee. 'Jopie,' riep ze, 'geef de meisjes nu eens een bal,' of: 'Jopie, doe je jas aan als je zo bezweet bent!'

Jopies moeder vond dat Emma eens moest komen spelen omdat twee joodse kinderen toch met elkaar moesten omgaan. Ze sprak erover met Emma's ouders. Sinds die tijd groette Emma Jopie niet meer.

Later, toen Emma op het lyceum kwam, had ze voor zover ze wist één joodse klasgenoot, Dora, een dik, ongemakkelijk meisje. Ze leerde slecht, maar probeerde door veel klikken in de gunst te komen bij de leraren. Niemand ging met haar om. Emma walgde van haar en deed alles om te voorkomen dat Dora naast haar kwam zitten.

Dora's moeder belde Emma's ouders op. Dora was erg eenzaam, zei ze. Kon Emma zich haar lot niet aantrekken, vroeg ze. De kinderen waren toch allebei joods.

'Waarom zou je niet eens naar haar toegaan?' vroeg Emma's vader. 'Ze heeft veel verdriet.'

Emma schrok zich een ongeluk. Gelukkig kwam haar vader er niet meer op terug. De klas merkte niets. Maar Emma bleef de dreiging voelen dat zij en Dora in de positie zouden raken van twee joden tegenover de anderen.

Joden waren lelijk en onaangenaam, behalve haar vader. Die had weliswaar een grote neus, maar verder merkte je eigenlijk niet dat hij joods was. Slordig was hij niet en druk was hij evenmin. De familie van tante Lea in Amsterdam daarentegen was onmiskenbaar joods. De kinderen zagen er joods uit, praatten veel en hard en zwaaiden erbij met hun handen.

De andere familie, die in het huis aan het Vondelpark woonde, was niet druk, maar tante Thérèse was dan ook niet joods.

Op een regenachtige zondagmiddag kregen Renske en Emma geld om naar de bioscoop te gaan. Met de bus gingen ze 'naar de stad'. Bij Asta stond een lange rij, maar gelukkig waren er nog kaartjes.

De film heette *Tea for two*, met Doris Day en Gordon MacRay. Die twee waren verliefd op elkaar. Ze zongen een liefdesduet. Ze kregen ruzie om een misverstand, dat begreep iedereen, behalve zijzelf. Het was onverdraaglijk dat je hun dat niet kon uitleggen. Met tranen in haar blauwe ogen zong Doris Day een langzaam liedje. Ze kreeg de hoofdrol in een show. In smoking danste en zong ze tussen een hele-boel mannen.

Godzijdank werd het misverstand opgehelderd. Alles kwam goed. Samen zongen Doris en Gordon een liefdeslied. Thee voor twee. Aan het slot hadden ze twee kinderen: een jongen en een meisje. Ze dansten met zijn vieren en Doris en Gordon zongen nog één keer de slotzin van het liedje: 'Can't you see how happy we will be.' Boven het koor uit klonk de hoge stem van Doris Day.

Het zaallicht ging aan.

'Als je zo'n moeder had,' zei Renske.

'Ja,' zuchtte Emma. Haar gezicht was nat van de tranen. Wat was dat prachtig! De stem van Doris Day zong nog in haar hoofd; nu eens vol en zuiver, dan weer hees en zachtjes, begrijpend en onzegbaar lief.

Emma kreeg belangstelling voor een ander klasgenootje, Mabel, een Indisch, vrolijk kind dat al naar jongens keek. Ze woonde aan het andere eind van de stad, maar dat was voor Emma geen bezwaar. Ma-bel bezat een koffergrammofoon met een plaat. Daarop zong Doris Day 'Quicksilver' en op de andere kant 'There's a bluebird on your windowsill'. De laatste regel was: 'There're happy thoughts your heart to fill. Dear enough to make you cry.' Het woord 'cry' zong ze weer zo hees en begrijpend. De tranen sprongen je erbij in de ogen.

Het was een mooie warme dag; ze waren naar het strand geweest. Zand kleefde nog aan hun armen en benen. De ramen stonden open. Voor de zevende keer draaide Mabel de plaat om. Dit was de laatste keer, kondigde ze aan. Ze wilde terug naar het strand, waar jongens waren.

'Nog één keertje, Mabel,' smeekte Emma toen het afgelopen was. Maar Mabel was onverbiddelijk.

Op het strand draaide Mabel met haar kont. Ze had veel sjans. Em-ma zat terzijde. 'Dear enough to make you cry-y,' zong het nog na in haar hoofd.

Emma dacht dat ze zelf Doris Day had ontdekt en dat zij de enige was die zoveel van haar hield. Tot haar verbazing merkte ze dat de hele wereld haar idool aanbad. Er waren Doris-Day-schriften, Doris-Day-albums en bij kauwgom zaten kleurenportretten van Doris Day. Er waren ook kauwgomplaatjes van andere filmsterren. Maar al te graag gaf Emma al haar Virginia Mayo's en Esther Williams' in ruil voor Doris Day.

In bed lag ze te dromen van Doris Day. Op een dag zou Doris Day naar Den Haag komen, voor een opname. Ze stond in een dichte menigte bewonderaars, maar het lukte Emma tot haar door te dringen. Doris Day zag haar en boog zich naar haar over, met haar alles begrijpende, lieve, een beetje hese lach. Ze nam Emma mee naar Hollywood en maakte haar voor altijd gelukkig.

In die dagdromen was Emma ook blond. In plaats van bruine vlechten had ze een kort blond kapsel met krullen. Ze had geen grote neus maar een mooi klein wipneusje en grappige zomersproeten. En ze was helemaal niet joods.

Haar zakgeld ging op aan de *Piccolo* en *De Lach*, waarin Doris Day stond afgebeeld met haar stralende lieve glimlach. Ze knipte de plaatjes uit en plakte ze boven haar bed. Een Doris-Day-album kostte twee gulden vijfenzeventig, een onbereikbaar bedrag.

Op een maartse dag was er op het Scheveningse strand een wedstrijd voor kinderen, wie het eerst in zee was. De eerste prijs was een Doris-Day-album. Het was nog aardig fris. Rillend stond Emma in de rij, zette het na het startsein op een rennen en plonsde als eerste in de ijskoude zee. Ze ging om haar prijs vragen.

'Hoe oud ben je?' vroeg de man achter de tafel.

'Elf jaar.'

'Dan had je met de kinderen van negen tot twaalf mee moeten doen,' zei de man. 'Je hebt meegelopen met de kinderen van zeven tot negen. Ik mag je geen prijs geven.'

Ze moest een andere manier vinden om dat album te bemachtigen. Na schooltijd haalde ze oude kranten op en bracht die op de fiets naar een man in de binnenstad, die ze opkocht voor vijf cent per kilo.

Na twee maanden was Emma nog lang niet toe aan het vereiste bedrag. Een buurjongen ging 's zondagsavonds altijd naar het voetbalveld. Hij raapte flesjes op en leverde die in bij de melkboer voor statiegeld. Emma ging met hem mee. Flesjes genoeg. Zo kreeg ze gauw het geld bij elkaar.

Ze kocht het album. Nu de plaatjes nog.

Op dinsdagavond was Doris Day op de radio, op de zender American Forces Network, om half tien. Emma zeurde zo lang tot ze op dinsdagavond het radiootje mee naar bed kreeg.

In het donker hield ze haar adem in. Door het gekraak tussen de mannenstemmen hoorde ze Doris Day praten met haar zangerig geluid. Van de woorden verstond ze niet veel, maar ze luisterde gespannen. Doris Day zong een paar liedjes.

Emma staarde naar de gelig verlichte glasplaat, die dicht was beschreven met namen van verre steden, als diagonale streepjes. De plaat wierp een schijnsel op het jute, dat over de luidspreker was gespannen. Emma verbeeldde zich dat ze daar het figuurtje van Doris Day zag lopen en dansen. Zoiets moesten ze toch eens uitvinden!

Met Renske zag ze alle films van Doris Day. De liedjes leerde ze fonetisch uit het hoofd. Renske en Emma vochten om de *Tuney Tunes*, waarin de teksten stonden.

'Ga nou eens weg met die vreselijke Doris Day!' riep Renskes vader op een avond.

Ze gingen de straat op. Bij het licht van een lantarenpaal stonden ze te leren. De motregen maakte vlekken op de *Tuney Tunes*.

De liefde

Op het schoolplein stond een ijzeren constructie met schommels. Aan weerskanten leunde het gevaarte op schuin aflopende palen. Op een middag, toen ze was uitgeschommeld, klom Emma op de constructie en gleed over de ijzeren paal schuin naar beneden. Verbluft bleef ze staan. Wat was dat voor een vreemd gevoel? In zichzelf gekeerd ging ze op een schommel staan, klom naar boven en gleed naar beneden. Weer dat eigenaardige gevoel. Heerlijk was het ook.

Sinds die ontdekking gleed Emma een paar keer per dag van de paal. Ze ontdekte dat je thuis in bed met je hand dat gevoel ook kon krijgen.

Als iemand merkt dat ik dat doe, dacht ze, pleeg ik zelfmoord.

Op een middag reed ze naast Renske op de fiets naar huis. 'Ik ben blij dat ik er ben,' zei Emma. 'Ik krijg zo'n pijn aan m'n je-weet-wel.'

Renske gaf toe dat ze ook last had van lichte zadelpijn. Maar soms, voegde ze eraan toe, had je daar wel eens 'een lekker gevoel'.

Emma viel bijna van de fiets. 'Wát!' riep ze. 'Heb jij dat ook?'

Even later, op Renskes kamertje, vertelde Emma van de schuine paal aan de schommels. Renske haalde een sigarenkoker te voorschijn van haar vader. Als je die over je je-weet-wel wreef, kreeg je ook dat gevoel. Sindsdien keken ze elkaar in gezelschap af en toe vol verstandhouding aan, zeiden 'sigaar' en barstten uit in giechelen. Geen mens die begreep waarom. Het was wel toevallig, vond Emma, dat ze een vriendin had die dat eigenaardige gevoel ook wel eens had. Ze had het wel getroffen.

Op een ochtend liep Emma binnen bij de buren. Ze zocht Renske. In de huiskamer was de divan opgemaakt als bed. Er lag iemand in, een jongen, ouder dan zij. Hij werd wakker. Lachend sloeg hij de dekens op. Met een weids gebaar nodigde hij Emma uit om in te stappen.

Ze deinsde achteruit, stamelde iets en liep de kamer uit. Het was een vriend van Renskes broer. Wim heette hij.

Sinds die ochtend was Wim niet meer uit haar gedachten. Ze stelde zich voor dat ze op zijn uitnodiging inging en tegen die blauw-grijs gestreepte warme pyjama aankroop.

Wim was al achttien. Hij had gauw in de gaten dat Emma verliefd op hem was. Hij speelde klarinet. Hij legde haar uit hoe dat instrument in elkaar zat. Daarbij keek hij haar diep in de ogen. Hij gaf Renskes broer een knipoogje. Het zweet brak Emma uit tot in de haarwortels en ze holde naar huis.

Anne Frank

Emma's vader stond 's ochtends als eerste op, om kolen te scheppen.
Hij vulde een kolenkit, gooide die leeg in de potkachel in de huiskamer, legde er houtjes op en papier en stak hem aan. 'Je brûle tout l'hi-
ver sans m'éteindre' beloofde het kacheltje op het gietwerk, maar dat
was opschepperij.

Zodra de kolen begonnen te gloeien, maakte Emma's vader iedereen wakker. Met uiterste inspanning van wilskracht gooide Emma de
gelukzalige warmte van de dekens van zich af en stapte uit bed.

In de badkamer stonden ijsbloemen op de ramen. Emma draaide de
kraan open, stak voorzichtig haar hand in de ijskoude straal en trok
die haastig terug. Een minuut of vijf liet ze het water onaangeroerd
stromen, in de hoop dat iemand het hoorde.

Op de gang wreef ze bedrijvig met een handdoek over haar gezicht,
voor het geval ze iemand zou tegenkomen. Ze kleedde zich aan en ging
naar beneden.

In de huiskamer, aan tafel, zaten vier jonge meisjes: Cisca, Trees,
Toos en Lili. Cisca en Trees waren zestien. Ze zaten op de hbs. Lili zat
op de mulo. Ze was wild op paarden. Wanneer ze een opstel moest
maken, schreef ze over paarden. Op tekenles tekende ze paarden. Elk
vrij uurtje bracht ze door in de manege. Ze was doorlopend verliefd,
altijd op een jockey.

Lili en Toos heetten allebei van hun achternaam Augurkiesman,
maar ze waren geen familie van elkaar. Lili had wel een zuster, maar
die heette Marlene. Hun moeder hield een melksalon, die een slechte
reputatie had. Toos was achttien en werkte als verkoopster bij de
Bijenkorf.

Emma's vader werkte niet meer in de juwelierszaak. Koster had een
derde compagnon gevraagd. Samen hadden ze Emma's vader verzocht
eruit te stappen, want hij bezat te weinig handelsgeest. Hij had zich
uitgekocht en zat in de schuld.

Hij studeerde weer economie. Tegenwoordig werkte hij voor het diploma Middelbaar B. Af en toe kreeg hij opdracht om ergens een be-

drijf te reorganiseren. Maar dat gebeurde niet vaak genoeg. Om geld te verdienen hadden Emma's ouders – via een instantie – opgroeiende pleegkinderen in huis genomen die om de een of andere reden niet bij hun ouders konden wonen: 'moeilijke kinderen'.

Mevrouw Ruychrock was verhuisd, met gebreide deux-pièces en al. De achterkamer beneden was nu de huiskamer. In de voorkamer woonde meneer Ravensteijn, een officier van justitie, die bij hen in pension was. Zo verdienden Emma's ouders samen de kost.

Emma's vader belastte zich met de opvoeding van de kinderen. Haar moeder deed het vuile werk, maakte wc's schoon, kookte en deed de was.

Eens per week laadde Emma's moeder twee tassen met wasgoed op de fiets. In weer en wind trapte ze naar de andere kant van de stad, naar tante Froukje, die een wasmachine had. Tegen etenstijd kwam ze terug. Ze bracht de tassen schoon wasgoed naar boven en ging naar de keuken om het eten klaar te maken.

'Heb je je gewassen?' vroeg Trees.

'Bemoei je je er niet mee,' bromde Emma.

'Waarom mogen we ons daar niet mee bemoeien?' vroeg Trees nuffig. 'Een kind dat haar hals niet wast, bah.'

'Ik zeg het straks tegen je moeder, hoor,' dreigde Lili.

'Laat Emma met rust,' vond Toos.

Emma probeerde niet te laten merken dat ze driftig was. Ze schonk thee in, pakte haar geschiedenisboek en begon als een razende te leren.

'Aan de ontbijttafel wordt geen huiswerk meer gemaakt,' zei haar vader, die met brood de kamer binnenkwam. 'Dan had je het gisteren maar moeten doen.'

Emma legde het boek weg. Ze zou zeker een beurt krijgen. Ze had er nog niet toe kunnen komen haar geschiedenisboek op te slaan.

Bij Renskes ouders stond de Merijntje-Gijzen-serie in de kast. Renske en Emma konden er niet meer mee ophouden. Vooral de liefdesscènes lazen ze met vurige opwinding. Emma was de vorige middag, toen ze uit school kwam, voor de verleiding bezweken en had *Het verrāad* opengeslagen. Een fel-realistisch drama was het. De ruwe drankzuchtige zwerver De Kruik was zacht als een lam voor de kleine vrome Merijntje.

Voordat Emma het wist was het etenstijd. Daarna moest ze helpen met de afwas. Voordat ze naar bed moest, had ze nog even naar een wiskundesom gekeken. Ze begreep er niets van. Ze legde het wiskundeboek weg en las het Merijntje-boek uit. De Kruik was verliefd op een jonge, onweerstaanbaar verleidelijke vrouw. Ze bedroog hem. In de roes van het carnaval vermoordde hij haar. In zijn kinderlijke onschuld herkende Merijntje bij de politie het mes van zijn vriend. Ongewild had hij hem verraden.

Walther Lerner, een vrolijke gymnasiast die in het kamertje voor woonde, kwam de kamer binnen. Hij had zijn jas al aan. Hij schonk zichzelf thee in, propte een hap brood naar binnen en stond weer op. 'Sorry meisjes,' zei hij met volle mond. 'Ik moet Amieke ophalen.' Hij verdween. 'Ein Mädchen oder Wei-ei-eibchen,' zong hij in de gang. Hij was dol op Mozart.

Walther kon zich meer permitteren dan de meisjes. Sinds hij bij Emma's ouders woonde, ging het goed met hem. Walthers moeder was een roodharige jodin van Duitse afkomst. Uiterlijk leek ze veel op portretten van Emma's Duitse grootmoeder. Hij had met zijn ouders in een concentratiekamp gezeten, waar zijn vader was overleden. Met zijn moeder lag hij altijd overhoop. Emma's vader had veel plezier in zijn schranderheid.

Op een dag, toen Emma bijna tien was, nam haar vader haar op schoot. Hij moest haar iets vertellen, zei hij, iets om blij om te zijn.

'Gaan we naar Canada?' vroeg Emma. Haar vader had plannen om daarheen te emigreren.

'Nee dat gaat niet door,' zei haar vader. Hij vertelde dat ze een broertje of zusje zou krijgen.

'Een halfzusje of -broertje,' verbeterde Emma hem.

Ze vond het geen prettig bericht. Ze had een vaag gevoel dat de komst van een kindje de toestand in huis zou verergeren. Haar ouders maakten evenmin de indruk dat ze er blij mee waren. Kort tevoren had haar moeder nog over echtscheiding gesproken.

De sfeer in huis verslechterde inderdaad. Irma, die bijna veertig was, had een moeilijke zwangerschap, met veel pijn. De bevalling kostte haar bijna het leven. Penicilline was haar redding.

Maar toen het kindje eenmaal thuis in de wieg lag, was het een bron van vreugde. Urenlang lag Emma er op haar knieën naar te kijken. Wat een kleine oortjes! Die schattige vingertjes om haar wijsvinger. Ze kriebelde op het buikje. Het kindje kirde. Het gaapte. Emma schaterde het uit.

Op school onder de les dacht ze ongerust aan haar zusje, bang dat ze zou vallen. Zo kwetsbaar als zo'n kindje was!

'Aanbidding' was niet te veel gezegd voor Irma's liefde voor haar kind.

Kort voordat het werd geboren was Irma's moeder gestorven, een vrouw die ze zeer had bewonderd en die − daarvan waren moeder en dochter overtuigd − ver beneden haar stand was getrouwd. Van haar vader hield Irma niet.

In haar huwelijk voelde ze zich ongelukkig en onbegrepen − om het stiefkind. Emma ergerde haar steeds meer. Misschien had Irma onbewust aangenomen dat in de oorlog niet alleen haar vriend, maar ook haar vermogen tot liefhebben was vermoord.

Ze verslingerde zich aan haar kind, dat in haar opinie gezegend was met een schier bovenmenselijke schoonheid van karakter en uiterlijk, een uitzonderlijke begaafdheid, charme en intelligentie. Het kwam alleen doordat er geen impresario uit Hollywood de Haagse straat had aangedaan, dat de kleine Katja nog niet voor de film was gevraagd. 'Sprékend Shirley Temple,' vond haar moeder.

Katja was inderdaad een mooi kind. Ze was aardig en het was leuk om haar snelle vorderingen te volgen. Maar het plezier daarin verging Emma spoedig. Er was een te groot verschil in de manier waarop Irma de twee kinderen in huis benaderde.

Renske en Emma speelden in de tuin met de kleine Katja. Het liep tegen etenstijd. Emma's moeder kwam naar buiten. 'Emma!' bitste ze met vertrokken mond. Ze glimlachte. Haar stem steeg van toonhoogte. 'Kaatjáááá!' zong ze langgerekt, op hoge welluidende toon vol liefde.

Gedeprimeerd ging Emma aan tafel. Ze had zeker weer iets verkeerds gedaan. Ze ging na wat het kon zijn geweest. Ze keek naar haar moeder. Plotseling begon ze te trillen. Ik haat je! dacht ze. O, ik háát je! Wacht maar!

In de loop der jaren nam het verschil in benadering absurde vormen aan.

Irma en Katja, inmiddels een kleuter, zaten zachtjes keuvelend op de bank. Achterin de kamer zat Emma in een stoel te lezen. Verder was er niemand in de kamer. Emma ving op dat Irma haar dochtertje weer eens het belang uitlegde van mooie benen bij een vrouw.

'Heb ík mooie benen?' vroeg het kind.

'Ja, schat, jij hebt hele mooie, rechte benen.'

Een stilte.

'Heeft Emma mooie benen?' vroeg Katja. Ze wist het antwoord al. Emma ook.

'Nee!' zei Irma kortaf. 'Emma niet. Emma heeft lelijke benen.'

Emma keek er niet van op uit haar boek. Het paste in het beeld van monsterlijkheid dat haar tweede moeder van haar had en dat ze van zichzelf had. Daarin pasten lelijke kromme benen.

In werkelijkheid viel er op de vorm van Emma's benen niets aan te merken. Op die van Katja overigens evenmin.

'Ik draag bijna nooit een korte rok,' zei de volwassen Katja eens tegen Emma. 'Meestal heb ik een lange rok aan of een lange broek. Ik kan me nog steeds niet onttrekken aan het gevoel dat mijn benen aan een hogere standaard moeten voldoen.'

Emma stond van de ontbijttafel op, liep de gang in en trok haar jas aan. Het was een wijnrode, lange winterjas. Warm was hij wel, maar verschrikkelijk sloom. Het was een afdragertje van Abel de Honds oudere zuster. Nu en dan kwam er een koffer met kleren van die familie. Emma's ouders vonden dat ze die heel goed konden gebruiken. Hij was nog keurig, meenden zij, en de kleur, vonden ze, stond haar heel goed.

Emma had in de huiskamer, waar ze allemaal bij waren, staan huilen en smeken. Iedereen op school, betoogde ze, had een gevoerd jack, met een grote zak horizontaal over de borst. Een anorack-jack. Emma's ouders zeiden dat ze niet elke keer een jack konden kopen wanneer dat in de mode was. Het geld groeide hen niet op de rug.

Vlechten had Emma niet meer. Ze was tot de slotsom gekomen dat die vlechten haar kinderachtig stonden. Dát was de reden dat Wim nooit naar haar keek! Ze was een kapperszaak binnengegaan. Ze informeerde hoeveel knippen kostte.

'Als ik je haar krijg doe ik het voor niks,' bood de kapper aan.

Met een kort kapsel kwam ze thuis. Het gaf een hevige scène met haar moeder.

Wims reactie maakte alles goed. Hij keek haar diep in de ogen en zei dat het haar 'knap' stond. Na de eerste wasbeurt verdween spoorloos de watergolf. Sindsdien was er met Emma's haar 'niets te beginnen', zoals haar moeder het uitdrukte. Het haar was vet en piekerig en zonder model. Met mooi vol haar had ze haar grote neus nog enigszins kunnen verbergen.

Sinds ze op haar gezicht was gevallen, hield Emma in het openbaar zoveel mogelijk haar mond dicht.

Het was gebeurd op een mooie zondag. Ze zouden een tochtje maken, met de auto van de juwelierszaak. Emma ging alvast de straat op. Ze had nieuwe schoenen aan. Ze gleed uit en viel met haar gezicht op de stoeprand.

Ze ging naar binnen, naar haar moeder, die in de keuken brood inpakte. Emma sperde haar mond open. Ze spuugde bloed en tandgruis. Haar moeder werd spierwit en klampte zich vast aan het aanrecht.

Een stuk voortand was afgebroken. De tandarts wilde op zondag wel helpen. Hij lijmde een hoekje aan de tand. Het was van een andere kleur dan de tand zelf. Als ze zestien was, kon ze een jacketkroon krijgen, zei hij. Zo lang ze nog groeide had het geen zin.

Het zou nog een eeuwigheid duren voor ze zestien was. Emma kon zich niet voorstellen dat er ergens op de wereld een lelijker en onaantrekkelijker schepsel bestond dan zijzelf.

Het was snerpend koud. Naar het lyceum was het twintig minuten fietsen. Bij elke les had Emma spijt dat ze haar huiswerk niet had gemaakt. Ze sperde haar ogen open om niet in slaap te vallen. Als ze nu nog maar goed had geslapen, had ze er misschien nog iets van begrepen. Nu was haar achterstand niet meer in te halen.

De laatste twee uur hadden ze zwemmen. Klappertandend stond Emma op de hoge plank en staarde naar de groene watervlakte beneden. Op de kant stond de gymnastiekleraar met haar klasgenoten. Allemaal waren ze al van de plank gedoken of gesprongen.

'Schiet nou eens op,' riep de leraar.

Emma week terug in de richting van de trap.

'Néé!' schreeuwde de leraar.

'Nééééééé,' joelde de klas.

Beneden klonk gegons en gegil.

'Intrèèèèkke, spreieieid... sluit!' krijste boven alles uit een vrouwenstem met een Indisch accent.

Emma kneep haar ogen dicht en sprong. Ze vergat haar adem in te houden. Met een stekende pijn in de neus kwam ze boven.

Toen ze thuis kwam had ze nog pijn in haar neus, tranende ogen van het chloor en oorpijn doordat ze met nat haar buiten had gelopen.

Het was zaterdag. Het huiswerk zou ze morgen wel maken. Haar moeder riep dat ze haar kamer moest opruimen. Daar leek het volgens haar wel een varkensstal. Op haar kamertje verschoof Emma een paar kleren en boeken.

Ze ging naar beneden, trok aan het touwtje dat bij Renske uit de brievenbus hing en stapte naar binnen. Renske zat aan tafel in de huiskamer te kliederen met ecoline, gekleurde inkt. Ze zaten nu niet meer bij elkaar op school.

Emma zette *Het verraad* terug in de kast en vroeg om het volgende

Merijntje-deel. *Flierefluiters oponthoud*. Renske zei dat ze er nog in bezig was.

'Heb je het nu nóg niet uit,' zei Emma teleurgesteld. Ze pakte een vel papier en een tekenpen, maar van tekenen bracht ze niets terecht.

Tegen etenstijd ging ze terug naar huis en slenterde naar de huiska-mer. Uit de kast van haar ouders pakte ze een boek. Op het titelblad zag ze een foto van een meisje van haar eigen leeftijd. *Het achterhuis* heette het boek.

Emma begon te lezen. Bezeten las ze door.

Cisca kwam binnen, een van de grote meisjes. 'Emmaatje zit weer bij de kachel,' stelde ze schamper vast.

Emma gaf geen antwoord. Hoe was het mogelijk dat je met iemand uit een boek zo'n verwantschap voelde. Die Anne Frank was precies zoals zij! Ze dacht en voelde hetzelfde. Anne hield ook zoveel van haar vader. Zij kon ook niet overweg met haar moeder.

Emma keek naar Annes portret en geboortedatum. In 1942 was ze dertien. Dat betekende dat ze nu drieëntwintig was. Een vrouw. Ze woonde beslist nog in Amsterdam. Emma zou eens naar haar adres in-formeren. Misschien was Anne inderdaad wel schrijfster geworden, of journaliste. Als Emma durfde, zou ze haar, als ze bij de Amsterdamse familie logeerde, eens opzoeken.

Ze zag zichzelf zitten, in een grote, zonnige kamer met veel planten, in een grachtenhuis. Anne zat tegenover haar, luisterde naar haar en praatte. Emma besloot voortaan een dagboek bij te houden. Ze zou het Anne voorlezen.

Haar moeder kwam binnen en zei dat het tijd werd om tafel te dek-ken. Moest ze nu álles alleen doen? Met tegenzin legde Emma Annes dagboek weg. Na het eten zou ze verder lezen.

Emma's vraatzucht was voor de pleegkinderen een bron van vermaak. 'De vuilnisbak' noemden ze haar. Emma kon zich niet voorstellen dat ze ooit dat holle gevoel in haar maag zou kwijtraken, hoeveel ze ook at. Een hele pan stamppot zou ze wel op kunnen.

Vandaag aten ze spekpannekoeken. Vier dikke had ze al op en nog had ze honger. Er waren er nog twee over.

'Geef die maar aan de vuilnisbak,' zei Cisca.

'Die kan ze echt niet meer op,' zei Emma's moeder.

'Ja hoor,' zei Emma. De laatste twee pannekoeken at ze ook nog op.

's Avonds had ze buikpijn. De meisjes lachten haar uit. Ja, dat was haar eigen schuld. Ze moest maar vroeg naar bed gaan, dan was het morgen over.

Om acht uur werd ze wakker. Wat was er ook weer voor naars? O ja, dat ze naar korfballen moest. Ze stond op. Voor de zekerheid liet ze het water hard stromen, want je wist nooit of er iemand wakker was en luisterde. Een poosje stond ze te kijken naar het stromende water. Ze pakte haar sportkleren in. De clubkleuren waren geel en zwart. Een afzichtelijke combinatie.

Ze belde op of de velden waren afgekeurd, vanwege het slechte weer, maar iemand in het clubhuis zei dat alle wedstrijden zouden doorgaan. Ze zou er aan moeten geloven. Wat was het heerlijk geweest als ze had kunnen thuisblijven. Lekker lezen in bed, hoe het afliep met Anne Frank.

Emma stapte op de fiets. Ze had nog steeds erge buikpijn. De spekpannekoeken van de vorige dag kwamen haar voor de geest, tegelijk met een golf van misselijkheid.

Het korfbalveld lag aan de andere kant van de stad. Haar ouders vonden dat ze aan sport moest doen. Dat was goed voor haar. Maar waar was korfballen goed voor? Je moest in je eigen vak blijven. Zij werd altijd ingedeeld bij de 'aanval'. Omdat haar club steevast verloor was de bal altijd in het verdedigingsvak. Soms zag je de hele wedstrijd de bal niet één keer. Wat was er voor gezonds aan om anderhalf uur te kleumen bij een korf?

Ze had nu hevige buikkramp en fietste met moeite dòor. Eindelijk zag ze het clubhuis. Ze verkleedde zich en ging het veld op. Onder de korf gaf ze over. 'Ga maar naar huis,' zei de aanvoerder.

Een onverwachte meevaller. Maar het naar huis fietsen ging moeizaam. De buikpijn werd steeds erger.

Bij huis gooide Emma haar fiets tegen het tuinmuurtje, deed de deur open met de sleutel die aan een touwtje om haar nek hing, gooide de deur dicht en holde de trap op. Het huis was nog in diepe rust.

'Ik heb zo'n buikpijn!' gilde Emma. Ze kroop in bed, stond direct op en rende naar de wc om over te geven.

Haar ouders kwamen uit de slaapkamer. Ook Cisca en Trees kwamen aanlopen.

'Laten we toch maar dokter Lindeboom waarschuwen,' zei Emma's moeder.

De dokter kwam en voelde aan Emma's buik. Ze hoorde hem praten op de trap. 'Ziekenhuis,' verstond ze.

Ze werd warm van blijdschap. 'Nèe, niet naar het ziekenhuis,' gilde ze. Ze had wel eens in een boek gelezen dat je dat moest roepen.

Haar vader kwam de kamer binnen. Hij troostte haar en zei dat het niet lang zou duren. Even later kwam de ambulance. Mannen pakten

Emma op, bonden haar op een brancard en droegen haar de trap af.

Over haar gezicht legden ze een doek. Ze hoorde mensen op straat praten. 'Het is Emma,' hoorde ze. Ze hoorde haar moeder huilen. Dat haar, Emma, zoiets interessants overkwam! Het was te mooi om waar te zijn.

Hoewel ze er met haar twaalf jaar eigenlijk te oud voor was, brachten ze haar naar de kinderzaal. Haar vader zat bij haar. Als kind was hij zelf geopereerd aan zijn blindedarm, vertelde hij. Het was zo gebeurd. Je merkte er haast niets van.

Toen ze na de operatie bijkwam zat haar vader bij haar. Hij maakte de zaak zo mogelijk nog interessanter. Ze mochten dokter Lindeboom wel dankbaar zijn, zei hij, want als die niet zo bedreven de diagnose had gesteld, dan was de darm doorgebroken. Dan had Emma buikvliesontsteking gekregen en daar kon je aan doodgaan.

Een mooie week brak aan. Op bezoekuren kwamen haar ouders met cadeaus. Er kwamen bloemen van de overbuurvrouw. Toch aardig, al was het dan de joodse vrouw die zo graag wilde dat Emma met haar zoontje omging.

Een jongen uit de klas kwam als afgezant van de anderen met een gezamenlijk cadeau, een boek. Er was een lang, in verscheidene handschriften aan elkaar geschreven, opbeurend epistel bij van de anderen.

Naast Emma lag een meisje, dat iets jonger was dan zij, met een gebroken arm. Ze haastten zich om elkaar op fluistertoon zo veel mogelijk hartsgeheimen toe te vertrouwen.

Nu en dan kwam er een jongen van hun leeftijd in een rolstoel bij haar en het andere meisje zitten. Hij was mager als een skelet. Bij hem was de blindedarm wel doorgebroken en hij had buikvliesontsteking gehad. Hij was al een jaar in het ziekenhuis.

Een week na Emma's operatie kwam de ziekenhuisdokter. 'Jij mag morgen naar huis,' zei hij tegen de jongen in de rolstoel. De jongen barstte in huilen uit.

'Daar hoef je toch niet om te huilen,' zei de dokter.

'Ik ben zo blij,' snikte de jongen.

'Jij mag ook naar huis,' zei de dokter tegen Emma. 'Ja, jij mag dokter Lindeboom wel dankbaar zijn.'

Emma huilde ook. Ze was absoluut niet dankbaar. Als dokter Lindeboom de blindedarmontsteking te laat had geconstateerd, dan had ze ook buikvliesontsteking gekregen. Dan had ze ook een jaar in het ziekenhuis moeten blijven. Een jaar lang cadeautjes, niet naar school, geen huiswerk en geen korfbal. Een jaar lang kletsen met andere patiëntjes op die zonnige kinderzaal en lekker lezen.

Thuis kreeg ze te horen dat er van zwemmen en korfballen voorlopig geen sprake mocht zijn. Dat was tenminste een troost.

Iemand die zojuist een zware operatie achter de rug had kon je het niet kwalijk nemen als die niet overging. Met dat rustige gevoel bleef Emma zitten in de eerste klas.

Achteraf hoorde ze dat ze in de vorige klas tamelijk populair was geweest. De jongens vonden het leuk dat ze zoveel grappen maakte en zo vaak de klas werd uitgestuurd. In de nieuwe klas had ze aan deze reputatie niets meer en het lukte haar ook niet een nieuwe op te bouwen, al werd ze nog steeds even vaak de klas uitgestuurd als voorheen.

Daartegen had ze overigens geen enkel bezwaar. Onbeschroomd klopte ze aan bij de rector, een goedhartige, vaderlijke man, die haar een stoel aanwees en vol belangstelling informeerde wat er was gebeurd. Emma had de indruk dat hij het wel gezellig vond als ze kwam.

Duits was het enige vak, waarbij ze zich koest hield. Steevast, binnen twee minuten na het begin van het lesuur, brak daar een pandemonium los. Proppen, papieren vliegtuigjes, stukken vlakgom en andere projectielen, vlogen door de lucht. De leraar, met al zijn zichtbare vlees purperrood, probeerde het gekrijs te overstemmen.

'Ik zal jullie een gedicht van Goethe voorlezen!'

En even later:

'Jullie zijn Goethe niet waard! Schoften! Schoften!'

De leraar was Emma's oom Maurits, de man van tante Saartje, die zo prachtig viool kon spelen en die haar, toen ze zes was, 's avonds op haar bed zittend, verhaaltjes had verteld, 'wat je straks moet dromen'.

Vol schuldgevoel over haar eigen lafheid hield Emma de adem in. De klas wist niet dat de leraar haar oom Maurits was. Ze durfde hem niet in bescherming te nemen.

'Oom Maurits had professor moeten worden,' placht Emma's vader te zeggen.

Een paar jaar later wèrd oom Maurits professor. In Amsterdam. Maar de vreugde duurde niet lang. Op een middag reed de trein uit Amsterdam het Haagse station binnen. Eén passagier stapte niet uit. Hij was dood. Dat was oom Maurits. Toen ze het bericht kreeg werd tante Saartje gek. Ze werd opgenomen in een inrichting en bleef daar vrijwel doorlopend tot haar dood.

In de klas was het niet makkelijk om je te handhaven. Bij de meisjes had een klein groepje het voor het zeggen. Ze kwamen uit Wassenaar of uit een andere buitenwijk voor welgestelden. Ze kregen niet alleen zakgeld maar ook 'kleedgeld'; zo waren ze naar de laatste mode gekleed en geschoeid. Weliswaar bezat Emma nu een anorack-jack, een geschenk van haar Amsterdamse tante Lea, maar dat verschafte haar nog lang geen vrije toegang tot de hoogste kringen.

Aangezien Emma zelf neerkeek op degenen die niet tot de elite behoorden, maakte dat haar bestaan in de klas nogal solitair. Naast Emma in de bank zat Diny, een vadsig meisje. Ze droeg kraakheldere, maar burgerlijke jurkjes en sneeuwwitte sokjes in zwarte lakschoentjes. Emma probeerde niet naar Diny's nagels te kijken, die onwaarschijnlijk lang waren, brandschoon, met sneeuwwitte maantjes en geslepen in een scherpe punt. Diny kreeg van haar moeder, zeker ten bewijze dat ze geld genoeg hadden, witte boterhammen mee, met wel een centimeter roomboter en daarop een dikke laag jam. Emma kokhalsde als ze per ongeluk zag hoe Diny, naast haar in de schoolbank, in die boterhammen haar puntige tandjes zette.

Op Diny's aandringen ging Emma eens na schooltijd met haar mee naar huis. Ze woonde niet in Wassenaar of in het Benoordenhout maar in een verre buitenwijk, die je net geen 'achterbuurt' kon noemen. Haar moeder sprak plat Haags.

'Echt, hè?' zei ze om de haverklap, in plaats van 'leuk, hè?' of 'mooi, hè?'

In de klas had Diny één vriendin: Marjan, die in dezelfde buurt woonde.

Op een ochtend, in de schoolgang, kwam Joyce naast Emma lopen. Joyce, blond en sierlijk, was het middelpunt van het elitegroepje en ook de aardigste. Haar vader was iets hoogs bij de marine en meestal op reis. Ze had een dubbele achternaam en in haar uiterlijk en optreden iets zo vanzelfsprekend aristocratisch, dat ze het zich kon permitteren vriendelijk om te gaan met wie ze wilde, zonder angst zich te verlagen. Ze leerde makkelijk, haalde overwegend voldoendes en was in gymnastiek de beste van de klas. Op sportdagen sleepte ze tal van atletiekprijzen in de wacht. De jongens schreven haar naam met die van henzelf in hun schriften, op muren of op het bord en tekenden er een hart bij.

'Weet je,' zei Joyce samenzweerderig tegen Emma, 'Diny en Marjan horen eigenlijk niet op deze school.'

Emma werd warm van ontroering. 'Nee,' zei ze.

Emma zat op het tuinmuurtje. Ze wachtte op de brievenbesteller. Het was moordend heet.

Als je een dikke brief kreeg, was je blijven zitten. Dan zat er een brief bij voor je ouders. Was de envelop dun, dan was je over. Sinds Pasen kon Emma 's nachts met moeite in slaap komen, uit angst dat ze voor de tweede keer zou blijven zitten.

De besteller bracht de post, maar er was geen brief bij van school. Emma bleef op het muurtje zitten tot de tweede bestelling. Om half vijf kwam er weer een postbode. Hij had de brief bij zich. Emma pakte de envelop van hem aan. Hij is dik, dacht ze, verlamd van schrik.

Ze bracht de brief naar haar moeder. Die scheurde de envelop open. 'Bevorderd naar de tweede klasse.'

Emma barstte in snikken uit.

Alleen Diny, bleek 's ochtends op school, was blijven zitten. Joyce kwam op Emma af.

'Weet je,' zei ze. 'Ik ga van de zomer naar een jeugdkamp. Wil je niet mee?'

Uit alle macht probeerde Emma haar ontroering te verbergen. Ze beloofde dat ze het haar ouders zou vragen.

Euforisch fietste ze naar huis. Joyce, zo mooi, zo sportief, de populairste van de klas, wilde met haar, Emma, naar een zomerkamp. Het was niet te bevatten, een bijna benauwend geluk.

Het was een kamp van een christelijke jongerenvereniging. Overdag ging je wandelen of sporten of je had corvee. 's Avonds na de afwas was er bij het kampvuur 'bomen', over allerlei kwesties des levens, waarbij de groepsleider telkens Jezus Christus ter sprake bracht. Emma zat een beetje achteraf.

Een jonge groepsleider kwam bij Emma staan. Ze had afwascorvee. Watse heette hij.

'Schiet eens een beetje op,' maande hij. 'Je staat te dromen.'

Hij gaf haar een stomp.

Emma gaf hem een stomp terug tegen zijn windjack. Ze schrok er zelf van. Hij gaf haar een heleboel stompen en ze stompte weer terug.

De volgende avond kwam hij weer op haar af, keek haar vriendelijk aan en gaf haar een stomp. Ze worstelden en stompten een beetje.

De volgende dagen was Emma alleen nog maar vervuld van de vraag waar Watse was. Slapen of eten deed ze nauwelijks meer. Zag ze Watse met een ander meisje praten, dan kreeg ze maagpijn. Als in godsnaam maar niemand merkte wat ze voelde. Dan zou ze zelfmoord plegen.

Op een avond ging ze naar hem toe en stompte hem, maar hij ging er niet meer op in.

Ze was wanhopig. Urenlang lag ze 's nachts op de hooizolder te staren naar de contouren van de balken van de zoldering.

Versuft van de slapeloze nacht stond ze de volgende ochtend bij haar slaapzak. Bovenaan de ladder verscheen Watses gezicht. Emma staarde hem aan.

'Ruim die rotzooi eens op,' zei hij stug. 'Jij bent wel verschrikkelijk slordig!'

Hij verdween weer.

Een ogenblik stond Emma verstijfd van schrik. Ze barstte uit in wild huilen en liet zich op haar buik vallen.

Joyce schudde aan haar schouder. 'Wat is er?' vroeg ze.

Er was geen sprake van dat Emma kon uitleggen wat er was.

Na het ontbijt kwam de groepsleidster naar haar toe. 'Wat was er zonet, Emma?' vroeg ze dwingend.

Wat moest Emma antwoorden?

'Ik ben zo slordig,' zei ze. 'Dat vind ik zo erg.'

's Avonds onder het 'bomen' bij het kampvuur zei de groepsleidster: 'We hebben allemaal wel eigenschappen waar we last van hebben. Zo lijdt Emma erg onder haar slordigheid. Maar ze vecht er tegen en dat is goed.'

Emma keek naar Watse. Hij keek de andere kant op. Op het gezicht van Joyce zag ze een misprijzende uitdrukking. Ze stond op en liep weg.

'Nee, hier blijven!' riep de groepsleidster. 'Je moet er over kunnen praten.'

Emma antwoordde niet. Ze klom de ladder op en kroop in haar slaapzak.

's Ochtends vroeg pakte ze haar rugzak en zei dat ze weg wilde. De groepsleidster bracht haar naar de bus.

Haar vader zat aan zijn bureau toen ze binnenkwam. 'Ben je nou al terug?' vroeg hij verbaasd. 'Je zou nog een week wegblijven!'

'Ik had heimwee,' loog Emma.

Haar vader kreeg tranen in de ogen. 'Had je heimwee?' vroeg hij. 'Ik maak me er vaak zorgen over dat jij hier in huis niet gelukkig bent.'

Emma barstte uit in gehuil. Haar vader trok haar tegen zich aan. Meestal reageerde hij geërgerd als ze huilde. Je moest flink zijn en geen medelijden met jezelf hebben. Maar dat zei hij nu niet.

Emma huilde steeds harder. Haar vader hield haar stevig tegen zich aangedrukt.

'Dat je heimwee had!' zei hij.

Tante Froukje

Op eerste kerstdag werd er gebeld. Emma deed open. Voor de deur stond tante Froukje.

'U komt onze kerstsfeer verstoren,' zei Emma lachend. Ze deden niet aan Kerstmis. Toos had toch maar een boompje meegebracht, 'voor de gein'.

Abrupt draaide tante Froukje zich om. Met grote stappen liep ze weg.

Emma holde haar achterna. 'Tante Froukje,' riep ze wanhopig, 'tante Froukje.'

Met moeite haalde ze haar in aan het eind van de straat. Ze greep tante Froukje bij de arm. Grote tranen liepen over tante Froukjes gezicht.

'Tante Froukje, komt u alstublieft mee!' smeekte Emma. 'Het was toch maar een grapje. Wij doen helemaal niet aan Kerstmis!'

Tante Froukje snoot haar neus. Ze liep met Emma mee terug.

Emma was bang dat ze op haar kop zou krijgen, maar tante Froukje sprak er niet meer over.

Elke zondag kwam tante Froukje, tegen etenstijd. Terwijl Emma's moeder in de keuken het eten klaar maakte, dronken Emma's vader en tante Froukje jenever.

Soms kwam ook meneer Ravensteijn. Hij dronk whisky. Vaak bracht hij iets lekkers mee, een ijstaart of kaaskoekjes van de banketbakker.

's Zondags, bij het avondeten, was het vol om de grote ronde tafel. De pleegkinderen waren er. 'Oom Joop', een kennis, een eenzame vrijgezel, at vanzelfsprekend mee. De broer van Emma's tweede moeder, 'oom Henk', uit Rotterdam, was er met zijn vrouw. Voor de gezelligheid bleef ook meneer Ravensteijn meeëten.

Emma's moeder stond voor het fornuis of holde met schalen heen en weer.

Bij de borrel en aan tafel maakte Emma's vader met meneer Ravensteijn en Walther Lerner intellectuele woordgrapjes. Meneer Ravensteijn kende 'stoute' limericks. De mannen lachten er hard om. Emma spitste de oren. Tante Froukje lachte mee.

Aan tafel schreeuwde Emma grapjes tegen haar vader, die aan de andere kant zat. Hij en Walther, oom Henk en oom Joop lachten en maakten grapjes terug. Toos lachte ook. Emma, verguld met haar succes, lachte zelfs tegen haar moeder, die kwaad terugkeek.

Meneer Ravensteijn citeerde een Engelse limerick. Emma verstond er niets van. De mannen, Walther en tante Froukje lachten hard. 'Sorry, ladies present,' zei meneer Ravensteijn tegen Emma's moeder.

Emma zon op een manier om weer de lachers op haar hand te krijgen. 'Walther,' riep ze over tafel. 'Weet jij wat neuken is?'

Walther schaterde het uit.

'Emma!' riep Lili.

Toos liet giechelend haar servet vallen. Cisca en Trees sloegen de hand voor de mond.

Een diepe stilte viel in. Emma zelf was zich een ongeluk geschrokken. Ze kon wel huilen. Zelf wist ze niet precies wat neuken was. Ze wachtte tot haar vader haar van tafel zou sturen.

'En nu een beetje rustig,' zei haar vader. 'We spreken er nog wel over.'

Emma at door en zei geen woord meer.

Ze hoopte dat haar vader het zou vergeten. Maar dat deed hij niet.

'Emma, kom eens hier,' gebood hij de volgende middag. Schoorvoetend kwam ze. Haar vader vroeg of ze zelf wist wat het bewuste woord betekende.

Emma barstte uit in een onbedaarlijk gegiechel. Ze zweette en werd rood.

'En nu hou je op met giechelen,' zei haar vader kwaad. 'Nou, wat is het?'

Emma stotterde dat het iets was met 'de jongen zijn piel' en 'het meisje haar piel'.

Haar vader lachte nu ook. Het bleek dat hij heel goed wist wat Renske en Emma bedoelden met hun 'sigaar'. Hij begon aan een uitleg, maar Emma was zo gegeneerd dat ze er niets van snapte.

Tante Froukje was potig. Ze liep op zware stappers. 's Zondags droeg ze een mantelpak; door de week een verpleegstersuniform. Ze was directrice van de Koningin Wilhelmina Kinderbewaarplaats. Het gebouw stond in een vervallen volksbuurt. Er woonden veel ongehuwde moeders en moeders die uit werken moesten. Op haar werk heette tante Froukje 'zuster Driesen', een verbastering van 'directrice'.

Ze woonde alleen op kamers in de buurt van de kinderbewaar-plaats. Soms vroeg ze Emma een weekend te logeren. Emma's ouders vonden dat ze moest gaan. Emma ging met gemengde gevoelens.

's Zondagsochtends moest ze mee naar de kerk. Naast tante Frouk-je zat ze op een van de houten banken, zuigend op een grote peper-munt, kreeg pijn aan de billen, verveelde zich gruwelijk en dankte de hemel dat ze niet christelijk was.

's Middags zat ze in tante Froukjes zit-slaapkamer bij de thee.

'Houd je vingers nu eens stil!' zei tante Froukje geïrriteerd, met haar noordelijk accent.

Er viel een lange stilte. Emma wist nooit goed wat ze tegen tante Froukje moest zeggen. Soms maakte ze je aan het lachen, met haar nuchtere, Friese humor. Maar je wist niet hoe ze zou reageren. Tante Froukje vond dat Emma's opvoeding ook haar aanging en ze kon scherp uitvallen.

Ongemakkelijk dacht Emma na over iets wat ze zou kunnen zeg-gen. 'Waarom bent u eigenlijk niet getrouwd?' vroeg ze.

'Ik heb van je vader gehouwen,' zei tante Froukje geërgerd. 'Dat wist je toch wel?'

Emma vroeg haar vader rekenschap.

Ja, dat was zo, zei hij. Tante Froukje had met hem willen trouwen. Hij was haar enige liefde geweest. Ze was verliefd op hem geworden toen hij bij haar familie was ondergedoken. Emma was al twaalf en mocht het nu wel weten, vond hij. Emma's eerste moeder was nooit uit zijn gedachten geweest, maar tante Froukjes liefde had hem een beetje getroost.

In dat huis met al die mensen kon je onmogelijk zoiets geheim hou-den. De gereformeerde familie maakte er een schandaal van. Er kwam familieberaad. Was Siegfried Morgenblatt vergeten dat hij was ge-trouwd? Was Froukje dat soms vergeten? Eens te meer snakte Emma's vader, vertelde hij, naar buitenlucht.

Toen de bevrijding naderde, huilde Froukje. 'Als het vrede wordt raak ik jou kwijt,' zei ze.

Het ontroerde hem.

'They try to tell us we're too young...' zong Lili. Ze had haar haren ge-wassen en zat in pyjama op bed, met de *Tuney Tunes*. Emma had haar kamertje moeten afstaan aan Walther Lerner. Ze sliep nu in de grote achterkamer boven met Lili en Toos. Cisca en Trees sliepen samen in de voorkamer.

Een jockey had zijn hand in plaats van op een paardebil, op die van Lili gelegd. Lili zei dat Emma toch te kinderachtig was om er iets van te begrijpen.

'Zoals jij je pyjama draagt,' zei ze. 'Daar kun je het aan zien. Jij stopt je jasje in je broek. Ik draag het er losjes overheen.'

Emma trok het jasje uit de broek en stapte in bed.

Toos kwam binnen, ging op haar eigen bed zitten en begon zichzelf te krabben.

'Ik wou dat ik dood was,' zei ze.

Al twee jaar had ze jeuk. Op een nacht was ze krabbend wakker geworden. Overal, behalve op haar gezicht, had ze rode bulten. De dokter schreef een zalfje voor. Het hielp niets. Hij stuurde haar naar de huidspecialist. Die schreef een ander zalfje voor. De uitslag ging niet over.

Overdag, op haar werk, droeg Toos een jurk met lange mouwen, dikke kousen en een sjaal. Haar gezicht was gewoon. Als ze 's zomers thuiskwam, nam ze direct een koud bad. In bed lag ze aldoor te krabben. Op haar armen en benen had ze bloederige korsten.

Terwijl ze haar bed opmaakte, zong Toos op melancholieke toon een Jiddisch liedje, 'Wohin soll ich geh'n'.

Toos was de enige van de meisjes in huis op wie Emma was gesteld. Soms kroop ze gezellig bij haar in bed, ondanks de uitslag. Toen haar moeder eens binnenkwam en hen samen in bed zag liggen, werd ze kwaad. Dat mocht Emma niet meer doen, zei ze.

Emma werd krabbend wakker. Het was nog nacht. Ze liep naar de badkamer, deed het licht aan en keek in de spiegel. Op haar borst en armen zag ze rode uitslag. Op haar rug zat het ook.

Paniek legde even haar spieren lam. Ik heb het ook, dacht ze. Nu zal ik ook jarenlang lijden en willen dat ik dood was.

Emma's moeder ging met haar naar dokter Lindeboom. Hij onderzocht de rode bulten.

'Schurft,' stelde de dokter vast. Hij gaf hen een zalf mee. Daarmee moesten Emma en Toos zich helemaal insmeren. Het huis werd ontsmet. Alle lakens gingen in de was.

Twee dagen later was de uitslag over, ook bij Toos. Was ze maar eerder naar dokter Lindeboom gegaan!

Op een dag kwamen twee politieagenten Toos halen. Ze had gestolen, zei Emma's vader, spullen uit de Bijenkorf. Toos stond in het portaal bij haar koffers te snikken. Emma viel haar om de hals. Ze zag haar nooit meer terug.

Walther haalde zijn eindexamen en ging naar de toneelschool in Berlijn. Eindelijk had Emma haar kamertje terug. Op het behang zaten nog de Doris-Day-plaatjes, vrijwel ongeschonden.

Lili vroeg Emma soms mee om 's avonds te gaan wandelen op Scheveningen. Omdat ze met Lili ging, vond Emma's moeder het goed.

Ze liepen over de boulevard. Lili waggelde op haar hakken, keek telkens om en draaide met haar kont. Al gauw hadden ze een zwerm jongens achter zich aan. 'O, tjemig, wat hebben we ons aangehaald,' riep Lili met een aanstellerige uithaal.

Een uurtje liepen ze, met de zwerm in hun kielzog, de boulevard op en neer. De jongens duwden Emma opzij om in de buurt van Lili te komen en haar aan te raken. Emma verveelde zich en wilde naar huis.

Lili ging van school af om in een manege te werken. Ze vertrok. In de vrijgekomen voorkamer kwam een nieuwe jongen te wonen: Louis. Hij was twee jaar ouder dan Emma. In de achterkamer sliepen nog altijd Cisca en Trees.

's Avonds, als ze naar bed was gestuurd, deed Emma de deur van haar kamertje op slot. In pyjama klom ze uit het raam. Langs de buitenmuur, met als enig houvast de uitstekende bakstenen en in het midden een wrakke regenpijp, klom ze naar de kamer van Louis.

Hij vertelde over hoeren aan een grachtje bij het Staatsspoor dat 'Groenewegje' heette. Nog jaren later dacht Emma dat 'Groenewegje' een vies woord was, zo obsceen sprak Louis het uit in zijn plat Haags.

Emma kon er zich geen voorstelling van maken wat hoeren waren. Er was geen sprake van dat ze naar het Groenewegje durfde te gaan. Louis zei dat hij er vaak was geweest, maar Emma had sterk de indruk dat hij opschepte.

'Ze zitten daar,' zei hij geheimzinnig, 'in hele dunne jurreke.'

Een eindje verderop in de straat woonde een vrouw met een slechte reputatie. Ze ontving mannen. Soms gingen dan de gordijnen dicht.

Uit het portiek bij die vrouw kwam op een middag een man lopen. Emma en Louis stonden bij het raam. 'Hij loopt er helemaal krom van,' zei Louis.

Emma keek hem vragend aan.

'Die's met haar alleen geweest,' verduidelijkte Louis.

Een vlammende schrik raakte Emma pal in het kruis. Bijna had ze het in haar broek gedaan. 'Met haar alleen geweest!' 'Hij loopt er helemaal krom van!' Wat was er in 's hemelsnaam in die kamer gebeurd?

's Avonds laat, op zijn kamer, hoorden ze beneden gestommel. Emma's ouders gingen naar bed.

'Nu gaan je vader en moeder neuken,' verklaarde Louis.

Ongelovig keek Emma hem aan. Zoiets deden ouders toch niet? Ze probeerde het zich voor te stellen. Ze zag haar moeder die met de rug tegen de muur stond. Haar vader ging voor haar moeder staan, tegen haar aan. En dan zou haar vader met zijn piel... Nee, dat was onmogelijk.

Een overbuurvrouw zag Emma 's avonds langs de muur klimmen. Ze waarschuwde haar moeder.

Emma's moeder reageerde kalm. 'Dat moet je vooral doen,' zei ze tegen Emma. 'Dan kun je je leven lang in een stoeltje zitten!' Ze wees naar de smalle rand van het balkon.

Voor het eerst zag Emma hoe wrak de regenpijp was en hoe klein de uitstekende bakstenen waren. Ze zag zich ruggelings vallen, op die scherpe, ijzeren rand. Ze zag zich in een 'stoeltje' zitten, vol ondraaglijke spijt. Duizelig zakte ze op een keukenstoel.

'Ik zal het niet meer doen,' fluisterde ze.

Voortaan sloop ze over de gang naar Louis. Het was wel vervelend dat hij zo graag haar 'dingetje' wilde bezichtigen en vooral dat hij zo aandrong. Als beloning beloofde hij haar een doos chocolaatjes.

Emma stemde toe. De volgende avond bracht hij haar de doos. Achter elkaar vrat ze hem leeg.

Verschrikt herinnerde ze zich de afgesproken prijs. 'Volgende week laat ik hem zien,' beloofde ze Louis.

Hij bleef hinderlijk aandringen. Wekenlang ging ze huis aan huis kranten ophalen en bracht die naar de opkoper, tot ze geld bij elkaar had voor een nieuwe doos. Teleurgesteld nam Louis hem in ontvangst.

Op een avond waren Emma's ouders niet thuis. Emma lag in bed. Op de trap hoorde ze voetstappen. Dat is Louis, dacht ze verheugd.

Ze riep hem. Hij kwam haar kamer binnen. Emma ging rechtop in bed zitten. 'Gezellig,' zei ze. 'Kom binnen!'

'Mag ik bij je komen,' vroeg hij hees.

Hij liet zich op haar vallen. Met een zweterige harige hand streek hij over haar beginnende borsten. Hij greep in haar kruis. Emma krijste en vocht.

Hij stond op en ging weg.

Voortaan ging Emma niet meer naar zijn kamer. Ze zorgde ervoor dat ze niet meer alleen met hem was.

Kort daarop verhuisde hij.

Emma's vader zou naar Indonesië gaan. Hij had nu zijn diploma Middelbaar B. In Nederland kon hij niet genoeg werk vinden om voor zijn gezin te zorgen, zei hij. Hij had altijd graag naar de tropen gewild. Later zou hij, als alles goed ging, Emma's moeder en zusje laten overkomen. Emma zou in Nederland blijven om naar school te gaan. Misschien mocht ze later ook komen.

'Mag ik dan naar kostschool?' vroeg Emma. Ze had het al vaker gevraagd.

'Misschien,' zei haar vader.

Emma dwong haar vader de belofte af dat ze niet bij de familie in Amsterdam in huis zou komen.

Irma kon de familie van Emma's eerste moeder niet luchten of zien. Mathildes oudste zuster Lea uit Amsterdam kwam af en toe op bezoek, meestal op Emma's verjaardag. Omdat het zomer was, droeg ze een vormeloze dikke bruine mantel. 's Winters had ze een vormeloze dikke zwarte mantel aan.

Tante Lea zat in een stoel en keek met een ironisch gezicht, dat boekdelen kritiek sprak, naar de opvolgster van haar zuster.

Voor iemand die niet joods was, viel het toch al niet mee om bij tante Lea in de gunst te komen. 'Tante Lea ziet achter elke lantarenpaal een antisemiet staan,' zei Emma's vader.

Emma voelde zich, wanneer tante Lea op bezoek was, slecht op haar gemak. De kritiek op haar tweede moeder trok ze zich persoonlijk aan. Ze vond dat tante Lea haar moeder met rust moest laten. De bescherming van tante Lea en haar kinderen, daar was ze niet van gediend.

Vaak, als haar moeder kwaad op haar was, riep ze dat Emma maar bij tante Lea moest gaan wonen, met die slordige, luidruchtige kinderen. Daar hoorde ze thuis. Ze wist dat ze Emma niet erger kon tergen.

'Dat is gemeen!' schreeuwde Emma en liep stampvoetend de trap op.

Het was inderdaad onrechtvaardig, want ze koos onvoorwaardelijk partij voor haar tweede moeder. Dat wist haar moeder heel goed.

Haar vader kocht een tropenuitzet: luchtige gaatjeshemden en onderbroeken, een witte smoking. Emma kon het nog steeds niet geloven dat hij binnenkort niet meer in de buurt zou zijn.

Iets van de dreigende leegte drong tot haar door toen ze hoorde dat de bootreis drie weken zou duren.

'Indië' leek zo dichtbij. Iedereen in Den Haag was er geweest.

Emma's vader zou, op een ochtend heel vroeg, vertrekken vanuit de haven van Amsterdam. De nacht tevoren logeerden Emma en haar ouders bij tante Lea.

De taxi kwam voorrijden om Emma's vader af te halen. Bij de voordeur nam hij afscheid. Emma stond met haar moeder, tante Lea en haar dochter Ruth in de marmeren vestibule. Tranen liepen over zijn gezicht. Emma had hem nog nooit zien huilen. Wild snikkend liet ze zich vallen op de marmeren trap.

Haar tante en nichtje raapten haar op en troostten haar. Tante Lea sloeg een arm om haar heen en leidde haar de kamer binnen. Emma's moeder, hoorde Emma later, was boos en gekwetst. Ze verweet Emma dat ze met dat huilen alle aandacht had opgeëist. Niemand, zei Emma's moeder, had zich bekommerd om háár.

Behalve meneer Ravensteijn en 'oom Freek', een kennis die de achterkamer boven had gehuurd, waren ze thuis alleen nog maar met vrouwen. Cisca en Trees woonden nog bij hen. Ze zaten in de eindexamenklas.

Voor Emma waren het oude dames. Ze waren dol op handwerken. 's Avonds na het eten zaten ze met Emma's moeder aan de tafel, alle drie met naaiwerk, en bespraken patronen.

Ze zaten veel op Emma te vitten. Werd ze kwaad en zei ze iets kattigs terug, dan vertelden ze het direct aan haar moeder, die altijd aannam dat Emma ongelijk had.

Naderhand had Emma het gevoel dat er in die drie jaar, nadat haar vader weg was, thuis alleen nog maar op schampere of bitse toon tegen haar was gesproken.

De enige die vriendelijk met haar omging, was 'oom Freek', de kamerhuurder, een vrijgezel van middelbare leeftijd. Hij werkte op kantoor.

Op een avond liep Emma per ongeluk zonder kloppen zijn kamer binnen met een kopje thee. Oom Freek zat aan zijn bureau. Voor hem lag een stapel fel gekleurde tijdschriftjes. Emma zag een foto van een half uitgeklede juffrouw.

Oom Freek kreeg nu belangstelling voor Emma. Ze was echt niet zo lelijk, verzekerde hij, als ze zelf dacht. Ze kreeg al borsten en 'mooie billen'.

Wanneer hij de kans zag, raakte hij haar aan, vluchtig. In gezelschap keek hij haar vol verstandhouding aan.

Zijn aandacht was griezelig, maar hij deed nooit iets wat erg genoeg was om alarm te slaan.

Haar moeder klaagde dat Freek haar niet met rust kon laten. Emma zweeg. Haar moeder zou haar toch niet geloven.

Oom Freek had, met sadistisch genoegen, al gauw in de gaten waarmee hij Emma het ergst kon kwetsen.

'Praat niet zo hard,' maande hij. 'Het lijkt wel of je in een jodenkerk bent.'

'Ik zeg toch ook niet tegen jou: lelijke smous,' poneerde hij, toen Emma volgens hem brutaal was.

'Je moet in de handel gaan,' adviseerde hij. 'Daar zijn jullie goed in.'

Het was een koude winterdag. Rillend en klappertandend kwam Emma thuis. Oom Freek kwam de trap af. 'Weet je wáár het warm is?' vroeg hij. Hij boog zich naar haar over. 'Israël!' siste hij.

Emma holde langs hem heen de trap op. Ze was zo gekwetst dat ze moeite had om niet te huilen.

Zodra Emma uit school kwam, keek ze of er een brief lag uit Indonesië, met de aanhef: 'Lieve Emma, domme kinderkop.' Lag er zo'n brief, dan holde ze ermee naar haar kamer. Anders ging ze direct naar de buren om te kijken of Renske al thuis was.

Op een dag was er een brief van haar vader, maar die was voor Emma's moeder. Haar vader had in Djakarta een huis. Emma's moeder kon overkomen met Katja. Zo snel mogelijk moest ze de overtocht regelen.

Cisca en Trees vertrokken naar een ander pleeggezin. Over een paar weken zou Emma in Amsterdam gaan wonen, bij tante Lea. Het was echt de beste oplossing, schreef haar vader. Er was geen ontkomen meer aan.

Nu zat Emma 's avonds na de afwas, als haar zusje naar bed was, alleen met haar moeder aan de ronde tafel, onder de lamp, bij de thee.

Ze hadden geen ruzie meer. Op tafel stonden de naaimachine en de naaimand.

Emma had een boek voor zich, maar het lezen lukte niet erg. Er was te veel weemoed in de lucht.

Haar moeder stond op en zette de radio aan. Uit het krakende toestel klonk een hoge vrouwenstem. Haar moeder trok een stoel bij.

'Elisabeth Schwarzkopf,' zei ze bewogen, terwijl ze op het krakende kastje wees.

Toen het lied uit was, kwam ze weer aan tafel zitten. Ze nam Emma's rok op, waarmee ze bezig was. Ze keek het kledingstuk na, controleerde de zoom, repareerde een gescheurde zak. Aan een bloes van Emma naaide ze nieuwe knopen.

Emma's garderobe moest in orde zijn, zei ze, wanneer ze haar straks afleverde in Amsterdam.

Tante Lea

'En elke week is hem het lot beschoren,' las Ruth, de dochter van tante Lea, hardop.

Ze stokte. Dikke tranen welden op in haar grote bruine ogen. Ze haalde diep adem. 'Opnieuw een bange idioot te zijn gebleven,' bracht ze er met moeite uit.

Ook Emma kreeg een waas voor ogen. 'Lees nog eens een gedicht voor,' vroeg ze.

Ongewoon vreedzaam waren ze bijeen. Wanneer Ruth poëzie voorlas dan redeneerde ze tenminste niet. Ruth was vierentwintig, tien jaar ouder dan Emma. Meestal liep, stond of zat ze iets te betogen, met omslachtige uitweidingen, waarbij ze dikwijls verdwaalde in haar eigen wijdlopigheid. Met geen mogelijkheid kon je voorspellen wanneer de zin, waaraan ze was begonnen, een punt zou krijgen en wat op dat ogenblik het thema zou zijn. Veelal viel de spreekster onderweg iets humoristisch in en kon ze van het lachen niet meer uit haar woorden komen. Omdat ze zich dan niet meer verstaanbaar kon maken, kwam je nooit te weten wat er nu zo geestig was. Ook was er weinig voor nodig om haar aan het huilen te krijgen. Onverwacht begonnen grote tranen uit haar ogen te lopen en haar neus werd rood. Vroeger was Emma daarvan geschrokken, maar tegenwoordig lette ze er niet meer op.

Des duivels werd Emma wanneer zijzelf het onderwerp was van Ruths geredeneer. Dat kwam nogal eens voor. Emma mocht zich vleien met haar nichts levendige belangstelling. Vrijwel al haar doen en laten interesseerde Ruth. Wenste Emma een ochtend geen ontbijt te nuttigen of lustte ze die dag juist graag een eitje, wilde ze een kopje koffie of liever thee, had ze een rode trui aan of een zwarte, ze kon verzekerd zijn van Ruths commentaar op het nieuws. Haar nicht had niet de gewoonte haar opinie onder stoelen of banken te steken. Nu eens kleedde Emma zich naar haar mening te koud, dan weer te warm. Emma keek te veel naar jongens of in de spiegel, las een boek waarvoor ze volgens Ruth te jong was en had een ander boek, dat Ruth haar had gegeven, nog steeds niet gelezen.

's Avonds, aan de grote tafel in de woonkeuken, bezichtigden tante Lea en Ruth de garderobe die Emma uit Den Haag had meegebracht. Zowat elk kledingstuk keurden ze af. Tante Lea zou die kleren weggooien en nieuwe voor haar kopen.

Emma hield het niet langer uit. 'Mijn moeder heeft al die kleren voor me zitten naaien,' riep ze. Huilend liep ze de keuken uit.

Ze had de kleine zijkamer boven, aan de tuinkant. Een enorme kastanjeboom nam bijna de hele tuin in beslag. Het kamertje was van haar neef. Hij was voorgoed in Israël gaan wonen, evenals tante Lea's oudste dochter. Ook Ruth zou naar Israël gaan, maar ze wilde eerst haar opleiding afmaken.

'We spreken af,' had tante Lea gezegd, 'dat we in je kamer alleen dingen ophangen die ik ook mooi vind. Dus geen Doris Day.'

Op slag verloor Emma alle belangstelling voor haar kamermuren.

Boven het bed hing een kleurige kalender met het opschrift: 'Art calender for Israels children'. Onder die tekst stonden Hebreeuwse letters en een afbeelding van een joodse kandelaar. Emma durfde de kalender niet van de muur te halen. Ze probeerde er zo min mogelijk naar te kijken.

Ze deed haar ogen dicht en dacht aan haar kamertje met de Doris-Day-plaatjes. Nieuwe kon ze niet kopen. Ze had geen zakgeld meer. Ze kon wel zakgeld krijgen, zei tante Lea, maar dan moest ze elke week verantwoording afleggen van wat ze ermee had gedaan. Ze moest leren met geld om te gaan. Emma zei dat ze dan liever geen zakgeld had.

Ruth kwam naar boven om Emma te troosten. 'Het went heus wel,' zei ze. 'Je zult het hier echt prettig gaan vinden.'

'Dat is lief van je,' zei Emma.

Ruth ging op Emma's bed zitten en begon een omslachtig verhaal. Emma droomde weg. Na een poosje besefte ze dat ze seksuele voorlichting kreeg. Ruths betoog ging over 'dat gleufje in je buik' en dat 'sommige mensen' het 'een heerlijk gevoel' vonden, maar dat je, ook al hoorde je tot dezulken, er desondanks verstandig aan deed het na te laten, tenminste, zolang je nog niet in het huwelijksbootje was gestapt. Ook moest je er niet met je handen 'aanzitten'. Deed Emma dat wel eens? Emma ontkende heftig. Ze stelde geen vragen, al kon ze zich met geen mogelijkheid voorstellen hoe dat neuken nu eigenlijk in zijn werk ging.

Emma stond met haar tante Lea voor de toonbank van de fourniturenafdeling. Bij de Bijenkorf, een gerenommeerde, joodse zaak, was haar tante vaste klant. Bijna elke middag tramde tante Lea erheen. Met angst en vreze zagen de verkoopsters haar komen.

In haar hand had tante Lea een zakje knopen. 'Die zullen we op je vestje zetten,' zei ze. 'Dat zal heel netjes staan.' Ze stonden al een poosje te wachten. De jonge verkoopster bij de kassa was in druk gesprek met een collega.

'Dat is toch te erg,' zei Emma verontwaardigd.

Tante Lea verhief haar stem. 'Juffróuw,' zei ze afgemeten met haar overbeschaafde accent, 'ik begrijp heel goed dat u graag uw gezellige conversatie met uw collega zoudt willen voortzetten over u beider garderobe of over uw favoriete filmster. Toegegeven, ook mijns inziens is het onderwerp kleding bijzonder interessant. Maar mijn nichtje en ik staan hier nu al geruime tijd te wachten. We zullen werkelijk niet veel vergen van uw tijd. Wij kennen de prijs niet van dit artikel. Kunt u ons misschien opheldering verschaffen?'

Emma proestte het uit.

'Vijfenveertig cent,' zei de juffrouw verongelijkt.

'Dank u zeer, juffrouw,' zei tante Lea. 'Zoudt u ons het genoegen willen doen ze even af te rekenen? Dat neemt niet veel tijd in beslag.' De juffrouw sloeg de ogen ten hemel of ze wilde zeggen: die is niet goed snik. Ze rekende af.

Lachend gingen Emma en haar tante op weg naar het restaurant. 'We hebben wel een thé complet verdiend,' vond tante Lea.

Ze namen plaats op een hoekbankje, aan een tafeltje. Er stond nog een schaal met de resten van een thé complet. Emma pakte er een soesje af en at het op.

'Dat wordt in rekening gebracht,' zei de serveerster, die er juist aankwam.

Emma kon haar lachen niet houden bij het zien van de stomverbaasde uitdrukking op tante Lea's gezicht.

'In rékening gebracht?' vroeg haar tante. 'Hoe bedoelt u?'

'Wat overblijft is voor het personeel,' zei de serveerster stug.

Tante Lea haalde haar portemonnee te voorschijn. 'In dat geval zal ik, ofschoon mij het nuttigen van andermans etensresten weinig hygiënisch voorkomt, met u afrekenen. Een thé complet kost drie gulden dertig en telt tien versnaperingen. Ik zal u drieëndertig cent betalen. Alstublieft. En zoudt u zo vriendelijk willen zijn ons een thé complet te brengen?'

Schaterend liet Emma zich achterover vallen. De serveerster stapte kwaad weg.

Thuis ging tante Lea zitten lezen, rechtop, aan haar achttiende-eeuwse secretaire. Nooit lag ze op haar buik, met een boek voor zich, of zat ze lekker met een boek achterover in een stoel met haar voeten op tafel.

Emma kon zich haar tante onmogelijk voorstellen in een overbevolkte smerige concentratiekampbarak, tussen de vlooien en de luizen. Ze vroeg haar eens hoe ze dat had uitgehouden.

Op het gezicht van haar tante verscheen een ironische uitdrukking, zoals altijd wanneer de jodenvervolging ter sprake kwam, of iets wat ze beschouwde als antisemitisme, zoals een kritisch krantestuk over de staat Israël. 'Ik was verbaasd,' zei tante Lea. 'Nog altijd ben ik niet opgehouden me erover te verbazen.'

Tante Lea en oom Bernhard hadden in Westerbork nog gezocht naar Emma's moeder, in de strafbarak. Omdat Emma's moeder was gearresteerd, hoorde ze tot de gestraften. 'Om de een of andere reden,' vertelde tante Lea in haar deftige tongval, 'moesten de gestraften een rood pétje op. Tja.' En ze keek weer zo ironisch.

Emma liep de trap af naar de woonkeuken om haar huiswerk te maken. Haar grootvader zat op zijn gewone plaats, in de leunstoel, aan het hoofd van de lange houten tafel. Hij raadpleegde de radiobode.

'Wat is er op de radio?' vroeg hij. Even stond hij half op om bovenop de luidspreker te kijken. Het was een van zijn standaardgrapjes. – 'Beter geen weer dan zulk weer,' was er ook een. Hij draaide aan de knop. Enig effect bleef uit.

'Nee opa,' schreeuwde Emma in zijn oor. 'U moet aan het andere radiotoestel draaien. De radiodistributie is toch opgeheven! Dat weet u toch wel?'

'Wat kind?' vroeg haar grootvader.

'De distributie is opgeheven!' schreeuwde Emma uit alle macht.

'Wat zeg je even, wat even?' vroeg hij.

'Zet uw apparaat toch aan!' schreeuwde Emma.

'Wat kind?'

Emma gaf het zuchtend op.

'De radiodistributie geeft altijd goede muziek,' zei haar grootvader. Hij draaide aan de knop en nam een luisterende houding aan. Hij pakte het boek dat voor hem op tafel lag. Emma zag dat hij het, zoals gewoonlijk, ondersteboven hield.

Als hij zijn leven kon overdoen, had haar grootvader eens gezegd, dan zou hij geen medicijnen studeren, maar literatuur. 'Ik was niets meer dan een aspirine-recepten-fabriek.'

Emma schrok er hevig van. Dat iemand spijt kon hebben van zijn leven, nu alles onherroepelijk voorbij was. Als dat in godsnaam haarzelf maar niet overkwam!

Opa bezat een collectie antieke vazen en kunstvoorwerpen, geschenken van dankbare patiënten. Ze stonden op zijn kamer.

Ze ging tegenover hem zitten met haar boeken en schriften. Vroeger, toen hij graag vertelde over zijn bohème-jaren, over de tijd dat hij samenwoonde met haar oudoom, de beroemde schrijver, had ze nauwelijks geluisterd. Nu betreurde ze dat zeer. Maar het was te laat.

Eens, toen Emma bij hem stond, pakte hij haar arm en bedekte die van beneden naar boven met hartstochtelijke kussen. Hevig verschrikt trok ze haar arm terug. Voor wie had hij haar gehouden? Toch zeker niet zijn kordate vrouw, Emma's onbekende grootmoeder, over wier bazigheid in de familie komische anekdotes de ronde deden.

Aardrijkskunde maar eerst.

'Die huizen,' zei haar grootvader opeens. 'Die ben ik kwijt.'

Zorgelijk fronste hij de wenkbrauwen. 'Een ongelukkige speculatie,' zei hij treurig. 'Voor jou vind ik het zo erg, Elisabeth. Voor jou en Sieg en Lea en de anderen. Het was een belegging voor jullie toekomst.'

Hij begon te huilen.

Dat sloeg natuurlijk op 1917. Opa's vader dreef in Rotterdam een bloeiende handel in 'fijne koloniale waren', een familiebedrijf dat stamde uit de zeventiende eeuw. In een deftige winkelstraat bezat de familie een rij herenhuizen. In de winter van 1916 verkochten opa en zijn broer de huizenrij, om aandelen te kopen in de zilvermijnen van de Russische tsaar. Een paar maanden later was er geen tsaar meer en smolt het bezit van de familie De Vos als sneeuw voor de zon.

Tante Lea was niet vroom, maar ze hechtte aan de joodse traditie. Op vrijdagavond zette ze steevast een bakje pinda's met rozijnen op tafel. Emma vond dat schijnheilig.

In oktober was het Grote Verzoendag, de jaarlijkse joodse vastendag.

'Ik heb graag, Emma,' zei tante Lea, 'dat je morgen niet in het openbaar eet.'

'Waarom niet?' vroeg Emma fel.

'Omdat het morgen Grote Verzoendag is.'

'Thuis hebben we nooit iets aan joodse feestdagen gedaan,' zei Emma.

'Zoals ik zeg, Emma,' herhaalde haar tante nadrukkelijk, 'ik heb graag dat je morgen niet in het openbaar eet.'

Emma leende geld van een meisje uit de klas. Ze kocht een ons ham. Op straat at ze de helft op. De rest van de plakken schrokte ze op in de klas, duidelijk zichtbaar voor iedereen. Heerlijk.

Thuis, in de gang, stonk het, zoals altijd rond het middaguur, naar groene Zwitserse poederkaas. Het busje stond op tafel, naast een potje marmite en een busje gestampte muisjes. Als er bezoek was, mocht Emma een half ons rosbief halen en een half pakje roomboter. Was er geen bezoek, dan liet tante Lea dezelfde koffie twee keer doorfilteren. Ze was dol op zoetigheid, maar culinaire geneugten vond ze eigenlijk onfatsoenlijk. Lekker eten was voor haar al gauw 'overdaad'.

Het oude brood moest altijd op tot de laatste kruimel. Tegen die tijd was het verse brood weer oud. Bij het avondeten serveerde ze een droog, halfgaar lapje rundvlees met aardappelen, nu eens met spruitjes, dan weer met boontjes. Ze vergat altijd dat theewater eerst moest koken. Eens ging Emma iets brengen bij tante Lea's werkster. Ze watertandde van de 'overdaad' die daar op tafel stond.

'Tante Lea weet niet te léven,' stelde tante Thérèse vast. Emma nam zich voor, zodra ze voor zichzelf zou kunnen zorgen, altijd veel 'overdaad' te eten.

Nu vroeg ze haar tante om het ham-geld. Ze had het twee dagen geleden geleend voor taartjes, legde ze uit. Tante Lea haalde haar portemonnee te voorschijn. Het gaf geen pas, zei ze erbij, om zomaar op een doordeweekse dag taartjes te eten.

Tante Lea was een intellectuele vrouw. Haar rechtenstudie had ze niet afgemaakt, omdat ze trouwde en met haar man naar Indië vertrok. Oom Bernhard was plotseling gestorven aan een hartaanval, op zijn vijfenvijftigste. In de zionistische beweging was hij een geliefd en vooraanstaand figuur geweest. Vanwege zijn, zelfs in die kringen, uitzonderlijke eloquentie, was hij een veel gevraagd spreker.

Emma herinnerde zich haar oom voornamelijk ijsberend door de keuken, met de handen op de rug, terwijl hij omstandig en met veel verbale vondsten een standpunt formuleerde. In de huiselijke kring, in Den Haag, had ze bij terugkomst van haar logeerpartij met haar oom-Bernhard-imitatie veel succes.

In het voorjaar haalde tante Lea matzes in huis, voor Pesach. De vooravond, seideravond, vierden ze bij de familie Hirthenwald. Ruth noemde de Hirthenwalds oom Willy en tante Hilde. Ze hadden vier kinderen. De jongste, een nakomertje, was een zoon, Bruno. De dochters waren al op huwbare leeftijd. Eigenlijk heetten ze Bertha, Elly en Dinah, maar tegenwoordig moest je hen Deborah, Rebecca en Channah noemen. Dikke propjes waren het. De dikste, de achttienjarige Rebecca, had al een verloofde. Hij was op de rand van zwakzinnigheid. Af en toe bracht hij er hortend en stotend zinnen uit, waaraan je geen touw kon vastknopen. Maar het was een joodse jongen en daar ging het maar om.

Bij aankomst had Emma plankenkoorts. Op aanraden van tante Lea en Ruth had ze het Mah-nisjtanah uit het hoofd geleerd. Volgens de traditie stelde de jongste in het Hebreeuws de vragen uit de haggadah. Het kind vraagt: 'Waarom is deze avond anders dan andere avonden? Waarom eten we matzes? Waarom bitterkruid? Waarom dopen wij onze spijzen tweemaal in?'

Vader antwoordt: 'Slaven waren wij bij farao in Egypte...'

Er was grote kans dat Emma de jongste zou zijn, zei Ruth.

's Middags had Emma de Hebreeuwse tekst nog een paar keer geoefend. Maar na de rituele handwassing en het breken van 'het brood der ellende', 'thans nog hier, het volgend jaar in Erets-Jisraël', gaf oom Willy Hirthenwald het woord aan Bruno, hoewel die twee jaar ouder was dan Emma. Oom Willy was dan ook niet Emma's vader, maar die van Bruno. Met hoge stem raffelde Bruno zijn vragen af, eerst in het Hebreeuws, daarna in het Nederlands. Oom Willy zette het antwoord in. Hij had een verrassend hoge tenor.

Emma schrok van de abrupte inzet en proestte het bijna uit. Gelukkig was Renske er niet. Anders had ze zich niet goed kunnen houden. Aan het eentonige, klagerige, prevelende gezang leek geen eind te komen.

Emma keek naar haar seiderbordje, met de symbolische stukjes voedsel en het bitterkruid. Haar maag rammelde. Oom Willy zat nu al uren te zingen. Wanneer kwam er eindelijk eens eten op tafel?

Ze keek rond de tafel naar de aanzittenden, tante Lea, Ruth, de heer en mevrouw Tannenbach, de dikke Channah, Deborah en Rebecca met haar verloofde, die niet goed snik was maar een joodse jongen. Misschien was deze avond mooi en romantisch geweest, als het haar eigen vader was die zijn dierbaren het oude verhaal vertelde, als haar eigen moeder liefdevol de sabbattafel had gedekt, met een sneeuwwit tafellaken, zoals bij de kleine Carry van Bruggen in *Het huisje aan de sloot*.

Emma verlangde naar haar vader. Overal wilde ze liever zijn dan hier.

Alles wilde ze liever zijn dan joods.

Het huisje aan de sloot had ze nog niet uit. Het was een prachtig boek. Voorop, in de stof van de kaft, was een zevenarmige kandelaar uitgesneden, een menora.

Emma zou naar Den Haag gaan om bij tante Froukje te logeren en om Renske op te zoeken. Dat boek met die opvallende menora wilde ze niet in de trein meenemen. In tante Lea's boekenkast zocht ze naar iets anders, in de hoop dat het niet zou opvallen.

Ruth kwam binnen. 'Je bent toch bezig in een boek,' vroeg ze. 'Waarom neem je dat niet mee?'

'Dat is niet zo geschikt voor in de trein,' zei Emma stug.

Ruth begreep het direct. 'Ze is gek!' riep ze.

'Waar bemoei je je mee,' schreeuwde Emma.

'Ze krijgt geen ander boek mee,' besliste Ruth.

In de trein liet Emma het boek in haar tas.

Tante Lea's jongste zuster Lientje, die in 1932 naar Palestina was afgereisd, kwam met vakantie naar Nederland. Ze was vrolijk en vol grappen. Ze walste door de woonkeuken, sjorde opa uit zijn leunstoel en danste met hem rond.

'Ken je de veléta niet,' zong ze.

'Hoe vind je dat ouwe mannetje,' riep ze schaterend.

Opa lachte.

Zo iemand, stelde Emma zich voor, moest haar moeder zijn geweest. Ze kon zich niet voorstellen dat tante Lea en haar moeder zusters waren.

Tante Lea was de oudste van vijf kinderen. Haar jeugd, aan het begin van de eeuw, in een kolossaal Amsterdams herenhuis, was nogal vreugdeloos verlopen. Altijd dikke zwarte kousen aan naar school, altijd leren of handwerken. Ledigheid achtte tante Lea's moeder des duivels oorkussen, zeker voor een meisje. Ze stelde haar oudste verantwoordelijk voor de broertjes en zusjes. Voor de broertjes en de jongere zusjes was ze minder streng.

Het beste kon Emma met haar tante overweg wanneer ze met zijn tweeën waren. Terwijl haar tante stond te koken, las Emma haar het cursiefje voor van 'Kronkel', uit de krant. Wanneer ze winkelde met haar tante dan voelde Emma zich niet bedreigd of gedwarsboomd. Ze genoot van haar tantes superieure humor. Ze gingen ergens thee drinken met iets lekkers.

In een tea-room begon tante Lea over Emma's vijandige houding ten opzichte van het jodendom. Ze legde uit dat het kwam door Emma's loyaliteit met haar tweede moeder. Toen Emma bij haar tante in huis kwam, was ze bevooroordeeld, zei ze. Het was psychologisch verklaarbaar, legde ze uit, maar daarom was het nog niet juist. 'Selbsthass,' zei tante Lea, was neurotisch. Het stond een evenwichtig leven in de weg. Haar tante had gelijk, vond Emma. Ze beloofde erover na te denken.

Een paar dagen later liep Emma de schooldeur uit. Debbie, een meisje uit haar klas, liep naast haar. Bij het hek stonden tante Lea en Ruth. Ze zouden naar de stad gaan om Emma's garderobe aan te vullen. Ook wilde Ruth rondkijken voor haar eigen uitzet. Ze had haar diploma en zou nu heel binnenkort naar Israël emigreren.

Het was een uitputtende middag. Urenlang slenterden ze door volle warenhuizen. Tante Lea of Ruth hielden Emma de saaiste kleren voor die haar 'heel netjes' zouden staan en die heel geschikt waren voor school of voor 'op bezoek'. De kleren die Emma uitzocht, voor het geval ze eens voor een fuif zou worden gevraagd, keurden Ruth en tante Lea af.

'Dat meisje waarmee je uit school kwam,' vroeg Ruth 's avonds aan tafel, 'is dat een joods meisje?'

'Dat weet ik niet,' zei Emma geërgerd. 'Nee.'

'Hoe heet ze,' vroeg Ruth.

'Debbie Gazan,' zei Emma onwillig.

'Dan is ze zéker joods,' zei Ruth. 'Gazan betekent voorzanger in een synagoge.'

'Stik, wat doet het er toe!' schreeuwde Emma buiten zichzelf. 'Wat kan mij dat nou schelen!'

Ze sloeg de keukendeur achter zich dicht, holde de trap op naar haar kamertje. Ze rukte de 'Art calendar voor Israels children' van de muur. Ze verfrommelde hem zoveel mogelijk en smeet hem in de prullenmand.

'Jij bent een echt gymnasium-alfa-kind,' had de rector van het lyceum gezegd.

Dat was waar. Ze las graag boeken over oude geschiedenis en mythologie en ze kende al een beetje Latijn.

In de buurt bij tante Lea was een lyceum. Dat was, vond tante Lea, die volgens Emma's vader een 'salonsocialiste' was, een 'bekakte' school voor rijkeluiskinderen. In de stad waren nog andere lycea.

Tante Lea en Ruth waren allebei op een gymnasium geweest. Maar 'Didi', Ondine, de dochter van tante Thérèse, zat op de middelbare meisjesschool, de mms. Het leek tante Lea het beste als Emma ook daarheen zou gaan. Daar had ze in elk geval Didi, al zat die dan een klas hoger.

Emma protesteerde niet. De regeling leek haar wel makkelijk. Zo hoefde ze niet zo hard te werken, met elk jaar de angst om niet over te gaan.

Later, toen ze van school was, kon ze zich wel voor de kop slaan. Ze had moeten doorzetten. Het gemis aan een klassieke opleiding zou ze later pijnlijk voelen. De mms was een uitstekende opleiding voor een huwelijk op stand. Je leerde je moderne talen spreken. In de salon kon je later, als je dat wilde, heel charmant oppervlakkig meepraten over de literatuur van het avondland.

Aan het lerarenkorps lag het niet. De leraressen in de moderne talen droegen mantelpakken en liepen op stevige molières. Hun opleiding was al even ouderwets gedegen en hun literatuuronderwijs van hoge kwaliteit.

De leraar Nederlands, de enige man, was zelf schrijver en een bevlogen verteller.

Maar de sfeer in de klas was van een wurgende onbenulligheid. Je stapte erin, zonk dieper en liet je erdoor overspoelen. Kleren, make-up en jongens: dat waren de dagelijkse gespreksthema's, zonder afwisseling.

Ze zat op dansles. Maar met de beste wil van de wereld zag ze geen kans om de quick-step of de foxtrot te leren.

Er waren weinig jongens, een stuk of twaalf. Ze stonden aan de overkant van de zaal. Op een teken van de dansleraar kwamen ze aanglijden, over het glimmend gewreven parket, naar de meisjes.

Wel dertig meisjes stonden afwachtend tegen de muur. Boog een jongen voor Emma en legde hij zijn kletsnat bezwete hand in de hare en de andere op haar rug, dan deed Emma oprecht haar best om de stappen te leren.

Maar dat gebeurde bijna nooit. De jongens vroegen altijd dezelfde. Dat waren de vlotste. Emma droeg een jurk van ruwe wollen stof. Tante Lea had die voor haar gemaakt. Haar tante bezat een trapnaaimachine maar weinig gevoel voor mode.

De dansleraar danste met de meisjes die overbleven. Eens vroeg hij Emma. Een andere keer kwam zijn vrouw Emma vragen. Die vernedering was te groot. Emma besloot niet meer naar dansles te gaan.

Evenals op het lyceum in Den Haag was er ook hier in de klas een elite van vlotte, knappe, modieus geklede meisjes. Er viel niet aan te denken dat ze haar zouden accepteren. Er was nog een ander groepje in de klas, rond een meisje dat Larissa Oudijck heette. Ze zat niet op dansles.

'Vraag eens of ze familie is van de dichter Simon Oudijck,' zei tante Lea.

Emma vroeg het de volgende dag.

'Dat is mijn vader,' zei Larissa trots. Even later vroeg ze Emma of ze na schooltijd met haar mee naar huis ging.

'Dat mag ik vast niet van mijn tante,' zei Emma.

'Dan bel je haar toch even op,' zei Larissa luchtig. 'Dat kun je bij mij thuis doen.'

Emma, die nu gewend was aan de opgeruimde woonkeuken en de deftige kamers van haar tante, wist niet wat ze zag toen ze bij Larissa thuis binnenkwam. In de huiskamer was het een enorme rotzooi. Een van Larissa's zusjes zat op de schoorsteen met haar voeten op de kachel.

Larissa ging naast haar zitten en maakte plaats voor Emma.

'Ik moet eerst mijn tante opbellen,' zei Emma zenuwachtig. De radio stond aan. 'My friend stole my sweetheart from me,' zong Patty Page. Larissa en haar zusje blèrden mee. Aan de telefoon kon Emma zich nauwelijks verstaanbaar maken. Tante Lea reageerde koeltjes.

Emma ging naast Larissa op de kachel zitten. Die gilde dat haar moeder brood met eieren moest brengen. Mopperend dat ze wel wat anders te doen had, liep haar moeder de kamer uit. Even later kwam ze binnen met borden waarop boterhammen lagen met gebakken eieren.

'Toen je pas op school kwam vonden we je zo vreselijk,' zei Larissa. 'We vonden je zo'n verschrikkelijke tut.'

Emma maakte zich op met de spullen van Larissa en haar zusjes. Zodra ze thuis kwam liep ze vlug de trap op om haar gezicht te wassen.

Op een zondag was Larissa's vader er, de dichter. Hij woonde ergens anders met een dichteres. Hij vroeg direct of Emma joods was, maar zo belangstellend, dat ze niet beledigd was. Hij wilde weten of ze ondergedoken was geweest en of haar ouders nog leefden. Ze vond het opeens wel interessant.

Larissa nodigde Emma uit voor sinterklaasavond. Haar vader zou ook komen. Emma zeurde net zo lang tot haar tante het goed vond. Nu moest ze geld vragen om cadeautjes te kopen. Ruth was vol belangstelling. Ze wilde precies weten wat Emma kocht en voor wie. Tante Lea en Ruth hielpen haar met inpakken.

Toen Emma op sinterklaasavond wilde weggaan met haar pakjes gaven tante Lea en Ruth haar elk een cadeautje. Emma besefte met schrik dat ze voor haar tante en nicht niets had gekocht.

In Larissa's familiekring kon ze die avond het schuldgevoel niet van zich afzetten. Ze besefte dat zij de enige was die er niet bij hoorde.

Larissa's vader had ook voor Emma een cadeautje meegebracht: een boekje over een beroemde Nederlandse actrice, van de hand van haar vriend, een vliegenier.

Emma nam Larissa een keer mee naar huis.

'Wat is het daar saai!' gilde Larissa toen ze weer buiten waren. 'Die deftige tante! Die ouwe man! Die grote kamers! Hoe houd je het daar uit! Je moet maar veel bij ons komen.'

Om de haverklap hadden ze ruzie. Larissa was een jaar ouder. In alles was ze Emma's meerdere. Ze was zelfverzekerd. Ze kon zich opmaken wanneer ze wilde. Ze kende jongens. Ze was grillig. Nu eens was ze lief en beaamde ze wat je zei, dan weer viel ze in een kring meisjes kattig tegen je uit en zette je zo voor schut.

Emma kon haar niet missen. Ze was de enige in de klas die origineel was. Je kon met haar lachen.

'Larissa is je bevriende vijandin,' stelde tante Lea vast. Ze beschouwde Emma's omgang met Larissa als een groot onheil.

De dansschool hield een groot bal, met het lyceum. Daarvoor moest je een baljurk hebben en een jongen. Het eerste viel nog wel te verwezenlijken, het tweede onmogelijk. Sinds ze niet meer op dansles was, kwam Emma, behalve met haar grootvader en de leraar Nederlands, vrijwel nooit in contact met iemand van het mannelijk geslacht. Het feit dat ze dit in de klas moest toegeven, was veel erger dan dat ze niet naar het bal zou gaan.

Larissa ging met een droomjongen, de zoon van een kennis van haar vader, die ook dichter was of schrijver. De zoon was een paar jaar ouder dan Larissa en zat op de Handelsschool.

Emma beweerde dat ze absoluut geen zin had om naar dat belachelijke bal te gaan. Ze had wel wat beters te doen! Onverwacht sprak een van de chique populaire meisjes haar aan. Ze wist wel een jongen voor haar, zei ze.

'Dat is mooi,' zei Emma luchtig. 'Een vriend van mij kan die avond niet.'

Gevleid dat het meisje aandacht aan haar had besteed en opgewonden dat ze misschien een jongen zou leren kennen, kwam ze thuis.

Ze vroeg haar tante om een baljurk. Tante Lea zei dat ze er wel een voor Emma zou maken.

'Dat is lief van u,' zei Emma. 'Maar het hoeft echt niet hoor. We kunnen er toch een kopen? Dat vinden mijn ouders wel goed.'

Ze had weinig fiducie in haar tantes naaikunst. Maar van een gekochte baljurk wilde haar tante niet horen.

Bij de ingang van de balzaal stelde het mooie meisje Emma voor aan een jongeman met een knap gezicht. Onmiddellijk maakte hij zich uit de voeten.

Even later zag Emma hem dansen met het mooie populaire meisje. Een andere jongeman tikte het meisje op de schouder. Emma's jongeman haalde iets voor het meisje te drinken. Emma begreep dat het populaire meisje gebruik had gemaakt van haar tweede kaart om een extra vriendje binnen te loodsen.

Daar zat ze. Haar tante had de jurk in een razend tempo gemaakt. Knap werk, dat wel, maar hij zag er heel anders uit dan de andere baljurken.

Iedereen danste. Larissa sprong uitgelaten in het rond met haar nieuwe vriend. Hij was veel langer dan zij. Larissa had geen baljurk aan. Ze droeg haar zwarte, laag uitgesneden, strakke katoenen truitje, dat ze al jaren had, op een kort zwart rokje. Zo te zien vond de vriend haar enig.

Emma vroeg zich af of ze voor zichzelf iets te drinken zou halen. Of stond dat idioot? De band hield op. Iedereen klapte. Jongens brachten meisjes naar haar plaats. Even later stonden ze weer te buigen.

Er kwam een jongen aanlopen. Een meisje, dat naast Emma was neergeploft, stond komisch puffend op en liep met hem mee.

Zo zou het ook in het leven gaan, overpeinsde Emma. Mannen zouden langskomen om meisjes ten huwelijk te vragen, maar haar zouden ze eenvoudig voorbijlopen. Als ze niet zou trouwen, ging ze liever dood.

Opeens stond er toch een jongen voor haar. Hij maakte een buiging. Emma kon het niet geloven. Aarzelend kwam ze overeind. Ze werd wel degelijk ten dans gevraagd.

Hij was kleiner van stuk dan Emma en enigszins gedrongen. Ze danste met hem tot het eind van het bal, ook de sneeuwbaldans en de change-partnerdans.

Na afloop van het bal stelde de jongen zich voor. Hij heette Leo Cardozo en zat op het lyceum voor rijkeluiskinderen, een klas hoger dan Emma. Hij vroeg of hij eens bij haar op bezoek mocht komen. Hij wilde weten of Emma ook joods was.

Dat is de enige reden dat hij belangstelling voor me heeft, dacht Emma.

De volgende dag belde hij aan bij tante Lea. Even later zaten ze zwijgend tegenover elkaar in rotan stoelen, in tante Lea's zitkamer. Hij leek in het geheel niet op de knappe jongens die soms voor de school stonden om de mooie, populaire meisjes af te halen.

Nog één keer kwam hij. Weer zaten ze in tante Lea's zitkamer. Daarna kwam hij niet meer.

Ruth zei dat Emma verliefd op Leo was.

'Helemaal niet,' zei Emma verbaasd.

Ruth hield vol dat ze verliefd was, totdat Emma woedend de keuken uit liep en de deur achter zich dicht sloeg.

'Dat is het beste bewijs!' riep Ruth haar achterna.

Kleine Sieg

Zwart stond haar toch wel heel goed, vond Emma. Ze keek nog eens in de spiegel. Ze haalde haar HEMA-lippenstift achter uit de boekenkast en wreef er mee over haar mond. In deze omstandigheden zouden ze er toch niets van durven zeggen. Of toch wel? Ze waste het rood er weer af.

Ze liep naar de zitkamer. Oom Gerrit en tante Thérèse waren er al, ook in het zwart. Tante Thérèse stond het prachtig. Ze hadden bloemen bij zich.

Tante Lea gaf Emma een bosje narcissen. 'Zullen we maar gaan?' stelde ze voor.

Ze stapten in oom Gerrits auto. Het was een nieuwe Opel Kapitän. Tante Lea had niet nagelaten kritiek te leveren op de keuze van het merk. Zelf zou ze nooit iets kopen van Duitse herkomst. 'Vooral die umlaut bevalt me niet,' zei ze afgemeten tegen tante Thérèse. Die reageerde, zoals gewoonlijk wanneer tante Lea, op haar ironische toon, haar mening te kennen gaf, hooglijk geïrriteerd.

De twee schoonzusters leefden in gewapende vrede. Toen de kinderen nog klein waren, aten ze met het hele gezin de ene week bij de een, de andere week bij de ander. 's Zomers trokken ze met zijn allen in een huisje aan het strand. Nu kwamen ze, zonder kinderen, elke week bij elkaar op bezoek. Dat hoorde nu eenmaal zo.

Op de bezoekavonden waren de speldeprikken over en weer niet van de lucht. Oom Gerrit beperkte zich tot af en toe een vriendelijk sussend: 'Nou Leaatje, kom, kom,' of 'Treesje, nu overdrijf je toch echt.'

Het was een ruime, comfortabele auto. Niemand sprak. Voorin, naast oom Gerrit, zat opa. Emma zat achterin, tussen haar twee tantes.

Ruth woonde nu in Israël. Met zijn allen hadden ze haar weggebracht, naar de trein. Van Napels af zou ze met de boot gaan.

Op het station geneerde Emma zich. Iedereen kon zien dat ze een groepje joden waren. Terwijl de trein wegreed, hing Ruth met haar hoofd uit het raam en zwaaide.

Opeens keek ze Emma aan. Onverhoeds voelde Emma een klem op de keel, een prikkeling in haar neus en haar blik benevelde. Haar welbespraakte nicht reed weg uit haar leven. Het waren intelligente, gevoelige ogen, die haar hadden aangekeken. Als Ruth maar niet zo verschrikkelijk joods was geweest!

Tante Lea keek Emma verbaasd aan.

Ze reden naar Haarlem, naar Boslust. Bij de portier meldden ze zich.

De hoofdbroeder kwam aanlopen en gaf iedereen een hand. 'Dag Emma,' zei hij. 'Jij ook gecondoleerd.'

Hij ging hen voor door een lange gang, naar de kamer van de kleine Sieg. Het bed was afgehaald. Er stond een kist op schragen. Daarin lag de kleine Sieg. Zeventien was hij geworden. Hij droeg een pak met colbert. Heel tenger was hij. Zijn gezicht was mooi. De lange dichte wimpers lagen op zijn wangen, die glad waren, zonder puisten. Kwijlen deed hij niet meer. Zijn mond was dicht. Hij had mooie, fijn besneden lippen.

Na het vertrek van haar vader was Emma om de zoveel tijd, op een zondagmiddag, bij Sieg op bezoek gegaan. Bij redelijk weer wandelde ze een eindje met hem door het park. Buiten het hek moesten ze maar niet gaan, zei de broeder, want Emma zou niet weten wat ze moest beginnen als die grote jongen een toeval kreeg.

Emma was blij dat ze niet buiten het hek mochten. Haar broertje liep naast haar te neuriën. Ze wist niet wat ze tegen hem moest zeggen. Ze had nooit meegemaakt dat hij een toeval kreeg. 's Avonds schreef ze aan haar vader, dat ze bij de kleine Sieg was geweest en dat het goed met hem ging.

Er kwamen nog meer mensen, een ouder echtpaar uit Den Haag, kennissen van Emma's ouders. Tante Froukje. En tante Saartje. Ze hadden bloemen bij zich. Tante Froukje merkte op dat het maar beter zo was.

Een zwarte auto kwam voorrijden. Mannen in het zwart met plechtige gezichten sloten de kist, droegen hem naar buiten en schoven hem achter in de auto.

Achter de lijkwagen reden ze naar het kerkhof. Ook de hoofdbroeder ging mee. Door de achterruit van de lijkwagen kon je de bloemen zien liggen. De kleine stoet wandelde naar een versgedolven graf.

Een eindje verderop was nog een begrafenis aan de gang. Daar waren veel meer mensen. Emma zag dat sommigen naar haar keken. Ze strekte haar rug en deed haar jas open, zodat het zwarte truitje zichtbaar werd. Zeker vonden ze haar mooi en interessant. Zo jong en dan al zo'n groot verlies! Dat zou ze vanavond Renske schrijven.

Ze gingen bij het graf staan. Er stond een gure wind.

Tante Lea sprak een paar woorden. Ze zei dat haar zuster haar dood tegemoet was gegaan, in het geloof dat haar zoon, haar eerste kind, zou opgroeien tot een gezond en volwaardig mens. Daarvoor dankte tante Lea God. Ze bedankte de aanwezigen voor de belangstelling.

Ze staarden naar de kist met bloemen. Emma's grootvader haalde een zakdoek voor de dag en snoot toeterend zijn neus.

Hij denkt zeker aan mijn moeder, dacht Emma.

Tante Froukje snikte.

Tante Lea pakte een schepje en gooide wat aarde op de kist. Ze gaf het schepje aan Emma, die het voorbeeld volgde.

De kist zakte.

'Mackie Messer kon hij zingen in het Duits,' hoorde Emma haar vader zeggen. 'We waren nogal trots op hem.'

Hoe anders had mijn leven kunnen zijn, dacht ze.

Het visum

Met de stofdoek streek Emma over het buffet. Ze keek naar buiten. Regenvlagen striemden de kale bomen in de tuin en in het Vondelpark, vulden zwarte plassen op het terras. Tegen elf uur. Tante Thérèse zou zo beneden komen en dan zouden ze koffie drinken.

Emma woonde niet meer bij tante Lea. Na Ruths vertrek was het steeds slechter gegaan tussen Emma en haar tante. Tante Lea hield niet meer van haar, dacht Emma, dat viel niet meer te verhelpen. Zo was tante Lea. Ze had haar nichtje afgeschreven uit haar affectie. Ze had het geprobeerd en het was niet gelukt. Ze had het opgegeven. Zo kon het nu eenmaal gaan in het leven. Het was akelig, maar er waren haar wel erger dingen overkomen.

De sfeer in huis werd sinister.

'Dank je, kind,' zei opa steevast, als tante Lea zijn bord neerzette op de lange houten keukentafel en woordeloos at hij de helft van zijn vogelportie. Emma en haar tante wisselden onder de maaltijd slechts de hoognodige woorden.

Direct na het eten ging Emma naar haar kamer. Tot twee uur 's nachts zat ze stof in haar hoofd te stampen. Tot dusverre had ze nauwelijks huiswerk gemaakt. Ze moest alles inhalen. Anders bleef ze zelfs op de MMS nog zitten!

Larissa belde op. Ze ging naar de bioscoop, met twee jongens. Emma ging toch wel mee?

Emma liep de trap af, naar de woonkeuken.

'Ik ga vanavond naar de bioscoop,' zei ze tegen haar tante, met ingehouden woede dat ze toestemming moest vragen.

'Ik geloof alwéér niet, Emma,' zei tante Lea op haar meest afgemeten toon, 'dat je de naaste toekomst op de juiste wijze voorspelt.'

Emma beklom de trap naar de telefoon. Ze zei tegen Larissa dat ze niet mocht van haar tante. Larissa gooide de hoorn erop.

Emma liep de trap af, de woonkeuken in. Haar tante stond bij het aanrecht.

'Het lijkt hier wel een gevangenis,' zei Emma. Haar tante keek ironisch.

Emma begon te trillen. Ze zocht naar een belediging die haar tante zo diep zou kwetsen, dat ze van haar stuk zou raken, zodat eindelijk dat onaangedane gezicht, met die uitdrukking van ironische superioriteit, zich in drift zou vertrekken. Emma wilde dat haar tante zou gaan schreeuwen en foeteren. Ze wilde een scène, tranen, zoals vroeger met haar moeder.

Bevend zocht ze in haar vocabulaire naar de ultieme provocatie, maar ze kon niets anders vinden dan een woord uit de schoolmeisjestaal, dat je onder elkaar bezigde over een lerares, die je straf of een onvoldoende had gegeven.

'Rotmens!' schreeuwde ze.

Tante Lea keek nog berustender. Het leek of ze verbleekte, maar ze zei niets.

Opa zat verscholen achter de muur die hij in het concentratiekamp had opgebouwd.

Emma stormde het trapje op, door de marmeren vestibule, de straat op.

Ze raapte een steen op en gooide die tegen de ruit van haar tantes zitkamer. De steen maakte een put in het glas, maar het brak niet.

'Take a piece of paper!' snerpte 's ochtends door de schoolgang, uit de openstaande deur van het klaslokaal, de scherpe neuzelige stem van de lerares Engels.

Emma hield haar pas in. Ze had niets aan Engels gedaan. Ze had hoofdpijn en een afschuwelijk ochtendhumeur. Haar tante had ze na de steenworp niet meer gezien.

Larissa liep langs, zonder te groeten. Als Emma ruzie had met Larissa was ze altijd meteen gebrouilleerd met een heel groepje meisjes.

Elly kwam naast haar lopen. 'O, Emma,' piepte ze. 'Oooh. Repetitie! Ik heb er niks aan gedaan!'

'Ik ook niet,' zei Emma.

'Kom mee!' zei Elly. Ze draaide zich om en trok Emma mee.

Even later stonden ze op straat.

'Wat zullen we doen,' vroeg Elly.

Emma keek haar verbluft aan.

'Ga mee, naar de stad,' zei Elly, 'taartjes eten. Ik heb geld.'

'Ik heb wel zin om een eind te gaan liften,' zei Elly, toen de taartjes op waren.

Met de tram gingen ze naar de uitvalsweg. Het duurde niet lang of er stopte een auto.

'Gaat u naar Zandvoort?' vroeg Elly de chauffeur.

'Eigenlijk niet,' zei hij, 'maar vooruit dan maar.'

Ze gingen naar de badplaats, reden over de boulevard en ondernamen de terugweg. Elly zat voorin.

'Bent u vertegenwoordiger dat u een auto hebt?' vroeg ze vleiend.

'O, verschrikkelijk, hij legde telkens zijn hand op mijn been,' zei ze, toen ze weer op straat stonden.

Ze tramden terug naar de stad, waar ze op een terrasje gingen zitten. Elly's geld leek onuitputtelijk. Ze kocht een pakje sigaretten en gaf er een aan Emma. Blazend en puffend zaten ze te roken.

Emma kreeg het steeds benauwder.

'Wat moet ik nou morgen op school zeggen?' vroeg ze.

Dat was volgens Elly geen enkel probleem.

'Ik schrijf wel een briefje dat je ziek was,' zei ze. 'Namens je tante. Daar ben ik echt heel goed in. Maar je geen zorgen. Hoe heet je tante precies?'

Tante Lea wilde weten waar Emma na schooltijd was geweest.

'We hebben op een terrasje gezeten,' zei Emma.

'Dat mag je niet,' zei haar tante kwaad. 'Dat hoort een jong meisje niet te doen.'

Twee dagen later kwam tante Lea 's middags thuis. Ze riep Emma. Ze was op school ontboden, zei ze. Ze liet haar een briefje zien. Het was een bericht dat Emma ziek was geweest. Tante Lea's naam stond er onder: Mevrouw L. Rosenschijn-de Vos.

'Elly heeft een fraai werkstuk afgeleverd,' zei tante Lea schamper. 'Het handschrift is onbeholpen en het briefje wemelt van de spelfouten. Zelfs mijn naam staat er met een lange ij.'

Emma zei niets.

'Zo gaat het niet langer,' zei tante Lea. 'Je moet maar een tijdje bij tante Thérèse gaan wonen. Laat zij je nu maar eens nemen.'

Emma keek rond. Wat zou ze nu eens afstoffen? Ze dacht aan geurige koffie. Waarom kwam tante Thérèse nu niet beneden? Waarschijnlijk was ze nog bezig met het lakken van haar nagels. Die waren lang, puntig gevijld en altijd fel rood.

Dat lakken was een tijdrovende kwestie. Eerst moest de oude lak eraf, met een watje met aceton. Dan werden de nagels geweekt en gevijld. Vervolgens bracht de eigenares zorgvuldig doorzichtige lak aan. Die liet ze drogen. Ten slotte kwam het secuurste werkje: het aanbrengen van de rode lak. Het moest twee keer gebeuren.

Tante Thérèse wapperde met haar vingers los door de lucht. Elke laag moest tien minuten drogen.

Wanneer Emma en haar nichtje Didi tegenwoordig waren bij deze ochtendceremonie, dan hield tante Thérèse een toespraak over de uiterlijke verzorging van de vrouw. Emma had ook eens haar nagels gelakt uit het flesje van tante Thérèse. Het resultaat leek wel een oud afgebladderd huis. Het kwam haar onwaarschijnlijk voor dat ze ooit van die lange, puntige, bloedrode nagels zou hebben.

Emma's vader was van baan veranderd. De Indonesische regering had zijn contract bij het ministerie niet verlengd. De politieke situatie maakte dat onmogelijk. Hij maakte zich reisvaardig om met vrouw en kind te repatriëren.

Bij tante Lea kwam er een brief met opwindend nieuws. Emma's vader had in Djakarta een Nederlandse overheidsfunctie aanvaard. Ze waren verhuisd naar een bedrijfswoning. Emma moest maar overkomen. Er was een visum voor haar aangevraagd. Begin september zou dat er zijn. Ze moest haar koffer alvast pakken. Zodra het visum er was, kon ze vertrekken.

Tante Lea moest haar niet meer voor het laatste schooljaar inschrijven. Dat had geen zin. In Djakarta zou Emma de school afmaken.

In de zomervakantie ging Emma met Renske een maand naar Texel, waar ze op een kampeerterrein bij het strand hun tentje opzetten naast de grote tent van tante Froukjes jongste zuster met haar gezin. Na de vakantie trok Emma in bij de familie van 'de Laan', bij het Vondelpark, in afwachting van het visum.

Nu was het januari. Het visum was er nog steeds niet. De gepakte koffer stond met open deksel in de kamer in het souterrain, waar Emma logeerde. Ze moest maar een beetje helpen in de huishouding, zei tante Thérèse. Het was niet goed voor een jong meisje om niets te doen. Haar visum zou wel nooit meer komen, dacht Emma.

Haar tante kwam binnen, slank en elegant, op hoge pumps. De naden van haar kousen zaten kaarsrecht. Ze schudde haar kastanjebruine, glanzende krullen en lachte tegen Emma. Aan haar zijde kwispelstaartte de pas geborstelde hond, al even glanzend kastanjebruin als tante Thérèses haar. Dodelijk verlegen lachte Emma terug. Het werd een onnatuurlijke grimas.

Een volmaakte schoonheid was tante Thérèse niet. Haar ooghoeken wezen omlaag en haar mond was iets te groot, maar zodra ze in de buurt was voelde Emma zich plomp, lelijk, onverzorgd en stuntelig.

Oom Gerrit had tante Thérèse voor het eerst gezien toen ze achttien was, op een besloten voorstelling van de Cercle Français. Hij won informaties in en kwam haar naam en adres te weten. Hij schreef een brief aan haar ouders of hij eens nader kennis mocht maken.

De moeder van het meisje stuurde hem een invitatie om een middag op de thee te komen.

'Il y a un prétendent sérieux pour Thérèse,' stelde maman vast. De thee werd gedronken. De tweede keer kregen ze toestemming om samen een kopje thee te drinken, in een uitspanning. Nu kon oom Gerrit niet meer terug. Hij moest trouwen. Hij wilde niets liever.

Nog altijd was hij smoorverliefd op zijn vrouw. Moeiteloos won Thérèse met haar charme de affectie van de mannen in de familie: opa, oom Gerrits broers en Emma's vader. Met sommige vrouwelijke aangetrouwde familieleden lag dat moeilijker. Tante Thérèse gold in de familie als enfant terrible.

Op een familieavond, kort na hun verloving, verveelde het haar dat oom Gerrit zat te bridgen. Ze sprong op de kaarttafel, danste gillend in het rond en schopte de kaarten alle kanten op.

Ze was geestig, maar haar grapjes waren nooit onwelvoeglijk. Ze hield er een strenge moraal op na. Een jong meisje, vond ze, hoorde nooit met een jongeman zonder toezicht in een kamer te zitten, ook al waren ze verloofd.

'Va sous la table!' riep tante Thérèse streng tegen de hond, die op en neer sprong en met vier poten naar alle kanten uitgleed op het parket. Volgens haar verstond het beest uitsluitend Frans. Ze liep naar de tafel en drukte op een bel.

Cora, het dienstmeisje, bracht koffie, die ze keurig serveerde zoals tante Thérèse het haar had geleerd.

Tante Thérèse nam van Cora een klontje met de zilveren suikertang en knipte haar handtas open. Ze reikte Emma een papiertje over.

Het was een lijstje met boodschappen. 'Bijenkorf' stond er boven. 'Tu veux bien m'aider,' zei tante Thérèse. 'Ik móét een uurtje indoor-tennissen. Anders raak ik helemaal uit conditie.'

Emma zag tante Lea's ironische gezicht voor zich. Het tennissen van tante Thérèse was daar in huis een precair onderwerp. Tante Thérèse was lid van een tennisclub in het Vondelpark, die van oudsher geen joden opnam als lid. Voor oom Gerrit maakte de club een uitzondering, omdat hij christen was geworden en zijn vrouw en kinderen christelijk waren.

Emma knikte. Na de lunch zou ze gaan, zei ze.

'Waarom?' vroeg tante Thérèse koel. 'Je kunt het nú doen.'

Emma keek naar de regen en dacht aan het gedrang in het warenhuis bij de fourniturenafdeling. Ze zou zeker weer met de verkeerde dingen thuiskomen.

Ze verlangde hevig naar *Eline Vere*, waarin ze was begonnen. In dat boek regende het ook veel. Fijn om te lezen, als je droog zat.

Ze zuchtte diep. 'Goed,' zei ze stuurs.

Toen ze thuis kwam, was er nog niemand in de grote kamers. Didi zou na schooltijd naar muziekles gaan. Oom Gerrit was boven, in de spreekkamer. De deur van de wachtkamer was dicht. Op de overloop was de assistente bezig met een kaartenbak.

Emma liep de trap af, naar de keuken. Cora zat aan de houten tafel deeg te kneden. Emma plukte er een groot stuk af en stak het in haar mond. Heerlijk, die zoete, massieve klei.

'Afblijven!' zei Cora.

Emma smeerde vier boterhammen met pindakaas en ging bij haar zitten aan de keukentafel.

'Het is je vrije middag,' stelde ze vast. 'Wat ga je doen?'

Cora antwoordde dat ze met een vriendin in het Vondelpark ging lopen. Dan werd je altijd aangesproken door jongens. Als Emma zin had, mocht ze wel eens mee. Ze moest het natuurlijk niet aan haar tante vertellen. Laatst hadden Cora en haar vriendin twee machtig leuke jongens ontmoet. Ze hadden een auto. Ze hadden op friet getrakteerd en daarna hadden ze in de auto lekker zitten zoenen.

Verbaasd keek Emma naar Cora's piekhaar en haar puisterige gezicht. Hoe kon iemand die dikke lippen zoenen?

Cora trok haar jas aan en vertrok door de deur voor het personeel. Emma hoorde haar over het grindpad lopen.

Achterin de keuken, bij het aanrecht, was een smalle granieten verhoging, van de ene muur naar de andere, als een podium. Emma beklom de drie treetjes van het trapje en ging op de verhoging staan.

Ze keek de keuken in. Het was een grote, donkere, stampvolle zaal.

'There will be many other nights like this,' zong ze, met haar ogen half geloken en een diepe, jazzy stem. Daarna maakte ze een paar danspassen, ging in spreidstand staan, breidde haar armen uit en zong 'Lullaby of Broadway' in de intonatie van Doris Day. Het hoofd neigde ze naar Gordon MacRay aan haar zijde. Bij de slotzin haalde ze diep adem.

'Listen to the lullaby of oald Broadwayayay,' galmde ze met een hoge stem tegen de achtergrond van het orkest.

Het klonk goed. De zaal bracht haar staande een ovatie. Emma maakte diepe buigingen.

Ze liep de keuken uit en ging naar boven. Haar neef Jean-Claude, die op de toneelschool zat, stond op de overloop.

Emma kreeg het benauwd. Was hij al die tijd thuis geweest? Dan had hij haar horen zingen.

Jean-Claude legde zijn hand in de nek van de assistente.

'Wat zijn je ogen weer blauw,' zei hij sonoor. Het gezicht van de assistente kleurde bloedrood. Op haar voorhoofd verschenen zweetdruppeltjes.

Jean-Claudes knappe gezicht wendde zich tot Emma. 'Waar is mijn moeder?' vroeg hij koel.

Hij vindt me te lelijk om aandacht aan te besteden, dacht Emma. 'Weet ik véél!' zei ze stug. Ze draaide zich om en liep de trap af.

In haar kamer haalde ze een pak koekjes te voorschijn, dat ze had verstopt. Ze werd te dik, vond tante Thérèse. Ze hoorde hoe haar neef naar zijn kamer ging. Even later hoorde ze hem hardop monotoon declameren. Hij repeteerde zijn rol. Langs het getraliede souterrainraam gutste nog aldoor de regen.

Emma sloeg *Eline Vere* open. Waartoe leefde zij, vroeg Eline zich af, indien zij niet gelukkig wezen kon?

Emma liet het boek zakken. Ze dacht aan een man in de tram vol kleffe regenjassen, toen ze op de terugweg was van de Bijenkorf. Met warme, donkere ogen keek hij haar telkens aan. Hij vroeg zich zeker af waarom ze zo melancholiek keek en waarom ze niet gelukkig was. Toen ze bij de Koninginneweg uitstapte, zat hij nog in de tram. Op de halte keek ze om. Hij keek haar na. Waarom had hij haar niet aangesproken?

Om zeven uur ging ze naar boven, naar de eetkamer. Ze rammelde van de honger. Voor het eerst die dag zag ze haar oom. Hij zei niet veel, at vlug en stond direct weer op. Er zouden nog patiënten komen.

Tante Thérèse wees Didi terecht, die aan één stuk door zat te giechelen om iets wat op school was gebeurd.

'Ga je nog uit, Coco?' vroeg tante Thérèse aan Jean-Claude.

'Ik zie wel,' zei hij stug.

'Ik wil niet dat je nog met die Irene omgaat,' zei tante Thérèse. 'Zoals die er uit ziet! Met van die potloodstreepjes bij haar ogen. Of ze op het toneel staat!'

'Ik weet het nog niet,' zei Jean-Claude. 'Mag ik opstaan?' 'Coco, kom nou niet zo laat thuis,' zei zijn moeder. Jean-Claude antwoordde niet en liep de kamer uit.

Didi ging haar huiswerk maken. Emma moest haar tante helpen met afwassen. Later op de avond speelde Emma met Didi nog een spelletje halma. Mistroostig stapte ze in bed. Langzamerhand was wel elke hoop vervlogen dat haar visum ooit nog zou komen.

Emma zette de stofzuiger af. Ze hoorde tante Thérèse roepen. Was het al koffietijd?

Tante Thérèse stond in de gang, bij de voordeur.

'Emma!' gilde ze, 'je visum is gekomen!'

Emma liet de stofzuiger los. Ze barstte in tranen uit. Ze liet zich op een eetkamerstoel zakken, legde haar hoofd op tafel en snikte onbedaarlijk.

Haar tante kwam de kamer binnen. 'Wat valt er nou te huilen?' vroeg ze. 'We moeten een lijstje maken van wat je moet meenemen.'

Totok

Ze ging afscheid nemen van Renske, in Den Haag. Renske bracht haar naar het Hollands Spoor. Bij de trein bleven ze staan. Ze keken elkaar aan.

'Nou, dag,' zei Emma.

Ze gaven elkaar een hand.

'Ik zal je nooit vergeten,' zei Renske plechtig.

Onwennig gaven ze elkaar een zoen. Verblind van tranen stapte Emma in.

Oom Gerrit en tante Thérèse brachten haar met de auto naar Schiphol. Tante Lea en opa gingen mee. Er stond een gemene wind, die dwars door je kleren ging. Regenvlagen sloegen hen in het gezicht toen ze over het parkeerterrein liepen. Bij de deur van de warme vertrekhal nam Emma vreugdevol afscheid van het Hollandse weer.

Bij de balie waren er problemen. De stewardess zette haar koffers op de weegschaal en zei dat de bagage te zwaar was. Emma haalde haar woordenboeken uit de koffer en gaf ze aan tante Lea. Nu klopte het gewicht.

Bij het afscheid huilde haar grootvader en klemde Emma tegen zich aan.

'Hij is bang dat hij je nooit meer zal terugzien,' zei tante Lea.

Emma deed haar best om verdrietig te kijken. Ze trilde nog van de zenuwen, door dat overgewicht.

Het was een groot vliegtuig, het allernieuwste model van de KLM, 'Superconstellation'. Emma zat bij het raam. Bij het opstijgen werd om haar heen met groot geritsel *De Telegraaf* ontvouwd.

Met ingehouden adem keek Emma naar het platte, rechtlijnige landschap, dat beneden schuin overhelde en langzaam verdween onder een dikke laag watten. Ze begreep niet hoe het mogelijk was dat iemand de krant las bij zo'n overweldigende, kosmische ervaring.

De reis duurde bijna twee etmalen. Emma reisde eerste klas. Voor het eerst at ze kreeft en dronk ze champagne. Voor het eerst in haar leven werd ze een beetje dronken.

Ze raakte in gesprek met mensen om haar heen. Ze vroeg de mannen hoe je bij het opstijgen de krant kon lezen in plaats van uit het raam te kijken. De mannen lachten. Ze vlogen regelmatig voor zaken naar Indonesië. Dan ging het nieuwtje er wel af.

's Avonds, bij een tussenstop in Beiroet, kreeg ze een buurman.

'Holland?' vroeg hij. 'I'm from Libanon.' Hij wees op zijn schouder in een donker, kamgaren colbertjasje. Ze legde haar hoofd ertegen en sliep heerlijk.

In Karatsji, de volgende middag, stapte hij uit. De doorreizende passagiers mochten een bad nemen in het KLM-hotel. Mannen met zwart glimmend haar en een donkere huid lachten tegen Emma met blikkerend witte tanden en vroegen met glinsterende zwarte ogen: 'Transit, transit?' of het een oneerbaar voorstel was.

Terwijl Emma de vliegtuigtrap afliep, naar de KLM-bus, sloeg een dampende, klamme hitte haar bijna tegen de vlakte. Als het in Indonesië zo was, dacht ze, dan zou ze daar nooit iets kunnen uitvoeren.

's Avonds in het vliegtuig was er weer heerlijk eten, met roomijs en champagne. Bij de landing in Djakarta was het nog nacht. De passagiers schudden elkaar de hand.

'Tot ziens,' zei Emma tegen haar nieuwe kennissen, verwezen van het slaaptekort, de champagne en de onwerkelijkheid van de afgelopen etmalen.

Bij een hek stonden haar ouders.

'Tot ziens,' zei ze per abuis bij de begroeting.

Ze stapten in een Volkswagenbusje. In zo'n wagen zat je hoger dan het andere verkeer. De ramen stonden open. Een warme, zachte, zoet geurende wind woei naar binnen. Langs de weg, onder bomen, brandden vlammetjes, houtskoolvuurtjes, olielampjes boven kraampjes. Ze beschenen gehurkte, lachende mensen.

Emma zat achterin en keek naar haar ouders. Ze was zestien. Heel ver weg lagen jaren van grijze neerslachtigheid. Dat was voorbij.

'Koffie!' riep Emma's moeder.

Voorzichtig, om geen muskieten binnen te laten, deed Emma de klamboe open, klom uit bed en zette haar voeten op de koele tegelvloer. Ze had een grote kamer aan de voorgalerij. Het meubilair – commode, tafel met rechte stoel en tweepersoonsbed – was van donker djatihout. Op de grond, op tafel en de commode slingerden Emma's kleren van de vorige dag. Hier hoefde je je daarover niet te bekommeren. De baboe raapte ze op, waste ze en legde ze op een keurig stapeltje in de commode. Emma's vader noemde de baboe 'de morgenstond', vanwege haar gouden tandenpracht.

Het was tien over zes. Emma ging naar buiten. Op de veranda, in een schommelstoel, tussen varens en sierpalmen, zat haar vader, in korte broek en gaatjeshemd. Hij dronk koffie. Emma nam een glas van tafel.

Katja kwam aanlopen en gaf haar vader en Emma een kusje. Emma tilde haar zusje op. Katja's blonde krulletjes kriebelden over haar gezicht. Als het kind dansend op haar lange blote benen door de tuin liep, leek ze meer op een elfje dan op een menselijk wezen.

Emma ging met haar koffie in een schommelstoel zitten. De lucht was mauve, met licht oranje en lila slierten. Rood omrande wolken. Snel werd het licht. Een heerlijke dag brak aan, vol warme zonneschijn.

Haar moeder kwam zeggen dat de badkamer vrij was en dat ze moest opschieten. Emma schoof haar voeten in een paar klompschoenen, die voor de deur stonden. Ze kwamen goed van pas. Op de granieten badkamer vloer zat een kakkerlak, ter grootte van een muis. De eerste dag was ze daar erg van geschrokken, maar nu wist ze wat haar te doen stond. Ze gaf het beest een trap met haar klomp. Als een doorgeprikte ballon knalde hij uit elkaar. Klappertandend goot ze emmers koud water uit de mandibak over zich heen.

Om kwart voor acht ging Emma naar buiten, naar school. Het was niet ver. Ze woonden op het schoolterrein, in een gedeelte van het voormalig meisjespensionaat. Het scholencomplex – met lagere school en verschillende vormen van middelbaar onderwijs, gymnasium, hbs, mulo, mms – lag op een uitgestrekt terrein. De gebouwen stonden in hoefijzervorm, in twee verdiepingen, met een bovengalerij, waaraan de klaslokalen lagen.

Langs de lange oprijlaan en op het binnenerf waren sportvelden, onder hoge palmbomen. Er was een sprookjesachtige zijtuin, met schaduw van oude bomen, varens en een bonte verscheidenheid van orchideeën en bloemen, die kembodja heetten, schildersverdriet, bruidstranen of kembang s'patoe, omdat ze de vorm hadden van een klein schoentje. Langs de gevels klom de paarse bougainvillea omhoog.

Achterin de tuin, die aan een zijarm van de kali grensde, stond een waringin, waarvan de met twijgen omkronkelde stam een Hollands achtertuintje geheel zou vullen, met honderden takken en miljoenen blaadjes.

Uit de kali was eens een leguaan het erf op komen kruipen. De kleine Katja kwam ermee aandragen en wilde hem houden. Het dier bleek dol op suiker te zijn. Maar dat was vóór Emma's komst gebeurd.

Waringins en andere oude bomen stonden ook aan de kant van de weg die een onafzienbaar plein omrandde, het Koningsplein. Langs de hele straatlengte, in de schaduw van die bomen, was bedrijvigheid, limonade- en saté-stalletjes, fietsenmakers, kapperszaakjes, die bestonden uit een stoel voor de klant en een scheerspiegel die aan een boomtak was bevestigd. Emma mocht aan de stalletjes niets lekkers kopen. Ze zou er ziek van worden. Een Europeaan was niet tegen de bacillen bestand.

In de schaduw wachtten betjahrijders. Aan de overkant was station Weltevreden, waar je de trein kon nemen naar zee, Tandjong Priok en 'naar boven', naar de Poentjak-pas.

De villawijk, waar Emma woonde, was gebouwd rond de Harmonie, een sociëteitsgebouw van grootse allure, waarvan voor- en achtergalerij en de hoge binnenzaal rustten op zuilen naar Grieks model. Daendels had het laten bouwen om de Hollandse kooplieden en ambtenaren weg te lokken uit de benedenstad, met haar gekrioel, palmen, pisangbomen, kampongs, ontelbare lage huisjes met rode pannedaken, de myriaden muskieten, de bedomptheid en de stinkende kali. De kooplieden woonden er in huizen met trapgevels en de bruggetjes over de kali waren precies zo gebouwd als over de Bloem- of Egelantiersgracht thuis.

De nieuwe koloniale villawijken in de benedenstad heetten Rijswijk en Weltevreden. De villa's hadden zuilengalerijen, zoals de Harmonie, en waren van paleisachtige allure, met voorgalerijen als balzalen.

De koloniale tijd was voorbij maar de Nederlanders spraken nog steeds van Koningsplein in plaats van Medan Merdeka, en van Rijswijk, Waterlooplein en Weltevreden. Voor hen was de diarreekleurige kali, die achter gemetselde muren beneden- en bovenstad verbond, waarin de bevolking baadde, plaste, ploeterde, pieste, poepte en tanden poetste, nog altijd Molenvliet.

Het was maandag. De vorige dag was Emma met haar ouders en zusje in de combi naar Tandjong Priok geweest, de haven van Djakarta.

In het plaatsje zelf waren veel afbraakstraten, waar het krioelde van de mensen. Ze staarden je aan. Ze hadden uitstekende botten en uitpuilende ogen. Vrouwen hadden baby's aan borsten die als uitgewrongen vaatdoeken omlaag hingen, langs hun maag. Mensen woonden in koekblikken met de half afgebladerde reclameplaatjes er nog op. Het leek of alles en iedereen daar was besmeurd met modder en stront.

Maar Emma ging met haar ouders en zusje naar de Hollandse sociëteit, de Jachtclub, en daar zag je geen Indonesiërs, behalve de boys en die waren smetteloos in het wit. Emma's ouders troffen er kennissen.

In zee, heel in de verte, was een uitstekend stuk rots. Emma's vader verbood haar daarheen te zwemmen. Het was te ver, zei hij. Emma zwom door de warme, rimpelloze zee. Ze besloot naar het rif te zwemmen. Dat kon ze best. Op het rif zou ze uitrusten. Haar vader keek haar na, dat voelde ze.

Op de rots zat een beest met lange poten en voelhoorns. Een krab of kreeft was het niet. Misschien was het een giftige schorpioen.

Emma durfde niet uit te rusten en ondernam de terugweg. Halverwege dacht ze dat ze niet meer kon. Ze verdween onder water en kwam hoestend en snuitend boven. Paniek verlamde haar bijna. Ze draaide zich op haar rug en dwong zichzelf om even rustig uit te drijven. Uitgeput kwam ze aan bij het terras.

Niemand had het gemerkt. Haar ouders zaten bij kennissen aan een tafeltje. Haar vader wenkte de boy en bestelde voor Emma limonade. Katja kwam aangedribbeld. Ze droeg een schattig badpakje met stroken, dat Emma voor haar in Amsterdam had gekocht. Voor zichzelf had Emma een badpak gekocht van dezelfde stof.

Een paar mannelijke kennissen van Emma's vader nodigden haar uit voor een balspelletje in de branding. De lucht was transparant blauw met frêle witte vlokjes en ook de zee was hemelsblauw. De namiddagzon scheen het water in brand te steken. Het vlamde in je ogen en schroeide je gezicht en armen. De gezichten van de mannen waren rood als kreeften. Emma sloeg af en toe de handen voor ogen. Maar ze lachte aan één stuk door. Ze stond in een kring volwassen mannen en genoot van hun aandacht.

Ze bleven rijsttafelen op de club. Er stond een stevige zeebries. De zee werd donker en de branding beukte tegen de houten vlonder. Maar het was nog steeds drukkend warm. In de wee-zoet geurende avond reden ze door de donkere lanen naar huis. Emma's gezicht gloeide of ze koorts had.

Soms gingen ze een weekend 'naar boven' in de combi, om 'een frisse neus' te halen. Eerst reden ze naar Buitenzorg. Dat was zeker een uur rijden. Langs de hele weg zaten lachende, hurkende mensen bij eetstalletjes. Het leek of heel Java één grote eettafel was.

Na Buitenzorg ging het naar boven, de bergen in, met langs de hellingen spiegelende, terrasvormige sawa's en uitgestrekte, glinsterend groene theetuinen. Er was niet veel verkeer. Jaloers keek Emma naar de Indonesische meisjes, die lachend achterop de motorfiets zaten bij Indonesische jongens. Dat was nog eens een manier om 'naar boven' te gaan! Zou dat ooit voor haar, Emma, zijn weggelegd?

Bij het bergplaatsje Tjipanas hadden Emma's ouders een huisje gehuurd, met een tuin vol Europese bloemen: afrikaantjes, lathyrus, in een on-Europese verscheidenheid. 's Nachts vroor het licht. 's Avonds maakte Emma's vader een houtvuur aan. 's Ochtends knisperde de vorst onder je voeten en je trok een dikke trui aan. Overdag maakten Emma en haar vader lange wandelingen. Urenlang kon je lopen door de theetuinen en over de sawadijkjes, zonder dat je een mens tegenkwam.

Het klaslokaal was donker, zonder deur of ramen. Het lag aan een bovengalerij, achter een halfhoge balustrade. Uit andere klassen gonsde en dreunde het. Emma's eindexamenklas was klein: acht meisjes.

De eerste ochtend al begreep Emma dat ze in Amsterdam de verkeerde kleren had gekocht. Zomerjurken van Gerzon, hoge hakjes.

'Jij en ik zijn hier de enigen die een beetje vlot Europees zijn,' zei Irene, een zwaar opgemaakt meisje. Ook zij liep op hoge hakken en droeg zo'n Gerzon-achtige jurk met een lange, wijde rok. Emma beschouwde het als een dubieus compliment.

De andere meisjes in de klas liepen op platte sandalen. Ze droegen geen jurken maar witte bloesjes op rokken van sarongstof. Na schooltijd liepen ze in shorts of spijkerbroek. De populaire meisjes waren van gemengd bloed. Ze waren slank en soepel.

Ze spraken met zangerige uithalen. Emma deed erg haar best het na te doen. Ze liet de r's rollen, doorspekte haar conversatie met veel soedah's, wadoe sèh's, betoel's, terlaloe's. Ze zei 'weet je's,' met een kort afgebroken 'tsja' en zei op verwijtende, zangerige, langgerekte toon 'djangan djangáááán', 'niet doen toch'. Maar toch plaagden de meisjes haar omdat ze zo Hollands 'totok' was.

'Wat is gado-gado?' vroeg Maureen.

'Groente met pindakaas?' zei Emma op domme, vragende toon, voor de grap zo 'totok' mogelijk. Ze wist heel goed wat gado-gado was.

De anderen gierden van het lachen. Ze lachten haar uit.

Emma overwoog uit te leggen dat ze een grapje had gemaakt, maar begreep dat het zinloos was. Ook in deze klas zou ze buitenstaander blijven, meer dan ooit.

Om kwart over een kwam ze thuis. Een half uur later kwam haar vader uit kantoor en dronk een biertje. De kokkie kwam aandragen met de rijsttafel. Volgens oud gebruik waren haar tanden afgevijld tot kleine puntjes. Tandvlees en lippen waren donkerrood van het sirihpruimen. De eerste dag dacht Emma vol medelijden en afgrijzen dat zojuist al kokkies tanden en kiezen waren getrokken.

Emma's moeder hield niet van rijsttafel. Een paar keer per week aten ze Hollands: smakeloze, drabbige bloemkool, glazige aardappelen. Hollands eten was duur en gold als luxe. Als het aan Emma had gelegen, hadden ze nooit meer Hollands gegeten maar altijd lekker 'pedis', rijst met garnalen, sambal, klapper, fricadelletjes, op houtskool gegrilde kip, gezouten eendeëieren, kool in klappersaus, kroepoek in soorten.

Het was siëstatijd. Emma sliep een uurtje. Daarna kwam Katja Emma's kamer binnen. Ze klom op Emma's bed en kroop onder de klamboe. Met hun hoofden op Emma's rolkussen lagen ze te kletsen en Maleise woordjes te leren, waarbij Katja een grote voorsprong had. Katja had keurig woordjes opgeschreven in een ruitjesschrift, met daarnaast de Nederlandse betekenis. Merkwaardige woordjes zocht ze soms uit. Zo wist ze bijvoorbeeld wat in het Maleis een 'dansmijt' was.

Fris gemandied reed Emma in de namiddag achter in de combi met Soeroso, de chauffeur, naar de Harmonie, waar ook een bibliotheek was. Soeroso was erg nationalistisch. Hij was communist, zei Emma's vader. Emma was verlegen voor hem. Ze vond hem heel interessant.

Soeroso stapte uit en deed voor Emma de achterdeur open van de combi. Emma ging de Harmonie binnen. In de bibliotheek zette ze *Grapes of wrath*, dat ze uit had, weer in de kast en nam een paar andere boeken van Steinbeck mee naar huis.

De achtergalerij van de sociëteit deed 's avonds ook wel dienst als bioscoop. Emma was er een paar keer geweest met haar moeder, als haar vader op reis was. Comfortabel gezeten in rotan kuipstoelen of in schommelstoelen, met een glas limonade, zagen ze *The bridge on the river Kwai* en *The elephants came*, een film die in de jungle speelde, waar een horde trompetterende olifanten een gillende Elisabeth Taylor bijkans verpletterde. Goddank werd ze juist op tijd gered door een knappe, sterke man!

Terwijl ze op de terugweg in de combi, achter Suroso's rug, de oprijlaan opreed, hoorde Emma rock-'n-roll-klanken, uit de richting van de gymnastiekzaal. Er werd gejive'd op grammofoonmuziek van Elvis Presley.

Het jiven was eigenlijk verboden. 'Dat geruk en getrek aan mekaar,' vond de rector, is nergens voor nodig.'

Emma stond aan de kant te kijken. Haar halve leven had ze willen geven om eraan mee te doen. Thuis had ze geoefend. Ze hield zich vast aan de deurknop en duwde zichzelf naar voren en naar achteren.

'We're gonna rock around the clock tonight...' zong ze erbij.

Maureen, Lizzy en Deetje, de populaire meisjes uit de klas, swingden op blote voeten op het zweterige linoleum, lieten zich ronddraaien en hangen aan hun armen, aan de handen van de jongens. De meeste jongens waren Indisch, met bruine, haarloze huid, lenig als balletdansers.

Terwijl Emma aan de kant stond, kwam een Indische jongen swingend op haar af en pakte haar dansend bij de hand. Ze wist niet direct wat ze moest doen. Hij liet haar hand los en swingde naar een ander meisje. Emma liep de veranda op, de tuin in. Het was aardedonker. Het was zes uur.

Bij de broodmaaltijd foeterde Emma's moeder dat alles weer 'barstensvol met beesten' zat. Hoewel boter, jam, corned beef, gecondenseerde melk en kaas elk apart in schaaltjes water stonden, zagen de mieren toch altijd kans deze hindernis te nemen. Na het eten las Emma in *Tortilla flat*. Later op de avond maakte ze een wandelingetje over het terrein. Ze kende geen andere meisjes van haar leeftijd die op het schoolcomplex woonden.

Emma wandelde naar de voorkant van het terrein, aan de straat. Links vooraan was het kantoor van de onderwijsstichting. Aan de andere kant het huis van de secretaris, meneer Van Dillenburg, die alleen woonde. Emma vond hem heel aardig. Ze zag hem op zijn platje zitten, met een olielamp. Hij las een boek en dronk uit een glas. Whisky zeker, daar was hij dol op. Zou ze even een praatje maken? Nee, daarvoor was ze niet in de stemming.

Mistroostig wandelde ze terug naar de rechterachterhoek van het terrein. Er klonk krontjongmuziek, gelach en gepraat. Aan de kali, aan de overkant van de gang, die het terrein scheidde van het KLM-hotel, was een kampong. Emma stond een poosje bij de dichte begroeiing. Misschien was Suroso er wel, de chauffeur. Ze was dolgraag eens gaan kijken achter de begroeiing, maar ze durfde niet. Ze zouden vragen of ze gek was geworden.

Ze wandelde verder. De lome, bladstille avond geurde zoet en maakte een enorm lawaai. Alles sjirpte, snerpte, gonsde. Het maanlicht legde fijn zilver over de palmekruinen en al die waringinblaadjes. In de tijd dat Emma's vader nog juwelier was, nam hij wel eens een blad, dat hij overgoot met gesmolten zilver. Het blad verging, maar de vorm en de nerven bleven in zilver staan. Zo zagen nu tegen de flonkerende sterrenhemel de bladeren eruit van de bomen en planten.

Elke tropenavond was een avond om te kussen, deze meer dan ooit. God, als er nu eens een jongeman naast haar kwam lopen en zijn arm om haar schouders legde! Emma kreeg kramp in armen en benen van hunkering naar liefde. Ze was 'sweet sixteen and never been kissed'.

Haar vader zat op de veranda te lezen in de schommelstoel, met een whisky-soda. Haar moeder stond aan de flitspuit te trekken. Ze had altijd erg veel last van muskietebeten, waarvan ze rode bulten kreeg.

Emma vond de geur van de flitspuit heerlijk. Later zou die haar altijd doen denken aan warme tropenavonden.

Emma zei tegen haar vader dat ze een besluit had genomen. Ze ging hard werken voor haar eindexamen. Ze had nog anderhalve maand. Ze hoefde het examen niet te halen, zei haar vader. Volgens de leraren was dat nauwelijks nog mogelijk. Emma had te veel van het schooljaar gemist en ze had tijd nodig gehad om te acclimatiseren. Ze moest maar zoveel mogelijk zien op te steken. Maar als ze het examen haalde, vond haar vader, zoveel te beter.

De volgende dag, na schooltijd, begon Emma de inhoud van haar schoolboeken in het hoofd te stampen. Elke namiddag en avond werkte ze. Het was zo smoorheet, dat ook de avond nauwelijks koelte bracht. Emma werkte met een handdoek naast zich om voorhoofd en nek te drogen en veegde telkens haar handen af als de pen haar uit de vingers gleed.

Haar ouders waren veel uit. Haar moeder had haar opgedragen op de poes te letten, een Siamees. Het beest was krols en Emma's moeder wilde niet dat poes kindertjes zou krijgen van een ordinaire Djakartaanse kater met een halve staart.

Emma haalde nog maar eens een flesje limonade uit de ijskast, mierzoet spul met prik, waar je nog meer dorst van kreeg. Ze verdiepte zich weer in de aardrijkskunde maar schrok op van een hevig gekrijs. Een kater was van achteren op hun poes gesprongen en bewoog op en neer. Emma pakte een bezem en sloeg op de rug van de kater. Eindelijk liet hij los en ging er vandoor.

Trillend van emotie ging ze weer zitten. God, als het maar niet te laat was! Ze verplaatste zich in de begeerte van de poes, die nu maar half bevredigd was. Het was onmenselijk wat ze het beest had aangedaan.

Ze kon die avond niet meer werken en liep geagiteerd de tuin in. De halve nacht lag ze wakker.

Op het examen bleek dat ze zo hard niet had hoeven stampen. Het onderwijs in Nederland had haar een grote voorsprong gegeven. Ze kletste zich door het examen. Vooral het Engels liep gesmeerd. De leraar was vooral zelf aan het woord. Hij stelde een paar vragen over Somerset Maugham, zijn lievelingsschrijver.

Met zijn staalblauwe ogen keek hij Emma diep aan en zei: 'Somerset Maugham heeft echt geleefd. Maar ik ook. Ik ben eigenlijk net als Somerset Maugham.'

Jaren later dacht Emma daaraan terug. Ze vond het vreemd. De leraar was getrouwd en had twee kindertjes. Blijkbaar was het niet tot hem doorgedrongen dat de schrijver, met wie hij zich zo flirtend vereenzelvigde, homoseksueel was.

De cognossementen

De man achter het bureau keek in Emma's papieren. Abrupt stond hij op en stak zijn hand uit.

'Ik zie dat u vandaag jarig bent,' zei hij. 'Hartelijk gefeliciteerd!'

'Dank u wel,' zei Emma.

'Zeventien is nog wel erg jong,' zei de man. 'U zou bij ons afdelingschef worden. U krijgt een zaal vol mensen onder u.'

'O, dat kan ik best,' verzekerde Emma hem.

De chef bracht haar naar een zaal. Ongeveer dertig mensen zaten achter bureaus en keken haar aan. De bureaus stonden allemaal dezelfde kant op als banken in een klas. Voor in de zaal was een ruimte opengelaten. Daarin stond een bureau apart.

'Dit is uw plaats,' wees de chef. Emma ging zitten. Ze zat nu met haar gezicht naar de zaal. De directeur gaf haar een stapel formulieren.

'Dat zijn cognossementen,' verklaarde hij. 'Het is uw werk om te controleren of ze goed zijn ingevuld en om toezicht te houden.'

Hij gaf haar een sleutel. 'Die is voor het toilet,' legde hij uit. 'Het toilet voor de Nederlanders is rechts in de gang. U mag de sleutel niet afgeven aan derden.'

Hij verliet het kantoor.

Hulpeloos keek Emma de zaal in. De mensen achter de bureaus keurden haar geen blik meer waardig. Ze waren verder gegaan met hun werk. Zo te zien waren het allemaal Indonesiërs of Indo's.

Vooraan zat een meisje van Emma's leeftijd. Ze had glanzend lang zwart haar en een opvallend donker gezicht. Ze keek op en glimlachte.

'Wat moet ik doen?' vroeg Emma.

Het meisje nam een stoel en kwam naast Emma zitten. Zo'n cognossement, legde ze uit, was een bewijs dat een scheepskapitein een bepaalde lading had ontvangen. Hij moest dat ondertekenen en verplichtte zich daarmee de lading te vervoeren.

Glazig keek Emma naar de formulieren. Ze legde de stapel opzij en vroeg hoe het meisje heette.

'Tonnie,' zei ze en ging weer op haar plaats zitten.

Emma zat te suffen tot het tijd was voor de lunchpauze. 'Wat ga jij doen,' vroeg ze aan Tonnie.

'Naar Pasar Baroe,' zei Tonnie. 'Wil je mee?'

Tonnie had een hele lijst boodschappen, voor de Chinese toko's. Allerlei toiletbenodigheden. Bij de Bombay-winkels bekeek ze lapjes en stofjes. Ze kon verbazend goed afdingen. Ze aten een klapperijsje bij een kraam, van het soort dat eigenlijk voor Emma verboden was, omdat je er ziek van kon worden.

's Ochtends en 's middags zat Emma met haar gezicht naar de zaal wazig in de cognossementen te kijken. In de lunchpauze ging ze wandelen met Tonnie. Soms ging Sidih mee, een jongen van kantoor met een onaantrekkelijk uiterlijk.

Eens, in de lunchpauze, wandelde Emma met Sidih alleen. Plotseling bleef hij staan. Verbaasd keek Emma om.

'Wadoe-oeh!' riep Sidih. 'Ik worr perliep op jou!'

Emma vertelde het aan Tonnie, die er vreselijk om moest lachen. Soms bleef een van beiden onder het wandelen stilstaan en riep: 'Wadoe-oeh! Ik worrr perliep op jou!'

Op een dag werd Tonnie vertrouwelijk. 'Niemand vertellen!' zei ze. 'Blom is verliefd op mij.'

Emma barstte in lachen uit. Die muizige oude boekhouder!

Tonnie werd ernstig. Zij en Blom hadden al jaren een verhouding. Het kon nooit iets worden want hij was getrouwd en katholiek.

Na het avondeten wandelde Emma langs de donkere lanen naar Instituut Schoevers, waar ze een cursus typen volgde. De lerares draaide een plaat met 'How much is that doggie in the window?' Daarop moest je ritmisch leren typen. Bij 'woef, woef, woef' moesten ze allemaal tegelijk op de machine de regel verstellen.

Onderweg naar Schoevers kwam Emma langs het huis waar Mia woonde, een meisje dat ze nog van school kende. Mia kon ook niet jiven.

Op een avond besloot Emma voor de les even bij haar langs te gaan. Mia woonde alleen met haar moeder op een veranda. Er was nog een kleine kamer bij, maar die werd alleen gebruikt om te slapen. Het was verbazingwekkend zo volgestouwd als die veranda was met meubels, huisraad, flesjes, potjes, schmink en poederdozen. Mia's moeder was uit.

Van onder een stoel haalde Mia een stapel *Libelle*'s en *Piccolo*'s te voorschijn. Mia vroeg Emma uit over de kleren die te koop waren in de Bijenkorf en in de Kalverstraat. Ze brandde van verlangen om daar zelf naar toe te gaan.

Emma vergat de les. Zo ging het voortaan iedere avond. Welgemoed ging ze op weg naar Schoevers, veranderde onderweg van gedachten en stapte bij Mia de veranda op. Om de een of andere reden was Mia's moeder 's avonds nooit thuis.

Emma en Mia poederden en verfden zich uit haar potjes en doosjes. Tegen de tijd dat Schoevers uitging wasten ze het er weer af met water uit de lampetkan. Ze roddelden over de 'jongensgekken' in de klas.

Door de stille, donkere lanen liep Emma naar huis. Hoe moest ze het toch aanleggen om een jongen te leren kennen? Liefst een met een motorfiets. Maar een jongen zonder motorfiets was ook goed.

De Nederlandse dames die niets omhanden hadden, zaten 's ochtends en 's middags bij elkaar op een van de veranda's koffie te drinken of ijsstroop. Wanneer Emma langs kwam, groette ze beleefd. De dames knikten terug. Even was het stil. Terwijl Emma wegliep hoorde ze achter haar rug een druk gepraat.

'De dames uit de flat zeggen dat je in verwachting bent,' zei Emma's moeder.

Emma lachte gevleid. De dames dachten dus dat ze een jongen kende.

Emma zat in de cognossementen te kijken. Een bode kwam zeggen dat ze bij de chef moest komen.

'We hebben het nu lang genoeg aangezien,' zei de chef. 'Ik geloof dat u elders uw heil moet zoeken. Uw plaats is niet bij de Pakketvaartmaatschappij.'

De werkelijke reden van haar ontslag, vermoedde Emma, was dat ze Tonnie de sleutel had gegeven van de wc voor blanken.

Spijtoptanten

Emma liep over de galerij en klom door een raam naar binnen. Ze keek om. Niemand had haar gezien. Het was kwart voor acht. Ze ging aan een bureau zitten, achter een schrijfmachine.

Een dikke Indischman kwam binnenlopen. 'Wat doet u hier?' vroeg hij.

'Ik werk hier,' zei Emma.

'Wie heeft u dan aangenomen?'

'Meneer Oranje,' zei Emma.

'Oranje?!' riep de man. 'Dat is de tijdelijk zaakgelastigde! Die bemoeit zich niet met het personeelsbeleid. Hij is er deze week niet, dus we kunnen het hem niet vragen.'

'Mijn vader kent hem,' zei Emma. 'Daarom heeft hij me aangenomen.'

'Ik vraag het even aan mevrouw Halbertsma,' zei de man. 'De personeelschef. Gaat u dan daar zitten. U zit aan het bureau van de heer Gongrijp.'

Emma wiste zich het voorhoofd af. Het was al smoorheet. Ze trof het wel dat de tijdelijk zaakgelastigde een week op reis was. Ze dacht niet dat haar vader hem persoonlijk kende. Maar een ordentelijke sollicitatie was in deze situatie te riskant.

Op het Koningsplein, dat voor de Indonesiërs allang Vrijheidsplein heette, waren nu dagelijks massabetogingen.

De stem van Soekarno, die over een onvoorstelbaar uithoudingsvermogen beschikte, stentorde door een uitstekende geluidsinstallatie vanuit het stadion de school en de huizen binnen. Het was de 'confrontasi Irian Barat'. Om de een of andere reden wilde de Nederlandse regering Nieuw-Guinea niet afstaan. Geluidswagens reden door de stad waaruit Soekarno's stem schalde: 'Belanda', 'Merdeka', 'Irian Barat'.

Gruwelijke verhalen deden de ronde. Een Indonesiër, die zijn oog had laten vallen op een Nederlandse dochter, had haar geschaakt met hulp van zijn vrienden, die de ouders onder schot hielden. Emma mocht zich beslist niet inlaten met Indonesische mannen, zei haar vader. Een Nederlander die per ongeluk een verkeersregel overtrad en linksaf sloeg, was doodgeschoten.

Emma's moeder had twee met kunstig houtsnijwerk versierde kasten, die ze bij een Chinese schrijnwerker had gekocht, volgepropt met voorwerpen die ze wilde meenemen, als ze op stel en sprong moesten vertrekken.

Op een dag joeg Soekarno hen de stuipen op het lijf. Op het hele Vrijheidsplein, verklaarde hij, wenste hij 'geen blank smoel' meer te zien. Gelukkig realiseerde hij zich dezelfde dag dat de Amerikaanse ambassade ook aan het plein lag. Hij trok de verordening weer in.

De ene Nederlandse onderneming na de andere werd 'genaast'. Maatregelen dreigden ook tegen het Nederlandse onderwijs. Er was een uittocht aan de gang van Nederlanders, vooral vrouwen en kinderen.

Emma merkte weinig van de bedreiging. Ze liet haar brommer repareren bij de toekang onder de waringin en wandelde ongehinderd door de avondlijke lanen naar Mia.

Volgende maand zouden haar moeder en zusje naar Nederland vertrekken. Haar vader vond dat Emma mee moest gaan, nu ze bij de K P M was ontslagen en haar typediploma had gehaald. 'Je hebt nu lang genoeg vakantie gehad,' vond hij. 'Het wordt tijd dat je iets gaat doen.'

Met afschuw dacht Emma aan Nederland; klein, guur, grijs. En met haar moeder wilde ze niet op reis.

Dat was wederzijds. De eerste weken was het goed gegaan tussen Emma en haar moeder. 'Dit is onze dochter,' hoorde Emma haar zeggen, terwijl ze haar op de Jachtclub voorstelde aan kennissen. Het ontroerde Emma.

Wat er precies was misgegaan, viel niet meer te achterhalen. Emma voelde zich in Indonesië als een vis in het water. Haar moeder kon niet tegen het klimaat. Oude irritaties kwamen boven, opmerkingen van haar moeder waarvoor Emma overgevoelig was. Ze was bijna volwassen en wilde zich niet meer gekwetst voelen. Ze werd driftig. Haar moeder ook. Haar vader nam Emma in bescherming, wat als vanouds de zaak verergerde. Emma had altijd direct spijt van zo'n driftbui. Ze wilde het goed maken, maar dat lukte niet meer.

Haar moeder sprak niet meer tegen haar. Als Emma haar 's ochtends begroette, kreeg ze geen antwoord. Ondertussen werd haar moeder met de dag zieker. Het was een onduidelijke tropenkwaal, een verdunning van het bloed. Wekenlang lag ze op een smoorhete, onfrisse zaal in het Tjikini-ziekenhuis. Emma mocht niet op bezoek komen, liet ze weten.

Mensen kwamen het kantoor binnen. Er kwam iemand naar het bureau waaraan Emma zat. Ze moest opstaan. Ze slenterde naar de gang. De dikke man kwam aanlopen.

'Ga maar mee,' zei hij.

Ze gingen naar de personeelschef.

'Ik kan het me haast niet voorstellen dat meneer Oranje je heeft aangenomen,' zei ze. 'Dat doet hij nooit zonder mij. Maar goed, we kunnen het hem nu niet vragen.' Ze pakte een formulier. 'Hoe is precies je naam?'

Om één uur liep Emma het kantoor uit. Het was aan de andere kant van het Koningsplein. De hele weg tot aan de oprijlaan van de school kon ze in de schaduw lopen. Bij de ingang stond ze stil. In de verte zag ze hun huis. Verlaten lag het weidse schoolplein te schitteren in de gloeiende zon. De zinderende hitte golfde er boven, klaar voor de aanval.

Emma haalde diep adem en waagde de overtocht. Eerst ging ze het kantoor van haar vader binnen. Hij zat nog aan zijn bureau. 'Ik heb een baan bij het Hoge Commissariaat,' zei ze. 'Mag ik nu blijven?'

Emma ging niet mee naar het vliegtuig om haar moeder en zusje uit te zwaaien – dat wilde haar moeder niet. Naast de oude kokkie, die vreselijk huilde en bloedrode sirih kwijlde op haar baadje, stond Emma voor het huis de auto na te kijken, waarin haar moeder met haar zusje wegreden. Met natte ogen keek kokkie naar Emma op en begon snikkend met haar bloedrode mond iets te vertellen in het Maleis.

De Nederlanders mochten niet weggaan, begreep Emma, want dan kwamen de Japanners weer.

'En die slaan erop,' zei kokkie. 'Pokoel sadja.'

Emma voelde een zware beklemming. 'Ik wil je nooit meer zien,' had haar moeder gezegd. Emma wist op dat ogenblik niet, dat niemand zoiets zegt als de ander hem onverschillig laat. 'Ik wil je nooit meer zien' wil niet zeggen dat je nooit meer de ander zult willen zien. Het betekent, onbewust, meestal het tegendeel.

Maar dat besefte Emma niet op dat ogenblik. Zojuist was haar moeder weggereden uit haar leven, dacht ze.

Later bedacht Emma wel eens dat haar tweede moeder haar eerste ongelukkige liefde was geweest.

Emma's vader kwam thuis, ging een uurtje slapen en vertrok naar kantoor. Om zes uur, toen het al donker was kwam hij de kamer binnen. 'Ga jij maar tegen kokkie zeggen dat we willen eten,' zei hij.

Hij liep naar het buffet en haalde een fles te voorschijn. 'We zullen er een glaasje wijn bij drinken.'

Een golf van vreugde sloeg over haar heen. Ze had haar vader voor zich alleen. Ze moest zich beheersen om niet te dansen toen ze naar de keuken liep.

Op kantoor moest Emma op de schrijfmachine een stapel formulieren invullen, aan de hand van paspoorten. Die waren van spijtoptanten. De meeste pasfoto's vertoonden donkerbruine gezichten.

'Een KNIL-soldaat heeft twee of drie generaties geleden in de binnenlanden een feestje gehad,' legde haar chef uit. 'Daarvan zijn zij de nazaten. Nu moeten ze zo nodig naar Nederland.'

Het formulieren tikken was een vervelend werkje. Je moest invullen 'Maatschappelijk Werk' en 'Maatschappij Nederland'. Telkens als ze 'Maatschap' had getikt, ging Emma verder met het verkeerde woord. Dan moest het hele formulier over.

Ze ging om interessanter werk vragen. De volgende ochtend moest ze zich melden bij een andere chef. Hij bracht haar naar een kantoortje aan de benedengalerij. Er stond een lange rij mensen, volbloed Indonesiërs zo te zien. De meeste vrouwen droegen sarong en kabaja. Sommigen stonden op blote voeten.

Emma ging in het kantoortje aan het bureau zitten.

Een man die vooraan stond, kwam binnen. Hij legde een stapeltje paspoorten op Emma's bureau. 'Dit is mijn vrouw,' zei hij.

Hij wees op drie mannelijke, donkere vollemaansgezichten met wit haar. 'Dit is mijn broertje. Dit is mijn neefje. Dit is mijn andere neefje.'

Emma keek in de paspoorten. De man heette Sitor Jozef Maria Vroegindewij. Emma zei het verhaaltje op dat haar was geleerd: 'U ziet er uit als een volbloed Indonesiër. U heeft hier altijd gewoond. U weet niets van Nederland. Het is daar koud. Waarom blijft u niet hier?'

De man begon te huilen. 'Alstublieft juffrouw,' snikte hij. 'Alstublieft, laat ons gaan.'

Emma wist niet wat ze moest doen. Ze voelde er een zekere onrechtmatigheid in dat ze hier, met haar zeventien jaar, was neergezet. Het was niet rechtvaardig ten opzichte van deze man, die ouder was dan haar vader.

'We zullen uw aanvraag in behandeling nemen,' zei ze.

Zo ging het de hele ochtend door.

Na een paar dagen was ze aan het werk gewend. Huilende mensen brachten haar niet meer van haar stuk.

's Middags ging ze met een auto met chauffeur en een tolk op huisbezoek. De meeste mensen die een visum hadden aangevraagd, woon-

den in kleine huisjes in de kampong, vierkante hutjes van planken, ge-
vlochten riet en spaanplaat.

Emma baggerde erheen door de steenrode modder, trof in het schemerduister dodelijk verschrikte mensen aan, die te arm waren om
haar limonade aan te bieden.

Ze hield haar verhaal, dat het in Nederland koud was en ellendig en
dat die mensen zo te zien toch echte Indonesiërs waren. De mensen
zeiden dat ze in de kampong waren mishandeld en dat het huisje met
stenen was bekogeld, vanwege hun 'Nederlandse afkomst', de losbol-
lige KNIL-voorzaat.

Op kantoor tikte Emma keurig een rapport. Verreweg de meeste
aanvragers kregen geen toestemming om naar Nederland te gaan.

De Harmonie

Een kleine, elegante vrouw kwam op Emma af. Het was koninginne-
dag. Op het Hoge Commissariaat was receptie. Een orkestje speelde
op het grasveld een Engelse wals. Bedienden in witte pakken met
hoofdtooi en stoïcijnse gezichten gingen rond met glazen drank en
schotels met blokjes Hollandse kaas, waarop rood-wit-blauwe of
oranje vlaggetjes waren geprikt.
'Pff, warm ja,' zei de dame.
'Ja, pfff, vandaag is het warmer dan gisteren,' zei Emma.
'Pff, gisteren ook, ja, geen koeltje,' riep de dame. 'Vandaag ook hé-
lemaal geen windjé, te errg toch, ja?'
Het obligate begin van een conversatie was achter de rug.
'Wat een mooie japon heeft u aan,' vervolgde de dame. 'Waar heeft
u die gekocht?'
Het was een van Emma's Gerzon-jurken. 'Bij Liberty,' zei Emma.
'In de uitverkoop.' Ze wachtte op de vraag die zou komen.
'Bij Liberty op Pasar Baroe!?'
'Bij Liberty in de Leidsestraat in Amsterdam,' zei Emma. 'En deze
tas heb ik bij de Bijenkorf gekocht. In Amsterdam. Niet in de Bijen-
korf op Pasar Baroe.'
Jaloers monsterde de dame Emma's gestalte. 'Bent u dan pas met
verlof geweest?'
'Nee,' zei Emma. 'Ik ben pas gekomen.'
Verbouwereerd keek de vrouw haar aan.

'Lieve Emma,' schreef Mia, die nu in Apeldoorn woonde. 'Ik vind het
fantastisch in Holland. Die winkels hier, wat zijn die mieters, ik kan
uren in de stad ronddolen, we vréten hier gewoon en dan, je ziet overal
blanke lui, 't is echt een verademing.
Hoewel, je ziet hier ook wel gekleurde mensen, zoals Indonesiërs,
Ambonezen, negers, maar dat zijn er maar weinig. Die herfsttinten
vind ik zo mooi, dat mis je echt wel in Indonesië, de hele dag kan ik
wel in het bos wandelen. Werk je nog bij de KPM?'

Jaap, een Nederlandse jongen die bij Emma op kantoor werkte, kwam op haar af. 'Er is feest op de Harmonie,' zei hij. 'Ga je straks mee?'

'Goed,' zei Emma.

Ze speurde rond waar haar vader was. De muziek hield op voor de speech van de Hoge Commissaris.

'Onwillekeurig,' begon de magistraat, 'gaan onze gedachten terug naar de Tachtigjarige Oorlog.'

'Ja, daar dacht ik net aan,' zei mijnheer Van Dillenburg, de secretaris van de onderwijsstichting. Hij stond achter Emma. Emma proestte het uit.

Tegenwoordig kwam meneer Van Dillenburg bijna elke middag na het werk bij Emma's vader een biertje drinken en een kippepootje afkluiven. Emma vond hem, op haar vader na, de aardigste man die ze kende.

Tegenwoordig ging ze veel uit met mannen. Soms, wanneer ze 's avonds op de veranda zat, kwamen er wel drie auto's aanrijden met mannen, die haar mee uit wilden nemen. Een ritje naar Tandjong Priok, dansen op de Sportclub, een film op de Harmonie. Op een avond kwamen Jaap en zijn vader aanrijden, onafhankelijk van elkaar, elk met hun auto.

'Het lijkt wel of ik Ponds Cold Cream heb gebruikt,' zei Emma lachend tegen haar vader.

Ze wist heel goed waaraan ze al die mannelijke belangstelling te danken had – er waren bijna geen Nederlandse vrouwen en meisjes meer. De meesten van haar cavaliers waren getrouwd en veel ouder dan zijzelf.

Sommige mannen met wie ze uitging, vond ze eigenlijk vulgair. Ze kankerden aldoor op Indonesië. Hun gesprekken gingen over de schandelijkheid van het 'naasten' van Nederlandse bedrijven, de domheid en luiheid van de inlanders, de smerigheid van de inlandse hoeren en de schoonheid van het Nederlandse voetbal. In Nederland waren ze monteur of boekhouder geweest. Hier hadden ze personeel en waren ze 'toean besar', grote mijnheer.

Toch genoot Emma van die mannelijke attentie. Ze hoefde 's avonds niet thuis te blijven. Ze was niet lelijk meer en niet meer joods. Om het enige overblijfsel uit haar joodse tijd te verbergen, het litteken op haar arm, droeg ze nooit mouwloze jurken.

In het zwembad of op de Jachtclub in Tandjong Priok, waar ze het litteken niet kon bedekken, probeerde ze er zo min mogelijk aan te denken. Ze kon nu de foxtrot dansen, de Weense en Engelse wals, de quick-step, de tango en de rumba. Nog altijd kende ze geen man die kon jiven.

Jaloers keek ze de Indonesische meisjes na, die rank bij een jongen van hun leeftijd achterop de motorfiets sprongen en de bergen in reden. Emma kende geen Indonesische jongens. Ze keken niet naar haar en ze mocht niet met hen omgaan.

Meneer Van Dillenburg had niets van een parvenu. Zijn tongval was lichtelijk bekakt. Als Leids corpsstudent, studierichting klassieke talen, had hij jarenlang geboemeld. Hij sjeesde, zwaaide om naar Indisch recht, maakte deze studie in snel tempo af en ging naar Indië.

Het scheen dat hij getrouwd was geweest maar sinds mensenheugenis leefde hij als vrijgezel. Hij had de reputatie van vrouwenjager, een gevaar voor menig huwelijk. Dat laatste sprak zeer tot Emma's verbeelding.

In de Harmonie speelde een dansorkest. De tafeltjes en stoeltjes waren weggeschoven onder de Griekse zuilen. Dansparen draaiden rond over de marmeren vloer.

Emma's vader en meneer Van Dillenburg zaten aan de bar te schertsen. Emma danste met Jaap en daarna met anderen. Telkens legde ze weer haar hand op een ander overhemd dat kletsnat was van het zweet. Ze keek om naar haar vader. Zag hij wel dat ze succes had?

Haar vader kwam haar van de dansvloer halen. Ze stapten in de combi en reden naar een tuinfeest. Madame Rosita, een welgedane dame van half Indonesische, half Japanse afkomst, verwelkomde hen hartelijk. Ze droeg een prachtig oosters gewaad.

Madame Rosita had een grote importzaak in modeartikelen, zijden stoffen en schoonheidsmiddelen. Ook hier speelde, op de veranda, een orkestje. Het was al vrij druk. De gezichten waren gemiddeld donkerder van tint dan in de Harmonie. Het was een grote, dicht begroeide tropentuin. Maanlicht en lampions verzilverden en kleurden bomen en struiken. Een zware, romantische geur steeg op uit de bloementuin. Op lange tafels stonden drankflessen, glazen, rijsttafelgerechten, pasteitjes, taartjes, vruchten.

Emma's vader wees er naar. 'Het ergste in dit land zijn de vreselijke ontberingen,' stelde hij vast.

Emma nam een glas whisky. Ongemerkt had ze stevig leren drinken.

Jaap kwam naast haar staan. 'Geef me eens een zoen,' gebood hij. Hij had haar gevraagd om mee te gaan naar Nieuw-Zeeland, waar hij een baan kon krijgen. Ze had hem geen duidelijk antwoord gegeven.

Ze kuste hem met haar mond stijf dicht.

'Nog een,' zei hij.

Ze schudde het hoofd en liep weg. Ze voelde een loden druk op de borst. Nog nooit had ze echt gekust. Ze verlangde er hartstochtelijk naar, zich met overgave aan te drukken tegen een mannenborst, haar armen om iemands hals te slaan en hem op de mond te kussen, zoals in de film. Maar er was niemand die ervoor in aanmerking kwam. Zilver was het lover in maan- en sterrenlicht, kleurig was het lampionschijnsel op gras en struiken, zwoel geurde het gebloemte, en er was niemand om te kussen.

Een tenger, donkerhuidig ventje kwam haar achterna. 'Ik heb een gedicht geschreven,' verklaarde hij.

Met een brede armzwaai declameerde hij: 'Ik breng u naar een ver land. Waar het geluk op de troon ligt.' Deze regels herhaalde hij een paar keer.

Emma viel hem in de rede. 'Was u ook op de Harmonie?' vroeg ze.

'Ik?!' riep de jonge dichter uit. 'Wadoeh, nee! Ik word daar toch niet toegelaten!'

'Waarom niet?' vroeg Emma.

'Ik ben een beetje overbelicht, toch?' riep hij lachend. 'Ha! Ha! Ha!'

Emma ging haar vader zoeken. Hij was de interessantste en charmantste man die ze kende en de enige op de wereld van wie ze hield. Hij was lang, mager en een beetje slungelig van gestalte. Alle vrouwen waren verliefd op hem, dat wist Emma zeker. Zelfs de baboe thuis kleedde zich na het vertrek van Emma's moeder in opvallend fraaie kabaja's, pauwblauw of pioenrood met goud en gaf Emma's vader in het voorbijgaan vette knipogen.

Hij zat aan de bar. 'Ik wil even met mijn dochter dansen,' verklaarde hij. Ze dansten een Weense wals en een tango. Het ging goed. Haar vader keek naar haar.

'Dat had ik ook nooit gedacht toen je zo'n lelijke paarse baby was,' zei hij trots.

Het was half vijf. 'We gaan een eindje de bergen in,' kondigde Emma's vader aan.

Ze liepen naar de combi. Achterin stapten meneer Van Dillenburg, madame Rosita en Adèle, haar assistente, een omvangrijke negerin.

Ze reden door de nacht.

'Hier 's ik weer, hier 's ik weer. Met mijn stijve jongeheer,' zong meneer Van Dillenburg, op de wijs van een Zuidafrikaans liedje.

'Henri!' zei madame Rosita geshockeerd.

'Foei,' vond Adèle.

Meneer Van Dillenburg sloeg zijn arm om haar brede schouders en legde zijn hoofd tegen haar boezem. 'Onwillekeurig,' zei hij, 'gaan onze gedachten terug naar de Tachtigjarige Oorlog.'

Hij haalde een pakje boterhammetjes met ossetong te voorschijn, dat ze hadden meegenomen voor onderweg. Hij nam er een uit en hield die Emma voor.

'Nee, dank u,' zei ze.

Hij gooide de boterham door het openstaande raam. Hij pakte de volgende sandwich en hield ook die voor Emma's neus.

Ze schudde het hoofd. Ze stikte bijna van het lachen. Ook deze boterham vloog het raam uit. Hij nam er weer een uit het pakje, hield hem verleidelijk omhoog. Weer schudde Emma het hoofd.

Nadat alle boterhammen naar buiten waren gezeild, schudde meneer Van Dillenburg het lege papiertje buiten de auto uit.

Van het lachen kreeg Emma een angstaanjagende hoestbui. Tranen biggelden over haar gezicht. Haar vader hield de auto stil. Iedereen klopte Emma op de rug tot het over was.

De randen van de klapperbomen en de bergen werden roze, daarna lila. Knalrood verscheen de zon. Beneden schitterden de sawa's. Emma legde haar hoofd tegen haar vaders schouder.

In Tjibogor dronken ze zwarte, zoete koffie en aten ze uitsmijters die hard waren als een plank. Op de terugweg zong Emma's vader achter het stuur opera-aria's en smartlappen, om wakker te blijven. Voor zover zij ze kende, zong Emma mee.

Emma en haar vader kwamen lachend thuis. Ze hadden gegeten bij een oude Nederlandse professor en zijn echtgenote, die zijn vroegere baboe was. Na tien jaar huwelijk sprak hij drie woorden Maleis. Zijn vrouw sprak nog altijd geen woord Nederlands.

Bij het verwelkomen van de gasten kondigde de professor zijn gasten een uitgelezen saus aan, die hij eigenhandig had bereid voor over het vlees. Hij ging er zelf voor naar de keuken. Met een lege sauskom kwam hij terug.

'Noes!' donderde hij.

Met een schuldbewust gezicht wees de professorsvrouw op haar buik.

'Noes makan saus, heel stout,' vermaande de professor.

In de loop van de avond herhaalde hij het nog een paar keer. Dan boog zijn vrouw het hoofd, schuldbewust als een hondje.

'Noes makan saus,' zei Emma.

'Heel stout,' zei haar vader.

Hij maakte nog een fles wijn open. Tot laat in de nacht vertelde hij Emma over haar eigen moeder, over wat liefde was en over zijn jeugd in Duitsland. Hij gaf haar raadgevingen voor het leven.

In het weekend reden Emma en haar vader in de combi 'naar boven', naar het huisje bij Tjipanas. De hele zondag wandelden ze in de frisse berglucht door de theetuinen. Hooguit drie keer kwamen ze iemand tegen.

Op kantoor was Emma weer achter de formulieren gezet. Het inleveren van de paspoorten was nu efficiënter geregeld. Gedachteloos tikte ze telkens weer 'Maatschappij Nederland' in plaats van 'maatschappelijk werk' en moest dan een nieuw formulier in haar machine draaien.

Bezweet en katterig kwam ze thuis. Zolang haar vader er nog niet was, durfde ze geen bier te drinken. Ze zette de glazen op de borreltafel en riep de kokkie dat ze de kip moest klaarzetten. Ze verkleedde zich in shorts.

Het duurde nog een half uur voor haar vader kwam. Emma zei dat de kip nu koud was geworden. Haar vader was moe en uit zijn humeur. Hij schonk het bier in, pakte een boek en ging erin zitten lezen. Dat hinderde Emma. Ze vertelde een paar onbelangrijke voorvallen van kantoor. Haar vader reageerde nauwelijks.

Opeens keek hij op. 'Kun je niet even een rok aantrekken,' vroeg hij kortaf.

'Je houdt niet meer van me,' klaagde Emma en liep naar haar kamer. Ze ging op haar bed zitten. Ik ga met hem om of we getrouwd zijn, dacht ze.

Tegen vier uur werd ze wakker. Ze baadde en kleedde zich aan. Er was bezoek, mijnheer Van Dillenburg en twee leraren: mijnheer Roelofs en mijnheer Dinaux. Dat was niets bijzonders. Ze gingen overal met zijn vijven heen, Emma, haar vader en haar drie 'ooms'.

Zoals gewoonlijk zagen 'oom Roelofs' en 'oom Dinaux' er onberispelijk uit. Een paar keer per dag trokken ze een smetteloos wit overhemd aan. Nimmer vertoonden ze zich in korte broek. Emma had geen les van hen gehad. Ze waren van het gymnasium. Meer dan dertig jaar waren ze aan de school verbonden geweest. Hun tanigheid verried hun lange staat van tropendienst, maar de Europese cultuur waren ze trouw gebleven. Ze hadden een verfijnde literaire smaak. Hoe meer meneer Dinaux had gedronken, hoe meer poëzie van Baudelaire en Verlaine hij reciteerde, waarop zijn collega hem van repliek diende met Rilke en Heine.

Emma's vader deed hun een groot plezier door een van de symfonieën van Mozart of Beethoven, die hij had meegebracht, voor hen op de grammofoon te leggen. Meneer Dinaux bezat een paar zeer krakerige 78-toerenplaten met Schubert-liederen en een stapeltje Marlene Dietrich. Wanneer ze bij hem op de veranda zaten, die bijna volledig schuilging onder begroeiing, vroeg Emma hem altijd 'Vor der Kaserne' op te zetten.

'*Und würde mir ein Leid gescheh'n*' zong Marlenes groggy stem door het krekelgetjirp in de broeierige avond. '*Wer wird bei der Laterne steh'n. Mit dir, Lili Marlene?*'

Soms kwamen er meer vrienden van haar vader langs of gingen ze op bezoek. Er werd veel gedronken, vooral whisky en jenever. Omdat Emma op de ambassade werkte, kreeg ze af en toe flessen Bols mee en Hollandse kaas voor bij de borrel.

Zelf dronk ze stevig mee. Ze zat in het gezelschap mannen van een oudere generatie en luisterde gretig naar scabreuze conversatie en grappen. Een paar keer per week waren er afscheidsfeesten. Vanavond was het de beurt aan mijnheer Dinaux. Het feest zou bij madame Rosita zijn.

Sinds kort bestond de Nederlandse stichting niet meer. Het bestuur was afgetreden en de school had een Indonesische naam. Korte tijd verbood de overheid op school nog langer les te geven in het Nederlands, maar deze maatregel veroorzaakte zo'n spraakverwarring, ook bij de Indonesische leerlingen, dat het verbod noodgedwongen werd ingetrokken. Er was nu op school een kleine kern van Nederlands onderwijs, waarbij ook andere, christelijke scholen in Djakarta waren ingelijfd. Voor meneer Dinaux en meneer Roelofs was er geen werk meer.

'Geef me er maar vast een,' zei mijnheer Dinaux somber. Nog één nacht zou hij in Indonesië zijn. Had hij het voor het zeggen, zei hij, dan repatrieerde hij nooit meer. Emma zei dat ze hem erg zou missen.

'Ik ga nooit naar Nederland, wat er ook gebeurt,' verklaarde mijnheer Van Dillenburg.

Met zijn vieren reden ze naar madame Rosita. De tafels waren weer volgeladen met drank en eten. Mijnheer Dinaux omhelsde Sitih, zijn vriendin. Na morgen zou hij haar nooit meer zien. Zo dronken als hij in de loop van de avond werd, had Emma hem nog nooit meegemaakt.

'Godverdomme, godverdomme!' schreeuwde hij.

Dat was in dit land een beladen vloek. Van oudsher was dat het meest gebruikte stopwoord van koloniale patsers om iets gedaan te krijgen van inheemsen. Emma's vader had haar bij haar aankomst gewaarschuwd het niet te gebruiken, wilde ze niet de kans lopen dat ze een klap in het gezicht kreeg van een Indonesiër.

Het was niets voor meneer Dinaux, die zachtaardige man, om 'godverdomme' te roepen.

Tegen de ochtend kwam uit zijn flat een hels kabaal. Meneer Dinaux trapte zijn goedang in elkaar en zijn meubilair.

'Godverdomme, godverdomme!' schreeuwde hij.

Sitih stond er bij te huilen. Mijnheer Dinaux huilde ook.

'Dag meneer Van Dillenburg,' zei Emma gegeneerd. Ze had niet op bezoek gerekend. Ze was vreselijk verkouden. Haar ogen waren opgezwollen. 'Mijn vader is er vandaag niet,' zei ze. 'Hij is naar Bandoeng.'

Ze liep naar de galerij en haalde een fles bier uit de ijskast. Omdat ze alleen was had de kokkie geen geroosterde kip klaargezet. Ze moest toch iets bij de borrel geven. In het buffet moest nog een pot met pinda's staan.

'Wat zoek je?' vroeg mijnheer Van Dillenburg. 'Je kunstgebit?'

'Nee, ik zoek mijn bril,' zei Emma. 'Maar ik zie niets dus kan ik hem niet vinden.'

Tot haar verbazing barstte meneer Van Dillenburg in lachen uit. Het was toch een oude mop? Verlegen ging ze tegenover hem zitten.

'Mag ik blijven rijsttafelen,' vroeg hij.

'Natuurlijk,' zei Emma. Ze was eigenlijk van plan geweest direct naar bed te gaan.

'Kokkie!' riep ze.

De kokkie zette rijst op tafel en een paar bijgerechten. Ze begonnen te eten. Wat zou ze nu eens tegen hem zeggen, dacht Emma.

'Hoe gaat het met Jaap?' vroeg meneer Van Dillenburg.

'Goed,' zei Emma. 'Ik zie hem elke dag op kantoor.'

'Hij is verliefd op je,' zei hij.

'Ja,' zei Emma.

'Die Jaap,' zei meneer Van Dillenburg, 'dat vind ik toch zo'n rozewater.'

Emma lachte. 'Arme Jaap.'

'Ga je straks mee zwemmen,' vroeg mijnheer Van Dillenburg.

'Daarvoor ben ik veel te verkouden,' zei Emma.

'Dan gaan we een eindje rijden,' kondigde hij aan.

'Gaat u echt nooit meer naar Nederland,' vroeg Emma in de auto.

'Nooit meer,' zei hij gedecideerd.

'Maar dan zien we u nooit meer als wij teruggaan,' zei Emma.

'Nee kind, als je teruggaat zie je me nooit meer,' zei hij.

Emma kreeg een waas voor ogen. Mijnheer Van Dillenburg hoorde bij hun leven.

'Ik vind het helemaal niet leuk om u nooit meer te zien,' zei ze zachtjes.

Hij reed zijn auto naar de kant van de weg en zette hem stil. 'Nee, kind, ik vind het ook helemaal niet leuk om jou nooit meer te zien,' zei hij.

Hij pakte haar schouders en kuste haar overal op haar gezicht. Opeens kuste hij haar op de mond.

Dit is een echte zoen, dacht Emma. Impulsief deinsde ze terug. Meneer Van Dillenburg was even oud als haar vader. Hij was minstens vijfenveertig.

'Dus je houdt ook van mij?' vroeg hij. 'Als jij bij me blijft, gaan we samen in Frankrijk wonen.'

Er was in Emma's leven iets nieuws gekomen, iets benauwends en opwindends tegelijk. Meneer Van Dillenburg kwam nu elke middag na kantoor bij hen een biertje drinken en een kippepootje eten.

's Avonds gingen ze met zijn drieën uit. Meneer Van Dillenburg reed mee 'naar boven'. Nu wandelden ze met hem langs de sawa's en door de theetuinen. Met zijn drieën maakten ze tochtjes. Emma's vader zat aan het stuur. Achterin zat mijnheer Van Dillenburg verliefd naar haar te kijken. Dat was heel vleiend. Hij vond haar mooi, zei hij. Volgens hem zag ze er niet joods uit. Ze liet het hem telkens herhalen, als ze samen bij het zwembad lagen. Als dat andere er maar niet tussen hen was geweest! Maar er was niets meer aan te doen.

Zodra ze even alleen waren, nam hij haar in de armen en gaf haar een echte zoen, op de mond, zoals in de film. Het was niet zoals Emma het zich had voorgesteld. Ze wendde zich van hem af, maar hij trok haar hartstochtelijk tegen zich aan.

'Je mag het nooit aan je vader vertellen!' zei hij.

Op een nacht, na een feest, klom hij over de veranda door het raam haar slaapkamer binnen en kwam naast haar op bed liggen. Zijn adem stonk bedorven naar rode wijn.

'Niet doen, meneer Van Dillenburg,' zei Emma.

'Zeg toch Henri,' fluisterde hij.

Dat zou ze nooit kunnen, dacht Emma. Ondanks zichzelf liet ze zich strelen. Het was ondraaglijk heerlijk.

'We zullen wachten tot je mijn vrouw bent,' zei hij.

Hij stond op en ging weg.

Jaap kwam het kantoortje binnen waar ze samen werkten. Hij hield een papieren zak boven Emma's bureau en schudde eraan. Er vielen snippers uit.

'Dat zijn jouw foto's,' zei hij met verbeten mond. 'Omdat je zo'n kletskous bent.' – Hij had foto's van haar gemaakt op het strand.

Hevig geschrokken vroeg Emma wat er aan de hand was.

'Vraag dat maar aan Mary,' zei Jaap.

Mary was een meisje van kantoor. Met haar en haar ouders was

Emma een weekend 'naar boven' geweest. 's Nachts hadden ze vertrouwelijk liggen fluisteren. Mary informeerde naar Jaap.

'Hij wil met me naar Nieuw-Zeeland,' zei Emma. 'Maar dat wil ik niet.' Blijkbaar had Mary dat aan Jaap overgebracht.

Jaap sprak niet meer tegen haar. Hij gaf geen antwoord als ze iets zei. Elke ochtend hoopte Emma dat zijn woede over zou zijn, maar dan stond zijn gezicht weer zo verbeten.

Meneer Van Dillenburg deed bij haar vader een huwelijksaanzoek. Ontroerd vertelde haar vader het haar. Zo'n grote dochter als hij al had, zei hij. Meneer Van Dillenburg was een intelligente man, een man van aanzien en positie. Maar het was beter dat ze met een man trouwde die paste bij haar leeftijd.

Alles was misgelopen, dacht Emma. Ze had de mooiste tijd van haar leven gehad, maar ze had alles zelf verknoeid. Er was maar één uitweg.

'Het wordt tijd dat ik aan mijn toekomst ga denken,' zei ze tegen haar vader. 'Ik wil terug naar Nederland.'

Jesus

In de kamer stonden twee bedden, elk voor twee reuzen. Telkens sprong Emma van het ene bed in het andere. De matrassen waren zacht en veerkrachtig. Een van de twee met kant afgezette oudroze spreien had ze over de vergulde leuning van de sofa gehangen. De kranen van het bad hadden de kleur van dofgoud.

In de spiegel zag Emma dat haar bloes van Gerzon wel erg was versleten en dat de rok van Pasar Baroe scheef hing.

In de lounge verdwenen haar voetstappen onhoorbaar in het fluweel. Een Chinees orkestje fiedelde Weense walsen. '*Wien, Wien, nur du allein*!' zong schril een dame in Sjanghai-dress met een bloot hooggehakt been naar voren door de tafzijden split.

Met gespeeld zelfvertrouwen, alsof er op haar kleding niet dát viel aan te merken, wandelde Emma naar de balie om haar sleutel af te geven. Ze zag dat de heren, die uitgezakt in de fauteuils achterover lagen, van hun krant opkeken en haar met de ogen volgden. Een vrouw van zeventien was ze, zojuist begonnen met zelfstandig leven.

Hotel Cathay lag in de Bombayse wijk van Singapore. 'Miss! Miss!' siste duizendstemmig de straat, die haar aankeek met duizenden vochtige zwarte ogen.

Haastig liep Emma terug naar het hotel. Ze bestelde een glas gintonic. Dat leek haar wel een drank van passende chic. Ze liet het boven brengen, op haar kamer. Ze sprong nog eens van het ene bed in het andere. Ze ging in bad en sprong nog een paar keer. Mismoedig ging ze op de sofa zitten.

Mijnheer Van Dillenburg had een afscheidsdiner voor haar gegeven. Madame Rosita en de dikke Adèle waren er ook. Emma kreeg cadeaus, waaronder een Amerikaans kookboek met kleurenplaten van gebraad en taarten. Voor later, als ze ging trouwen. Mijnheer van Dillenburg, die naast haar zat, fluisterde dat ze elkaar zouden terugzien. Emma troostte zich met die belofte. Ze was erg aan hem gehecht.

De volgende ochtend vroeg bracht het gezelschap haar naar het vliegveld.

'*Auf Wiedersehen, Auf Wiedersehen*,' zong de stem van Vera Lynn door luidsprekers.

Lachend zongen Emma's vader en 'ooms' mee.

Emma zat er bedrukt bij. Hoe moest ze verder leven zonder haar vader?

Ze besloot het mannengesis op straat te trotseren. Terwijl ze bij de balie op haar sleutel wachtte, sprak een donkere jongen haar aan. Emma had hem eerder gezien in de lounge. Hij hing daar zo'n beetje rond.

In het Engels, met een diepe stem, vroeg hij waar ze vandaan kwam en waar ze heen ging. En of ze lang in Singapore zou blijven. Hij vroeg of ze een ijsje wilde. Nee, niet in het hotel, ergens anders.

Ze liepen naar buiten. Nu siste de straat niet. Ze was met een man. In een ijssalon vertelde hij dat hij Filippino was. Hij heette Jesus.

Emma vertelde dat de boot als eerste haven Manila zou aandoen. In dat geval, zei Jesus, zou hij haar een pakje meegeven voor zijn moeder. Als ze geen tijd had om het te brengen kon ze het bij de douane afgeven. Had ze al geld gewisseld?

Nee, zei Emma, dat moest ze nog doen.

Ze moest beslist niet wisselen tegen de officiële koers, zei Jesus. Dat was erg onvoordelig. Hij wist wel een adres waar je zwart kon wisselen. Dan zou ze tien keer zoveel peso's krijgen voor haar geld. In Manila kon ze dan kopen wat ze wilde. Emma voelde daar wel voor. In het vliegtuig had ze al over die mogelijkheid horen spreken.

'We gaan er morgenochtend heen,' besliste Jesus.

's Avonds kwam hij haar afhalen. Ze gingen naar een dakterras waar je kon dansen.

'*April love*,' zong de crooner, '*is for the very you-oung. Every star's a wishing star that you love me…*'

Met zijn diepe stem zong Jesus de woorden in haar oor. Hij legde een gladde, zachte wang tegen de hare. Emma dacht aan haar cavaliers in Djakarta, die ze met een hand tegen de schouder op een afstand had gehouden, omdat ze getrouwd waren, dronken, bezweet en veel te oud. Nu danste ze met een jonge man en ze danste cheek-to-cheek, zoals in dat liedje. Heerlijk was het.

Hij bracht haar naar het hotel. 'Laat me met je meegaan, darling, één minuutje maar,' smeekte hij.

Een minuutje, dacht Emma, dat kon geen kwaad. Dan kon hij even de reuzenbedden zien, het roze en het verguldsel.

Jesus trok haar op een van de bedden. Als ze wilde kon ze nu eindelijk te weten komen waarover die scabreuze grapjes gingen, die ze de laatste tijd zoveel had gehoord en die ze zelf ook maakte.

Maar om de een of andere reden lag ze onder hem te worstelen en riep: 'No, no!'

'Laat me hem er één ogenblikje inhouden, darling,' fluisterde hij. 'Eén ogenblikje maar.'

'No, no!' riep ze.

De telefoon ging. '*There is a man in your room*,' zei een mannenstem.

'Nietwaar!' riep Emma.

Ze hoorde de deur zachtjes dichtgaan. Jesus was weg.

's Ochtends ging de telefoon naast haar bed. Jesus. Hij zei dat hij beneden op haar zou wachten.

Inderdaad stond hij bij de draaideur. Hij kuste haar teder. Ze moest haar bagage meenemen, zei hij. Hij zou haar naar de boot brengen. Had ze nog aan dat geld wisselen gedacht?

Emma ging naar boven om haar tas te halen. Het hotel zou ervoor zorgen dat haar andere bagage op de boot terechtkwam. Ze ging haar geld opvragen uit de hotelsafe en tekende voor ontvangst.

Jesus hield een taxi aan. Ze reden door straatjes met Chinese karakters en wasgoed aan lijnen en daarna door een wijk waar de mensen weer grote amandelvormige ogen hadden.

In een smal straatje hield de auto stil. Jesus betaalde de chauffeur.

Ze gingen een donker winkeltje binnen. Een man wenkte hen in een achterkamertje. Hij haalde een stapel bankbiljetten te voorschijn. Emma wisselde haar Singapore-dollars. Stom genoeg was ze vergeten naar de koers te informeren, maar de man gaf haar een dikke stapel geld.

Tevreden dat ze een voordelig zaakje had afgesloten, ging ze met Jesus de straat op. Hij had zijn arm om haar heen geslagen. Ze was blij dat hij niet boos was omdat ze hem niet 'één ogenblikje erin' had gelaten. Ze voelde zich weemoedig om het naderende afscheid.

Ze waren nu dicht bij de haven, zei Jesus. Kwam ze nog in Singapore terug? Emma zei dat de boot nog één keer Singapore zou aandoen.

Jesus beloofde dat hij op de kade op haar zou wachten. Hij kuste haar teder.

'Goodbye my darling,' zei hij.

Hij verdween in de menigte. Nu de boot zoeken.

Een vlijmende pijnscheut boorde zich in Emma's hart. De straat golfde en tolde. Zweet gutste over haar rug, tranen over haar gezicht. 'O god,' huilde Emma. 'Help! Papa!'

Mensen drongen om haar heen.

'Please, help,' riep Emma.

'Wat is er?' vroeg een man, in onberispelijk Nederlands.

'O mijnheer,' riep Emma bevend en huilend, 'mijn tasje is weg. Al mijn geld zit er in. Mijn paspoort. En mijn ticket. De boot vertrekt straks. Nu laten ze me er niet op. Wat moet ik nou doen?'

Van het huilen kon ze zich nauwelijks verstaanbaar maken.

De man legde een arm om haar heen. 'Denk eens rustig na,' zei hij. 'Waar ben je geweest?'

Emma probeerde na te denken. 'Ik heb geld gewisseld.'

'Waar?' vroeg hij.

'Dat weet ik niet meer,' snikte Emma. 'In een straatje.'

'Ik denk dat ik het wel weet,' zei de man. 'Ga maar mee.'

Ze liep naast hem. Onverwacht herkende ze het winkeltje. De man ging naar binnen. Met Emma's tasje kwam hij naar buiten. Haar paspoort zat er in en, goddank, het ticket. Het geld was weg. Maar in haar koffer zaten cheques en ze kon haar vader om geld telegraferen.

'Ik breng je naar de boot,' zei de man. 'Ik zal het wel bij de politie aangeven. Daar heb jij nu geen tijd meer voor.'

'Hoe moet ik u bedanken,' vroeg Emma.

Hij stond stil en schreef een adres op. Hij zou het leuk vinden, zei hij, als ze hem onderweg een briefje schreef.

Hij wuifde naar haar toen ze de loopplank opging en omkeek. Boven liet ze haar ticket zien. In de hut die haar werd aangewezen, stond haar koffer. Alles was in orde.

Ze ging naar het dek en keek over de reling. De man stond nog op de kade. Emma wuifde en hij wuifde terug.

Hij was lang, langer dan de andere mensen op de kade. Zijn gezicht was even wit als zijn overhemd. Hij zag er joods uit, vond Emma. Misschien had hij haar geholpen omdat ze joods was. Nog lang zag ze op de kade de witte vlek van zijn overhemd, hoger dan de andere witte vlekken.

Ze deelde de hut met een kogelronde Chinese vrouw, die haar meestentijds toesprak op hoge ruzietoon, omdat ze was begiftigd met een meer dan normale territoriumdrift. Gelukkig zou ze niet verder meevaren dan Hongkong.

Het was een Franse vrachtboot met accommodatie voor ongeveer honderd passagiers. De reis zou zes weken duren. Het schip zou eerst een omweg maken naar Japan, terugkomen in Singapore en vervolgens de tocht naar Marseille ondernemen. Emma's vader had dat zo voor haar geregeld. Op die manier zou ze nog wat van de wereld zien.

Ze reisde toeristenklasse. Ze at beneden, in een donkere eetzaal, met Indiërs en Chinezen. 's Middags en 's avonds werden uitgebreide maaltijden geserveerd.

'Les deux,' riep Emma opgetogen, wanneer de ober haar de keus bood uit twee gerechten. Ze moest oppassen dat ze niet dik werd.

Boven was de eetzaal van de eerste klas, met flonkerende kroon-luchters. Kleurlingen kwamen daar niet.

In Manila kwamen Fransen aan boord die ook toeristenklasse reis-den. Als vanzelfsprekend kwamen ze bij Emma aan tafel zitten. 'We gaan naar boven,' zeiden ze na het eten. 'Ga maar mee.'

Voortaan ging Emma direct na het eten naar het dek van de eerste klas. Ze had er kennis gemaakt met twee Amerikaanse meisjes. Ze reisden met hun moeder, die glinsterde en fonkelde van de juwelen. 's Avonds werd er gedanst. Weer danste Emma foxtrot en Engelse wals met heren van haar vaders leeftijd.

In Saigon nodigde een Amerikaans echtpaar Emma uit om mee te gaan naar een beroemde dierentuin. Nog twee echtparen gingen mee. Ze hadden auto's gehuurd. Emma sprak Frans en kon de weg vragen.

De sawa's leken op die van Indonesië. De vrouwen die rijst plukten, droegen geen sarong en kabaja maar pyjama-achtige pakjes en in een punt uitlopende manden op het hoofd. Ze lachten en wuifden.

Maar de Vietnamezen, die ze in het Frans aansprak om de weg te vragen, zwegen stuurs. Zonder dat ze de dierentuin hadden gezien kwamen Emma en het gezelschap terug.

'Jullie moeten de dierentuin zien!' riep een van de Amerikanen la-chend toen ze aan boord kwamen. 'Prachtig!'

Emma schaamde zich dat ze niet had kunnen helpen.

'Logisch dat ze geen antwoord gaven,' zei een van de Fransen bij Emma aan tafel. 'Dien Bien Phoe is vier jaar geleden. We hebben er tien jaar oorlog gevoerd. De burgeroorlog is in volle gang.'

'Daar wist ik allemaal niets van,' zei Emma.

Met een kauwgom klappende en met camera's behangen Amerikaanse jongen die Butch heette, wandelde ze door Hongkong. Met Butch jive-de ze in een nachtclub in Ice House Street. Met een Australiër maakte ze een tochtje naar het Eiland der Negen Draken. In Yokohama mocht ze met de zeelui mee naar een nachtclub met geisha's.

Ze kon zich niet voorstellen dat er ooit een eind zou komen aan het verzorgde leven aan boord, de gezelligheid, de vertederde aandacht voor haar als alleenreizend jong meisje, de zon, de caleidoscopische schittering van indrukken. Kon ze maar altijd in het Verre Oosten blijven. Met afschuw dacht ze aan dat kleine, grijze, koude land, dat onafwendbaar naderde. In Singapore zou ze eens bij het consulaat gaan informeren of daar geen werk voor haar was.

In Kobe overkwam haar bijna een nieuwe catastrofe. In de buurt van de haven stapte ze in een willekeurige bus, die een rondje maakte door de stad en daarna een buitenweg opreed. Zo zag ze nog iets van het Japanse platteland.

Bij het eindpunt stapte ze uit. Ze wandelde langs weggetjes en vervallen schuurtjes.

Langzamerhand werd het tijd om terug te gaan. Over twee uur zou de boot vertrekken. Stom dat ze was vergeten op te letten waar de halte was, maar dat was een kwestie van even iemand vragen.

'Could you please tell me,' vroeg ze aan een voorbijganger, 'where I can find the bus to Kobe?' De man glimlachte en boog.

'Kobe,' antwoordde hij bevestigend, 'Kobe.'

Er kwamen meer mensen aanlopen. Ze keken haar nieuwsgierig aan.

'Kobe!' riep Emma. 'Bus!'

De mensen glimlachten en bogen.

'Kobe,' zeiden ze beleefd.

Zwetend liep Emma door. Niemand meer te bekennen.

Eindelijk kwam er een fietser aanrijden, een oude man. Alleen zijn hoofd was zichtbaar. Voor, achter en opzij was de fiets volgeladen met bagage.

'Please,' riep Emma. 'Do you know the bus to Kobe? Harbour. Sea!'

De man kapseisde. Met fiets en al tuimelde hij om. Pakken, pakjes, blikjes en bussen rolden over de grond. Emma hielp hem met oprapen. 'Bus?' zei ze vragend.

Geen woord van de oude man. Wanhopig liep ze verder. Opeens zag ze de bushalte.

Juist op tijd holde ze over de loopplank. Weer bijna alleen achtergebleven, zonder geld, in een vreemde stad.

's Avonds na het eten bracht een ober een grote taart naar het tafeltje waaraan Emma zat met de Fransen en een Australisch echtpaar. Een andere ober bracht een fles champagne.

Ze had niemand verteld dat ze jarig was, maar de scheepsleiding had het in haar paspoort gezien. Ze was achttien geworden.

Vanuit de verte zag ze al de witte vlek, hoger dan de andere witte vlekken. De boot naderde Singapore. Onderweg had ze de man die haar tasje voor haar had teruggevonden een bedankbriefje geschreven. Ze had er bij gezet wanneer ze in Singapore zou terugkomen.

Zonder veel woorden nam hij haar tas over. Naast haar liep hij de kade af.

'Wat aardig van u om mij af te halen,' zei Emma.

Ze namen een taxi naar Arab Street. Op een overdekt plein met honderden tafeltjes gingen ze zitten.

Hij bestelde ijs met klapper. Hij was Maleisiër, zei hij, geen Nederlander. Nee, nooit in Nederland geweest. Hoe het kwam dat hij zo perfect Nederlands sprak? Hij had veel aanleg voor talen.

Mario heette hij. Hij was zakenman, vertelde hij en hij was schatrijk. Hij keek naar Emma's jurk van Gerzon en zei dat ze nieuwe kleren nodig had. Die zou hij voor haar kopen. Hij moest nu weg, zei hij, terwijl hij op een blinkend goudkleurig horloge keek. Ze zou nog van hem horen.

De volgende ochtend bedacht Emma dat ze zijn adres had. Ze besloot hem eens op te zoeken en stapte in een taxi. Het was een lange rit. Op een stoffig pad in een druk bevolkte krottenwijk stopte de chauffeur.

'Is het hier?' vroeg Emma ongelovig.

De chauffeur knikte en herhaalde het adres. Emma keek nog eens op het papiertje, waarop Mario zijn adres had geschreven.

Aarzelend stapte ze uit. Bij een bijkans in elkaar gezakt huisje stond Mario. Rond zijn voeten kropen blote kinderen. Een oude en een jonge vrouw, die in de modder bezig waren met keukengerei, keken Emma woedend aan. Ze zagen er smerig uit, met gescheurde jurken vol vlekken.

Mario zei iets tegen de vrouwen en kwam op Emma af. Hij pakte haar bij de arm en stapte met haar in de taxi die was blijven wachten.

Hij woonde daar niet, zei hij onder het rijden. Hij was daar om iets af te handelen. Hij woonde in een villa buiten de stad. Ze zouden daar beslist eens heen gaan.

'Maar eerst gaan we een tochtje maken,' besliste hij.

Ze reden naar de kust en stapten in een bootje. Er waren nog meer passagiers. Emma zat op het dek in de koele wind en hief haar gezicht naar de zon.

Bij een eilandje gingen ze aan land. Het bootje voer weg met de andere passagiers.

'Wanneer komt het bootje terug?' wilde Emma weten.

'Over een uur,' zei Mario. 'Kom, we gaan wandelen.'

Bij een bosje pakte hij haar vast en gooide haar op de grond.

Emma vocht verbeten. Ik doe het niet, dacht ze.

'Schat!' kreunde Mario.

Hij was sterk. Juist toen Emma dacht dat ze het niet meer volhield, slaakte hij een diepe zucht en liet haar los.

Hij ging naast haar zitten. Ze hadden niets meer te bespreken. Aan het uur leek geen einde te komen.

Pas toen ze terug was op het schip merkte Emma dat ze nu ook de nieuwe portemonnee kwijt was die ze in Manila had gekocht. Er had aardig wat geld in gezeten. Ze zou haar vader maar weer telegraferen.

Nu ze alles eens overdacht begreep ze dat Mario er van het begin af aan bij was geweest, toen ze geld gewisseld had in dat winkeltje. Hij kende beslist Jesus.

Anders had hij nooit geweten waar het was.

Jean

In de scheepsbar raakte Emma aan de praat met een jonge Franse officier in een wit uniform. Hij hoorde bij de bemanning.

'Vous venez chez moi, Emma?' vroeg hij opeens.

Hij sprak zo zacht dat ze het eerst niet verstond. Chinois? Chez moi? Moest ze bij hem in Marseille op bezoek komen?

Hij lachte, keek om zich heen en vroeg het nog eens.

En zo gebeurde het toch. Nu wist ze wat liefde was. Morgen zou ze het haar vader schrijven. Ze hoopte dat hij niet boos zou zijn dat ze in Marseille ging wonen, bij Jean.

Onuitsprekelijk veel hield ze van hem. Ze legde haar hoofd tegen zijn harige borst. Wat was dat zalig. Zo gelukkig was ze nog nooit geweest.

Dicht tegen elkaar aan lagen ze te praten in het donker. Emma zag er helemaal niet Hollands uit, vond hij. Hollandse meisjes waren toch blond?

Emma zei dat ze een beetje Russisch bloed had. 'En Duits bloed. En Frans bloed,' loog ze erbij. Later zou ze hem wel eens vertellen dat ze joods was.

Abrupt ging hij overeind zitten. 'Moi je suis Français et rien que Français,' verzekerde hij.

'Oui, oui,' zei Emma en trok aan zijn arm.

Gelukkig kwam hij weer naast haar liggen.

'Hou je van taart, Emma?' vroeg hij.

Ze lag in zijn kooi op hem te wachten. Hij kwam van een feestbanket met de officieren en was een beetje dronken. Hij bracht haar een bordje met een stuk moccataart.

'Wat lief van je,' zei Emma. Ze at het snel op en trok hem naar zich toe.

'Ze hadden het aan tafel over een vroegere kameraad van me,' vertelde hij, terwijl ze tegen elkaar aan lagen in het donker. 'Een officier. Hij is ontslagen. Hij was homoseksueel.'

'Hoe doen homoseksuelen het eigenlijk?' vroeg Emma nieuwsgierig. Ze kroop nog dichter tegen hem aan.

'Dat hoef jij niet te weten,' zei hij kwaad. 'Als ik het had geweten toen hij nog aan boord was, dan had ik hem in elkaar geslagen,' zei hij fel. 'Helemaal!'

'Waarom?' vroeg Emma geschrokken.

'Omdat het smerig is.'

Hij ging met zijn rug naar haar toe liggen en draaide zich niet meer om.

Een van de Amerikaanse meisjes, Phyllis, was klein en dik. De andere, die Grace heette, was slank en elegant. Ze hadden het vaak over Jean. Ze giechelden er vreselijk bij. Ze vonden hem erg knap.

Jean besteedde veel aandacht aan Grace. Tegen Emma deed hij meestal humeurig, maar als Grace erbij was, was hij vrolijk en charmant. Het had niets te betekenen, zei hij 's nachts tegen Emma. Ze moest niet zo jaloers zijn.

Emma kon zich nauwelijks beheersen als de meisjes grapjes maakten over Jean, hoe knap hij was en hoe hij Grace had aangekeken.

'Hij is van mij!' wilde Emma roepen. 'Ik slaap bij hem!'

Maar Jean had haar verboden met iemand te spreken over hun verhouding.

De zusjes spraken over een meisje dat bij hen op school had gezeten.

'Ze is geen maagd meer,' zei Phyllis vol afschuw.

'Dat iemand zoiets stoms kan doen!' zei Grace fel. 'Dat begrijp ik niet.'

Gelukkig, dacht Emma. Dat doet ze tenminste niet!

'Je moet maar naar je eigen hut gaan,' zei hij op een avond toen ze bij hem kwam.

Ze viel bijna flauw van schrik. Ze begon te huilen.

'Hou je dan niet meer van me?' vroeg ze.

'Jawel,' zei hij. 'Ik vind je heel lief. Maar we zijn bijna in Marseille. Ik wil niet dat mijn meisje je ziet.'

Emma keek uit het raam van de trein. Op het perron stond de Australiër, met wie ze in Hongkong een tochtje had gemaakt. Ze wuifden naar elkaar. De trein reed weg. Ze was alleen.

Ze was verschrikkelijk verkouden, zo erg dat haar medepassagiers zich er mee bemoeiden. Ze moest zich goed inpakken. Ze moest niet zo vaak snuiten, dat was gevaarlijk.

Snuitend en betraand keek ze naar de weilanden en de boerderijen. Met de Amerikaanse meisjes, de Fransen die bij haar aan tafel hadden gezeten, met Butch en een paar anderen had ze adressen uitgewisseld, maar ze wist dat ze geen van hen ooit meer zou zien.

Van Jean had ze geen afscheid genomen. Ze had hem niet eens meer gesproken. Waarom was hij plotseling zo bekoeld? Had ze misschien iets miszegd? Was hij erachter gekomen dat ze joods was? Met een scherpe pijn bedacht ze dat hij nu bij zijn meisje was. Ze was vast heel mooi. En Française. 'Français et rien que Français.'

Een jonge man die tegenover haar zat in de coupé vroeg of ze zin had die avond in Parijs met hem uit te gaan.

'Goed,' zei ze. Dan was ze tenminste niet alleen. Maar hij had wel een heel raar snorretje. Even later zei ze toch maar dat ze een afspraak had.

Later op de avond had ze daar spijt van. Snuitend en hoestend liep ze doelloos over een Parijse boulevard, verbeten het gesis en het 'vous êtes toute seule mademoiselle?' negerend.

Ze ging op een terras zitten, maar stond weer op zonder iets te bestellen omdat een man met een fez op naast haar plaatsnam en haar grijnzend aankeek. Bijna was ze nog het kaartje kwijtgeraakt met de naam van haar hotel.

De volgende ochtend was haar verzorgde reis afgelopen. Emma ging naar het Gare du Nord om een treinkaartje te kopen.

Bij het loket aarzelde ze even. In Den Haag woonde Renske. Maar Den Haag, dat zou altijd korfbal zijn, Cisca en Trees, de nat geregende *Tuney Tunes* onder een lantarenpaal.

'Een enkele reis Amsterdam,' zei ze.

Amsterdam

Hoe begin je een leven? Hevig hoestend en wankelend op hoge hakken zeulde Emma haar koffer de stationstrap op, zette hem halverwege neer, keek rond in de mensenmenigte maar greep, toen ze op de mannengezichten geen hulpvaardigheid zag maar louter spot, opnieuw het angstaanjagend versleten handvat, sjouwde de koffer naar de uitgang en ging erop zitten.

Ze keek naar het stationsplein in de motregen, het stationskoffiehuis, het Damrak, hotel Victoria, de blauwe trams.

Rinkelend vertrok de tram die zou stoppen bij het huis van tante Lea. Haar tante zou haar, met een ironisch gezicht, uit plichtsbesef ontvangen. Maar ze zou verantwoording eisen van elke stap. Dezelfde dag zouden ze weer ruzie krijgen.

Het huis aan het Vondelpark moest ook buiten beschouwing blijven, zelfs al had ze daarheen gewild. Dat zou voor tante Lea een al te definitieve belediging zijn.

Een ogenblik dacht ze in de menigte haar opa te zien. Vroeger, toen ze hier met de trein uit Den Haag arriveerde om bij haar oom en tante te gaan logeren, kwam opa haar vaak afhalen. De eerste jaren was ze blij naar hem toegehold zodra ze in de menigte zijn vertrouwde, treurige gezicht zag, dat tegen haar glimlachte. Opa was een stokoude man, voor wie de mensen opstonden in de tram, hoewel hij, toen ze zelf tien was, nog geen zeventig kon zijn geweest.

Later had ze zijn komst minder gewaardeerd, omdat ze vond dat ze groot genoeg was om alleen met de tram te gaan. Nu had ze daarvan hevige spijt, maar het was niet meer goed te maken.

Van opa moest ze zich maar niet te veel meer voorstellen, had haar nichtje Ondine haar geschreven. Hij kwam alleen nog uit zijn stoel om te gaan slapen en zei niets meer.

Nu was Emma echt groot genoeg om alleen met de tram te gaan. Maar met welke? Waarheen? Ze pakte haar zakdoek, maar snuiten ging niet meer. Haar neus was verstopt en haar hals gloeide.

Vandaag hoef ik niet naar school, dacht ze.

Ze stond op en droeg de koffer naar het vvv-kantoortje. 'Ik zoek een kamer,' zei ze tegen de juffrouw achter de balie.

'Welke prijs had u gedacht?' vroeg de juffrouw.

'Ik weet het niet,' zei Emma. 'Niet te duur.'

'Is dertig gulden te duur?' vroeg de juffrouw.

'Eigenlijk wel,' zei Emma. 'Maar het moet maar.'

De juffrouw wees op een kaart van de stad. 'Hier is het,' zei ze. 'Dertig gulden per nacht.'

'Per nacht!' schreeuwde Emma bijna. 'Per maand, bedoel ik!' Ze had moeite om niet te gaan huilen.

De juffrouw wees naar de overkant. Daar was het MAI, het Maatschappelijk Advies en Inlichtingenbureau, zei ze. Dat was er speciaal om meisjes zoals Emma op weg te helpen. Maar het was nu gesloten. Ze zou haar het adres van een jeugdhotel geven. Dat kostte een rijksdaalder per nacht. Het was niet ver.

De juffrouw ging met Emma mee naar buiten om haar te wijzen waarheen ze moest lopen. Het bleek toch nog een flink eind te zijn. Hijgend en hoestend arriveerde Emma bij de balie, schreef zich in, droeg de koffer naar een slaapzaal, zette hem op het bed dat haar was aangewezen en ging weer de straat op.

Het was etenstijd. In de Vijzelstraat ging ze een restaurant binnen. Ze nam groentesoep en biefstuk met gebakken aardappelen en doperwtjes. Het kostte drie gulden vijfenzeventig.

Zo'n dure maaltijd kan ik me nooit meer permitteren! dacht ze.

Terwijl ze in bed stapte, voelde ze de eerste hoestbui opkomen. De hele nacht door hoorde ze in het donker gekreun en gefluister.

'Ik heb geen oog dicht gedaan met dat hoestende mens,' zei iemand 's ochtends. De anderen keken kwaad in Emma's richting.

Zodra ze in het badhok het koude water op haar lichaam voelde, begon ze weer hevig te blaffen. In de ontbijtzaal kon ze zich maar beter niet vertonen. Haar koffer liet ze zolang bij de balie.

Het stationsplein was gehuld in een grijze mist. In het stationsgebouw vond ze inderdaad het kantoortje van het MAI. Ze ging naar binnen.

'Ik zoek een kamer,' zei ze. 'En werk.'

Die Fledermaus

Emma schoof het gebloemde gordijntje opzij, duwde ook de dicht op-
gebonden vitrage met franje zoveel mogelijk weg, trok haar kamerjas
aan en pakte de sleutel van het huis van haar hospita om naar de wc te
gaan.

In zijn pyjama stond meneer in de opening van de keukendeur.
Door zijn bril keek hij haar scherp aan. Emma groette beleefd.

Toen ze uit de wc kwam, stond hij in de gang. Nogmaals beleefd
een groet mompelend liep ze langs hem heen. Hij keek haar na.

Uit een kaartenbak had de juffrouw van het MAI een kamer voor
haar getoverd en uit een andere kaartenbak een baan. Vandaag zou
Emma beginnen bij de Opera, die een kantoor had in de Stadsschouwburg.

Het huis waar Emma woonde bevond zich in de Pijp, boven een
HEMA-filiaal. Gedesoriënteerd liep ze de straat uit, bleef staan in de
Ferdinand Bolstraat en sprak een voorbijganger aan.

'Mijnheer,' vroeg ze beschaamd. 'Hoe kom ik op het Leidseplein?'

Op kantoor was het heel gezellig. Emma had tot taak de opera *Die
Fledermaus* over te tikken, in twaalfvoud. Aangezien het haar niet
lukte twaalf doorslagpapiertjes met carbon in één keer in de machine
te wurmen, zou ze de hele opera twee keer moeten tikken.

Welgemoed begon ze eraan, tikte stevig door en deed haar best om
geen fouten te maken. Toch maar goed dat ze hier iemand voor hadden aangenomen met een gedegen schoolopleiding, dacht ze tevreden.
Je moest er Duits voor kennen.

's Ochtends kwam een monumentale vrouw met valse wimpers,
glimmende sieraden en een zware bontjas het kantoor binnen,
schertste even in het Engels met donkere stem en rollende r's tegen de
baas en vertrok weer. Een diva.

De baas was een joviale man. Bij de thee trakteerde hij op croquet-
ten. Terwijl Emma om vijf uur de trap af liep, hoorde ze rumoer in de
kantine en keek naar binnen.

Een jongeman die aan een tafeltje zat, riep haar en zei dat ze erbij moest komen zitten. Een andere jongeman haalde koffie voor haar. Ze vroegen hoe ze heette en zeiden dat ze toneelspelers waren.

Blij en opgewonden zat Emma in de kring en lachte hard om de grappen die ze niet begreep. Toen ze thuiskwam was gelukkig de HEMA nog open. Ze kocht een stuk rookworst, die immers volgens haar vader de beste ter wereld was en een half brood.

's Avonds, toen ze naar de wc ging , stond meneer weer op de gang. Hij hield haar zachtjes tegen en fluisterde iets.

De volgende ochtend stond hij er weer. Nu pakte hij haar bij de arm. Met een beleefde verontschuldiging trok ze zich los.

Op de ochtend van Emma's vierde werkdag zouden de repetities beginnen voor *Die Fledermaus*. De derde dag tikte ze door tot acht uur 's avonds. Gelukkig, de opera was af en lag in een ordeloze stapel voor haar.

Ze begon de papiermassa te ordenen, maar merkte met een verlammende schrik dat ze was vergeten de blaadjes te nummeren.

Ze holde de trap af, de straat op, trok een nierbroodje uit de automatiek van Vijn in de Leidsestraat, holde terug, de trap op, langs de kantine waar iemand haar naam riep.

'Straks!' riep ze.

Bovenop de massa kopieën lag een briefje: 'Geachte juffrouw Rosenblatt. U werkt te langzaam en u heeft de blaadjes niet genummerd. Zo kunnen wij geen zaken doen. U moet morgen maar niet terugkomen. Ik wens u verder veel succes.' Daaronder de handtekening van haar baas.

Emma liep de trap af. In de gang botste ze tegen hem op. Ze begon hem uit te leggen wat ze allemaal kon en dat hij haar niet mocht beoordelen op deze fout, maar ze barstte in tranen uit zodat verder argumenteren onmogelijk was.

Hij sloeg een arm om haar schouders, deed een deur open en duwde haar naar binnen.

Ze stond in de schouwburgzaal, vol publiek. Op het toneel werd gezongen. Nog nooit had ze een opera gezien. Ze vond een lege stoel en liet de stromen muziek over zich heen komen. Ze bleef zitten en zag de hele opera.

Vaag hoorde ze de bel, het zacht brommen van een mannenstem en de kijvende stem van haar hospita. Na een paar minuten sloeg de voordeur dicht.

Iemand kwam de trap op. Emma, die op bed lag, legde de *Libelle* en wat er nog over was van de zak nogabrokken op het nachtkastje en ging overeind zitten.

173

Er werd geklopt. Haar hospita kwam binnen met een pak, dat ze op een stoel legde. 'Er was een mijnheer voor u,' zei ze. 'Ik heb gezegd dat hier geen heren boven komen. Dit is altijd een fatsoenlijke trap geweest!'

Emma stond op en nam het pak. Er was een briefje bij: 'Lieve Emma. Dit is van je vader. Verkerk bracht het mee. Je hospita wilde niet zeggen of je thuis was. Kom je eens bij ons langs? Hieronder het adres. J. Dinaux.'

Verslagen ging Emma op bed zitten. 'Waarom heeft u mij niet even geroepen?' vroeg ze.

'Wist ík dat je thuis was?!' snauwde mevrouw. 'Een fatsoenlijk mens ligt niet overdag op bed. Kijk nou hoe gekreukt mijn mooie sprei is.' Ze trok het kleed onder Emma vandaan, vouwde het op en drapeerde het over de stoelleuning. Ze keek rond en schoof de vitrage recht.

'Het lijkt hier wel een varkensstal,' klaagde ze. 'Dat plantje is helemaal verdord. Als je je niet fatsoenlijk gedraagt, moet je maar een andere kamer zoeken, hoor.'

'Ik krijg toch nooit herenbezoek?' vroeg Emma.

'Nee, dat moest er nog bijkomen,' vond de hospita. 'Maar je hebt iets, ik weet niet, iets niet fatsoenlijks.'

En die man van u, wilde Emma zeggen, die niet van me kan afblijven als ik naar de wc ga, is die wel fatsoenlijk?

Maar ze zei het niet. Het zou maar onnodige commotie geven. Meneer zou ontkennen en mevrouw zou net doen of ze het niet geloofde.

'Wilt u weggaan?' zei Emma. 'Dit is mijn kamer. Ik betaal de huur.'

'Dit is míjn huis,' zei haar hospita. 'Vergeet dat niet.'

Maar ze ging toch weg, de deur achter zich dichtslaand.

In het pak zat een met goud en kleurige figuren bedrukte lap shantoeng. Er zat een brief bij van haar vader:

'Dit is voor mijn grote, domme dochter. Laat haar daarvan maar een bloes maken of een jakje of een jurk, enfin zie maar. Ik zit nog in hetzelfde huis met nog steeds de lieve goede oude kokkie, die zich jou nog goed herinnert. Wat kookt dat mens goed, nou ja, een beetje vies, maar dat moet een goeie kokkie zijn en in de dapoer kom ik niet. Mijn buikje groeit.

Zaterdag een instuif gehad bij de heer Boesman. Toen iedereen tegen vijf uur plannen maakte om hetzij naar bed, hetzij elders heen te gaan, ben ik met madame Rosita in de combi naar Tjobogor gereden. Het was wel zo onbeschrijfelijk mooi deze ochtend. Eerst nog maan, dan pikzwarte nacht, dan een scherm van rood, waartegen de klapperbomen zich scherp aftekenden, dan roze daglicht, waartegen de bergen zich aftekenden (o, nee dat is twee keer aftekenden), lichtpaars in de verte, grijzer dichtbij, teder omlijnd door de eerste stralen der zon; de sawa's weerspiegelend met schitterende glinsteringen. – Heb je al heimwee?

Op de terugweg om wakker te blijven ter ere van jou en de Amsterdamse opera aria's uit de *Fledermaus* (*die hängt mir schon zum Hals hinaus*) gezongen. Groeten ook van oom Van Dillenburg. We gaan nog wel met elkaar om, maar niet meer zoveel als vroeger.

Dag lief kind, wees omarmd, geknuffeld en gezoend door je vader.'

Emma keek naar de vitrage met de regenvlagen en de zwiepende bomen erachter. 'Heb je al heimwee?' Ze probeerde zich te herinneren waarom ze in godsnaam uit Indonesië was weggegaan. Het besef van de absolute onherroepelijkheid van deze stap overviel haar met een scherpe, nauwelijks te dragen pijn in het hart.

Dat 'oom Van Dillenburg' niet meer zoveel bij haar vader kwam, begreep ze heel goed. Na een paar brieven vol brandende hartstocht waren er teleurgestelde, droevige brieven van hem gekomen en nu schreef hij niet meer. Haar vader had hem, niets vermoedend, een vrolijke brief van haar voorgelezen, waarin ze, zeer geflatteerd en bedekt, haar liefdesavonturen op reis beschreef.

Emma pakte een handdoek om haar betraande gezicht af te vegen. Waarom had dat wijf haar niet geroepen? Dan was ze misschien met mijnheer Dinaux gaan koffiedrinken. Misschien had hij haar meegenomen naar een restaurant. O, oom Dinaux! Ze dacht aan zijn vochtige ogen boven zijn Engelse snor bij de stem van Marlene Dietrich, die 'Vor der Kaserne' zong, wanneer ze met haar vader en de andere 'ooms' bij hem op de veranda zat, met een glas bier of whisky, in de zwaar geurende avondwarmte, onder de donkere dichte begroeiing, dromerig kijkend naar de kleine tjitjaks, die watervlug over de witte muur heen en weer schoven. Mijnheer Dinaux en zij hadden over Indonesië kunnen praten, over hun heimwee.

Ze zou nooit bij hem op bezoek gaan. Het was ondenkbaar dat ze zou zitten in een Hollandse huiskamer met mijnheer Dinaux en zijn vrouw en tussen hem en Emma de onuitgesproken herinnering aan Sitih.

Ze bekeek de lap stof. Ze zag zich al lopen door Amsterdam in een bloes van die lap. Alle jonge mensen liepen in het zwart. Alleen al het idee dat ze geld zou hebben voor een naaister was absurd.

Ze borg de lap shantoeng in haar koffer, kroop onder de dekens, pakte nasnikkend de *Libelle* en at de nogabrokken op.

Emma belde haar moeder op en vroeg of ze op bezoek mocht komen. Haar moeder zei dat het goed was. Ze had nog geen eigen huis en woonde met Katja bij kennissen.

Met de gastvrouw dronken ze een kopje thee. Vervolgens gingen ze met zijn drieën een eindje wandelen. Verlegen liepen ze naast elkaar door de stille Haagse straat, Emma's moeder met Katja aan de hand.

'In welke klas zit je?' vroeg Emma haar zusje.

'Vierde,' zei Katja met neergeslagen ogen.

'Goh, dat schiet op,' vond Emma.

Katja was een ernstig klein meisje. Vroeger, als ze iets vertelde, keek ze je met haar grote bruine ogen onder de blonde krulletjes strak aan, terwijl ze ondertussen zorgvuldig zocht naar de juiste formulering. Emma had dat zo onweerstaanbaar gevonden, dat ze af en toe uit pure vertedering het kind oppakte en tegen zich aandrukte.

Hand in hand, gilletjes slakend, voorzichtig balancerend op de glibberige stenen, waren ze de bergkali overgestoken. Onder de klamboe hadden ze gezellig liggen kletsen.

Maar nu was het elfje een schoolmeisje geworden. Emma wist tegen haar zusje niets anders te zeggen dan de onbeholpen vraag in welke klas ze zat. Onder de winterkleren was hun vertrouwelijkheid begraven.

Emma's moeder haalde haar portemonnee te voorschijn en haalde er vijftig gulden uit.

'Door de politieke toestand kan ik je nu niet meer geven,' zei ze. 'Je vader kan geen geld meer sturen. Dat hebben we aan mijnheer Soekarno te danken. Kun je het wel redden?'

Emma bedankte. Ze nam afscheid.

'Moet je je echt zo opdirken?' vroeg haar moeder.

De tbc-bestrijding

Wat was dat toch voor onheilspellend gekraak? Voetstappen kwamen
naderbij. Of toch niet? Kon het gebeuren dat je hart van het bonken
uit elkaar barstte? Dan vonden ze haar hier morgen dood!

Koud zweet brak haar uit. Ze deed het licht aan en pakte een boek.
Haar armen en benen waren loodzwaar. Dat was niet gewoon meer!
God, ze had koorts! Er heerste polio. Ze moest een dokter zien te be-
reiken!

Emma sprong uit bed en kleedde zich aan. Ze deed de krakende kamerdeur open.

Haar hospita in de Pijp had haar de kamer opgezegd. Omdat ze
blijkbaar niet snel genoeg vertrok, stormde meneer de trap op, smeet
Emma's kleren in haar koffer, pakte de koffer en zette die op straat.
'Altijd hetzelfde met dat jodentuig!' riep hij.

Het nieuwe kamertje lag achterin een enorme zolder van een oud huis
en diende eigenlijk als berghok. De belendende kamertjes werden ook
als zodanig gebruikt.

Door het donker liep Emma behoedzaam over de planken naar de
trap. Rrroetsj! Een muizenleger sloeg op de vlucht, alle kanten op. Gekraak uit duistere spelonken. Op de tenen liep Emma de trap af. Ze
liep de straat uit en stak de Van Baerlestraat over naar het Museum-
plein. Op de hoek van de Spiegelgracht en de Prinsengracht bleef ze
staan en staarde in het zwarte water.

Een jongeman kwam aanfietsen, stapte af en vroeg of hij haar ergens naar toe kon brengen. Ze schudde het hoofd. Hij reed door. Ze
had hem eigenlijk haar straat moeten vragen. Elke aanspraak was
goed. Misschien had hij haar achterop naar huis gebracht. Wie weet
wat er nog van was gekomen. Nu moest ze terug lopen. Het was over
vieren. Ze moest nog wat zien te slapen.

Ze ondernam de terugweg. Waarvoor was ze toch eigenlijk zo bang
geweest, vroeg ze zich af, toen ze in bed stapte. Er was niets aan de
hand.

Om zeven uur was het tijd om op te staan. Emma nam een handdoek en waste haar gezicht en bovenlijf bij een fonteintje op de overloop. Met de po ging ze naar beneden, maakte met de sleutel de deur open van de hospita en kieperde de nachtspiegelinhoud in de wc. Ze kwam niemand tegen.

Met de tram reed ze naar het ziekenhuis, waar ze 'administratieve kracht' was.

Enigszins mank liep ze het gebouw binnen. Een van de hakjes van haar schoenen was weggeraakt en omdat het niet was vervangen, was de hak zelf afgesleten tot de helft. In haar ene kous was die ochtend een ladder gesprongen. In de andere zaten er al twee. Ook in het reservepaar zaten ladders. Dat zou ze die middag wegbrengen om te laten ophalen. Weer 75 cent. Veiligheidsspelden hielden de jarretelgordel bijeen.

Kousen en schoenen, dat was haar grootste zorg.

'De gemeente gaat er van uit dat jongens en meisjes van uw leeftijd bij hun ouders wonen,' had de personeelchef vriendelijk geantwoord op haar vraag hoe hij dacht dat ze moest leven van honderdvijfendertig gulden per maand.

In de uitgesleten, onderaardse duistere gang stonden op dit vroege uur al rijen mensen te wachten bij de loketten.

Emma ging het kantoor binnen en nam plaats achter een van de kaartenbakken van de tbc-bestrijding. In haar achterhoofd lag nog een berg slaap opgetast, die ze eigenlijk eerst had moeten afwerken en die zwaar naar haar oogleden kroop. Af en toe merkte ze dat ze een fout had gemaakt en dat door haar toedoen misschien een teringlijder onvindbaar zou raken en naamloos zou wegkwijnen, maar ze kon de energie niet opbrengen haar vergissing te herstellen.

Het meisje naast haar zong zacht liedjes van Catherina Valente, met wie ze dweepte. Door haar kapsel en make-up was ze erin geslaagd sprekend op haar idool te lijken.

'O, kon ik maar zo zingen als Catherina Valente!' kraaide ze in vervoering. 'Of zag ik er alleen maar zo uit als zij!'

'Maar je zíet er uit zoals zij!' zei Emma verbaasd. Het meisje lachte gevleid.

In de lunchpauze at Emma kieskauwend een gevulde koek in de kantine en legde, toen ze weer achter de kaartenbak zat, zichzelf het verbod op om meer dan één keer per uur naar de klok te kijken, een moeilijk te verwezenlijken voornemen, omdat ze elke tien minuten dacht dat het uur om was. De minuten van het laatste uur kropen voorbij.

Om tien voor half zes begon ze vast langzaam haar jas aan te trekken. Ze ging de straat op. Bij een winkeltje, waar vrouwen voorovergebogen onder lamplicht met haakjes ladders in kousen zaten op te halen, leverde ze haar reservepaar af.

Wat zou ze nu eens doen? Naar het badhuis was ze gisteren al geweest. Ze nam de tram naar het Leidseplein en ging kijken bij de Stadsschouwburg. Af en toe nam ze voor een gulden een plaats in de nok van het gebouw. Ze had Ko van Dijk gezien in *De dood van een handelsreiziger* en *De drie zusters* in de regie van Sjarov. Maar vanavond was er geen voorstelling die haar aantrok.

Uit de automatiek van Vijn trok ze een croquet en een nierbroodje en liep etend naar de tram. Op haar kamer kroop ze direct in bed.

Op zolder hing een elektriciteitsmeter waarin ze zelf munten moest gooien, die een gulden kostten. Er stond een elektrisch kacheltje.

Op een avond had Emma het mee naar haar kamertje genomen en het aangezet. Dezelfde avond was de meter leeg. Na die onthutsende ervaring liet ze het kacheltje maar liever ongebruikt.

In bed las ze het boek *Het zwarte licht* van Harry Mulisch uit. Het zat goed in elkaar, vond ze, maar het moest toch niet zo moeilijk zijn om zo'n boek te schrijven. Ze begon een verhaal te fantaseren en sliep in.

Toen ze wakker werd was het middernacht. De zolder kraakte. Dat waren toch onmiskenbaar voetstappen!

Emma ging rechtop 'zitten en sloeg haar handen rond de knieën. Haar oren suisden. Van angst zou ze een hersenbloeding krijgen! Het zou dagen duren voordat ze haar vonden!

Aan slapen viel niet meer te denken. Ze kleedde zich aan en stak de donkere zolder over. Het muizenleger roetsjte alle kanten op. Krak, krak, zeiden de planken.

Emma liep de trap af, de straat op en zette koers naar de binnenstad.

De Groene Kalebas

Emma liep door de Leidsestraat. De tbc-bestrijding had haar de vorige dag ontslagen. Met voldoening dacht ze aan Catherina Valente, die nu achter de kaartenbak zat. Voor de etalageruit van een boekhandel bleef ze staan. 'Winkelmeisje gevraagd' stond op een kaartje dat er achter hing. Ze stapte naar binnen en zei dat ze kwam solliciteren. Een man kwam achter de toonbank vandaan en ging haar voor naar een kantoortje achter in de winkel.

'Waarom wilt u zo graag bij Pegasus werken?!' vroeg hij. Emma zei dat ze veel van boeken hield.

'Maar weet u dan wel wat voor een boekhandel dit is?!' vroeg de man.

'Een boekhandel voor literatuur,' zei Emma.

De man stond op en zei dat ze het maar eens ergens anders moest proberen. Ze besloot haar fortuin te zoeken in de boekenbranche. Ze ging bij andere boekwinkels informeren of er iemand nodig was, maar dat was nergens het geval.

De juffrouw van het Maatschappelijk Advies- en Inlichtingenbureau ontving haar met een glimlach van herkenning. Uit de kaartenbak haalde ze de aanvraag van een grote kantoorboekhandel in het centrum. Het was dan wel geen echte boekhandel, maar de winkel verkocht ook kranten en pocketboeken, zei ze. Emma nam het dankbaar aan. Haar toestand was nijpend geworden. Een zondag had ze het eten moeten overslaan omdat de bakker haar geen krediet meer wilde geven. Ze werd aangenomen voor de kantoorbehoeften. Voor de afdeling kiosk was er al een meisje.

'Wat zie je er toch slecht uit!' zei Erna, de oudste verkoopster. 'Dat is toch niet mooi, die zwarte kringen onder je ogen. Ga je wel op tijd naar bed? Eet je wel goed? Wat eet je eigenlijk 's avonds?'

'Brood,' zei Emma. 'Soms een halve kip, van Vijn.'

'Maar je moet toch warm eten!' riep Erna.

'Dat is me een beetje te duur,' zei Emma. 'Ik mag niet koken op mijn kamer.'

'In de Groene Kalebas kun je voor een gulden stamppot eten,' zei Erna. 'Dat is een keldertje in de Weteringdwarsstraat. Weet je die?'

De Groene Kalebas was makkelijk te herkennen. Ze liep de stoeptreden af en deed de deur open. 'Denk aan het afstapje,' stond in potloodletters op een papiertje dat op de deur was geprikt. Voorzichtig stapte ze het schemerduister binnen.

Verlegen bleef ze staan. Het was druk en rokerig. Nadat haar ogen aan het donker waren gewend zag ze op houten banken langs de muur groepjes mensen. In het midden waren nog een paar tafeltjes vrij. Aarzelend ging ze zitten. Aan het lage plafond hingen bodemloze wijnflessen, met lampen waarvan de draad door de flessenhals hing. Op de tafeltjes stonden druipende kaarsen in flessen, waarop zich dikke grillige lagen met puntige pegels hadden gevormd. Ze keek om zich heen naar de overwegend in zwart en donkerbruin geklede figuren. Ze zag meisjes met paardestaarten of loshangend steil haar, die met zwart omrande ogen droevig, somber of kwaad onder hun pony voor zich uit staarden.

Spijtig bedacht Emma dat ze haar eigen haar nooit zo steil zou kunnen krijgen. Maar een zwart ogenpotlood kon ze wel kopen en een zwart vestje met lange mouwen moest ze zich ook aanschaffen. Twee meisjes droegen die vestjes omgekeerd, met de knoopjes op de rug. Dat stond heel mooi, vond ze. Ze voelde dat ze erg uit de toon viel in haar blauwe truitje met boothals.

Een man met een schort voor kwam bij haar staan. Bedeesd vroeg ze of er stamppot was. Hij wachtte niet tot ze was uitgesproken, liep naar achter en kwam terug met een dampend bord boerenkool dat hij voor haar neerzette. In het midden van de stamppot was een kuiltje met jus en spekjes. Aan de rand lag een stuk rookworst. Zo onbeschrijfelijk heerlijk was dit alles dat ze zich krachtig moest beheersen om het bord niet leeg te schrokken. Als ze het eten op had was er geen reden meer om te blijven zitten en moest ze weer met de tram naar haar zolder.

De man met het schort kwam op haar af. 'Koffie?' vroeg hij.

Ze knikte, hoewel ze wist dat het uren slaap zou kosten. De man zette een grote witte dampende kom voor haar neer.

Uit een schemerig groepje maakte zich een jongeman los die op haar af kwam. 'Is deze plaats vrij?' vroeg hij.

Ze knikte.

'Kom je hier vaak?' vroeg hij.

'Nee,' zei ze, 'niet zo vaak.'

'Woon je nog bij je ouders?'

'Nee hoor,' zei ze trots, 'ik woon alleen.'

'Ik heet Pelle,' zei hij. 'Wil je nog een kop koffie? Of een pilsje misschien?'

'Graag,' zei ze.

Het bier werd voor haar neergezet en ze nam een flinke slok. Er gebeurde iets vreemds. Sinds ze terug was in Nederland had ze geen alcohol meer gedronken. Het was of iemand in een verduisterde ziekenkamer de gordijnen opentrok en weldadig warm zonlicht liet binnenstromen. Ze voelde de verlegen spanning van zich afglijden. Ze keek naar Pelle. Hij had zijn haar niet zoals de anderen kort geknipt en hoog met een kippekont naar achteren gekamd of sprieterig naar voren, maar hij had een flinke bos donkerblonde, warrige krullen. Hij droeg een zwarte trui met aan de hals een half openstaande ritssluiting. De deur ging open. Een paar figuren stapten naar binnen, liepen op hun tafeltje af, schoven stoelen bij en gingen zitten. Zij droegen truien onder colbertjasjes en wijde Terlenka broeken.

'Weer niet gelukt?' vroeg Pelle.

'Hommeles,' zei een van de jongemannen.

Een kalende man met een dichte baard, die een pijp rookte, wees op zichzelf en zei 'Frédéric'.

'Emma,' zei ze.

'Emmanuelle,' zei de man. 'Eméralde.'

'Hij heet eigenlijk Freddie,' zei Pelle, 'en Antoine daar heet eigenlijk Tonnie. Henri heet geloof ik Henk. Marguérite heet eigenlijk Greetje.'

'Wat doe jij, Emmanuelle?' vroeg Frédéric.

Emma dacht bliksemsnel na. 'Ik werk in de Stadsschouwburg,' zei ze. 'Bij de opera. Dat is wel leuk, want je leert veel acteurs kennen. En jij?'

'Ik leef zoals ik leef,' zei Frédéric. 'Ik schilder of ik schilder niet. Ik ben artiest, verdomd als het niet waar is.'

'Ik ben grafisch ontwerper,' zei Pelle.

'Een keurig beroep,' vond Frédéric.

De deur ging open en een vriendelijk grijnzende jongeman met een Caesarkapsel kwam op hen af.

'Hé, wat doe jij nou hier?' vroeg Pelle.

'Het is nou al drie weken mis,' zei de man. 'Meneer Louis heeft de pik op me.'

Net als de anderen sprak hij met een dun stemmetje en een Amsterdams accent. Emma nam zich voor dat ook zo gauw mogelijk aan te leren.

'Op ons ook,' zei Antoine. 'Anders zouden we hier niet zitten.'

'Wat is er mis?' vroeg Emma.

'Bijna iedereen hier verdient 's avonds zijn geld bij Ronette,' zei de nieuw aangekomene, die gewoon op zijn Hollands Frits heette. 'Dat is een fabriek in pick-upelementen. Ze betalen goed. Eén gulden vijfentwintig per uur. Je moet saffiertjes aandraaien. Een groen saffiertje voor een 78-toerenplaat. Een rood saffiertje voor 45 toeren. Om zes uur staan we allemaal voor de deur: meneer Louis, mag ik vanavond werken? Nee, zei hij dus.'

'Hoe weet je dan of je de huur kunt betalen?' vroeg Emma.

'Dat vraag ik dan wel aan die ouwe van me,' zei Frits. 'Hij heeft me zelf het huis uit gesodemieterd. Van de woningtoewijzing kregen we drie kamers. Een huiskamer, een slaapkamer en twee kamertjes voor de kinderen. Eén voor elk geslacht. Een kamertje voor mijn oudere zuster. En een kamertje van een meter vijfenzeventig bij twee meter veertig voor mijn jongere broer van achttien en mij. We sliepen in stapelbedden. Dat werd bonje. Heb jij een mooie kamer?' vroeg hij Emma.

'Gaat wel,' zei ze. 'Jij?'

'Ik heb nu een kamertje van een meter vijfenzeventig bij twee meter veertig voor mij alleen, op het Henrick de Keijserplein. De wc is bij de hospita. Na elf uur 's avonds mag ik er niet meer op. Als ik na elven moet poepen, doe ik het in een krant.'

'Ik in een po,' lachte Emma.

'Pissen doe ik in de wastafel,' zei Frits. 'Jij ook?'

'Ik heb geen wastafel op mijn kamer,' bekende Emma.

'Mijn verloofde pist in een leeg conservenblik, als ze bij mij slaapt,' zei Frits. Wat een aardige man was die Frits.

'Wat doet je vader?' vroeg ze.

'Kruidenier,' zei Frits. 'Tenminste, dat was hij. Sinds de voedseldistributie is opgeheven, heeft hij geen winkel meer. Hij kon niet op tegen De Gruyter.'

'En betere waar, én tien procent, alléén De Gruyter,' zei Emma. 'Het snoepje van de week.'

'En Albert Heijn,' zei Frits. 'Die heeft aan de Wehrmacht geleverd. Daarom gaat het hem zo voor de wind. Heb je *Opmars naar de galg* gezien?'

'Nee,' zei Emma. 'Wat is dat?'

'Over de Neurenberger processen,' zei Frits.

Emma zweeg. Ze durfde niet te bekennen dat ze geen idee had wat voor processen dat waren. Langs hun tafeltje liep een lange neger.

'Dat is zwarte Johan,' zei Pelle. 'Hé, Johan. Kom erbij zitten. Dit is Emma.'

Johan ging zitten en keek haar aan. 'Ben jij wel eens met een neger naar bed geweest, Emma?' vroeg hij.

Ze overwoog of ze Jesus, de Filippino er bij zou halen, maar ze zag er van af. 'Nee,' zei ze.

'Emma,' zei Johan, 'als jij één keer met een neger naar bed bent geweest, dan wil jij nooit meer een blanke.'

'Nou Johan, dan zal ik het risico maar niet nemen,' zei Emma. Ze schrok er zelf van. Had ze hem beledigd? Maar ze lachten allemaal. Ook Johan.

'Ik ga naar Reijnders,' zei Pelle tegen haar. 'Als je wilt, kun je meegaan.'

Verbluft keek ze hem aan. Reijnders! Larissa en andere meisjes uit haar klas waren er wel eens heen gegaan. Er was geen sprake van geweest dat haar tante haar had laten gaan. Ze had er Larissa wel eens over ondervraagd, maar ze was niet meer te weten gekomen dan dat Reijnders en Eijlders en het hele Leidseplein een grote poel waren des verderfs.

'Dat is goed,' zei ze zo onverschillig mogelijk.

Reijnders leek eigenlijk meer op een wachtlokaal dan op een poel van ontucht. Aan houten tafels hingen figuren in landerige houdingen. Twee dames met kreukelige gezichten bedienden aan de lange tapkast, met flessen tegen spiegels. Ook hier was bijna iedereen in bruin en zwart gekleed en waren de meisjes tragische Juliette Greco's. Bijna iedereen was jong, al zaten er ook kale, oude, baardige mannen en een paar vervallen vrouwen met felrode lippen. Emma's gezelschap ging aan de grote tafel zitten, achter in het café. Een jongeman met zwarte krulletjes en een rond brilletje, die alleen aan de tafel had zitten lezen, stond zwijgend op en ging, zonder van zijn boek op te kijken, aan een ander tafeltje zitten.

'Kafka,' las Emma op de omslag.

'Je hebt Kafka toch wel gelezen?' vroeg Frédéric. 'Kafka is grandioos.'

'En Dostojevski?' vroeg Antoine. 'Die ken je toch wel?'

'Die is meesterlijk!' vond Pelle.

'Ik lees nooit,' zei Frits. 'Als ik een boek pak en de eerste regel lees, dan komen mijn eigen gedachten en dan laat ik het boek weer zakken.'

Hij stond op. 'Even sigaretten halen,' zei hij. 'Hier hebben ze alleen Dr. Dushkind. Vijfenzeventig cent per pakje. Dat is me veel te duur.'

Hij kwam terug met een pakje en deelde uit. 'Mr. X,' zei hij. 'Zestig cent. Die hebben ze in de automaat. Er staat zo'n kerel bij en die haalt ze voor je er uit. En dan wil hij een dubbeltje hebben. Maar dat ging even niet door.'

Een oude man met warrig wit haar zat aan een tafeltje te raaskallen.

'Geef Jan es een druppie, pop!' schreeuwde hij toen Emma naar hem keek. Pelle ging direct een glas jenever voor hem halen.

'Dat is een beroemde dichter,' zei hij. 'Anders zit hij altijd bij Eijlders,' zei Frits. 'Eijlders was goed in de oorlog. NSB'ers kwamen er niet in. Het café was verboden voor de Wehrmacht. Vroeger kwamen er veel dichters uit de illegaliteit. Maar Johnnie Eijlders zelf is weg, naar Frankrijk. Nu komen er alleen nog kunstluizen.'

Een lang, jongensachtig meisje, met kort blond haar en een grote uilebril op, kwam binnen.

'Daar is mijn verloofde,' zei Frits. Ze kwam naar hem toe.

'Ben je niet bij Ronette?' vroeg ze. 'Dat gaat zo niet, hoor. Je moet toch geld verdienen voor onze toekomst?' Maar ze lachte er bij. Ze had een grappig hoog stemmetje, niets Juliette Greco-achtigs.

'Ik wil naar Clochemerle,' zei ze. 'Ik heb vrij. Mijn kind is bij mijn moeder.'

Frits stond op en rekende af. 'Dag jongens, dag Emma,' zei hij. Spijtig keek Emma hem na. 'Graag,' zei ze tegen Pelle, die vroeg of ze nog een biertje wilde. Tegen het eind van de avond kwamen mensen bij hen zitten die om zes uur wél bij Ronette waren aangenomen. Ze waren kwistig met rondjes.

'Dit is helemaal Kafka,' riep Frédéric telkens verrukt. Emma nam zich voor de volgende dag met het lezen van Kafka en Dostojevski te beginnen. Ze voelde zich warm en gelukkig.

Ze besefte niet dat dit voor haar een cruciale avond was. Voor het eerst had ze een oord betreden dat een centraal punt in haar leven zou worden, dat haar troost, gezelligheid, nachtelijk gezelschap zou verschaffen, dat ze op menige ochtend in deplorabele lichamelijke toestand zou vervloeken, denkend aan de geldverspilling en aan de uren van stompzinnigheid – maar dat ook een bron zou zijn van menselijke informatie, die geen krant of boek kon bieden, een oord dat de volgende decennia een onafwendbare aantrekkingskracht op haar zou uitoefenen, alsof zij een stukje ijzer was en deze instantie een magneet: het Amsterdamse café.

Pelle bood aan haar thuis te brengen. Ze zat bij hem achterop de bagagedrager. Toen ze bij haar huis waren aangekomen, zette hij de fiets tegen een boom. Ze keken elkaar aan.

'Nou, tot ziens,' zei ze.

'Tot ziens,' zei hij.

En opeens waren ze bezig elkaar te kussen. Ze kusten en kusten opnieuw. Voorbijgangers botsten tegen hen op en gaven commentaar, maar ze letten er niet op. Zo had ze nog nooit gekust. Telkens als Pelle zijn hoofd even terugtrok, pakte ze zijn haar en trok het weer naar zich toe.

'Mag ik met je mee,' vroeg hij hijgend. Ondanks haar vervoering moest ze lachen.

'Nee,' zei ze. 'Geen herenbezoek!'

'Dan gaan we naar mijn huis,' besliste hij.

Ze zat op de bagagedrager en drukte zich tegen hem aan. Onderweg stapten ze telkens af om te kussen. Toevallig woonde hij in dezelfde straat in de Pijp waar haar vroegere kamer was. Op zijn kamer kleedden ze zich snel uit, gooiden hun kleren op de grond en gingen in bed liggen. Dit was wat in boeken 'samensmelten' heette. Het ging vanzelf. Opeens zag ze haar vader voor zich, op hun veranda in Djakarta, met naast zich een fles bier. Hij zou haar zo eens moeten zien. En meneer Van Dillenburg. Ze moest ophouden met denken. Misschien was dit voor het laatst en zou Pelle morgen genoeg van haar hebben. Hij zou haar in de steek laten, zoals Jean. Morgenavond lag ze weer op de krakende zolder. Wat een heerlijk, hevig gevoel. Pelle hijgde en kreunde en ze besefte dat ze zelf ook lag te hijgen en te kreunen. Plotseling sloeg haar hart over van schrik.

'Pas op, pas op,' gilde ze. 'Ik krijg een kind!'

'Nee, nee, ik pas wel op,' steunde Pelle. Abrupt gleed hij uit haar weg. Emma kreunde en trok hem tegen zich aan om het brandende gevoel te doven. Ze schokte hevig.

'Ben je klaargekomen?' vroeg hij. Dat betekende zeker of ze bevredigd was. Nee, dat gebeurde alleen als je het zelf deed.

'Ja, ja,' zei ze. Ze bleven dicht tegen elkaar aangedrukt liggen. Ze voelde dat het daar onder weer hard werd.

'Daar steekt hij zijn kop weer op,' zei Pelle. Hij ging weer op haar liggen. Daar begon het schokken weer. Nu was ze al bevredigd voor hij zover was.

'Pas op, pas op,' riep ze weer. 'Het is zover, pas op!'

Schokkend gleed hij uit haar weg. Ze was niet gerustgesteld. God, als ze maar geen kind kreeg. Wat zou haar vader zeggen! In het donker begon ze er over te tobben, dat ze had gelogen dat ze bij de opera werkte. Pelle zou er zeker achter komen en genoeg van haar krijgen.

'Jij hoeft niet bij Ronette te werken, hè?' vroeg ze.

'Nee,' zei hij. 'Ik werk bij Vasco. Een groot bedrijf. Ik doe daar de reclamecampagne.'

Emma keek naar het plafond. 'Ik moet je wat zeggen,' zei ze bang. 'Ik heb echt bij de opera gewerkt. Maar nu werk ik in een boekhandel. Of eigenlijk in een kantoorboekhandel, Looman & Van Beek.'

Hij zweeg. Bedroefd lag ze in het donker te kijken.

'Ik ben grafisch ontwerper,' zei hij. 'Ik werk bij Vasco. Maar op het ogenblik ben ik daar magazijnbediende.'

Ze sloegen de armen om elkaar heen en drukten zich tegen elkaar aan.

'Pas op,' riep ze. 'Pas op!'

'Waar kom jij vandaan?' vroeg Erna. 'Je komt anders altijd met lijn zestien. En nu zie ik je uit lijn vijfentwintig stappen.'

Emma wilde aan een plausibele explicatie beginnen maar zag er van vermoeidheid van af. 'Een eindje om,' zei ze.

'En die boothals,' zei Erna. 'Die is toch niet geschikt voor de winkel. Heb je dat truitje wel gewassen?'

Emma schrok. Ze had haar uitgaanstruitje nog aan. 'Ik wil wel naar huis gaan,' bood ze aan.

'Nee, blijf nu maar!' zei Erna.

Etherisch glimlachend ging Emma achter de toonbank staan.

Klanten kwamen en gingen. Het leek of zij zich van alle meisjes het liefst tot haar richtten voor hun vlakgom en hun ordners, omdat ze onbewust voelden dat haar verrukking op hen afstraalde.

Om half vijf die ochtend had ze gezegd dat ze moesten gaan slapen. Ten antwoord sloeg Pelle zijn armen weer om haar heen. Die vierde keer, heel langzaam en teder in het ochtendgloren, onder begeleiding van vrolijk vogelgezang, was haar geest omhooggezweefd tot hemelse vervoering en in elkaars armen hadden ze gehuild van vreugde.

'Vier keer!' wilde Emma tegen de klanten zeggen. 'Hebt u dat wel eens gedaan, mevrouw, meneer? Vier keer in één nacht?'

In deze gelukzalige droom werd het koffietijd, lunchtijd, theetijd. Ze verkocht een dure vulpen aan een Amerikaan, die een afspraak met haar wilde maken. Lachend wimpelde ze hem af, of ze een gevierde gast op een receptie was. Om zes uur was ze vrij. Dan zag ze Pelle weer!

'Heb je De Groene Kalebas nog gevonden?' vroeg Erna.

'O ja,' zei Emma. 'Nog bedankt. Het eten was heerlijk, heerlijk!'

Ze kocht een zwart ogenpotlood en een zwart vestje, dat ze omgekeerd droeg, met de knoopjes op de rug. Soms droeg ze een van Pelle's zwarte truien. Met haar zwarte kokerrok en hooggehakte sandalen stond dat heel chic.

Het Leidseplein werd haar dorp, vredig en vertrouwd. Het leek een Frans pleintje, met de bioscoop en de grafzerkenzaak, winkeltjes in de smalle straten er omheen, een bakker en een melkboer.

Ze begon aan Kafka. Ze las in bed, op Pelles kamer, in de tram, in de kantine, in de winkel, als het even rustig was. Ze las *Het slot* en *Het proces*. Ze voelde de beklemming wel, maar begreep er weinig van en kon zich er niet mee identificeren. Maar dat durfde ze zelfs zichzelf nauwelijks te bekennen.

'Erg goed,' mompelde ze.

'Heel knap,' zei ze tegen Pelle.

Ze begreep nog steeds niet waarom mensen in Reijnders telkens verrukt uitriepen: 'Dit is gewoon helemaal Kafka!'

Het werd tijd om aan Dostojevski te beginnen. In de Oudemanhuispoort kocht ze *Schuld en boete*.

Ze las het achter elkaar uit en herlas het. Zo geweldig was de ontdekking dat ze nu wel zou durven toegeven dat Kafka haar minder beviel.

Ze las *De gebroeders Karamazov* en *De idioot*.

In Reijnders begon ze erover.

'Ja, meesterlijk,' zei Antoine. 'Kafka. En Dostojevski.'

Emma begon over *Schuld en boete*.

'*Schuld en boete*,' zei een jongeman die ook aan de tafel zat, 'de eerste detectiveroman.'

'Ja,' zei Emma, die zich geestdriftig naar hem overboog, 'maar je weet natuurlijk direct dat Raskolnikov het heeft gedaan. Het gaat er eigenlijk meer om dat de mens aan zijn schuldgevoel niet kan ontkomen. Dat is eigenlijk ook het thema van Karamazov.'

Ze begon over Kafka. Dat ze *Het proces* zo moeilijk had gevonden en zo onwaarschijnlijk.

'Bij Dostojevski vind je echte mensen en hartstochten,' zei ze. 'Maar kun je je voorstellen dat je een figuur bent in *Het proces*?'

Er viel een stilte.

'Wat kan dat meisje praten!' zei Frédéric. Pelle sloeg een arm om haar heen.

'Ze vroegen in Reijnders of jij mijn meisje was,' zei Pelle 's nachts.

'En wat zei je?' vroeg Emma.

'Ja.'

'En wat zeiden ze toen?'

' "Nou," zeiden ze, "d'r lopen toch wel mooiere meisjes rond!" '

'Vind jij ook dat er mooiere meisjes rondlopen?' vroeg ze.

'Natuurlijk,' zei hij. 'Maar jij hebt iets typisch, ergens. Zo ben ik nu eenmaal, dat ik een ander gevoel voor schoonheid heb.'

Emma's instinctieve angst dat hij haar in de steek zou laten, verdween. Dat zou hij zeker niet doen. Maar de angst voor de eenzaamheid bleef. Die zat rustig op haar te wachten, in een hinderlaag.

Onafwendbaar voelde Emma de laatste tijd dat ze niet meer van Pelle hield. Hij sprak zo langzaam en hij zei op gewichtige toon de meest gewone dingen.

'Ik moet je zeggen dat ik ergens wel van regen houd,' zei hij.

Ze zaten in de tram. De tram stond stil tussen de haltes.

Als hij nu maar niet zegt: 'hé, de tram staat stil,' dacht Emma.

'Hé, de tram staat stil,' zei hij.

Ze vond dat hij zijn truien niet vaak genoeg waste. Onder het vrijen in bed lag Emma aan haar vader te denken of aan het werk, iets dat ze had gelezen of aan andere jongens.

Op een avond, toen ze uit Reijnders kwamen, maakte ze het uit. Hij protesteerde heftig en begon toen, zomaar op straat, te huilen.

Ze ondervond een vaag gevoel van triomf. Nu maakte zíj eens iemand aan het huilen! Troostend zei ze dat het echt zo beter was.

Opgelucht ging ze naar haar kamer op de zolder en sliep in. Midden in de nacht werd ze wakker. De zolder kraakte onheilspellend.

Atelierbezoek

'Ga je mee koffiedrinken op mijn atelier?' vroeg Antoine, die eigenlijk Tonnie heette.

Ze kwamen uit De Groene Kalebas.

'Heel even dan,' zei Emma. 'Ik moet morgen vroeg werken.'

'Wacht even,' zei Antoine in de Vijzelstraat. Hij verdween in een café. Even later kwam hij terug met een fles onder de arm.

Ze liepen een heel eind, Antoine woonde vlak bij Artis. Ze klommen naar een ruime zolderkamer met een stoffige planken vloer en lang geleden wit gekalkte muren, zonder versiering. Op een van de muren stond in manshoge verfletters: Help!

Het meubilair bestond uit een tweepersoonsmatras op de grond, een schildersezel, een houten, met verf bespatte trapleer, een potkachel en een gootsteentje met een petroleumstel op een kastje. Op de ezel prijkte een doek met grillige figuren. In een hoek stonden een paar schilderijen met hun gezicht tegen de muur.

Antoine pookte de kachel op, zette een melkpannetje met water op het petroleumstel, hield kopjes onder de kraan, veegde ze droog met een grijze, bont en bruinig bevlekte doek en pakte een potje Nescafé.

Emma ging op de matras zitten. Ze raapte een boek op van de grond. Het was *De gedaanteverwisseling* van Kafka.

'Hé, jij leest Kafka tenminste!' zei ze. 'Ik geloof dat je in Reijnders de enige bent.'

'Nou, dat valt wel mee hoor,' zei Antoine. 'Dat boek heeft die ouwe van me meegebracht. Het begint ergens wel verdomd goed. Een man die wakker wordt en een heel raar wezen is geworden. Maar veel verder ben ik nog niet gekomen.'

Hij zette twee glaasjes naast het bed en lachte haar vriendelijk toe door zijn bril. Hij schonk in. 'Hier, een cognacje.'

Hij ging naast haar zitten op de matras, pakte een gitaar en begon te tokkelen, waarbij hij in merkwaardig, fonetisch Frans Georges Brassens' 'Brave Margot' aanhief.

Ze dronken. De gastheer bracht nog een paar chansons ten gehore, met heel veel coupletten.

'Ik moet eens naar huis,' zei Emma toen de fles half leeg was. 'Ik heb morgen vroeg dienst, weet je. Te erg, weetjé!' Per ongeluk was ze overgegaan op het Indische jargon.

'Nog één glaasje,' vond Antoine en schonk in.

Ze dronken. Hij vertelde over zijn plan om in Parijs te gaan wonen. Hij kende daar veel artiesten. 'We gaan er samen heen,' beloofde hij.

'Graag,' zei Emma. Dankbaar keek ze hem aan. Zijn ogen zwommen in golven achter het brilleglas. De fles was nu bijna leeg.

'Ik weet niet wat ik van mijn leven moet maken, weet je,' zei Emma. Grote tranen liepen over haar gezicht.

'Dat is niet echt,' zei Antoine. 'Dat komt uit de fles.'

Emma sloeg haar handen voor haar mond, sprong op en holde naar het fonteintje.

'Néé!!' schreeuwde Antoine.

Hij pakte haar bij de arm, deed de deur open en duwde haar naar de wc.

Dubbelgebogen stond ze boven de pot, kotste en huilde. Kreunend ging ze weer op het bed zitten. Met grote krachtige stoten draaiden Antoine en de kamer om haar heen. De gekalkte kreet 'Help!' kwam tollend op haar af en beukte in haar hoofd.

'Help!' kermde ze met haar hoofd in de handen geklemd. 'Help!'

'Neem nog een cognacje!' hoorde ze hem in de verte lachend zeggen en daar stond ze weer te kreunen boven de pot. Antoine stond achter haar en klopte haar op de rug. Uit haar mond kwamen alleen nog een paar slierten geel slijm. Ze greep naar haar maag om de hevige krampen te bezweren. Het haar voor haar ogen was nat van de tranen. Kloddders snot liepen uit haar neus. Ze greep de deurpost om niet om te vallen van duizeligheid.

'Ga weg!!' gilde ze. 'Ik moet poepen!'

Toen ze terugkwam zat hij weer op de gitaar te tokkelen.

'Hou op!' kreunde ze. 'Alles draait! O, o!'

Ze ging weer zitten met haar hoofd in de handen. Hij bracht haar een glaasje water, ging naast haar zitten en aaide haar over de rug.

'Zo beter?' vroeg hij vleiend.

Langzaam maakte hij op haar rug de knoopjes van haar vestje los.

Een kakafonisch vogelkoor. Het kostte even tijd voor ze besefte waar ze was. Ze zag de trapleer, de noodkreet op de muur, de cognacfles, de gitaar, een bril met zwaar montuur op de grond en naast haar in bed een mannenrug in een trui. Zelf had ze haar vest aan met de knoopjes aan de voorkant. De lakens verspreidden een muffe, zurige stank.

Emma hoestte, sloeg de hand voor de mond, holde naar de wc, kotste zuur slijm boven de walgelijk besmeurde pot en wankelde terug. Antoines rug lag nog in dezelfde houding.

Ze ging naar het fonteintje, spoelde een glas om en wierp, gulzig klokkend, water in haar keel. In haar maag begon het te golven en te klotsen. Weer holde ze naar de wc en braakte de straal er weer uit.

Ze nam nog een voorzichtig slokje water en zocht haar kleren bij elkaar. Ze had géén broek aan. Was ze nu wel of niet met Antoine naar bed geweest? Ze probeerde zich die situatie voor te stellen, maar het lukte haar niet zich ook maar iets te herinneren na al dat kotsen.

Ze kokhalsde, haalde haar ogenpotlood uit haar tas en probeerde haar bevende hand stil te houden om strepen te trekken. Het lukte niet. Dan maar géén make-up!

Ze deed de deur open en keek nog eens om. Antoine lag nu op zijn rug en ademde zwaar. Zouden ze nog naar Parijs gaan?

Ze deed de deur achter zich dicht en liep de trap af. Er kwam een tram aan en ze stapte in. Er waren maar een paar passagiers, blijkbaar was het nog vroeg.

Op het Rembrandtsplein stapte ze uit. Kwart voor zeven. Bij Ruteck's ging ze naar binnen en bestelde een glas melk.

Voorzichtig nam ze een slokje. De juffrouw vervaagde in een schemer en ze voelde haar ledematen week worden. Ze greep zich vast aan de toonbank.

'Bent u niet goed?' hoorde ze in de verte de juffrouw vragen.

Een oude man kwam met een stoel aandragen en ze zakte erop neer. Even later nam ze haar glas melk, bedankte de man en ging aan een van de hoge ronde tafels staan.

Met het hoofd in de handen dacht ze na. Hadden zij en Antoine nu wel of niet...? Het had geen zin om het hem te vragen, want als hij ja zei, zou hij kunnen liegen. Ze zou het nooit te weten komen. Tenzij ze een kind kreeg!

De melk klotste in haar maag; toonbank en klanten zwaaiden heen en weer. God, een kind! Als ze met Antoine naar bed was geweest, hadden ze zeker niet opgepast. Als ze een kind kreeg wist ze niet eens of het van Pelle was of van hem. Een kind van zo'n domme man! Het zou zeker een dom kind worden. Haar hele leven naar de verdommenis. Wat zou haar vader zeggen?

Zachtjes begon ze te huilen. Ze pakte een servetje uit een vaasje, snoot en keek op de klok. Zeven uur. Ze nam de tram naar huis.

Om acht uur ging ze naar de bakker en vroeg of ze mocht telefoneren. Ze belde de winkel. Erna nam op. 'Ik ben ziek,' meldde ze.

Een kleine man met zwarte krullen stond voor de toonbank. Hij had een ansichtkaart uit de molen gehaald en tikte met zijn vinger op de rechterbovenhoek van de achterkant.

'Please,' zei hij met een Frans accent, 'poste.'

'Des timbres,' zei Emma. 'Tout de suite.'

'Vous parlez Français?!' riep de man verrast.

Hij riep een kameraad die er precies zo uitzag als hij. Emma en de Fransen raakten in een levendig gesprek. De mannen zeiden dat ze artiesten waren en Emma zei dat dit heel toevallig was, want zij kende ook veel artiesten. Wat voor artiesten waren zij? Ze moest die avond maar met hen meegaan, vonden de mannen. Dan kon ze het zien. Hoe laat was ze vrij?

Om zes uur stonden ze haar bij de winkel op te wachten. Ze liepen naar de Nes, waar ze een zaaltje binningen. De mannen brachten haar broodjes en koffie en zeiden dat ze moest wachten tot acht uur.

Er kwam publiek binnen. Het zaallicht ging uit. Op het toneel verschenen Emma's nieuwe vrienden, in acrobatenkostuum. Onder begeleiding van grammofoonmuziek gooiden ze met ringen en ballen, maakten hoepels en radslagen en gingen in allerlei standen op elkaar staan.

In de pauze kwamen ze haar koffie brengen. Na afloop brachten ze haar naar huis, aan weerskanten naast haar lopend.

Bij haar voordeur gaven ze haar hun adres en zeiden dat ze hen moest komen opzoeken in Parijs.

Een draaiorgel kwam voor de winkel staan. Het speelde 'Rock around the clock'. Emma stond voor het raam en klapte in de handen.

De orgelman, een klein tenger mannetje, kwam op de maat rammelend met zijn mansbakje binnen, pakte Emma bij de hand en begon met haar te swingen. Wiegend met haar heupen liet ze zich ronddraaien. Klanten en binnengekomen voorbijgangers stonden in een kring om hen heen te klappen.

De orgelman liet Emma los en ging de winkel uit. Hijgend keek ze haar collega's lachend aan. Ze lachten niet terug.

'Ik weet niet of die Groene Kalebas voor jou wel zo'n goed advies was,' zei Erna.

Een paar dagen later kwam 's ochtends om acht uur een onbekend meisje de winkel binnen, deed haar jas uit en stelde zich voor.

Een zesde verkoopster, dacht Emma verbaasd. Met zijn vijven konden ze het werk makkelijk aan. De andere winkelmeisjes deden of er niets aan de hand was.

Om elf uur ging de telefoon. Erna nam op en keek Emma aan. 'Of je even bij de personeelchef komt.'

'Ik?' vroeg Emma verbaasd.

Ze ging naar boven.

'Gaat u zitten,' zei de chef. 'Uw manieren passen misschien goed in uw artiestencafé, maar niet bij Looman & Van Beek. U bent ontslagen.'

De ketting

Met een tas vol boodschappen beklom Emma de zoldertrap. Zonder haar jas uit te doen besmeerde ze een boterham dik met boter, legde er een paar plakken cornedbeef op en hapte er in.

De smaak wekte associaties met de jaren na de bevrijding en Indonesië. Cornedbeef was toen alleen verkrijgbaar in hoge, rechthoekige blikjes met een bijgeleverde sleutel, die steevast halverwege de bovenkant bleef steken, zodat er niets anders overbleef dan te proberen het begeerde korrelige vlees er met een mes uit te wrikken.

Emma sneed een stuk kaas af. 'Het vette der aarde,' zei ze tevreden.

Stom dat ze niet eerder aan de lommerd had gedacht. Met in haar tas een armband en een mooie vulpen, het afscheidscadeau van Van Dillenburg, was ze naar de Oudezijds getramd. Aan de balie deed ze ook haar horloge af. Tot haar verbazing accepteerde de man achter het loket alles en keerde haar zeven gulden vijftig uit. De bonnetjes, waarschuwde hij, mocht ze niet verliezen en moest ze op tijd inwisselen, anders zou na verloop van tijd de bank de beleende goederen op een veiling verkopen. Maar dat was van later zorg.

Emma at nog een paar boterhammen, maakte de cornedbeef op en pakte het overgebleven stukje kaas goed in, vanwege het muizenregiment.

Voor het ontbijt, de volgende dag, pakte ze het brood. Ze deinsde terug. Op de korst na was al het brood weggevreten. Een diep zwart gat. Het huis was leeggeroofd, slechts de muren stonden nog overeind. Het papier van de kaas was er afgescheurd en de overgebleven kaas vertoonde afdrukken van kleine tandjes.

Ze kocht muizekorrels en strooide die door de kamer en over de zolder.

's Nachts wekte haar een zware bons. Ze knipte het licht aan. De prullenmand was omgevallen. Op het kleed zat een grote muis en staarde haar aan.

Verbaasd bedacht Emma dat dit een eigenaardige muis was, een tamme muis misschien. Anders roetsjten ze altijd weg, zodra het licht aanging.

Een bolletje onder het kleed bewoog in de richting van het bed. Nog steeds zat daar onbeweeglijk de grote muis.

Plotseling besefte ze dat hij geen muis was, maar een rat, en dat het bolletje onder het kleed er ook een was. Het was de rattenfamilie die haar zoveel angst had aangejaagd, met al dat gekraak op zolder. Zo kinderachtig was ze tenminste niet, dat ze het zich had verbeeld.

Met dichtgeknepen keel pakte ze haar kleren van de stoel, kleedde zich in bed aan en liep voorzichtig de deur uit, de straat op. Op een bank in het plantsoen deed ze nog een dutje.

Ze sprak de hospita aan. Die ratten kwamen uit de dakgoot, verklaarde de vrouw. Het was Emma's eigen schuld, meende zij. Emma maakte nooit haar kamer schoon. Daarvan had de hospita allang iets willen zeggen. Emma moest rattengif kopen, luidde haar advies. Dat moest je op boterhammen met boter smeren, daarop kaas leggen en er water bij zetten. De ratten zouden de boterhammen opeten, ondraaglijke dorst krijgen en zich dooddrinken.

Emma prepareerde het galgemaal voor de rattenfamilie. Aangezien ze de gezinsgrootte op vier schatte, smeerde ze vier boterhammetjes met boter, kaas en gif en zette er vier bakjes met water bij.

Ze pakte haar tas, ging met de tram naar de uitvalsweg naar Den Haag en stelde zich liftend op.

Lang wachten was niet nodig. De chauffeur, een vertegenwoordiger in damesconfectie, die getrouwd was met een vrouw die hem niet helemaal begreep zodat hij wel eens met een ander 'tussen de lakens' wilde liggen, had gelukkig begrip voor Emma's onwankelbare trouw aan haar verloofde in Indië en was zo vriendelijk haar af te zetten bij het huis van Renskes ouders.

Gelukkig was Renske thuis. Emma bleef logeren. Toen ze teruglift-te had ze een antieke granaten ketting bij zich, van Renskes moeder. Binnenkort zou tante Thérèse een groot feest geven voor haar kinderen en ze had Emma uitgenodigd. In haar koffer had Emma nog een paar jurken en een petticoat, waarmee ze in Djakarta zo succesvol over de dansvloer had gezwierd.

Renske hield haar de ketting voor. Hij stond haar prachtig, vond ze. Haar moeder zou er niets van merken, als Emma de ketting maar gauw terugbracht.

Ondine woonde in Leiden in een huis voor meisjesstudenten. Emma was er eens geweest. Ze was blijven eten. In de keuken was het een gezellige boel. Frisse, goedlachse meisjes liepen in en uit.

'Hallo lui!' riepen ze jolig. 'Ik ga witlof koken, hoe vinden jullie dat?' En dan schaterden ze het uit.

Terwijl Ondine aardappels schilde, probeerde Emma, die op een krukje zat, mee te lachen om zo min mogelijk op te vallen.

Ze voelde zich katterig en snakte naar een biertje, maar dat hadden de meisjes niet in voorraad. Spijtig besefte Emma, dat ze nooit een van hen zou zijn. Ze benijdde die gezonde, vrolijke, ongecompliceerde meisjes die later arts of advocaat zouden worden. Sommigen waren al verloofd. Ze moesten eens weten van Pelle, Antoine en Reijnders.

In de trein terug was ze neerslachtig en berouwvol, als iemand die zich had bezoedeld en het oude nest onwaardig was geworden.

In het souterrain van het huis aan het Vondelpark, in Emma's vroegere cementen kamer, speelde een jazzband. Jean Claude speelde boogie-woogie op de piano. 'There will be many other nights like this,' croonde een beroemde jazz-zangeres die tegenwoordig Jean Claudes meisje was.

In de kamers boven werd gedanst op tearoommuziek. Van de moerbeibomen aan het water tot de goudenregen bij het terras waren lijnen gespannen, met lampions. In een tent stonden grote tafels met eten en drank. Het fietsenhok was tot restaurantje omgetoverd, waar hele kippen werden gegrild.

Ondine stelde Emma voor aan een spichtige jongeman met een tuitmondje, die Richard heette. De hele avond bleef hij in haar buurt. Terwijl ze van het dansen uitrustten op het terras sloeg hij een arm losjes om haar schouders.

Hoewel Emma hem enigszins potsierlijk vond, was ze blij dat ze een cavalier had, om zich een houding te geven wanneer haar oom en tante haar gadesloegen. Dat had ze uitsluitend te danken, wist ze heel zeker, aan die glinsterend geslepen zwarte kralen om haar hals, van Renskes moeder.

Richard vertelde dat hij was geparenteerd aan een adellijke familie die met het koninklijk huis omging. Zelf kwam hij ook veel aan het hof. De koningin, de prins en prinsessen waren heel aardig, echt leuke mensen om mee om te gaan.

Emma glimlachte beleefd en vroeg zich af wat hij zou zeggen als ze hem over Reijnders zou vertellen en over haar zolderkamertje met de ratten.

Nu ze geen werk had, wist ze niet hoe ze deze maand de huur zou betalen. Ze belde tante Lea.

'Kan ik u even spreken?' vroeg ze door de telefoon.

'Dat is goed,' zei tante Lea koeltjes.

Even later zat Emma in een van de fauteuiltjes in de Indische voorkamer van haar tante.

'Hoe-véél?' vroeg tante Lea met haar afgemeten, beschaafde stem. Meer niet.

In zichzelf moest Emma lachen. Dat was nu weer typisch tante Lea.

Ze noemde het bedrag van de huur. Haar tante haalde het uit haar portemonnee, gaf het Emma en stond op om haar uit te laten.

Toen ze op straat stond, bedacht ze dat ze wel wat meer had kunnen vragen. Ze had nu geld voor de huur. Drank was geen probleem. Dat kreeg je van de jongens. Maar geld voor De Groene Kalebas had ze niet meer. Ronette scheen niet meer te bestaan.

Ze ging naar haar kamer die, ondanks haar herhaaldelijk schrobben, stonk naar de rattelijken die ze nooit had gevonden, aarzelde even en stopte de granaten ketting in haar tas. Ze ging de straat op en nam de tram naar de bank van lening.

'Uw saldo,' tikte Emma.

Ze keek naar de klok. Vrijdagmiddag, twee minuten over vier. Ze zuchtte.

'Ik heb trek in soep,' zei de typiste die tegenover haar zat.

'Wat voor soep?' wilde de typiste naast haar weten.

'Eh... groentesoep!' zei de eerste typiste.

'Tomatensoep,' meende haar overbuurvrouw. 'Ook lekker!'

'Kippesoep.'

'O ja, zalig!'

'Haaievinnesoep,' opperde Emma.

Niemand gaf antwoord. Het meisje tegenover haar keek minachtend. 'Wat doe jij morgenavond aan?' vroeg ze haar buurvrouw.

Emma keek naar de klok. Veertien over vier. Om de tijd te doden begon ze zich maar weer eens af te vragen op welke manier ze zich van kant zou maken. Van een dak springen, slaappillen of heel ver de zee inlopen. Slaappillen leek toch wel de prettigste manier.

Zolang ze bij deze spaarbank werkte, had ze nog niets opzij kunnen leggen. Ze had nog lang niet genoeg om de ketting van Renskes moeder in te lossen. De meeste mensen tikten tot hun pensioen formulieren. In haar geval was dat nog zesenveertig jaar.

's Ochtends om vijf voor half negen zaten alle typistes voor hun schrijfmachine.

Om een voor half negen gingen de handen omhoog en zweefden de vingers boven de toetsen. Terwijl een zoemer ging, begonnen de machines te ratelen.

Onder de zoemer van half één verhieven de vingers zich, desnoods midden in een woord, van de toetsen. Om één voor half twee werden de handen weer geheven. Om half twee luidde de zoemer het middagconcert in.

'Verschuldi,' had Emma juist getikt toen de zoemer van half zes begon. Ze hief haar handen hoog op, pakte haar jas en ging naar buiten.

'Ik vind die meid zó…' hoorde ze achter zich een van de typistes fluisteren.

Ze had haar best gedaan om bij de andere meisjes in de smaak te vallen, zelfs haar goede wil getoond door een originele soepsoort te bedenken, maar geholpen had het haar niets.

'Ik gelóóf dat ik een staart zie,' zei Renske plagerig. Ze kwam het weekend logeren.

'Nee, alle muizen en ratten zijn weg,' verzekerde Emma haar.

'O jááá!?' vroeg Renske. Ze hield een afgebrokkeld stuk kaas met afdrukken van kleine tandjes omhoog. 'Ha, ha, ha!'

Emma keek haar wanhopig aan.

'Dit was ons berghok, hè,' zei Renske. 'Hier zaten we alleen omdat we iets uit een koffer moesten halen. Beneden hadden we een grote, zonnige kamer met veel planten. Grote ramen en mooie meubels. Een grote keuken erbij. Daar ontvingen we de jongens altijd.'

Ze lachten allebei.

'We hadden altijd veel aanloop,' vulde Emma aan. 'Want jij was een beroemd schilderes en ik een beroemd schrijfster.'

Vervolgens begonnen ze weer aan hun geliefde gespreksonderwerp: het tegen elkaar opbieden van hun eigen lelijkheid.

'Ik heb een afschuwelijk kromme rug,' begon Emma. 'Net een heks. En die afzichtelijk grote jodenneus. Die schrikt iedereen af!'

'Ach nee,' vond Renske. 'In Italië is zo'n neus heel gewoon. Nee, dan zo'n knobbelneus als die van mij. Zo'n aardappel. Dat is mooi, zeker!'

'Jij hebt een grappig gezicht,' stelde Emma vast. 'En mooie blauwe ogen. Mijn ogen staan altijd zo chagrijnig. Het eeuwige joodse lijden, hoor. We spelen prachtig viool, maar vertrouw ons niet in de handel.'

'Jij bent tenminste een uitgesproken type,' beweerde Renske. 'Mij merkt nooit iemand op. Als ik op visite ben en er worden koekjes rondgedeeld, dan slaan ze mij altijd over. Ze zíen me gewoon niet. Ik zit altijd overal achter een stoel. Ik ben een rioolrat. Een rioolrat achter de stoel.'

'Een rioolrat achter de stoel!' schaterde Emma. 'Jij hebt vandaag de wedstrijd minderwaardigheidscomplex gewonnen.'

Ze keerden hun vestjes om, maakten hun oogranden zwart en gingen de straat op.

'Mag ik die ketting nog even lenen?' vroeg Emma. 'Ondine geeft volgende week een feest,' loog ze.

'Nee, dan merkt mijn moeder het,' zei Renske. 'Morgen moet ik hem mee terugnemen.'

Wanhopig dacht Emma na. 'Ik moet je wat zeggen,' zei ze benauwd. 'Ik heb hem even aan Ondine geleend. Die vond hem zo mooi.'

'O, leuk is dat,' vond Renske sarcastisch. Ze keek kwaad. 'Wat heb ik met Ondine te maken? Je mag nooit meer iets lenen, hoor.'

Gedeprimeerd liep Emma naast haar. Zou ze het geld toch maar aan haar tante vragen? Nee, dat kon niet meer na dat afgemeten 'hoeveel' en ditmaal was het bedrag dat ze nodig had veel te hoog.

Ze stapten op de tram naar de poffertjeskraam op de Weteringschans, waar, evenals in De Groene Kalebas, voor een gulden een bord stamppot werd verstrekt. Nadat ze hun bord hadden leeg gegeten, zette de kelner ongevraagd twee koppen koffie voor hen neer en wees naar twee jongens, een tafeltje verder.

De jongens kwamen bij hen zitten en vroegen of ze mee gingen dansen op het Rembrandtplein.

Het was een grote houten, stampvolle keet waar een dixielandorkest schetterende muziek maakte. In de menigte raakte Emma haar gezelschap kwijt.

Terwijl ze Renske liep te zoeken kwam er een jongeman voor haar staan en maakte een korte snelle buiging. Ze knikte en legde een hand op zijn schouder. Hij omvatte haar rug.

'Wat doe je,' vroeg hij onder het dansen. 'Ben je studente?'

'Nee, ik gá nog studeren,' zei Emma. 'Mijn vriendin, met wie ik hier ben, zit op de tekenacademie. Ik werk bij de opera. Leuk werk, wel. En jij?'

'Ik ben student,' zei de jongeman. 'In mijn vrije tijd ben ik vertegenwoordiger. Wat verdien jij bij de opera?'

'O, eh, heel aardig. Driehonderd gulden per maand,' loog Emma het dubbele van haar loon.

'Bij mij kun je dertig gulden per dag verdienen,' zei de jongeman. 'Wil je dat?'

Emma bleef staan en keek hem ongelovig aan. Met dat bedrag kon ze de ketting van Renskes moeder in drie dagen aflossen.

De jongeman schreef een telefoonnummer op een leeg sigarettenpakje en gaf het haar. 'Alleen 's avonds na tienen bellen,' zei hij. 'Zie maar wat je doet.'

Hij draaide zich om en verdween in de menigte.

Degas

'Je bent vroeg,' zei de jongeman die bovenaan de trap stond.

'Tien uur had je toch gezegd,' zei Emma. Ze klom naar boven.

'Ja, maar de anderen zijn er nog niet,' zei de jongeman. Hij had alleen een onderbroek aan. Zijn stugge rossige krullen stonden alle kanten op. Hij gaf haar een slappe hand: 'Charlie Kat. Ik lag nog te slapen. Ga maar zitten. Ik ben zo klaar.'

Inderdaad kwam hij nog geen minuut later zijn das strikkend binnen, geheel gekleed in een slobberig pak met overhemd. Hij zette een kopje Nescafé met lauw water voor haar neer en zette een plaat op.

'Miles Davis,' zei hij, 'vind je dat niet mooi? Als je dat niet mooi vindt dan ga je d'r uit.' Hij sprak plat maar Amsterdams was het niet.

Er werd gebeld. Twee mannen kwamen de kamer binnen. Ze stelden zich voor als Gert en Gust. Ze zagen er uit als een jaar of dertig en waren nogal schlemielig gekleed, niet als mensen die dertig gulden per dag verdienden. Dat was niet erg bemoedigend, maar misschien waren ze er net als Emma pas bij.

'Vertel nu eens iets over het werk,' vroeg ze.

Charlie greep onder het bed, haalde een koffer te voorschijn en deed hem open. Er zaten langwerpige kleedjes in. Charlie nam er een van de stapel en spreidde het over de tafel uit. Aan beide uiteinden was het uitgerafeld tot franje. Er was, nogal knullig, een danseres op afgebeeld in een bevallige houding.

'Degas,' zei Emma lachend.

'Ja, maar het is natuurlijk niet echt van Degas,' zei Charlie. 'Het is namaak-Degas. Die kleedjes koop ik voor een kwartje het stuk. Wij gaan die verkopen voor twee gulden vijfenzeventig. Winst knaak per kleedje.'

'Waar koop je die,' vroeg Emma.

'Gaat je niet aan,' vond Charlie. 'Vraag liever: hoe verkoop ik ze.'

Emma keek hem vragend aan. Gert en Gust gnuifden.

'We gaan de stad uit,' legde Charlie uit. 'Naar Utrecht of het Gooi, dat zien we wel. En dan bellen we aan. En dan zeg je, Emma, let nu goed op, je zegt: Goedemorgen mevrouw, meneer, ik ben werkstudente en nu hebben onze meisjesstudenten deze kleedjes gemaakt ten bate van de blinde studenten. In de winkel kosten ze drie gulden vijftig per stuk. Dat is voor echt handwerk niet duur. Maar u mag het hebben voor twee gulden vijfenzeventig. En u doet er goed werk mee. Begrepen? Emma, zeg het eens op.'

Hij liet het haar twee keer herhalen.

'Hoe komen we in het Gooi of in Utrecht?' vroeg Emma.

'Met de trein,' zei Charlie.

'Dat gaat dan weer van je winst af,' zei Emma. 'Kunnen we niet beter gaan liften?'

'Nee, dat wordt niks met zijn vieren,' zei Charlie. 'En het kost ons niet meer dan een perronkaartje van een dubbeltje. Je kunt heel goed gratis met de trein reizen. We gaan twee aan twee. Je let goed op waar de conducteur is. Als hij er aankomt ga je naar de wc. Bij de uitgang wachten we op elkaar. We gaan met zijn vieren door de controle.'

Hij wees over zijn schouder naar achteren. De eerste wijst: hij heeft de kaartjes, de volgende ook, de vierde ook. En dan zetten we het op een lopen. Het lukt altijd.'

De treinreis verliep naar wens. De eerste dag verdiende Emma zelfs meer dan dertig gulden. Het praatje ging haar goed af. Ongelooflijk, zo grif als de mensen erin trapten!

Maar nadat ook de terugreis spannend maar zonder problemen was verlopen en ze in een Amsterdams koffiehuis bij elkaar zaten, wachtte haar een teleurstelling.

'We delen de winst,' besliste Charlie.

Nu bleek dat Charlie vier kleedjes had verkocht, Gert maar twee en Gust een. Vooral Gust met zijn kalende hoofd en zijn vlassige snorretje wekte wantrouwen met de mededeling dat hij werkstudent was.

'Een mevrouw vroeg wat ik studeerde,' vertelde hij met zijn zuidelijk accent. 'Ik kon niet zo gauw iets bedenken en toen zei ik maar dat ik op het conservatorium zat. Toen wilde ze weten welk instrument.'

'En wat zei je?', vroeg Gert.

Gust aarzelde. 'Bobo,' zei hij onzeker. 'En toen sloeg ze de deur voor mijn neus dicht.'

'Jij studeert Russisch,' beval Charlie. 'Dat kent toch niemand. En jij, Emma?'

'Ik zeg dat ik Frans studeer,' zei Emma. 'Een mevrouw wilde weten of ik ook zo van Proust hield. Ik zei dat we dat pas volgend jaar zouden krijgen.'

Ze stelden vast dat Gert Japans studeerde en Charlie geologie.

De volgende dagen bleek dat de vastgestelde studierichtingen de

mannen weinig hielpen bij de verkoop, terwijl Emma's succes aan-
hield. Op een middag had ze de schrik van haar leven. Op een galerij,
in een flatgebouw in een Utrechtse buitenwijk, belde ze aan en wachtte. Haar oog viel op het naambordje: 'J. Dinaux'. Mijnheer Dinaux!
Haar vaders vriend uit Djakarta.

Ze holde de trappen af en zette het op een lopen. Het was een depri-
merend incident. Het werk ging haar tegenstaan, terwijl het delen van
de winst haar steeds minder beviel. Het praatje ging haar minder goed
af dan in het begin. Ook die treinreizen begonnen haar op de zenuwen
te werken. Ze had genoeg geld om de granaten ketting af te lossen.
Het werd tijd weer een ordentelijk baantje te zoeken. Ze ging er alleen
nog mee door omdat ze Charlie niet durfde te zeggen dat ze er genoeg
van had.

'Komt u een ogenblikje binnen,' zei een dame in een Bussumse flat,
tegen wie Emma haar praatje had afgestoken. 'Wacht u maar een mo-
mentje in de vestibule. Even mijn portemonnee zoeken.'

Uit de radio kwamen pianoklanken. 'Het vijfde pianoconcert van
Beethoven,' zei Emma. 'Dat hadden we thuis ook. Mooi is het, hè?'

Ze was moe en was dolgraag even in de kamer gaan zitten om lekker
naar Beethoven te luisteren.

'Nog een ogenblikje,' hoorde ze roepen.

Emma deed een stap de kamer in en zag dat de mevrouw in de telefoon sprak. Op tafel lag een langwerpig kleedje. Er was een danseres
op afgebeeld in een bevallige houding. Een Degas-danseres.

Emma maakte dat ze weg kwam. Ze holde de galerijen af om de anderen te zoeken. 'Kom hier,' riep ze. 'Help!'

Ze kwamen aanlopen.

'Die mevrouw belt de politie!' hijgde ze. 'Kom mee!'

In een bosje wachtten ze tot het avond werd. Met de trein reisden ze
terug. Gratis.

Les tricheurs

Emma zette haar koffer neer voor een man met een pet op en sprak: 'Gare Saint-Lazare, s'il vous plaît.'

De man gromde iets, hief zijn arm een seconde in wijzende stand en liep weg. Besluiteloos bleef ze staan in de penetrant naar inkt ruikende stationswalm en liet gehaaste reizigers tegen zich opbotsen.

Een man bleef staan en keek haar aan.

'Gare Saint-Lazare,' zei ze weer.

Hij pakte haar koffer en liep weg.

'Dat is heel sympathiek van u,' zei Emma, licht hijgend. Op haar pumps kon ze hem met moeite bijhouden.

De man ging een metrostation binnen, haalde twee kaartjes te voorschijn en duwde haar door het tourniquet. Emma zei dat ze nog geen kleingeld had en nogmaals dat het erg aardig van hem was. Hij antwoordde niet.

De metrotrein denderde binnen en ze stapten in. De man wees op een lege bank en ze gingen zitten.

'Moet u ook naar Gare Saint-Lazare?' vroeg Emma. 'Dat komt prachtig uit.' Hij zweeg nog steeds, maar keek haar van terzijde aan en knipoogde.

Op het station droeg hij haar koffer naar een lege bank, ging er op zitten, trok aan haar arm en klopte met zijn andere hand naast zich op het hout. Hakkelend zei Emma dat ze haast had, dat ze hem vriendelijk bedankte, dat ze het verder alleen wel kon vinden en tot ziens.

Hij trok aan haar arm tot ze zat en legde haar hand op zijn kruis. Ze rukte zich los en stond op. De man stond ook op. Hij bleek wel degelijk te kunnen praten. Hij zei dat ze het metrokaartje moest betalen.

'Ik heb u gezegd dat ik geen kleingeld heb,' zei Emma.

'Wat heb ik daarmee te maken,' riep de man. 'Betalen!'

'Ik roep een agent hoor,' riep Emma.

De scène baarde enig opzien, een paar mensen bleven staan kijken.

'Putain!' riep de man. Hij verdween in de menigte.

Emma droeg haar koffer naar een loket en zei, zwetend en nog steeds met bonzend hart: 'Un billet Saint-Hilaire les Vicomtes.'

Daar was het al donker toen Emma uit de trein stapte. De stationschef hield ze het papiertje voor waarop een adres was geschreven. Hij wees haar een oplopende weg in een villawijk.

Blijkbaar waren alle bewoners reeds in diepe rust. De tuinen gingen schuil achter halfhoge muren van kinderhoofdjes. Schel geblaf verscheurde onverhoeds de stilte. In het duister sprong in razernij een monster tegen een tuinmuur, waar Emma zwetend, met ingehouden adem langs liep, biddend dat het beest niet in staat zou zijn de hindernis te nemen.

Ze liep verder. Om de paar stappen zette ze de koffer neer en ging er op zitten. Eindelijk had ze het nummer bereikt en belde aan het tuinhek. Woedend geblaf, doffer ditmaal, was het gevolg. Een voordeur ging open en een hond vloog naar het tuinhek, terwijl een vrouwenstem bevelen schreeuwde.

Even later zat Emma in een hel verlichte keuken, met aan haar voeten een grote zwarte, met de tong uit de bek hijgende hond. Een forse, zwaar bebrilde vrouw sneed brood en praatte aan een stuk door.

'Oui,' zei Emma nu en dan of 'ah bon'. Met moeite slikte ze het brood door en sperde haar ogen open in vergeefse inspanning om iets van het geratel te verstaan. Eindelijk ging de vrouw haar voor de trap op en deed de deur van een slaapkamertje open.

Even later lag Emma in een fris geurend, smal, strak opgemaakt bed in een helder kamertje en staarde in het donker. Na de zolderkamer met de hardnekkige rattegeur, die ze die ochtend voorgoed had achtergelaten, was dit een hele verandering.

De juffrouw van het MAI, waar ze weer om werk was komen vragen, had haar aangeraden au-pair-meisje te worden. Je woonde in Parijs, deed licht huishoudelijk werk en kreeg geld en tijd om Frans te studeren. Ze had een adres verstrekt van een Franse mevrouw. Ze woonde wel niet in Parijs zelf, maar een voorstad was ook Parijs. Emma had geschreven en van de mevrouw een vriendelijke brief ontvangen. Een prachtige oplossing was dit voor al haar problemen: werk en onderdak. Ze had Charlie niet ingelicht en was vertrokken.

Nu wist ze wat een Parijse voorstad was. De treinreis van het Gare Saint-Lazare had even lang geduurd als die van Den Haag naar Amsterdam.

Emma bedacht dat ze tevens te achteloos over de informatie was heen gestapt dat de familie vijf kinderen had. Opeens leek haar dat aardig veel, te meer daar ze helemaal niet van kinderen hield.

Dat besef drong diep in haar door toen ze de volgende ochtend onuitgeslapen en met zware hoofdpijn aan het ontbijt zat. De kinderen zaten rond de tafel elkaar te stompen, te krijsen, te dreinen dat ze dit of dat niet lustten en te zeuren om iets anders.

Na het ontbijt zei mevrouw dat zij en Emma de twee jongsten naar school zouden brengen. Ze liepen door een schone straat langs beige gepleisterde huizen en tuinmuren, die met flox en afrikaantjes waren opgefleurd.

Emma duwde een wandelwagen, waarin de jongste zat: Robertine, een meisje van vijf. Eigenlijk was Titi, zoals ze werd genoemd, te groot voor een wagentje, maar door een spierziekte liep ze slecht. Ze was incontinent en zou altijd luiers moeten dragen. Het kind was dik en bijna niet te tillen. Van tijd tot tijd sjorden de moeder en Emma de loodzware, tegenspartelende kleuter uit het wagentje en zetten het op straat, want de dokter had beweging voorgeschreven. Onder hevig geblèr probeerde het meisje terug in het wagentje te klimmen, wat de moeder vergoelijkend toeliet. Emma kreeg evenwel de instructie om Titi, wanneer ze alleen wandelde met de twee jongsten, naast de wagen te laten lopen.

Titi zeurde aan één stuk door om snoep. De moeder, die ook voor zichzelf zwak van wil was, zoals ze lachend bekende, gaf daaraan telkens toe. 'Ze is nog zo klein en ziek,' zei ze dan.

Maar aan Emma was het streng verboden de kinderen snoep te geven. Dat laatste maakte dat Titi haar kindermeisje nog dezelfde dag diep ging haten, een emotie die al spoedig wederzijds was.

Snoep was een obsessie voor het arme kind. Emma's medelijden hield niet lang stand. Titi's 'ze veu', 'ze veu' zeurde na in haar hoofd wanneer ze 's nachts in bed lag en bleef spoken in haar dromen.

Emma's ergste vijand was de op een na jongste, de zevenjarige Rémy. Feilloos doorzag hij Emma's ondergeschikte positie, die hij scherp wist uit te buiten. Een door en door slecht kereltje, vond Emma, die zich tot het uiterste moest beheersen om hem niet eens flink te knijpen of hem een klap voor zijn kortgeknipte kop te geven. Gelukkig waren de twee grotere meisjes, humeurige schepsels, weinig thuis.

De oudste, Jean-Pierre, een bebrilde slomerd van twaalf, ging als hij van school thuiskwam direct naar zijn kamer. De vader was beroepsmilitair en kwam alleen de weekeinden thuis. In de oorlog, onder generaal De Gaulle, was hij heel dapper geweest, vertelde zijn vrouw en hij had een hoge onderscheiding gekregen. Naderhand had hij gevochten in Algerije tegen het gespuis, maar nu had het land hem nodig in Frankrijk. De Gaulle was een goede kennis van de familie. Nu begreep Emma waarom Rémy soms aan tafel zat te schreeuwen: 'Alzérie française, vive De Gaulle, vive De Gaulle!'

Ook onder bedden en kasten moest gezogen worden. Ter illustratie schoof mevrouw een commode even opzij. Toen ze weg was, schakelde Emma de stofzuiger in, liet hem een seconde zoemen, schakelde hem uit, haalde een stuk brood uit de kast, smeerde er dik boter op en at het met smaak op. Daarna ging ze op de bank zitten om uit te rusten.

Wanneer mevrouw thuis was, had Emma het druk. Stofzuigen, afwassen, afstoffen, strijken, bedden opmaken. Emma vroeg zich af hoe dat nu met haar studie moest. Waarschijnlijk was mevrouws uitleg ten onder gegaan in haar woordenstroom, die in haar wakende uren vrijwel permanent was. Emma had haar gevraagd of er nog meer meisjes 'au pair' waren in de voorstad.

Verderop in de straat was nog een Nederlands meisje, zei mevrouw, maar dat was geen gezelschap voor Emma. 'Elle sort avec des Arabes,' zei ze met dramatisch opengesperde ogen. Dat maakte de onbekende lotgenoot voor Emma nog interessanter. Ze besloot zo snel mogelijk contact te zoeken om te informeren of het stofzuigen en afwassen er eigenlijk bij hoorde.

Mevrouw vertelde dat ze al eerder een Nederlands meisje au pair had gehad, maar dat was geen succes geweest. 'Ze kon éten,' zei ze, terwijl ze Emma geshockeerd aankeek. 'Een baguette per dag!'

Emma zweeg. Ze had al bijna een hele baguette op. En het was pas ochtend.

De eerste vrijdagavond zei mevrouw tegen Jean Pierre dat hij thuis moest blijven om op de kinderen te passen en nam Emma mee naar een bioscoop in de voorstad.

Ze zagen *Les tricheurs*. De film speelde zich af in Parijs, in Saint-Germain-des-Prés, in het milieu van existentialistische jonge mensen. Ze deden alles wat God verboden had. Losbandig waren ze uit overtuiging. De vrijheid ging hen boven alles.

De eerste scène speelde zich af in een grammofoonplatenwinkel. Een slordig geklede jongeman met wild haar stopte een plaat onder zijn jas. De student uit een burgerlijk milieu, een zeker Bob, zag het en sprak hem aan. Ze gingen naar een 'bistro', een café in Saint-Germain-des-Prés. Zo raakte die Bob verzeild op een wild feest, in een groot huis, bij een zekere Clo. Ze had rijke ouders, die blijkbaar niet thuis waren. Er waren alleen jonge mensen. Ze swingden op muziek van Gerry Mulligan, Charley Parker, Chet Baker. Ze dronken whisky, voerden gewaagde gesprekken en gingen met elkaar naar bed of ze een handdruk wisselden. Bob ging met Clo naar de slaapkamer van haar ouders. Nadat het was gebeurd, maakte hij kennis met Mic, een onverschillig meisje met zwart, kort, slordig geknipt haar en een leuk figuurtje. Uiteindelijk liep alles fout, doordat Bob en Mic verliefd werden op elkaar maar dat niet wilden toegeven.

Emma begreep niet wat Mic zag in die saaie student. De leider van het clubje, Alain, de filosoferende platendief, was veel interessanter. De gestolen plaat gaf hij direct weg: hij bezat geen grammofoon. De diefstal was louter verzet tegen de burgermaatschappij.

Op het afscheidsfeest van Clo, die zwanger was en ging trouwen met een bourgeois, organiseerde hij een waarheidsspelletje. Bob en Mic logen dat ze niet van elkaar hielden. Mic ging ervandoor in een sportwagen, die ze van chantagegeld had gekocht. Bob reed haar achterna. Een achtervolging onder wilde jazzmuziek eindigde ermee dat Mic een ongeluk kreeg. Ze stierf in een ziekenhuis terwijl Bob op haar zat te wachten.

Het was een film waarin niets te lachen viel. Emma was diep onder de indruk. Ze nam zich voor net zo'n kapsel te nemen als Mic. Ze verlangde naar bed om ervan te dromen dat ze op Saint-Germain-des-Prés kennis maakte met die jonge mensen en zou discussiëren over nihilisme en de absolute vrijheid van de mens.

Mevrouw vroeg of Emma ook de andere film van Carné had gezien, *Les enfants du paradis*. Emma was erheen geweest met tante Lea en Ruth. Een prachtige film.

Thuis schonk mevrouw twee glaasjes cognac in en entameerde een discussie. Volgens haar gaf de film een te negatief beeld van de jongeren van 1958. De Franse jeugd was juist idealistisch en bereid de handen uit de mouwen te steken, voor hun toekomst en die van het vaderland. De autorit aan het slot vond ze melodramatisch.

Telkens wanneer Emma iets te berde wilde brengen, viel mevrouw haar in de rede met een rad betoog. Het scheen niet tot haar door te dringen dat Emma minder goed Frans sprak dan zijzelf.

Emma zei maar dat ze de film heel interessant had gevonden. In haar hart vond ze het onzin om een dergelijke film te draaien in een buurtbioscoop, waar het publiek bestond uit burgerlijke huisvrouwen, zonder gevoel voor existentialisme. Maar ze vond het aardig dat mevrouw zoveel aandacht aan haar besteedde en betreurde het, dat ze zelf telkens struikelde over de Franse woorden. Dat was voor mevrouw zeker teleurstellend.

Op zaterdagochtend kwam de vader thuis, die de tegenpool was van zijn vrouw; tanig en zwijgzaam. In het drukke huishouden merkte je weinig van hem. 's Avonds, toen ze toevallig allebei door de gang liepen, hield hij even de pas in en legde zijn hand in Emma's nek. Maandagochtend vroeg vertrok hij.

Ook deze dag verstreek zonder dat Emma's studie ter sprake kwam.

Dinsdag aan de lunch legde mevrouw onder het gekrijs van de kinderen uit hoe Emma bij de Sorbonne moest komen. Haar vrije middag was dus aangebroken.

In de trein naar Parijs kwam een meisje van Emma's leeftijd tegenover haar zitten. Ze sprak haar aan in onvervalst Mokums. Uit zichzelf begon ze over de 'Arabieren' met wie ze uitging. De week tevoren had ze op haar vrije avond met een vriendin twee gosers aan de haak geslagen, Egyptenaren, onder wie 'soun klaan opdondertje!' Ze hield haar hand drie turven hoog. In een déuk hadden ze gelegen! Ze waren gaan dansen en die gosers hadden alles betaald.

'Moet jij ook stofzuigen?' vroeg Emma.

'Natuurlijk,' zei de collega achteloos. Ook met Algerijnen kon je enorme gein hebben. Emma moest eens meegaan. Vandaag kon het niet, want ze had al met haar vriendin afgesproken en die gosers waren altijd met zijn tweeën.

Op het station wenste Emma haar collega veel plezier. Buiten bleef ze staan. Ze knipperde met de ogen. De zon bescheen krullerige vuilbeige bouwwerken, feestelijk volle terrassen, café-tabacs, bloemenstalletjes, reclameteksten, mensengewemel, knappe, donkerharige jongemannen. Straten en boulevards voerden naar verten met onbegrensde mogelijkheden.

'Parijs,' zei Emma, die van vervoering tranen in de ogen kreeg.

Het turen op de metrokaart, het informeren, het omrijden na verkeerd begrepen, kort aangebonden antwoorden van Parijzenaars die haar euforie allerminst deelden, dat alles nam aardig wat tijd in beslag en het liep tegen vieren toen Emma bij de Sorbonne aankwam. Het gebouw maakte een gesloten indruk.

Emma besloot verder geen tijd te verknoeien aan studieplannen en het inschrijfgeld, dat mevrouw haar had meegegeven, nuttiger te besteden. Ze begaf zich naar Saint-Germain-des-Prés, waar ze niets interessanters aantrof dan een kerk met een parkje. Ze wandelde terug langs de Seine, over de boulevard en door oude straatjes, met veel galeries en antiquariaten, tot ze op een mooi oud plein plaatsnam, op een groot terras van een café dat Aux deux Magots heette.

Ze bestelde koffie en een broodje bij de ober, die een prikkelbare indruk maakte. Op de bon die hij voor haar neerlegde, stond een bedrag dat een groot deel van haar maandelijkse zakgeld bedroeg. Goed dat ze het inschrijfgeld had!

Op het terras was het druk. Onderweg was Emma langs een bioscoop gelopen waar *Les tricheurs* draaide. Hier zaten mensen die heel goed pasten in de film. Ze moest hier vaak zitten, dan zou ze misschien met hen in contact komen. Ze moest in studentenrestaurants eten, waar ze in gesprek zou raken, zoals dat in De Groene Kalebas was gegaan.

Een donkerharig meisje met sluike pony zat ernstig te converseren met twee jonge mannen in hooggesloten zwarte truien. Levendig reageerden ze op alles wat het meisje zei. Er kwamen mensen bij, een jongeman met een rond brilletje, een oudere man met een baard. De discussie ging door. Emma benijdde iedereen die in Frankrijk geboren was. Ze zou nooit goed genoeg Frans leren om er echt bij te horen.

Op de Boul' Mich' kwam een lange jongeman, die met zijn warrige bos zwarte krullen sprekend leek op de hoofdrolspeler in *Les tricheurs*, naast Emma lopen en vroeg of ze zo alleen aan het wandelen was. Hij leek een beetje dronken. Emma liep na te denken. Een uurtje kon ze wel met hem naar een café gaan. Ze zou mevrouw even opbellen dat ze wat later kwam. 'Oui monsieur,' zei ze.

Hij vroeg iets in snel Frans. Het duurde even voordat ze het begreep.

'Wat?! Nu meteen?' vroeg ze onthutst. 'Nee, hoor.'

Hij stond stil en gaf haar een hand. 'A plaisir, mademoiselle,' zei hij ironisch, keerde zich om en liep weg.

Een groepje Arabieren kwam achter Emma lopen. Ze sisten en vroegen of ze zo alleen was. Emma gaf geen antwoord en liep snel naar de metro.

De familie bezat een landhuis in het Baskenland. In augustus reden ze erheen. Ook de broer van meneer logeerde er met zijn vrouw. In Emma's kamer logeerde De Gaulle altijd, vertelde mevrouw, tenminste als hij er was. Het bed was inderdaad vrij lang.

Stofzuigen hoefde hier niet. Daarvoor was personeel. Maar daar stond een vervelend corvee tegenover. Twee keer per dag werd warm gegeten, met wijn. Emma at met de volwassenen. In de loop van de maaltijd raakten de heren flink aangeschoten. De broer van meneer maakte dan over Emma schuine grapjes, waarbij meneer flauw glimlachte en de dames kwaad keken. Zwijgend zat Emma de maaltijden uit.

's Middags moest Emma soms met de kinderen naar Biarritz, naar het strand. Het verhinderen dat de twee jongsten zouden verdrinken was een hele opgave. De kleine Rémy deed precies het tegenovergestelde van wat Emma hem toegilde.

Ze holde naar de branding, sleurde het jongetje uit het water, riep dat hij stout was en gaf hem een pets voor zijn zwembroekje. Luid blèrend dat hij het tegen zijn moeder zou zeggen, maakte het knaapje zich uit de voeten en verdween in het strandgewoel uit het gezicht. Nu was het zaak hem terug te vinden, zonder zijn broers en zusjes kwijt te raken.

Thuis vertelde Rémy in geuren en kleuren van de pets op zijn broek. Emma moest wel lief zijn voor de kinderen, zei mevrouw kortaf. Ze was niet aangenomen om de kinderen te slaan.

Op dagen dat er geen strand op het programma stond, had Emma van de kinderen weinig hinder. Ze vermaakten zich in het park. Met een boek lag ze te dromen in een hangmat en keek naar vlinders, zwaluwen, licht- en schaduwvlekken op de bosgrond, door de kruinen van de kastanje- en laurierbomen en het naaldendak van de ceders.

Zo bracht ze haar twintigste verjaardag door. Ze dommelde in en droomde dat ze op de Veluwe was, bij opa, oma en tante Pop en in de hangmat sliep onder de dennebomen. De ceders waren veel hoger, maar ook zijzelf was gegroeid. Op wankele poten kwam een oude hond aanlopen. Even dacht Emma dat het Theseus was, op zoek naar moffenvlees. Vandaag had ze cadeautjes moeten krijgen, en kip met appelmoes, en een witte strik in het haar.

Een luide knal. Met suizende oren zat Emma rechtop in het bed van De Gaulle. Een reeks knallen en dreunen volgde. Ze liep naar het raam. Bliksemflitsen volgden elkaar zo snel op dat het zwerk helder was verlicht. Windstoten huilden en jammerden en rukten aan de luiken. Regen begon zwaar te ruisen.

Er werd geklopt. Zo spookachtig was dit alles, dat Emma als in een film de handen voor het gezicht sloeg.

Het kloppen hield aan. Ze deed open. Voor de deur stond de twaalfjarige Jean-Pierre. Hij was bang, zei hij. Hij liep naar het bed, stapte erin en legde zijn bril op het nachtkastje. Emma stapte ook in bed. Jean-Pierre kroop dicht tegen haar aan. Ze sloeg haar armen om hem heen.

Mevrouw, die 's ochtends binnenkwam, vond hen slapend in elkaars armen. Ze sleurde haar zoon onder de dekens vandaan en stuurde hem de kamer uit.

'Het is een kind!' zei Emma hevig geschrokken. 'Hij was bang voor het onweer.'

Mevrouw zei dat ze nu wel eens wilde weten of Emma werkelijk zo naïef was, of maar deed alsof.

'Vous m'emmerdez,' zei Emma en liep naar de badkamer. In haar hart betwijfelde ze nu of Jean-Pierre echt zo'n kind was. Misschien was hij ook helemaal niet bang geweest. Twee eenzame schepsels waren een nacht bij elkaar gekropen.

Emma zat op Montparnasse bij La Coupole te dromen dat ze eens geld genoeg zou hebben om een tweede glas bier te bestellen. Ze keek naar twee jonge vrouwen en een man die aan een tafeltje zaten. Misschien waren het twee zusters en een broer, of een echtpaar met een schoonzuster. Emma was jaloers op iedereen die niet alleen was.

'I'm not unhappy with her, you know,' zei naast haar een man met een blonde Vikingbaard tegen een jonge vrouw, die met haar gezicht dicht bij het zijne, in adoratie naar hem opkeek.

'You know why I've got you?' vroeg de Viking, nadat hij een kwartier aan het woord was geweest. 'For the intelligent conversation.' De vrouw had nog geen woord gezegd.

Emma glimlachte, tot haar eigen opluchting. Ze was bang geweest dat ze haar gevoel voor humor voor altijd had verloren. 'Een mens alleen lacht zelden,' zei Sartre in *La nausée*.

Een dronken, fel opgemaakte, bejaarde Amerikaanse zat te midden van een groepje giechelende jongemannen en sprak, onder begeleiding van haar rinkelende armbanden, met dikke tong aan één stuk door over zichzelf. Niet één van de jongemannen keek naar Emma.

Een jonge elegante vrouw kwam aanlopen, ook alleen, zag Emma. Wat zou die doen? De vrouw liet haar zonnebril zakken en liet uit de hoogte, van onder haar zijden sjaal, haar ogen dwalen over het terras. Een man stond op en strekte de hand uit. Ze kusten elkaar op beide wangen. De vrouw liep door, het café binnen. Twee jonge vrouwen en een man gingen aan een tafeltje zitten en bestelden lachend een fles wijn.

Emma woonde nu al maanden in Parijs, maar nog steeds had in deze miljoenenstad geen mens een vriendelijk woord tot haar gericht, de sissende Noordafrikanen met hun 'Toute seule mademoiselle?' niet meegerekend, die, zodra ze zich op straat vertoonde, haar spoor roken als uitgehongerde wolven in Siberië een slee vol mensenvlees. Wanneer ze geen reactie kregen, gingen ze over tot beledigende agressie: 'Elle est moche', 'Elle n'est pas mon type' of, als ze kwaad werd: 'Elle est méchante.'

Urenlang liep Emma over de boulevards onder de kalende kastanjekruinen, of ze stond op een Seinebrug te kijken naar de bronzen silhouetten van vorsten te paard die de wolken ingaloppeerden, en naar de paartjes die, stom van ontroering, hand in hand aan het water zaten. Ze liep langs de stalletjes langs de Seine en kocht eens een boek. Ze sloeg het open in de metrotrein, waar in de muffe stank van een vuile dweil mensen zaten te lezen in half opengesneden Gallimard-uitgaven, of op het terras van Aux deux Magots, waar jonge mensen zaten te lezen of geestdriftig te debatteren in groepjes, waar nu en dan iemand handenschuddend bij kwam zitten of handenschuddend afscheid nam.

Grimmig dacht Emma aan haar vader. Ze keek niet meer hoopvol uit naar zijn brieven, want die waren boos en bezorgd van toon. Ze wist niet meer wat ze hem moest schrijven. In zijn laatste brief citeerde hij een kennis, die had beweerd dat hij Emma in Parijs had gezien: 'Emma was in gezelschap van een groepje half dronken jongelui, die zich opvallend gedroegen.'

Emma barstte uit in schamper lachen toen ze dat las. Ze was niet van plan die beschuldiging te weerspreken. Ze liet het liever zo dan dat ze zou moeten toegeven dat ze jaren van haar leven had willen geven om één avond door te brengen in gezelschap van 'een groepje half dronken jongelui'.

Om half acht 's ochtends moest Emma op haar werk zijn. Haar tegenwoordige werkgevers woonden in een deftige straat, niet ver van de Avenue de la Grande Armée. De vrouw was klein, donker en vrij dik, nerveus en prikkelbaar. Hij was peervormig met embonpoint, vroeg kalend. In zijn kin had hij een spleet, vlak onder zijn mond, hetgeen zijn eivormige gezicht permanent een verwende, ontevreden uitdrukking gaf. Zijn spreektrant was bijpassend.

Man en vrouw waren neuroloog en werkten in hetzelfde ziekenhuis.

Er waren twee dochtertjes. De oudste, Victorine, een meisje van zes met prachtig glanzende, donkerblonde pijpekrullen, kon aardig wedijveren met Rémy in sarren, verwende onuitstaanbaarheid en in minachting voor Emma's positie. De jongste was een paar maanden. Emma moest telkens lachen als ze het mormeltje aansprak met haar naam: Marie Françoise.

Nadat de ouders de deur uit waren, maakte Emma ontbijt voor Victorine en zichzelf en warmde de zuigfles op. Zodra ze met de fles de kamer binnenkwam, waar Marie Françoise's wieg stond, begon de baby te lachen, te blazen en wild met haar armen en benen te slaan.

'Kleine schat!' riep Emma. Ze kietelde het ronde buikje, waarmee ze de baby in een toestand van extatische vreugde bracht. Met spijt in het hart bedacht Emma dat dit hoopje mens, dat ze de hele dag door wel had willen knuffelen en optillen, een even verwend nest zou worden als haar zusje en nog erger: zou opgroeien tot een Franse vrouw zoals haar moeder.

Na het ontbijt begon het gevecht met Victorine, opdat die netjes aangekleed naar school zou gaan, een operatie die zelden verliep zonder kindergekrijs en krabben in Emma's gezicht.

Ze trok de kirrende Marie Françoise een piepklein truitje en een jasje aan en zette haar een mutsje op. Met ingehouden adem laveerde ze de kinderen door het razende verkeer de avenue over, nadat ze eerst Victorine, die geen handje wilde geven, een klap voor haar pijpekrullen had verkocht.

Nadat ze tot haar opluchting de dreinende Victorine bij school had afgeleverd, zette ze met de kinderwagen koers naar het Bois de Boulogne, waar ze soms een praatje maakte met een Duitse collega, Utha, die in de veronderstelling verkeerde dat de Italiaanse ober, met wie ze door het bos had gewandeld, haar zou trouwen, alleen omdat ze hem had gekust.

Emma tilde het tandeloos schaterende kindje hoog op. 'Kleine schat!' kirde ze hartstochtelijk. 'Beloof me dat je altijd zo'n lief schatje blijft als nu en niet zo'n verwend mormel als je zuster of zo'n gemeen varken als dat wijf van een moeder van je. Pas op, lieve schat, dat je niet zo walgelijk wordt als die opgeblazen, lelijke vader van je, o, was ik maar thuis, arme schat!'

Ze drukte het kindje tegen zich aan. Ze had met Victorine gegeten en voorzag nu Marie Françoise van een schone luier en volle zuigfles.

Mevrouw kwam de kamer binnen. 'U bent in elk geval lief voor de baby,' zei ze koeltjes. Vervolgens begon ze nog eens over het strijkijzer, dat Emma per ongeluk had laten vallen. Omstandig legde ze uit dat een strijkijzer daarvoor niet was. Ook bracht ze de klap ter sprake die Emma die ochtend, te midden van de razende verkeersstroom, Victorine had verkocht, die daarover haar moeder had ingelicht. Meneer kwam erbij staan, keek Emma uit de hoogte aan en vulde het betoog van zijn vrouw aan met de opmerking dat Emma te hoge hakken droeg om behoorlijk het huishouden te doen.

Zonder antwoord te geven legde Emma de baby in het ledikantje.

'Dag schatje,' zei ze op vleiende toon, 'morgen kom ik terug. Ik hoop dat die krengen van ouders van je dan dood zijn. Dag lieverdje.'

Ze zei goedenavond tegen het echtpaar dat haar in de deuropening gadesloeg, trok haar jas aan en ging weg.

Met doodsverachting stak ze de Avenue de la Grande Armée over, tussen de verkeersstromen door die kwamen aanrazen van de triomfboog in de verte, en wandelde naar de zijstraat waar de familie voor haar een kamer had gehuurd. Onderweg kwam ze langs fel verlichte buurt-bar-brasseries, waar ze nog nooit binnen was geweest.

Ze woonde in een deftige straat. Het beige steen van de herenhuizen was versierd met gebeeldhouwde bladeren en lauwerkransen. Bij een zwart glanzend bord waarop met gouden letters stond: Jac. Legrand, sculpteur, belde ze aan. De poort zoefde open.

Emma liep de binnenplaats over waar een bronzen leeuwekop een eeuwigdurende waterstraal uitspuwde en duwde een glazen deur open. De vestibule had een marmeren vloer en leidde naar marmeren traptreden. Tegenover de brievenbussen weerkaatste een enorme verweerde spiegel met een gouden lijst Emma in haar montycoat.

De brievenbussen gingen haar niet aan, haar post kwam bij mevrouw. Emma liep over de rode traploper langs glanzend afgestofte mahoniehouten leuningen naar de derde verdieping. Op de volgende trappen lag een verschoten beige loper met vage sporen van bloemmotieven. Ten slotte was er helemaal geen loper meer en waren de traptreden dik bestoft.

Een wenteltrap leidde naar de bovenste verdieping, de achtste, waar Emma haar 'chambre de bonne' had. Hier werkte het automatische licht niet meer. Het duurde altijd even voor ze het lichtknopje vond en dat was een angstig ogenblik. Ze knipte het licht aan, een kale peer aan het plafond, liep een lange smalle gang door met afgebladderde muren, sloeg een hoek om, liep nog een lange smalle gang door, sloeg nog een hoek om en kwam ten slotte bij haar kamer, de op een na laatste deur voor de volgende hoek.

Ze maakte het hangslot open waarmee de deur aan de buitenkant was afgesloten en ging naar binnen. Ze draaide een peer vast, die aan een draadje aan het plafond hing. Het licht ging aan in een vertrekje met een schuin zolderraam en een zweem van verschoten bloemetjesbehang.

Overdag bood het raampje uitzicht op zinken zaken rond de binnenplaats, waar een rood stipje de zee van grijs doorbrak: een geranium in een bloempot op een van de vele vensterbanken, ergens op een verdieping. Onder het raam, bij Emma's koffer, stond al een aardig rijtje boeken dat ze had verzameld.

Emma nam een *France Soir* die op de grond lag, scheurde er een stuk af en ging naar de wc. Hier werkte de peer aan het plafond niet. Voorzichtig zette ze haar voeten op stoepjes, die bedekt waren met een dikke laag aangekoekt stront en hurkte boven het gat.

Ze poetste haar tanden in een badvertrekje, als altijd een beetje bang dat een van de Noordafrikanen zou binnenkomen die ze zo nu en dan op de gang tegenkwam. Maar blijkbaar was dit een heel ander soort Noordafrikanen dan die op de boulevards. Deze immigranten liepen langs haar heen met neergeslagen ogen en afgewend hoofd. Nooit viel iemand haar lastig op de gang. Af en toe hoorde ze hen zingen, op een eigenaardige melodie.

Emma ging op het bed zitten. Ze pakte een brief van Renske, die de vorige dag was gekomen. Ze las de brief drie keer over, pakte een pen en legde een blocnote op haar knie.

'Lieve Renske,' schreef ze. 'Hoi, lieve Rioolrat, bedankt voor je brief. Maar je moet vaker schrijven!! Zó moeilijk is dat toch niet? Je gaat gewoon zitten en je schrijft wat op. Dat doe je toch gewoon onder de les?

Het is hier mieters joh, machtig, knal! Weet je nog wel dat Sjaakje dat altijd riep? En dat hij naast de bank ging staan toen het orgel voor de school het Wilhelmus speelde? Heb je hem nog gezien? Had hij nog een Dasspeld!?! Echt iets voor hem, hè?

Je schrijft dat je naar Delft was, naar een fuif. Met wie dan? Wát voor fuif?!? En wie is Reynold?! Een jongen of je nieuwe vulpen?!? Je moet uitvoeriger schrijven. Je kwelt me gewoon!

Ik heb op een Terrasje gezeten (koud). En langs de Boekenstalletjes gelopen aan de Seine! Echt Parijs, hè? Kom je nog? Wat zou dat heerlijk zijn. En wil je dan meenemen: twee jongens. Weet je nog wel dat Nel mij uitnodigde voor een "instuif": "en wil je dan meenemen: drank en twee jongens." Neem Rob en Freddy maar mee, ha, ha! Nee echt, je *moet* komen!!!!, de metro is hier doodgemakkelijk, alle stations heten: Sortie. Nou, ik heb geen zin meer, schrijf je gauw, dag Rioolrat, dag, dag. Schrijf! Schrijf! Emma.

P.S. Hier een tekening van mijn nieuwe schoenen. De halve hak is afgesleten. O nee, even opnieuw. Zo. Dag, dag.'

Dat laatste was de enige wezenlijke informatie die de brief bevatte. Ook hier bracht het kousen- en schoenenprobleem Emma tot wanhoop. Haar lange voettochten maakten het hakkenprobleem nog veel nijpender dan in Amsterdam. Ze dacht er niet aan naar de schoenmaker te gaan. De laatste twee zondagen van de maand sloeg ze het avondeten over, want anders moest ze afzien van kopjes koffie in cafés. Hoe kwam je dan je vrije tijd door?

Het was op een derde zaterdag van de maand. Emma stond op het punt bij Odéon de metro in te gaan.

'Viens, mon enfant,' zei een mannenstem. 'Je te donne cinq mille francs.'

Emma keek om. Een gezette man met een pokdalig gezicht keek haar smekend aan. Ze schudde het hoofd en holde de metrotrap af.

In de trein dacht ze er over na. Die man was misschien even oud als Van Dillenburg. Vijfduizend francs, dat was vijftig gulden. Lekker naar de schoenmaker en biefstuk met frites en sla. Ze zou eens naar het theater kunnen gaan. Maar ze kon zich toch niet verkopen? Emma Morgenblatt is hoer in Parijs. Haar vader moest eens weten dat ze dat ook maar één ogenblik had overwogen!

'Wilt u mee naar binnen?' vroeg een jongeman. Ze stond te kijken voor de deur van een grote danstent.

'Oui,' zei ze dankbaar.

Hij kocht twee kaartjes. Binnen vroeg hij wat ze wilde drinken en ging het voor haar halen. Ze zaten aan een tafeltje bij de dansvloer, maar de jongeman vroeg haar niet ten dans. Hij zei niet veel en gaf norse eenlettergrepige antwoorden.

'Nu gaan we naar een hotel,' besliste hij opeens. Emma weigerde beleefd. De jongeman haalde een ballpoint uit zijn zak, maakte op een bierviltje een staartdeling en noemde een bedrag dat Emma hem moest terugbetalen.

Emma zei dat ze geen geld bij zich had. De jongeman eiste dat Emma haar portemonnee liet zien. Zonder problemen kon ze daaraan voldoen.

Nu zei de jongeman dat Emma het geld de volgende avond moest komen brengen. Voor de deur van de danstent zou hij op haar wachten. Wee Emma's gebeente als ze niet kwam. Eens had een jong meisje een afspraak met hem geschonden en het was haar slecht vergaan!

'...demain il pleuvra sur Bouville,' las Emma. Ze sloeg het boek dicht. De zak droptoffees was ook op. Ze pakte een glas en ging naar het badhok om de vieze smaak weg te spoelen. Van toffees werd je dik en ze waren slecht voor je tanden. Droptoffees gaven het minste schuldgevoel, omdat ze niet lekker waren.

Emma ging op bed zitten, stak een sigaret op, pakte een blocnote en begon te schrijven.

'Zondag 13 november 1958. Zojuist ten tweede male *La nausée* uitgelezen. Voortaan ga ik ook een dagboek bijhouden zoals' – ze sloeg het boek op – 'Antoine Roquentin. Misschien geeft dat het leven zin.'

Ze bladerde in het boek en schreef: 'Ik leef alleen, helemaal alleen.' Ze streepte het door en maakte ervan 'volkomen alleen', streepte het weer door en schreef opnieuw: 'Ik leef alleen, helemaal alleen. Ik spreek met niemand, nooit; ik ontvang niets, ik geef niets.'

Ze voelde tranen opkomen en zette de zin snel tussen aanhalingstekens.

Ze schreef verder: 'Vanochtend vroeg wakker geworden met een groot, onverwacht, onberedeneerd geluksgevoel. Ik dacht: ik woon in Parijs en heb een eigen kamer. Het leven is toch eigenlijk heerlijk. Ik maakte de roestige stang van het zolderraampje los en keek naar buiten. De geranium is uitgebloeid, maar staat er nog steeds. De grijze zinken massa vertoonde een streep zon. Terwijl ik me aankleedde, hoorde ik op de gang weer een mannenstem zingen in een vreemde, klagerige, oosterse melodie. Ik heb me opgemaakt...'

Ze streepte 'opgemaakt' door omdat het niet literair genoeg was en schreef in plaats daarvan 'mij de ogen zwart gemaakt en de lippen rood en ik ben met stoffer en blik rondgegaan over de houten planken, waarbij ik een middelgrote spin heb opgeveegd en uit het raam gegooid. Hij (zij?) rolde met wanhopige poten langs het schuine dak.

Ik ging naar beneden en kocht een verse baguette, een knisperende verrukkelijkheid. In Parijs zijn de bakkers 's zondagsochtends open. Toen ik weer boven was merkte ik, dat ik wel toffees had gekocht maar Gauloises was vergeten. Gelukkig had ik er nog een paar, want nog een keer al die trappen af en weer op zou mij zwaar vallen. Nu heb ik bijna de hele baguette opgegeten en al die toffees, is de zon weg, het raampje grauw en met regendruppels bespet en heeft opnieuw de Walging bezit van mij genomen. Alles is zinloos en ik weet niet waarom ik mij heb aangekleed. Het is hier kil; hier kan ik niet blijven; ik moet weer naar buiten, de trappen af, de metro in, over de boulevards lopen, op een verwarmd café-terras zitten.

Gistermiddag zat ik bij La Coupole. Het begon ontzettend te regenen, harde, zware druppels. Niemand ging weg. Ik had een glaasje calvados voor me. Het leek gezellig te worden. De mensen aan verschillende tafeltjes spraken over de regen. Het begon harder te regenen, een waterval. Ik keek lachend om me heen en ontmoette de blik van een oudere man. Blijkbaar had ik hem lachend aangekeken. Met een kort knikje hief hij zijn kin op en keek me aan met een vragende blik van diepe minachting: "Wat? Moet je soms iets?" Ik besefte opeens weer dat ik alleen was en leefde in een wereld vol vijanden. Wat heb ik die man gehaat! Op dat ogenblik was er niemand in de hele wereld die ik erger haatte dan hem, niemand voor wie ik meer gevoel had, zelfs. Ik keek naar zijn witte, pafferige, wrattige gezicht en hoopte dat hij in mijn blik zou kunnen lezen hoe ik hem haatte, hoe ik van hem walgde, omdat hij had verondersteld dat ik hem had aangekeken met een bepaalde bedoeling en omdat hij daarop met afwijzing en minachting had gereageerd. Die Antoine Roquentin had tenminste van iemand gehouden, een zekere Anny. Behalve van mijn vader heb ik nog nooit van iemand gehouden en niemand heeft ooit van mij gehouden.'

Ze dacht even na. Daarna schreef ze: 'Het komt wel goed. Maar ook besef ik dat ik altijd alleen zal blijven en ook niet anders wil. Altijd en overal ben ik een buitenstaander geweest, vanaf 1942, thuis in Den Haag, bij tante Lea, in de klas. Ik zal nooit ergens bij horen en zo wil ik het ook. Net als aan sigaretten begin ik langzamerhand verslaafd te raken aan eenzaamheid, aan melancholie; dat hoort bij me en ik hoor in dit ellendige, eenzame hok.'

Ze legde de blocnote op een stoel en ging onder de dekens liggen.

'Walgelijk,' mompelde ze.

Even later stond ze op, scheurde de bladzij af, maakte er een prop van, scheurde bij nader inzien het papier in kleine stukjes en liep, zachtjes een liedje van Gilbert Bécaud neuriënd naar de wc, waar ze de papiertjes in het gat tussen de twee bruin aangekoekte stoepjes gooide en doortrok.

's Middags scheen de zon weer. Over de Avenue de la Grande Armée wandelde Emma naar de Arc de Triomphe en kocht een kaartje. Ze vond dat ze eens een bezienswaardigheid moest bezoeken. Ze stond op het platform, boog zich over het traliehek en keek neer op de rijen auto's die stervormig op haar toekropen en op de kale kastanjetakken die glansden in het winterzonnetje. Mensen wezen elkaar aan: 'Montmartre', 'Champs Elysées', 'Notre Dame', in allerlei tongvallen.

Het wolkendek was transparant, met helder rode vlekken. Het leek of ze er midden in stond en of ze, zo dicht bij de hemel, het stralende middelpunt was van de wereld.

Een bewaker kwam naast haar staan. Of ze van het uitzicht genoot.

'Kun je hier zelfmoord plegen?' vroeg Emma.

De man werd levendig. O zeker, dat gebeurde zelfs vrij vaak. Het was heel gemakkelijk om over het traliehek te klimmen. Je zette je af op zo'n leeuwekop en... pats. Laatst nog, een Pool van vijfenzestig, een meisje van negentien. Een half jaar geleden had hij een meisje van twintig vastgehouden en op het laatste ogenblik gered. Ze was hem komen bedanken, zo blij was ze dat ze nog leefde. Een prettige dood was het niet, hoor. Vaak leefden mensen nog als ze op de grond belandden. Je kon op zo'n uitsteeksel terechtkomen en dat was heel pijnlijk.

Emma bleef lang op het platform, in gedachten die een waas legden over de Champs Elysées. Haar vader zou het wel verdriet doen, maar hij was sterk en zij was niet geschikt om te leven. Ze zag zich over het traliehek klimmen, zich afzetten op zo'n leeuwekop en hoorde achter zich al de verschrikte kreten.

Ze had sterk de indruk dat de bewaker haar in de gaten hield.

Op de hoek van de Boul' Mich' stond aangekondigd: 'Rondleiding door joods Parijs. Met historische uitleg. Elke zondag om tien en om vier uur. Verzamelen bij dit woongebouw.'

Emma besloot er eens heen te gaan om de tijd te doden, om iets te beleven dat ze haar vader kon schrijven, maar vooral om iets goed te maken waarvan ze veel spijt had.

Op een zaterdag was ze met de metro naar de Porte de Clignancourt gegaan, waar de kroeg van Père Colombe was geweest en waar de arme Gervaise had gewoond uit Zola's roman, die ze wel tien keer had gelezen.

De bevolking bleek overwegend Noordafrikaans te zijn. Op de vlucht voor het gesis en het 'Toute seule mademoiselle?' sloeg Emma een zijstraat in, waar winkels en restaurants opschriften hadden in Hebreeuwse letters. Blijkbaar was ze verzeild geraakt in een jodenbuurt.

De deur van een winkeltje ging open en een oude man, die met zijn enorme neus en openhangende mond een karikatuur leek van de joodse woekeraar, kwam naar buiten, liep naar Emma toe, pakte haar hand en sprak haar met een stralend gezicht toe, in een snelle woordenstroom waaruit ze alleen verstond: 'Mademoiselle est aussi Israélite.'

Ontzet dat ze als jodin was herkend, deinsde Emma achteruit. Ze stotterde dat de man zich had vergist, ze was niet joods.

De man liet haar hand los en ging het winkeltje binnen. Op slag kreeg Emma berouw. Ze wilde de man nog iets naroepen, maar het winkeltje was dicht. Als een duveltje uit een doosje was de man weer in zijn huisje gewipt en was het doosje weer toegeklapt.

Met het drukkende gevoel dat ze iets onherstelbaars had gedaan, was ze naar huis gegaan. De enige die in maanden een vriendelijk woord tegen haar had gesproken, had ze als het ware een klap in het gezicht gegeven, uit valse schaamte.

Daarom stond Emma om half vijf op de hoek van de Boulevard en de Place Saint-Michel. Bij het gebouw stonden al een man en een vrouw die op tante Lea leek. Nog een paar mensen kwamen aanlopen, met de vraag of ze hier terecht waren voor de rondleiding.

Om kwart over tien verscheen in de verte een uitzonderlijk dikke gestalte, die langzaam naderbij waggelde. Hoewel het zacht weer was, droeg ze een gebreide deux-pièces van massieve wol, onder een panterbontjas en daaroverheen een plastic cape met een capuchon, die op haar rug hing. Op haar hoofd had ze een zwarte strohoed.

Ze gaf iedereen een hand. De vrouw sprak zo snel dat Emma voorzag dat veel van de rondleiding haar zou ontgaan.

Zelf was de vrouw niet joods, begreep Emma, maar daar stond tegenover dat ze veel van joden hield. Ze had zo'n lieve goede oude dokter gekend en ook een lieve oude goede rabbijn, die ze nooit zou vergeten. In de buurt van de nonnenschool, waar ze als kind was geweest, had een synagoge gestaan met zo'n prachtige voorzanger, 'als ik dat hoorde was ik gelukkig'. En in de oorlog (nu schoten haar ogen vol tranen) had ze zo meegevoeld met die arme joden! Er volgde een anekdote waarvan Emma alleen de slotzin verstond, waarbij de vrouw de ogen ontzet opensperde: 'En het lijk hebben ze zo laten liggen.'

'Per persoon is het vijfhonderd francs,' zei ze zonder overgang.

Emma overwoog nog zich ongemerkt te verwijderen, maar betaalde toch. De vrouw keek het groepje rond. Waren ze allemaal toeristen?

De vrouw die op tante Lea leek, zei dat zij en haar man geboren Parijzenaars waren. Dan waren ze misschien niet joods, vroeg de vrouw hoopvol. De man antwoordde dat hij bestuurslid was van de joodse gemeente. Het gezicht van de gids kreeg een neerslachtige uitdrukking. 'Dan weet u het veel beter dan ik,' zei ze timide. 'O, we vullen u wel aan,' zei de man ironisch en weinig vriendelijk.

'Kan iemand mij misschien een arm geven,' vroeg de vrouw. 'Ik ben oud, heel oud.' Een man met een keppeltje op gaf aan het verzoek gehoor. Voetje voor voetje ging het in de richting van de Notre Dame.

Voor Emma ging de uitleg van de vrouw grotendeels verloren in het geruis van de fontein, maar de man die had beloofd de gids aan te vullen, voegde de daad bij het woord met tussenwerpsels als 'nee, nee, zo is het niet' of met een andere versie, met de beleefde toevoeging: 'Is het niet zo, madame?'

'Ik moet even uitrusten,' zei de vrouw. 'Weet u hoe oud ik ben? Dat raadt u nooit.'

Over de tachtig, dacht Emma.

'Bijna zeventig,' zei de vrouw trots. 'Ik heb een rijk leven gehad. Niet wat geld betreft. Maar in ervaring.'

Ze vertelde een verhaal over een Duitser in de oorlog die goed was geweest en die vergeefs had geprobeerd een jood te redden. 'En het lijk was nog warm,' verstond Emma.

'Kunt u ophouden?' vroeg de vrouw die op tante Lea leek.

In slakkegang ging het verder. In het groepje ontstond enige commotie, toen de gids zei dat Napoleon de joden even veel rechten had gegeven als de Fransen.

'Pardon, mevrouw,' riep een kittig vrouwtje. 'Joden zijn ook Fransen. U moet zeggen: evenveel als de katholieken!'

'Dat slaat ook nergens op,' riep Emma. 'Joods zijn is geen godsdienst.'

Gekrakeel.

'Evenveel als de andere Fransen dan,' zei de man die alles wist.

Ze hadden het plein overgestoken en naderden de Notre Dame. De gids ademde zwaar. 'Zullen we even gaan zitten,' stelde ze voor. 'Ziekte geeft zoveel diepte, vindt u niet?' Ze keek de Parijzenaar aan, die alles wist. 'Ik zal u mijn documenten laten zien.' Ze haalde een stapeltje fotokopieën uit haar tas.

Het Parijse echtpaar keurde de papieren geen blik waardig en beende weg. Ook de anderen waren opeens verdwenen. Hulpeloos keek de vrouw Emma aan.

'Kunt u mij even terugbrengen,' smeekte ze half huilend. 'Ik kan het niet alleen.'

Er zat niets anders op. Emma gaf de vrouw een arm en ze ondernamen de terugtocht. De vrouw eiste dat Emma haar zou brengen tot halverwege de Boulevard Saint-Michel. Onderweg beschreef ze gedetailleerd haar kwalen (het hart, bronchitis, reuma). Op doktersadvies moest ze rust houden, maar het viel niet mee om van een pensioentje te leven.

Emma droeg de tas van de vrouw en de zwarte strooien hoed, die was afgevallen.

Het was de tweede zondag in de maand. Emma had geld om in een restaurant te eten. Ze ging een van die rumoerige lokalen binnen waar honderden jonge mensen ragdunne staafjes frites zaten te eten, en een plat stuk vlees, knapperig bruin, overdekt met schuine donkere houtskoolstrepen.

Een meisje dat tegenover Emma aan tafel zat vroeg om de mosterd en daarna, tot Emma's verbazing, of ze hier vaker kwam. Dat kon geen Française zijn. Ze kwam dan ook uit Bussum, heette Ria en was evenals Emma au pair.

Na het eten gingen ze koffie drinken in Aux deux Magots en praatten honderd uit. Emma voelde zich of ze na een lange, uitputtende, ijskoude voettocht eindelijk ontdooide bij een warme kachel. Nooit eerder had ze beseft hoe heerlijk het was om je eigen taal te spreken.

Ze keek om zich heen of de andere cafébezoekers wel zagen dat ze hen niet meer nodig had, dat ze onkwetsbaar was.

Ria haatte haar werkgevers niet en ze was niet eenzaam. Zowaar had ze een Fransman aan de haak geslagen, een student. Ze zouden gaan trouwen. Ze nodigde Emma uit om zondagmiddag bij haar te komen. Dan kon ze Ria's verloofde zien.

Een uitstapje naar 'het leven'

Emma kwam het hotelletje uit. Ze besefte dat ze toch geen aanleg had voor prostituée. Ze rilde als ze dacht aan het bidet, het bevlekte bloemenbehang en het keurig opgevouwen herenondergoed op de stoel.

Ze voelde aan de bankbiljetten in haar zak. Zo gauw mogelijk uitgeven maar.

Op Ria's kamer had ze andere au-pair-meisjes ontmoet, keurige MMS-meisjes uit het Gooi. Ze gingen naar de Comédie Française. 's Zaterdagavonds gingen ze naar jazzkelders op Saint-Germain-des-Prés. Volgende week zouden ze naar Joséphine Baker gaan in Olympia. Als Emma wilde kon ze een kaartje overnemen, van een meisje dat al naar Holland was.

Emma zei dat ze daarvoor geen geld had. De anderen kregen zeker geld van hun ouders. Lachend vertelde ze over die man die haar met 'mon enfant' had aangesproken en die vijfduizend francs had geboden.

De meisjes giechelden en keken elkaar aan. Dat had Emma moeten aannemen, vonden ze. 'Van je zakgeld kun je toch niet rondkomen?' Ria zei dat ze geld kreeg van haar vriend. Anders kon ze het niet redden.

Emma besefte dat ze onbewust op zoek was geweest naar de pokdalige man. Hij was wel oud en lelijk geweest, maar ook interessant, een filosoof misschien, zoals Sartre. Het idee in de prostitutie te gaan leek romantisch en paste in het beeld van universeel cynisme en Walging. Ze had zelfmoord overwogen, maar dit was ook een mogelijkheid. Haar leven was mislukt, ze zou nu zo diep mogelijk zinken. Een lelijke oude vent moest het zijn. Met een knappe jonge man was het geen echte prostitutie.

Op straat kwam een man naast haar lopen die in aanmerking kwam, al zag hij er voor zijn leeftijd niet onappetijtelijk uit.

'Vijfduizend,' zei Emma.

'Dat zal wel gaan,' zei de man.

Ze gingen naar een klein hotel. Nadat het was volbracht, legde de man een arm onder Emma's hoofd. Hield ze van Franse literatuur? Emma zei dat ze Sartre las, Zola en Julien Green. Ze wisselden een paar titels uit. De man zei dat ze Proust moest lezen. Bij Proust vergeleken was het lezen van alle andere schrijvers verloren tijd.

Ze kleedden zich aan en gingen de straat op. Op een hoek kuste hij haar en sloeg een zijstraat in. Nu drong het tot Emma door, dat ze was vergeten het geld te vragen. Gelukkig had hij voor de kamer betaald. Het was een gemene streek. Nu moest ze opnieuw beginnen. Maar ongezellig was het eigenlijk niet geweest.

De volgende die haar aansprak was niet oud. Maar hij had wel iets engs. Een snorretje. Dunne lippen. Een klein mondje. Geen kin. Vet achterovergekamd haar. Maar ja, als prostituée had je het niet voor het uitzoeken.

'Vijfduizend,' zei Emma. 'En de kamer.'

Het was goed. Op de kamer stelde hij vragen. Waar ze vandaan kwam. Hoe ze heette.

'Mimi,' zei ze. 'Eerst het geld.'

Hij gaf het vlot. Ze wasten hun onderlichaam in het bidet. Ze leek wel een volleerde prostituée.

De man was brandschoon. Hij rook naar eau-de-cologne van de HEMA.

Ze kokhalsde als ze eraan terugdacht.

Aan de verstandige financiële procedure op de hotelkamer was het te danken dat Emma op een zaterdagavond op gerepareerde schoenen stond mee te deinen in een stampvolle jazzkelder, die rokerig was zoals het behoorde. Op een andere avond zat ze in het Olympia-theater, op een plaats vanwaar ze Joséphine Baker slecht kon verstaan, maar wel kon zien hoe de ster, ver in de diepte, zich wrong in bevallige bochten, in een glinsterend witte jurk, met boa's in alle schakeringen van de regenboog, te midden van een schare veelkleurige kindertjes.

Zo beleefde Emma toch nog iets van het Parijse uitgaansleven, zoals ze zich dat had voorgesteld.

Ria ging naar Nederland om haar verloofde voor te stellen aan haar familie. Emma vond hem knap maar arrogant, een echte Parijse student. Met de andere Nederlandse au-pair-meisjes verloor ze het contact. Een gemeenschappelijke taal bleek toch niet voldoende te zijn voor een zinvolle omgang.

Twintig jaar later kwam ze in de Bijenkorf Dieudonnée tegen, die ze destijds in Parijs op Ria's kamer had ontmoet. Ria was erg ongelukkig, zei Dieudonnée. Ze woonde in een Franse provinciestad. Haar man verdiende goed maar Ria kreeg heel weinig zakgeld. Voor elke grote uitgave, voor zichzelf of haar kinderen, moest ze toestemming vragen. Omdat ze verplicht was twee keer per dag aan tafel te zitten voor de warme maaltijd kon ze nooit langer dan een paar uur de deur uit. 's Avonds moest ze thuis zijn. Haar man was veel buitenshuis en had een vaste maîtresse. Ria durfde niet te protesteren want ze kon nergens heen.

In Nederland had ze niets meer te zoeken. Haar ouders waren dood, haar kinderen waren jonge Fransen. Ria's enige vertier was een thee-kransje met andere voormalige Nederlandse au-pair-meisjes, die met Fransen waren getrouwd.

'Die vrouwen zoeken troost bij elkaar,' zei Dieudonnée. 'Ze leven in een gouden kooi!'

André

Een jongeman kwam naast Emma lopen en vroeg of ze 'zo alleen' was. Dat was ze. Hij vroeg of ze mee ging iets drinken, maar Emma was op weg naar haar werk. Het echtpaar ging die avond naar de bioscoop en zij moest op de kinderen oppassen. Ze spraken af voor de volgende avond, in een van de brasseries aan de avenue.

Hij zat er inderdaad. Hij stond op bij haar binnenkomst. Hij vroeg of ze al had gegeten. Ze loog van niet. Hij vroeg of ze van oesters hield. Dat wist Emma niet. Oesters kwamen toch uit Nederland, zei de jongeman, die André heette. 'Uit Zeeland.' Emma zei dat ze daar nog nooit was geweest.

Met de métro gingen ze naar een groot visrestaurant. Op een toonbank lagen kreeften, krabben en allerlei grillig gevormde ongeschaarde schelpdieren uitgestald, als op een zeventiende-eeuws schilderij.

'Wat prachtig,' riep Emma. Opgetogen keek ze haar begeleider aan. Ze gingen aan een wit gedekt tafeltje zitten. Een ober zette een fles witte wijn in een koeler voor hen neer. Met een nors gezicht ontkurkte hij de fles en schonk André een bodempje in. André nam een teugje en liet de wijn in zijn mond heen en weer spoelen. Secondenlang wachtte hij. Ten slotte knikte hij, met een even nors gezicht. De ober vertrok geen spier, liep weg en kwam aanzetten met een schaal oesters.

Emma imiteerde André in het ritueel met het pepermolentje en de halve citroen. Ze stak een oester in haar mond.

'Niet meteen doorslikken!' maande hij.

Stralend keek ze hem aan. Wat een zachte, wulpse, zilte volte in haar mond!

Zijn ogen waren lichtgrijs. Onverhoeds voelde ze een nerveuze beklemming.

'Eigenaardig,' zei hij. 'U heeft zo'n triest gezicht en dan opeens een erg vrolijke glimlach. Een verrassend contrast.'

Emma deed haar best om zoveel mogelijk te lachen. Hij vroeg of er in Nederland meer van die donkere meisjes waren. Hij dacht dat alle Hollanders blond waren.

'Niet allemaal,' legde Emma uit. 'In Zeeland zijn ook donkere mensen.'

'En je was nog nooit in Zeeland geweest!' zei hij.

'Nee,' zei Emma vlug, 'maar mijn familie komt er vandaan.'

Ze probeerde zich te concentreren op wat hij zei. Ernstig was hij bezig uit te leggen dat honden intelligenter waren dan katten. Een hond bijvoorbeeld reageerde op televisiebeelden. Maar een kat reageerde niet als er een muis op de televisie was.

'Een muis op de televisie!' Emma proestte het opeens uit. Omdat ze zo lang niet had gelachen, kon ze niet meer ophouden. Ze liep rood aan. De tranen liepen over haar gezicht en ze kreeg een hevige hoestbui. Wanhopig probeerde ze zich te herstellen, maar bleef doorlachen. Ze drukte haar servet tegen haar mond en holde naar de wc.

Gedeprimeerd kwam ze terug.

'Een fou-rire,' zei hij alleen.

André kwam de brasserie binnen. 'Kom, we moeten er direct heen,' zei hij zonder groet of glimlach. 'Er zijn geen besproken plaatsen.'

Ze namen de metro naar Odéon. In een zijstraat van de Boulevard Saint-Germain gingen ze een klein theater binnen. Voor de kassa stond een lange rij, maar André had al kaartjes.

Trots liep Emma naast hem het zaaltje binnen. Ze keek om zich heen, in het verwachtingsvolle gegons. Zwarte truien, ringbaardjes, ronde ijzeren brilmonturen en dikke donkere pony's boven sombere meisjesogen. In een opwelling van verrukking pakte ze André's hand. Ze was iemand die met haar vriend, een student, in een theater zat in het Quartier Latin.

Hij trok zijn hand terug, ging rechtop zitten en zei dat ze goed moest opletten. Het stuk dat ze straks zouden zien, speelde zich af in de hel en de personages waren dood.

Het doek ging op. Het toneel vertoonde een kamer waarin een man en een vrouw van middelbare leeftijd en een jongere vrouw gedoemd waren voor de eeuwigheid bij elkaar te blijven. Alle drie waren ze overleden. De jonge vrouw had zelfmoord gepleegd. De oudere vrouw was lesbisch. Toen ze leefden hadden ze elkaar niet gekend. Het waren aantrekkelijke, intelligente mensen en de kamer was comfortabel ingericht. Er mankeerde niets aan hun situatie, behalve dat die eeuwig zou duren en dat er nooit een uitweg zou zijn.

De man en de jonge vrouw deden een poging om te vrijen maar ze gaven het snel op, omdat de lesbische vrouw luidkeels protesteerde.

'L'enfer, c'est les autres,' zei de man.

Dat zou niet voor haar gelden, dacht Emma. Haar persoonlijke hel zou zijn: een kamer voor zich alleen, voor de eeuwigheid.

'Ken je Sartre?' vroeg André, toen ze weer buiten liepen. Emma antwoordde dat ze *La nausée* twee keer had gelezen en *Le mur*, waarin ze vooral het verhaal 'Intimité' prachtig vond. Het ging over een vrouw die walgde van de geslachtsdaad. Bij een man zocht ze vooral warmte en tederheid.

'Maar die vrouw is frigide!' zei André. 'Daarmee kun jij je toch niet identificeren?'

Emma zweeg. Je ging met een man naar bed, omdat ze dat nu eenmaal allemaal wilden. Daarmee kocht je warmte en geborgenheid.

'Ken je *Réflections sur la question juive*?' vroeg André.

'Nee,' zei Emma kortaf. Ze was geschrokken.

'Ik zal het je geven,' zei hij.

'Neen,' zei Emma. 'Waarom?'

Hij keek opzij. 'Ik vraag me af of jij geen jodin bent,' zei hij.

'Vraag het je maar af,' zei Emma kwaad. Ze liep met afgewend hoofd en had moeite om niet te huilen.

Ze liepen over de Boulevard Saint-Michel. Emma hoopte dat ze vanavond eens naar Aux deux Magots zouden gaan, of naar La Palette, een vol, warm, rumoerig café, maar ook ditmaal bracht hij haar naar een hel verlicht, uitgestrekt lokaal met spiegels en grote ruiten. Ze begreep niet hoe al die cafés konden bestaan.

Het lokaal was vrijwel leeg. Ergens in een hoekje zat een paartje hand in hand, allebei bleek en frêle. Zo te zien een verkoopstertje met een kantoorbediende. Elk had een likeurtje voor zich.

André bestelde er ook twee. 'Het is een heel interessant boek,' vervolgde hij. 'Sartre heeft er honderd antisemieten voor ondervraagd waaróm ze antisemiet zijn.'

'Is Sartre dan joods?' vroeg Emma.

'Nee, waarom?' zei André. 'Hij is toch ook geen pederast omdat hij in *La nausée* een pederast in bescherming neemt?'

'En waaróm waren ze dan antisemiet?' vroeg Emma.

'Er was iemand bij die had gesolliciteerd naar een leraarsbaan,' zei André. 'Hij was afgewezen en een jood was aangenomen. Van de zesentwintig sollicitanten waren er veertien afgewezen. Maar die man was alleen kwaad op de jood. Sartre zegt: "Als de jood niet bestond, zou de antisemiet hem uitvinden." Niet slecht, hè?'

'Nee,' overpeinsde Emma, 'dat is niet slecht.'

'Een jood zoals jij,' vervolgde André, 'dat is een masochist, een onecht mens, iemand met een minderwaardigheidscomplex. Jij wilt geen joodse eigenschappen hebben, jij wilt er niet joods uitzien. Je wilt niet gierig zijn, niet tactloos, niet met je handen spreken. Maar je spreekt wel met je handen en je hebt een grote neus en joodse ogen. Of ben je soms niet joods? Je familie komt helemaal niet uit Zeeland. Leven ze nog?'

'Mijn moeder is in Auschwitz omgekomen,' zei Emma. 'Mijn tweede moeder is niet joods. Inderdaad, ze heeft haar best gedaan mij joodse eigenschappen af te leren, niet te veel praten, niet tactloos zijn. Als kind was ik erg tactloos.'

'Misschien was je wel spontaan,' zei André. 'Dat ben je nu niet meer.'

'Als er geen joden waren, zou er ook geen antisemitisme bestaan,' zei Emma.

'Maar er bestaan wél joden!' zei André. 'De maatschappij beschouwt je als jodin. Ik herkende je direct als zodanig. Daarom ben je joods, zegt Sartre. Omdat de anderen je als jood herkennen. Daarom moet je je niet afwenden van je afkomst, van je godsdienst.'

'Maar ik héb helemaal geen godsdienst,' riep Emma driftig. 'En ik ben ook geen zionist. Ik heb met het hele jodendom niets te maken. Houd er nou eens over op!' Met tranen in de ogen van woede keek ze opzij.

'Je bent een masochist!' vond André. 'Je ontkomt er toch niet aan.'

'Waarom stel jij eigenlijk zoveel belang in het joodse vraagstuk?' vroeg Emma.

'We hebben er college over gehad,' zei André. 'En mijn vader is antisemiet. Hij haat joden en Arabieren. Hij is grootgrondbezitter in Algerije, een *pied-noir*. Weet je wat dat is? Iemand die Noordafrikanen het land ontneemt waar ze recht op hebben. Als ik mijn vader straffeloos kon vermoorden, dan zou ik het doen. Ik denk erover mij aan te sluiten bij de guerrillero's. Maar ik wil eerst mijn studie afmaken.'

'Je vader!' zei Emma geschokt.

'Er is maar één manier om het antisemitisme te liquideren,' zei André. 'Dat is de liquidatie van de klassenmaatschappij. Dat zegt Sartre. In een klasseloze maatschappij, zoals in de USSR, bestaat geen antisemitisme. Daarom is het ook voor de joden dat we revolutie maken. Lees dat boek nou maar. Zullen we gaan?'

'Sommige antisemieten worden impotent als ze merken dat ze met een jodin in bed liggen,' zei André een paar uur later in het donker. 'Anderen windt het verschrikkelijk op.'

'Dat is nog veel antisemitischer,' zei Emma lachend. 'Jij bent een antisemiet van de ergste soort!'

Voor zijn doen was hij ongewoon spraakzaam geweest. De volgende dagen leed Emma hevig onder haar onmacht hem te boeien.

Zwijgend zaten ze in schel verlichte cafés met spiegels, waarin Emma overal zichzelf tegenkwam, iemand in een verschoten truitje van Gerzon, met vet haar, een grote neus en een bleek gezicht met onder de ogen zwarte, diepe kringen, vanwege de korte nachten in het smalle studentenbed. Tegenover haar een knappe jongeman. Zwijgend reden ze in de metro naar huis.

Vergeefs brak ze er zich het hoofd over wat ze tegen hem zou zeggen en als ze iets bedacht, kon ze niet op de Franse woorden komen. Ze troostte zich met de gedachte dat alles weer goed zou zijn als ze weer warm en zacht in het donker zouden liggen.

Op een avond bracht hij haar naar haar eigen straat. Bij het bord met Jac. Legrand, sculpteur, kuste hij haar en ging weg.

Emma liep de trappen op, de lange gang door, de hoek om, de volgende gang door en weer de hoek om. Ze was lang niet in haar kamer geweest. Ze ging op het bed zitten en kleedde zich niet uit.

Om drie uur 's nachts hield ze het niet meer vol. Ze ging de straat op en liep naar het huis waar hij woonde.

Op haar kloppen deed hij open. Hij was alleen. 'Je moet hier niet meer komen, Emma,' zei hij.

Ze barstte in snikken uit. 'Hou je dan niet meer van me?' vroeg ze.

Tranen sprongen hem in de ogen. Hij sloeg zijn armen om haar heen. 'Jawel, lieve Emma,' zei hij. 'Ik houd veel van je. Maar jij bent te triest. Dat is niet goed voor mij. Ik heb een vrolijk meisje nodig.'

'Maar ik zal vrolijk zijn,' snikte Emma. 'Altijd!'

'Je moet nu gaan,' zei hij. 'Adieu, Emma.' Zachtjes duwde hij haar de kamer uit.

Er werd op haar deur geklopt. Emma sprong overeind. Ze zat nu elke avond op haar kamer te luisteren naar elk geluid. Hij zou terugkomen, dat kon toch niet anders?

Met trillende handen kamde ze haar haren. Ze deed open.

Op de drempel stond haar werkgever. 'Ach, Emmaatje,' zei hij. 'Ben je helemaal alleen? Heb je geen zin in een klein verzetje?' Hij sloeg zijn arm om haar heen.

Emma rukte zich los. Hoewel ze bijna stikte van drift probeerde ze nog beleefd te zijn. 'Dat wil ik niet,' zei ze. 'Nee mijnheer. Laat u mij met rust.' Hij ging dadelijk weg.

Het was al lekker warm en de stad was vol doorschijnend lentegroen. Er kwam een brief van de politie, met Emma's naam erop. Een dagvaarding. Niet begrijpend keek ze mevrouw aan. Die zei dat ze de werkster zou vragen om die ochtend op Marie Françoise te passen.

Op het politiebureau liet ze de dagvaarding zien. De functionaris rommelde in een la en haalde er een dossier uit. Hij zei dat Emma al acht maanden in Parijs werkte zonder vergunning.

Emma vroeg of hij dat soms van haar werkgever had gehoord.

Daarop gaf de politieman geen antwoord. Hij noemde een hoog bedrag, dat Emma de Franse staat schuldig was aan achterstallige belasting.

Emma barstte in tranen uit. De politieman zei dat hij er geen werk van zou maken, op één voorwaarde: Emma moest direct naar het Gare du Nord gaan voor een enkele reis Amsterdam.

Hij schreef een bonnetje. Daarmee kon ze bij de kas het reisgeld halen. Het kaartje moest ze komen laten zien.

Ontroerd nam Emma het bonnetje van hem aan. Ze was niet op het idee gekomen dat ze haar zelf opgelegde verbanning van een jaar zou kunnen bekorten. De volgende avond zou ze in Amsterdam zijn.

Zonder van iemand afscheid te nemen, vertrok ze. In de trein dacht ze nog even aan het enige schepsel om wie het haar speet: Marie Françoise.

Maar die was al aardig gegroeid. Ze kon al een beetje praten en begon zich te gedragen als een echt Frans kind. Onder het mondje vertoonde zich al een onrustbarend spleetje.

Links

Op de drempel deinsden ze terug voor het gedrang, de rook en de harde jazzmuziek in de stampvolle kelder. 'Veel vlees hier,' schreeuwde een spichtige bebrilde jongeman met zwarte krullekop tegen Renske. 'Ja,' riep die enthousiast. Even later waren ze allebei verdwenen.

Emma danste met deze en gene en greep nu en dan uit de lucht een van de glazen bier, die haar van alle kanten werden aangedragen.

De uren vlogen voorbij. Op de autobanken langs de kant zaten vrijende paren. Ergens in een hoek zag Emma een glimp van Renskes blonde rattekop naast de zwarte krullebol.

Emma was student, in de Franse taal en letterkunde. Soekarno's nieuwe politiek stond toe dat haar vader haar een kleine toelage stuurde.

Ze liet zich inschrijven. In een vrolijke rij studenten stond ze, voor het stempelen van de collegekaart en voor de ASVA-kortingskaart voor film, toneel, kunst, muziek. Vergenoegd wachtte ze in de rij voor de tbc-keuring, in die ellendige gang waar ze vroeger door liep naar het kantoor met de kaartenbakken. Op een zonnige septemberdag, een werkdag, terwijl anderen achter kaartenbakken zaten of achter toonbanken stonden, wandelde ze door de Langebrugsteeg, langs scheefgezakte antiquariaten, onder de Oudemanhuispoort door, langs de boekenstalletjes in het schemerduister, door de tuin met stenen zitbankjes rond verwaarloosde perken, het gebouw binnen, waar nu ook zij, in de morsige vestibule, iets te zoeken had: het mededelingenbord voor het collegerooster. Ze verrichtte de formaliteiten, nauwelijks in staat de feestelijke wending te bevatten die haar leven had genomen.

Ze vond een riante kamer voor zeven gulden in de week en Renske trok bij haar in. De kamer lag op een zolderverdieping in de voormalige jodenbuurt. Er had een gezin gewoond, met twee kinderen. Het was een lichte ruimte met grote ramen, die een weids uitzicht boden over woonblokken.

Een granieten aanrecht met gootsteen besloeg de hele achtermuur aan de raamkant. Renske bracht een gasstel mee. Emma kreeg van haar moeder oudroze, rijk bestikte gordijnen met koordfranje, die Katja's baby- en kleuterkamer hadden gesierd. Voor de ramen leken ze letterlijk geknipt.

Achterin de kamer stond een bed met twee matrassen, waarvan ze er 's avonds een op de grond legden. Jurken en ondergoed lagen in slordige stapeltjes op de grond, tegen de achtermuur. In het midden van de ruimte had Renske een schildersezel met klapstoel neergezet.

De ezel, de potkachel, de lege, lang geleden blauwachtig geverfde, planken vloer gaven de lichte kamer het aanzien van een schildersatelier, te meer daar Renske er overdag rondliep in een donkerblauw, met verf bevlekt schildersjak. Een tafel ontbrak. Colleges voorbereiden deed Emma zittend op het bed, terwijl Renske op de matras in een schetsboek zat te tekenen.

Maar er was weinig tijd voor studie en evenmin voor sombere overpeinzingen van existentialistische aard. Ze hadden veel aanloop, de dag vloog om en dan was het tijd om naar de mensa te gaan, voor een voedzame Hollandse maaltijd en mannelijk gezelschap voor de avond. Vaak kwamen ze lachend thuis, verongelijkte jongens imiterend, die de bioscoop hadden betaald en daarvoor niet eens een echte zoen hadden gekregen. Renske was nog maagd en Emma deed alsof.

Hun onafscheidelijkheid beïnvloedde zelfs hun maandstonden. Vrijwel onveranderlijk op dezelfde dag in de maand lagen ze naast elkaar op bed, kreunden, waren in de weer met aspirine en antroposofische druppels van Renskes moeder, hielden hun buik vast en probeerden elkaar op te monteren met galgehumor.

Door alle verstrooiing wilde het wel eens gebeuren dat Emma zich 's ochtends met de troostende gedachte 'ik haal het nog wel in' nog eens omdraaide, als ze eigenlijk had moeten opstaan voor college. Daarbij kwam dat ze van Emma's toelage niet konden rondkomen. Renskes vader was met geld weinig scheutig. Hij vond het niet nodig dat zijn dochter in Amsterdam woonde, aangezien ze toch eigenlijk in Den Haag op de academie zat – een niet geheel onredelijk standpunt. De kosten van de koffie voor jongens die over de vloer kwamen, liepen hoog op.

Gelukkig bood de studenten-arbeidsbemiddeling een keur van goed betaalde baantjes, zodat Emma nu eens vloeren dweilde in een bankgebouw, dan weer als koffiejuffrouw achter een kantinetoonbank stond of achter een rammelende koffiekar door kantoren wandelde, langs typistes, zoals zij zelf was geweest.

Ze liet duidelijk merken dat ze eigenlijk te goed was voor dat werk. Gevraagd of ongevraagd deelde ze kantoorpersoneel mee dat ze Frans studeerde, waarmee ze menige schalkse afdelingschef de enige Franse term ontlokte die hij kende: 'soixante-neuf'.

Naar college gaan kon altijd nog, in Parijs had ze beter Frans geleerd dan de menigte meisjes (twee jongens) die zich voor het eerste jaar hadden ingeschreven.

Bovendien kon je in de Oudemanhuispoort je tijd beter besteden dan naar college Frans te gaan. Er waren bijvoorbeeld hoorcolleges filosofie en geschiedenis. Soms kostte het moeite een staanplaats te bemachtigen in de grote hoorzaal, waar een hoogleraar, die ook schrijver en dichter was, nieuwste geschiedenis gaf. Het was een belevenis mee te maken hoe deze spreker, die Presser heette, de stampvolle zaal met woorden betoverde.

Onveranderlijk kwam hij, ongeacht het onderwerp, op Hitler terecht, waarbij hij ten overstaan van het doodstille auditorium ontstak in onbeheerste drift. Als bijkomstig voordeel van zo'n college kon je na afloop een interessant gesprek aanknopen met een student van het mannelijk geslacht, dat je kon voortzetten in de koffiekamer.

Soms baarde het Emma wel enige zorg dat ze met haar studie niet opschoot. Daarbij kwam de ontmoedigende gedachte dat ze wel tentamens, maar behalve MO geen examen zou mogen doen, omdat ze geen gymnasiumopleiding had. Het volgen van sommige colleges bleek lastig te zijn als je geen Latijn kende en Emma besloot het volgend seizoen naar het avondgymnasium te gaan.

Voor een gezelligheidsvereniging had ze zich niet ingeschreven. De meeste meisjes op college waren lid van de meisjesafdeling van het corps, maar de manier waarop ze daarover spraken, deed Emma te veel denken aan de sfeer in het studentenhuis van Ondine. Ze begreep trouwens niet hoe je ergens voor je plezier heen kon gaan waar geen jongens waren.

Eens per jaar hadden de meisjes van het corps een bal met de jongens, in avondkleding. Voor de toegangskaarten alleen al, vernam Emma, moest je een astronomisch bedrag neertellen. Het peperdure koude buffet was niet inbegrepen.

Op een avond kwam Emma uit de bioscoop, met twee jongens. 'Hier is vanavond het corpsbal,' zei een van hen. Ze klommen over een muur en stapten door openstaande tuindeuren een zaal binnen, waar het bal in volle gang was.

Emma had een slordig rokje aan en een vestje met de knoopjes op de rug. Ze had enorm succes. Jongemannen in smoking stonden in een kring om haar heen en wilden met haar dansen. Ze sprong en swingde in het rond. Telkens kreeg ze een vol glas wijn. Iemand ging voor haar een bord volscheppen van het peperdure koude buffet. Meisjes in tule en tafzij stonden verlaten terzijde.

Emma triomfeerde. Heel even dacht ze aan het schoolbal, aan de huisvlijt-avondjurk van tante Lea en aan Larissa, die uitgelaten rondsprong in een oud truitje en die meer plezier had dan alle meisjes in baljurken.

Er bestond ook een gemengde vereniging, die op het corps leek. Emma ging er een avond kijken. Hier leek het wel of de jongens een karikatuur opvoerden van de kakstudent en hun scherts maakte haar niet aan het lachen. Halverwege de avond liep ze weg, omdat een puisterig jongmens met een overdreven wipneus, glas bier in de knuist, spottend informeerde of ze 'joods of misschien Aeraebisch' was.

Nauwelijks was Emma ingeschreven als student of ze kreeg bezoek van een jongeman met een keppeltje op het hoofd. Renske was niet thuis. De bezoeker verordonneerde Emma zich aan te melden voor de Zionistische studentenbond. Dat was, naar zijn mening, de plicht van iedere joodse student.

Al gauw stonden ze tegen elkaar te schreeuwen. Met de woorden: 'Ik heb nog liever een antisemiet dan een zionist,' duwde Emma hem de trap af en de deur uit.

Een sportclub kwam niet in aanmerking. Nooit zou Emma, na haar korfbalervaring in Den Haag, zich vrijwillig naar een sportveld begeven. Wel overwoog ze zich in te schrijven voor een politieke studentenclub die scholingsavonden organiseerde, zoals ze op een aankondiging had gelezen.

Sinds ze was gescheiden van haar vader, die immers alles wist van politiek, was ze slecht op de hoogte. In een groot café in de Kalverstraat raakte ze in gesprek met een groepje mannen. Ze barstten uit in homerisch hoongelach toen Emma, haar vader napratend, over werkloosheid begon. Emma moest de heren maar eens vertellen waar ze hun personeel vandaan moesten halen! De mooiste banen waren vacant en geen hond die je ervoor kon krijgen! Emma begreep dat het tijd werd dat ze deze lacune in haar algemene ontwikkeling eens opvulde.

In de loop van de winter hoorde ze dat een kleine gemengde studentenvereniging, Justinushof, genoemd naar het hofje waar de sociëteit was gevestigd, in januari nieuwe leden zou aannemen. Er zou een nieuwe eerstejaars-ontgroening zijn. Het klonk sympathiek dat de club dit geen 'groentijd' noemde maar 'kennismakingstijd'.

Bezweet en duizelig van dans en bier, zocht Emma een lege plaats op een bank langs de muur. Een opvallend klein kereltje kwam voor haar staan.

'Dansen? Of is dat jouw man?' Hij wees naar haar rechterflank.
'Ja,' zei Emma, om er van af te zijn.

Naast haar barstte iemand in lachen uit. Ze keek opzij. Ze zag lachende, zwart glinsterende ogen achter een bril, een dikke zwarte snor, een pijp. Toen ze even later weer danste, keek ze nog eens om. Hij knipoogde, als een schuinsmarcheerder in een vooroorlogse komische film. Hij was vrij klein van stuk. Hij leek ouder dan de meeste anderen in de kelder. Uit nieuwsgierigheid ging ze weer naast hem zitten.

Hij sjorde zijn arm omhoog, om die om haar schouders te slaan. Ze liet het zo, hoewel alles op een misverstand berustte. Blijkbaar dacht hij dat ze eerst naar hem had gekeken voordat ze 'ja' zei, tegen de klein uitgevallen danseur.

De jongeman nam zijn arm van haar schouders, stond op en vroeg of ze een borreltje lustte. Justinushof had geen vergunning voor sterke drank maar hij wist wel een manier om jenever te bemachtigen, zei hij knipogend.

Achter de bar bukte hij, zodat hij uit het gezicht verdween. Een minuut later kwam hij weer aanlopen, voorzichtig balancerend met twee glaasjes, zijn kop scheef.

'Braaf, braaf,' zei Emma, die lachend een glaasje aanpakte.

Nog ettelijke malen herhaalde hij de slinkse glaasjesmanoeuvre. Toen het orkest weg was, ging hij achter de piano zitten en speelde een ragtime, waarbij hij zijn hoofd op de maat op en neer bewoog en schalks knipogend om zich heen keek.

'Leon, vergeet de revolutie niet,' riep iemand.

Iemand zette een grammofoonplaat op. Leon, zoals hij blijkbaar heette, kwam nadat hij eerst weer twee kelkjes had gehaald, naast Emma zitten die op de piano had plaatsgenomen.

'Pas maar op dat je er niet doorheen zakt met dat dikke lichaam van je,' maande hij.

'Ik ben toch helemáál niet dik!' riep Emma verontwaardigd.

Hij keek opzij. 'Noem dat maar niet dik!'

'Weet je dat jouw hoofd veel te groot is in vergelijking met de rest,' vroeg Emma.

'Een veel te groot hoofd!' riep hij. 'Een véél te groot hoofd!'

Het ging verloren in het lawaai. Door de muziek klonk geschreeuw, gebons en glasgerinkel. Sommigen waren met veel krachtsinspanning bezig het houtwerk te slopen. Het Justinushofje zou binnenkort worden afgebroken ten behoeve van een bankinstelling en dat wekte hun agressie op.

Een zwartharige jongen met een bril, die de hele avond al schreeuwde: 'Weg met Muilwijk!' gooide glazen tegen een spiegel.

'Wie is dat toch, die Muilwijk?' vroeg Leon. 'Ik heb zeker *De Waar-heid* niet goed gelezen.'

De Muilwijk-hater kwam op de pianokruk zitten en schreide hete tranen over hun schoenen. 'Elly,' snikte hij. 'I love you so much but you don't care for me. Muilwijk is toch een lul?'

Een blond meisje, van wie Emma slechts de achterkant had gezien omdat ze de hele avond al tegen een, ruggelings tegen de muur staan-de, man stond aangeplakt, maakte zich los, pakte haar vrijer bij de hand en trok hem mee naar buiten.

'O, dát is Muilwijk,' stelde Leon vast. De overgebleven paren op de dansvloer bewogen nauwelijks meer.

'Een veel te groot hoofd,' riep Leon tegen niemand in het bijzonder, 'veel te groot!'

Iemand kwam naar de piano, duwde de Muilwijk-hater van de kruk, ging er zelf op zitten, veegde Emma en Leons voeten van de klep en speelde een deuntje dat Emma bekend voorkwam. Een groepje kwam er lallend bijstaan, de linkervuist omhoog. Leon sprong van de piano en hief ook de vuist.

'En de Internationaaaale,' hoorde Emma, 'zal morgen heersen op aard...'

'Ben je socialistisch?' vroeg ze toen hij weer naast haar zat. Hij knik-te geërgerd.

Verbaasd over zichzelf keek Emma opzij. Ze was nog nooit ergens geweest waar zoveel lange, slanke, beminnelijke, begeerlijke jonge-mannen rondliepen, met een mooie toekomst voor zich en een drin-gende behoefte aan vaste verkering, terwijl zij al urenlang haar tijd zat te verdoen naast deze zwijgzame, norse, vroeg kalende pijproker, die lang was noch slank, die er zelfs joods uitzag – en al die tijd had ze naar geen ander meer omgekeken.

Door de luiken gloorde het daglicht. Renske kwam aanlopen met de krullebol, die Emma een hand gaf: 'Daan Rodrigues. Ik zie dat je weer met succes bezig bent leden te werven, kameraad!' voegde hij er aan toe.

Leon draaide zich om en liep weg. 'Onvermoeibaar,' riep hij over zijn schouder. 'Even krachtig pissen, Emma!'

'Wat een iezegrim,' zei Renske lachend. 'Hij vindt je geen aardige jongen,' zei ze tegen Daan.

'Een véél te groot hoofd!' schreeuwde Leon op de gang.

'Jullie hebben toch wel gehoord van Leon Thijssen?' vroeg Daan, toen Leon met zijn jas aan op hem kwam toe lopen. 'De roemruchte voorzitter!'

'Waarvan ben je voorzitter?' vroeg Emma.

'Dat vertel ik je nog wel,' zei Leon geheimzinnig.

'Pas op, Emma!' riep Daan. 'Je wordt ingelijfd bij het marxisme-leninisme. En wat erger is: bij het trotskisme. Begin maar vast met het lezen van het verzameld werk van Leon Trotski, des voorzitters conspiratieve naam- en bentgenoot!'

Leon gromde en liep naar de voordeur.

'Leon!' riep een meisje dat op de trap zat. Het klonk tragisch. Leon deed of hij het niet hoorde en liep snel naar buiten.

Op straat wachtte hij. Met zijn vieren liepen ze naar de kamer van Emma en Renske, die vlakbij was.

'Evening star, no matter where you are...' zong Leon, met een provinciaal Hollands accent en een dikke nadruk op 'métter'.

Op de kamer was het ijzig koud. Ze legden de matras op de grond. Met hun jas nog aan kropen ze onder de dekens, Renske en Daan op het bed, Emma en Leon op de matras. Renske en Daan lagen druk te fluisteren, hoorde Emma, die af en toe indommelde. Renske was dol op Bach, verstond ze, hij gaf de voorkeur aan Tsjaikovski.

Het grote café-restaurant op het Rembrandtsplein — waar een van de laatste Stehgeigers van het land, tegen de achtergrond van dorre kamerplanten, ijs-lepelende dames in het oor speelde — was bijna leeg.

Het zaaltje boven dreigde uit zijn voegen te barsten. De toeloop was zo groot, dat er geen eind leek te komen aan het gedrang op de trap. Het onderwerp van de avond kon daarvan de reden niet zijn. Twee heren, een oude professor en een man van een jaar of veertig, debatteerden over 'publiekrechtelijke bedrijfsorganisatie'.

De professor, die op Emma's opa leek, had zijn veel te wijde broek aan zijn bretels opgetrokken tot zijn schouders, ter hoogte van een interlock. Zijn naam, Finkelstein, was verbonden aan een berucht tentamen. Iemand met een gezicht dat hem niet aanstond, liet hij zonder pardon zakken en die kon zijn studie wel opgeven.

De jongere man, De Gier, was kamerlid en theoreticus van de Partij van de Arbeid. Emma was er al over ingelicht dat hij volstrekt niet deugde. Hij was 'reformist'. Door zijn toedoen waren in de partij 'de laatste sporen van het marxisme' uitgewist.

Na de pauze was er debat en kwamen degenen aan het woord die het betoog van de heren met schamper gelach hadden begeleid. Door de zaalmicrofoon schreeuwden sprekers, met achter zich een rij dringende andere gegadigden, boven het rumoer uit, hun opinies over Indonesië, het stalinisme, Algerije, de Europese oorlogsdreiging, de NAVO, 'studieloon', het 'historisch en dialectisch materialisme', de gezapige sociaal-democratie.

De Gier probeerde nog terug te komen op de 'publiekrechtelijke be-drijfsorganisatie' maar gaf het op, omdat hij zich door het hoongelach niet meer verstaanbaar kon maken.

Het woord 'studieloon' bracht Finkelstein tot een briljante graad van sarcasme, maar de simpele vraag naar zijn mening over de onver-enigbaarheid van socialisme en zionisme maakte hem zo driftig, dat Emma even vreesde voor zijn leven.

Achterin stond Daan met een paar vriendjes die sterk op hem leken en die elkaar in de discussie probeerden te overtroeven in welspre-kendheid, lange zinnen en bijzinnen, vol latinismen, proeven van bele-zenheid en spitsvondigheden, die leidden tot een vraag waar ze zelf het antwoord op gaven, waarna ze voldaan gingen zitten.

'Ik geef toe dat het wat machiavellistisch klinkt, maar...' begon Daan.

Renske, die erg veel werk van haar uiterlijk had gemaakt, zat er on-uitstaanbaar eigenwijs bij, vond Emma. Ze vroeg zich af of Renske een woord van het gesprokene begreep. Wat Emma zelf betreft had er evengoed Chinees gesproken kunnen worden, maar in het zaaltje was het gezellig warm en rokerig. Ze maakte grappen met Carrie Kleere-kooper, die naast haar zat.

Een grijze man met een vlasharige baard stelde zich op achter de mi-crofoon. Verscheidene mensen begonnen achter hun hand te proesten. Met een hoge stem spuugde de man staccato een lange reeks klanken uit, waarin door het gelach van het publiek slechts enkele trefwoorden en namen zoals 'kameraden' 'Stalin', 'Marx', 'Lenin en Trotski' te herkennen waren.

Zijn opvolger, een mager kereltje met een sik, stotterde zo hevig dat zijn inleidende mededeling: 'Ik las laatst bij Kautsky...' wel vijf minu-ten duurde. Door deze handicap liet hij zich echter niet ontmoedigen. Geruime tijd hakkelde hij door.

Het betoog van de volgende vragensteller was dermate verward dat Emma zich afvroeg of hij wel goed snik was.

'Het lijkt wel of alle idioten van de stad zich hier komen uitleven,' zei ze tegen Carrie.

'O ja,' beaamde Carrie zonder aarzelen. 'Democrates is er voor alle dorpsidioten, halvegaren en eenbenige blinden met een spraakge-brek...'

'Sstst,' maande Emma. Ze spitste de oren.

Leon had zich naar de microfoon begeven. 'Voorzitter...' begon hij.

Het werd stil. Spreker richtte zich tot De Gier. Waarom de partij een recente staking niet had gesteund, wilde hij weten. Kon De Gier misschien uitleggen wat precies het verschil was tussen de sociaal-democratie en de bourgeoisie?

Het antwoord van de politicus ging volledig teloor in applaus, gefluit en hoongelach.

Leon gaf het woord aan de 'internationaal secretaris'. Koos Rodrigues, een magere jongeman met een bos rode krullen, begaf zich naar de microfoon. In een ironische Amsterdamse tongval begon hij iets te ratelen over de Nieuw-Guinea-politiek van de partij. Hij kondigde een demonstratie aan. Tersluiks wierp Emma een blik op haar buurvrouw. Carrie fixeerde de internationaal secretaris met grote, fonkelende ogen.

Emma fietste met Carrie naar het Leidseplein. Carrie was een stevige meid, donkerharig, met sprekende, groene, dik bewimperde ogen. Evenals Emma studeerde ze Frans, maar in de collegezaal hadden ze elkaar niet leren kennen. Ze waren aan de praat geraakt in de universiteitskoffiekamer, toen die bijna leeg was. Het bleek dat ze allebei zaten te wachten op de afloop van de colleges van de politiek-sociale faculteit. Emma wachtte op Leon en Carrie op Koos. Om niet het risico te lopen dat ze de jongens zouden missen, moesten ze de colleges Frans laten voor wat ze waren.

Na afloop van de colleges Frans moest Carrie terug naar haar werk. Bij 'Van Moppes, textielgarens, im- en export' had ze een kantoorbaan, met 'vrij voor college'.

Later plachten Emma en Carrie schertsend te zeggen dat ze elkaar kenden van de collegebanken.

'Ik ben misselijk,' zei Carrie. 'Ik heb een half pond zalmstukjes gekocht bij Mouwes en dat achter elkaar opgegeten.'

'Treife heb je tenminste niet gegeten,' lachte Emma.

'Ja, dat is een hele zorg minder,' vond Carrie. 'Maar daarna heb ik wel een ons fondant opgegeten. Ik betwijfel of die onder rabbinaal toezicht was bereid.'

Die snoepzucht had Carrie van haar vader. Emma was er een keer op bezoek geweest; alle tafels waren overdekt met schaaltjes vol versnaperingen: noten, koekjes, bonbons, fondant en dat op een gewone, doordeweekse dag.

'Ik word met de dag wanstaltiger,' zuchtte Carrie.

'Frans Calcoen vindt van niet,' zei Emma lachend.

'Ach, Frans Calcoen,' zei Carrie smalend. 'Ik begrijp niet wat die jongen in me ziet.'

De verliefdheid van de zachtaardige corpsstudent Frans Calcoen hield nog altijd moedig stand tegen Carries verbale geweld. Het was voor omstanders een bron van vermaak te horen hoe Carrie, met haar gevatte antwoorden, elke man afstrafte die belangstelling voor haar toonde. De psychologische achtergrond daarvan was, dat Carrie geen enkele toenaderingspoging serieus nam, omdat ze vond dat ze te dik was.

Ze had Emma haar Audrey-Hepburn-albums laten zien, tien zware boekwerken die ze als schoolmeisje had volgeplakt met uit filmsterrenbladen geknipte foto's van haar broodmagere idool. Vele vrije uren had ze geofferd aan dat liefdevolle werk. Uit de meeste foto's had ze, alvorens ze in te plakken, eerst zorgvuldig de spichtige contouren van de ster geknipt.

Via relaties − haar moeder kende de gerant − had ze zich destijds een plaats kunnen verwerven tussen elkaar verdringende fans in de gang van een groot restaurant waar Audrey Hepburn, toen ze Nederland met een bezoek vereerde, zou dineren. De aanblik van haar godin had Carrie evenwel moeten missen, omdat ze op het moment suprême, de binnenkomst van de filmster, was flauwgevallen.

Carries gymnasiumtijd was een lijdensweg van hopeloze liefde voor een populaire jongen, die een paar klassen hoger zat en die een vast meisje had. Nu was haar vermogen tot wanhopig liefhebben overgegaan op Koos, maar die was al jaren met Ankie.

'Ik houd zóveel van hem,' zuchtte Carrie. 'Als ik 's morgens wakker word is het eerste wat ik denk: is dit een dag met of zonder Rodrigues? Als er geen enkele glimp van een Koos in de dag zit, heb ik geen zin om op te staan en ben ik uren uit mijn humeur.'

'Pop, geef Jan eens een drupje,' schreeuwde bij Reijnders − of hij nooit was weg geweest − de oude dichter, tegen niemand in het bijzonder.

Verderop in het café zaten een paar figuren uit Emma's vroegere leven. Ze negeerde hen. Zo te zien hadden ze niet, zoals zijzelf, een evolutie doorgemaakt naar een hogere vorm van bestaan.

Ze gingen aan de grote tafel zitten, achterin, waar al een paar mensen zaten, die ook van de vergadering kwamen.

Even later arriveerden Koos en Leon. Ze bestelden bier en jenever. Carrie bestelde koffie.

'Voor mij ook koffie,' zei een grijze man.

'Trotski dronk ook wel eens een glas wijn, Friedrich,' zei Leon.

'Dat is dan ook de enige kritiek die ik op Trotski heb,' antwoordde de man. 'Een bijzonder geslaagde avond,' vervolgde hij, 'die in de roerloze bedomptheid van de vaderlandse politiek een verfrissende uitzondering was.'

De ober zette de koffie neer. Even later kwam hij terug met een blad volgeladen met glazen en glaasjes.

'Even ontspannen, Koos,' zei Leon. 'Je kunt niet altijd met je neus in de studieboeken zitten.'

Koos stak de lippen vooruit, maakte een blazend trilgeluid en sloeg zijn lange wimpers neer. 'De boog kan niet altijd gespannen zijn,' zei hij met een hoog stemmetje. Hij keek Carrie aan. 'Nee, echt, je kunt niet altijd met je neus in de boeken zitten, nee toch? Ontspanning moet er ook zijn.' Hij lachte.

Emma keek naar Carrie. Ze begreep niet dat Koos niet bezweek voor die intense blik van liefde, waarmee die schitterende, groene ogen naar hem keken.

'Heb je de aankondiging in *Propria Cures* nog zien staan?' vroeg Leon. 'Ik heb nog niet gekeken.'

'Natuurlijk!' zei Koos.

'En klopte het?' vroeg Leon, aan zijn pijp trekkend. 'Kijk goed na. Er klopt vast wel iets niet aan dat bericht. Bel ze op en eis rectificatie. We moeten er elke week in staan.'

Ze lachten allebei vergenoegd.

'Dat kun je aan Ab vragen,' zei Renske tegen Daan. Ze sprak met bescheiden trots, zich zichtbaar bewust van de bijzondere status, die het feit haar verleende, dat ze Ab Rodrigues, Daans oudere broer, de PC-redacteur, persoonlijk kende.

'Ach, je begrijpt er niets van!' zei Leon kortaf.

'Koos, de volgende keer, voor de FLN-bijeenkomst, moeten we er maar weer eens bij zetten dat Sartre als spreker is gevraagd. Dat trekt altijd de aandacht.'

Het leren gordijn van de cafédeur bewoog en er kwam een groepje mensen binnen. Ze kwamen op hen toelopen en hieven de linkervuist.

'Kameraden!'

Koos, Leon en een paar anderen hieven eveneens de linkervuist.

'Kameraden.'

'Pas maar op,' waarschuwde Daan. 'In politicis is Reijnders intolerant. Dergelijke politieke gebaren worden hier afgestraft. Inevitabel zal men de overtreder met de harde linker- en rechterknuist verwijderen uit het etablissement.'

De nieuw aangekomenen, onder wie Koos' zuster en zwager, Ada en Jan, kwamen erbij zitten. Jan was een knappe jongen, met zijn zwarte baard en ronde blauwe ogen. Ada, met haar kriskras kortgeknipte zwarte haar, had het voorkomen van iemand die meent dat er belangrijker zaken zijn dan uiterlijk schoon.

Er kwam weer een blad met bier en jenever.

Frans Calcoen vertelde dat hij een pamflet met 'Vrijheid voor Algerije' had geplakt op de deur van Simon Carmiggelt. De volgende dag was hij gaan kijken of het er nog hing. – Het hing er nog. Met de hand was er iets onder geschreven: 'én voor Hongarije! S. Carmiggelt.'

'Dat vond ik wel leuk,' zei Frans. Hij had een zachte stem en een enigszins slepende spreektrant.

'Ja, leuk,' vond Emma.

Er werd schamper gelachen. 'Carmiggelt, de koude-oorlogspropagandist,' riep Ada smalend.

Beschaamd dacht Emma aan de vele Kronkels die ze in de grote woonkeuken tante Lea had voorgelezen, terwijl die stond te koken.

Het werd rumoerig. Er vielen meer bekende namen, die bij Emma's ouders en bij haar tante ter sprake waren geweest. Zo iemand bleek nu een verkalkte reformist te zijn, een heuler met de bourgeoisie of, nog veel verwerpelijker, een renegaat. Dieper dan dat kon een mens niet zinken.

Leon zat aan zijn pijp te trekken, sprak minachtend over luie kranteverslaggevers, die in de pauze waren vertrokken omdat ze zo nodig naar de kroeg moesten of naar het een of andere vieze wijf, waardoor de essentie van de avond hen was ontgaan. Wegens drankzucht, domheid en geilheid van de heren verslaggevers zou de burgerlijke pers wel weer met geen letter berichten over deze belangrijke avond.

Daans aandeel aan de conversatie bestond vooral uit het in de rede vallen van anderen met grappen en woordspelingen, waarom Renske triomfantelijk lachte.

Maup, de donkerharige Muilwijk-hater, zat er somber bij en zei tegen Emma dat hij zijn hele kamer zwart ging verven, nu Elly niet meer van hem hield.

Emma en Carrie schertsten over de 'publiekrechtelijke bedrijfsorganisatie', die ze een mooie toekomst voorspelden.

'Wat werd Finkelstein kwaad, hè?' zei Koos. 'Socialisme is mooi maar ze moeten niet aan de jonge staat Israël komen.'

'Sam de Wolff is een echte socialistische zionist,' zei Ada. 'We zijn laatst bij hem thuis geweest. We hadden het voorrecht zijn Marxkastje te mogen zien. Hij heeft het *Communistisch manifest* in het Hebreeuws. "Dat was in de oorlog mijn bijbel tegen de moffen," vertelde hij.'

'We kwamen hem eens op straat tegen,' vertelde Leon. 'Was jij daar niet bij, Maup? "Dag meneer De Wolff," riepen we. "Zo, jongens!" zei hij. "Waar gaan jullie naar toe?" "Revolutie maken, meneer De Wolff!" "Goed zo, goed zo." ' Leon imiteerde een krakerige oude mannenstem. 'Toen was ik nog soldaat.'

'Zijn jullie in dienst geweest?' vroeg Emma.

'Jan heeft dienst geweigerd,' vertelde Ada. 'Voor straf heeft hij drie jaar moeten werken in een gekkengesticht.'

'In een rijkspsychiatrische inrichting,' verbeterde Jan. 'Een concentratiekamp hoor. Je kunt je beter laten afkeuren op platvoeten.'

'Ik heb S5,' verklaarde Maup. 'Niet goed snik.'

'Dat had ik achteraf beter ook kunnen doen,' vond Jan. 'Of ik had moeten zeggen dat ik homoseksueel was. Ik wil tóch geen carrière maken bij de overheid. Dan had ik ook niet hoeven veinzen dat ik principieel geen mensen wil doden, alleen omdat ik niet onder leiding wilde staan van de een of andere flapdrol. In geen geval wilde ik naar Nieuw-Guinea. Dat vond ik: a) levensgevaarlijk en b) niet nodig.'

'Maar wíl je dan mensen doden?' vroeg Emma.

'Bij voorkeur niet,' antwoordde Jan. 'Alleen als het nodig is. In het verzet, in de oorlog moest het wel, en als je in het FLN vecht in Algerije kan het ook niet anders.'

'Pas op, de BVD luistert mee,' zei Koos.

'Rode Hand, BVD, één pot nat,' meende Leon.

'Het is wél zo,' zei Ada, 'dat onze telefoon soms raar klikt.'

'Hoe staat het met de JSO?' vroeg Leon aan een lange jongeman, die zich had voorgesteld als 'Piet, Democrates, afdeling Rotterdam'.

'Naar wens,' antwoordde Piet.

'Wat is dat, JSO?' vroeg Emma.

'Jeugd voor Socialistische Opbouw,' verklaarde Piet. 'Een vereniging in oprichting voor niet-studerenden onder de vijfentwintig jaar. Ouderen kunnen *pijler* worden, voor een tientje per jaar. Waar staat de Jeugd voor Socialistische Opbouw voor?' vroeg hij retorisch. 'Voor een socialistische maatschappij, waaronder zij verstaat: een planmatige produktie door middel van socialisatie van de voornaamste produktiemiddelen. De JSO,' sprak hij plechtig, 'zal daarvoor een beroep doen op de georganiseerde arbeidersklasse.'

Emma lachte.

'Mijnheer is student in de economie,' legde Daan uit.

'De JSO bestrijdt het imperialisme en steunt onvoorwaardelijk de gerechtvaardigde eisen van de strijdende koloniale volkeren,' vulde de geheelonthouder aan.

'En de leden stromen massaal toe, zonder enige twijfel,' veronderstelde Daan cynisch.

'Een man of wat heeft zich aangemeld,' antwoordde Piet achteloos. 'Er komen er nog wel meer.'

'De jeugd heeft geen belangstelling meer voor politiek,' zei Leon sarcastisch.

'Wél waar!' gilde een peervormig meisje dat met het JSO-groepje was meegekomen. 'Dat hoor je toch?'

'Ja, natuurlijk Aaltje!' zei Leon. 'Het tegendeel is bewezen. Ik citeerde Evert de Beer. Onder dat motto wilde hij toch de Arbeidersjeugd opheffen?'

'Ik ben van mening dat Evert de Beer geen plaats verdient in de Nederlandse politiek,' verklaarde Jan plechtig.

'Volstrekt verouderd,' stelde Frans Calcoen vast, op zijn lijzige, cynische toon. Hij trok aan zijn pijp en wierp een zijdelingse blik op Carrie.

'Jullie socialisme is negentiende-eeuws. Het is een verstokt geloof. Jullie zijn geen haar beter dan orthodoxe gereformeerde ouderlingen. Met het verketteren van andere socialisten zijn jullie net die artikel-31-aanhangers, die midden in de oorlog hooglopende ruzie hadden over de vraag of de slang al dan niet had gesproken. Die haatten elkaar erger dan de Duitsers. Dat weet je toch?'

'Maar het ANJV is toch heel groot,' zei Carrie, die er geërgerd overheen praatte.

'Dat is de stalinistische jeugd,' zei Leon. 'Daar heb ik het niet over.'

'Toch ben ik er nog een blauwe maandag lid van geweest,' vertelde Ada. 'In de Korea-tijd.'

Piet vertelde dat hij en zijn kameraden in de Rotterdamse universiteitskoffiekamer een rel hadden geschopt, door in trui plaats te nemen aan de corpstafel bij de 'heren studenten in hun driedelige kostuums'.

'Pas op, je beledigt Frans,' zei Carrie sarcastisch. 'We hebben een corpsstudent in ons midden.'

De ober zette een nieuw volgeladen blad op tafel. Koos en Jan zongen een reclamelied voor jenever.

'U heeft het verdiend, dus neem een besluit. Toe wees gezellig, schenk eens in, klok, klok, klok… Drink eens uit!'

'Hebben jullie de laatste grap gehoord over onze afdelingsvoorzitter,' vroeg Henk, een student met een proletarisch, Noordhollands accent, dat zijn zachte medeklinkers verhardde, zijn l's verdubbelde en au's maakte van zijn o's.

'Ludovicus heeft zichzelf nu ook gebombardeerd tot voorzitter van de lustrumcommissie. Democrates bestaat in juni vijftien jaar. We gaan dan een tentoonstelling maken van politieke cartoons. En wie denk je dat hij had willen vragen om die te openen? Wie het raadt krijgt een mooie schuimende pils van me.'

'Drees,' opperde Leon.

'Carmiggelt,' klonk het.

'Banning.'

'Mis!' zei Henk. 'Prinses Irene! En dat meende hij heel serieus.' Er viel een perplexe stilte.

'Ludovicus moet weg,' verklaarde Leon. 'Dat soort gebruikt Democrates alleen maar om carrière te maken. Dat hoort in het hedendaagse, neo-marxistische, revolutionaire, anti-imperialistische, anti-kapitalistische, republikeinse Democrates niet thuis.'

'Hoe laat is het?' informeerde Koos. Hij stond op en haalde zijn portemonnee te voorschijn. 'Ik heb moeder beloofd dat ik voor twaalven thuis zou zijn,' zei hij tegen Ada. En tegen Carrie, die met sombere blik naar hem opzag: 'Ik stap maar weer eens op. Het is nog een eind fietsen.'

Hij hief zijn linkervuist. 'Rood front, kameraden!'

Leon, Piet, Ada, Carrie en een paar anderen staken hun linkervuist op. Aarzelend balde ook Emma haar vuist.

'Rood front, kameraad!'

Een in grof linnen ingenaaid boekwerk met op de rug in vlammende letters de titel *Stalin* en daaronder 'door Trotski' sprong de binnenkomende het eerst in het oog. Het leek of Leons kamer de zware last van de boekenkasten nog maar nauwelijks kon dragen en of het door die papiervracht kwam, dat muren en vloer onheilspellend overhelden. Naast Trotski's verzameld oeuvre torsten de planken werk van andere voorvechters van de klassenstrijd.

In een andere kast stonden romans. Tussen stapels brochures, kranten en politieke tijdschriften stond op een plank een oude koffergrammofoon, waarop Leon 78-toerenplaten draaide, jazz uit de jaren dertig, 'oud-blank', dat veel aan de sfeer bijdroeg. Door zwaar geruis en hevig gekraak waren mannenkoortjes en piepende trompetjes hoorbaar, van muzikanten die allang de kraaienmars hadden geblazen.

's Ochtends in bed begon hij luidkeels, op holle, gedragen, beurtelings fluisterende en aanzwellende toon, verzen van eigen maaksel te declameren, onsamenhangende woordenreeksen, over 'wolkenluchten', 'woeste, waaiende winden' en 'twee menschenkinderen op deez' immense aard'. Onstuitbaar, terwijl Emma hem op zijn kop timmerde en 'hou op, hou op', schreeuwde, waarbij de tranen van het lachen haar over het gezicht liepen.

Met *De Avonden* zat Emma een uurtje later in een van de versleten leunstoelen. De kolenkachel snorde. Zacht borrelde de ketel. Leon schoof kranten opzij en zette brood met pekelvlees voor haar neer, met een kopje thee. Hij haalde een plaat uit de hoes, hield een verhandeling over plaats, datum en bezetting van deze volgens hem ongeëvenaarde opname, maande Emma vooral goed te letten op een speciaal 'kakeltje' en zette behoedzaam de naald op de rand.

Emma las, liet het boek zakken, keek om zich heen, zag bedrukt papier tot in de verste uithoeken van de kamer, hoorde krakende koperkakeltjes en keek naar Leon, die afwisselend nagelbijtend en pijpknauwend *Le Monde* zat te lezen. Hij keek op, glimlachte plagerig. 'Misschien is het hier níet gezellig,' opperde hij.

Een hoger geluk op aarde was niet denkbaar en de enige kwelling was de twijfel of het altijd wel zo blijven zou.

Het was hard werken om deze staat van gelukzaligheid te verdienen. Emma stond achter een stencilmachine, schreef adressen voor convocaties, liep met een spandoek in een optocht of stond kleumend met het blad *Democrates* te venten bij de Oudemanhuispoort: Emma was links.

Kort na de feestnacht had ze Leon verteld over haar tijd in Indonesië, hoe leuk het was geweest en hoe de kokkie had gehuild bij het vertrek van Emma's moeder.

'O ja, natuurlijk,' repliceerde Leon sarcastisch. 'Allemaal hebben ze een kokkie gehad, die huilde toen ze weggingen. Een typisch koloniale opmerking.'

Emma wierp tegen dat ze de koloniale tijd niet had meegemaakt, maar dat de Nederlanders in Indië toch wel veel welvaart hadden gebracht. Ze hadden het onderwijs bevorderd en de gezondheidszorg.

'Onderwijs,' schamperde Leon. 'Nog geen paar duizend ontwikkelde Indonesiërs op een bevolking van 168 miljoen! Medische zorg! Ja, op de ondernemingen om de uitgebuite contractkoelies op te lappen!' Ze had *Koelie* van Székely Lulofs toch wel gelezen? Ze had toch wel gehoord van Dipo Negoro, de held van de Java-oorlog? De wandaden van Spoor en Westerling waren haar toch niet onbekend? Wist ze niet eens wat Boven-Digoel was, het Nederlandse concentratiekamp, waar duizenden verzetsstrijders, onder wie Hatta en Sjahrir opgesloten waren geweest?

Soekarno heulde met de communisten, zei Emma. Hij was een volksmenner. Bijna dagelijks hadden ze in hun huis in Djakarta zijn geschreeuw moeten aanhoren. Men zei dat hij eens een vol etmaal achter elkaar had gesproken. Als de communisten aan de macht kwamen, dan zou de onderdrukking nog veel erger zijn dan die van de Nederlanders.

Dat was toch wel het toppunt van stomheid! vond Leon. Emma moest zich eens verdiepen in de daden van de Fransen in Algerije. Dan wist ze wat koloniale onderdrukking was. Ze was toch niet ook al onbekend met de moedige strijd die de Algerijnen al vijf jaar voerden tegen de Fransen?

'Alzérie Franzaise, vive De Gaulle, vive De Gaulle,' riep Emma, met het piepstemmetje van Rémy.

Leon zei dat ze blijkbaar de ernst van de zaak niet inzag. Onder de noemer 'pacificatie' moordde, martelde en verkrachtte het Franse leger, om aan de macht te blijven. De gezapige Nederlandse sociaal-democratie, die de politionele acties had gesteund, had aan de Algerijnse oorlog geen woord vuil gemaakt. Het jaar tevoren had Democrates twee Algerijnse verzetsstrijders uitgenodigd en het zaaltje gehuurd op het Rembrandtsplein. De socialistische regering had hen een spreekverbod opgelegd.

Koos haalde de twee verzetsstrijders op, ergens in Duitsland. Terwijl de rechts-extremistische terreurorganisatie de Rode Hand overal op de loer lag, waren de verzetsstrijders naar een geheim adres in Amsterdam getransporteerd, waar Koos, Jan en Ada op een bandrecorder – een moeizaam per bakfiets aangesleept, loodzwaar gevaarte – de toespraak registreerden. Vervolgens vervoerden ze het ding op de kar naar de broer van Ada en Koos, die een geluidsstudio had. De broer sneed van de toespraak een grammofoonplaat, voor het geval de politie de bandrecorder in beslag zou nemen.

Een stampvolle zaal hoorde de toespraak aan, terwijl een speld, ware die gevallen, er het geluidseffect had veroorzaakt van een bomontploffing. Intussen waren de Algerijnen ongedeerd door Rode Hand, BVD en Deuxième Bureau de grens over geloodst. Dat was nog eens iets anders dan die laffe sociaal-democratie, met haar kleurloze beginselprogramma's. Emma herinnerde zich de tramstaking van 1955 toch nog wel? Toen was ze toch in Amsterdam geweest, of niet? Had ze dan altijd met ogen dicht gelopen? De Partij van de Arbeid en *Het Vrije Volk* hadden de staking veroordeeld.

'De erkende vakbeweging steunt niet één staking!' riep Leon woedend. 'Niet één.'

De film speelde zich grotendeels af in een afgelegen motel. De motelhouder was een schuwe, zachte jongeman, met een lieve, ontwapenende glimlach. Een jonge vrouw op doorreis was de enige gast. Terwijl ze onder de douche stond, viel een onherkenbare vrouwelijke gestalte achter het plastic gordijn haar onverhoeds aan en maakte haar met messteken beestachtig af. Allengs werd duidelijk dat de ziekelijk jaloerse moeder van de jongeman deze gruwelijke moord had gepleegd.

De ontknoping was schokkend. De moeder was slechts een karkas met een hoofddoek om. De dader was de zachte jongeman. Hij was schizofreen. Soms waande hij zichzelf zijn jaloerse moeder, die hij ook al had koud gemaakt.

'Zo'n film maakt je aan het twijfelen aan alles en iedereen,' zei Emma, in de donkere, uitgestorven Kalverstraat. 'De moordenaar is iemand die je volledig hebt vertrouwd. Ik ben nog steeds bang.'

Leon stond abrupt stil. 'I am the murderer,' sprak hij met een grafstem.

Emma lachte. Maar ondanks zichzelf was ze geschrokken. Hij had iets geheimzinnigs, dat eigenlijk griezelig was, vond ze. Hij leidde een dubbel leven. Wat wist ze van hem? De Kalverstraat was onwezenlijk stil, als in een akelige droom.

Hij merkte dat hij haar bang maakte en voegde er met verdraaide stem nog een paar bloedstollende bekentenissen aan toe, tot ze hem schaterend heen en weer schudde en smeekte op te houden.

Maar toen ze in het donker naast hem lag, voelde ze nog steeds een vreemde beklemming.

Het kwam haast nooit meer voor dat hij haar aan het lachen maakte. Het leek of de een of andere mysterieuze gebeurtenis zijn gevoel voor humor had uitgewist, of hij was toegetreden tot een geheim genootschap.

Soms, wanneer ze onverwacht bij hem aanbelde, zat op zijn kamer een buitenlander, met wie hij ernstig brochures uitwisselde. Op bijeenkomsten trok hij zich telkens conspiratief terug met Koos en diens broer, Guus Rodrigues.

De half gemeende grap in de familie- en bekendenkring van Koos Rodrigues was, dat zijn moeder vijfentwintig jaar geleden een slippertje had gemaakt, zo weinig leek hij op zijn broers en zusters. Daarvoor was wel veel fantasie nodig. Nog nooit had Emma iemand gezien die zo dik was als de moeder van Koos. Wanneer die in de verte kwam aanlopen, leek het of er een kolossale bal kwam aanrollen.

Het was een proletarisch, kordaat mens, met haar dat in een strak getrokken knoetje het ronde, schoon geboende gezicht geheel aan de wereld prijs gaf. Haar joodse man was als verzetsheld gefusilleerd. Met schoonmaakwerk had ze de kost verdiend voor haar vijf kinderen, die ze met vaste hand had opgevoed, in de proletarische geest van haar man.

De nuchtere, praktische, strijdbare Ada had het karakter van haar moeder. Koos, met zijn groene ogen en lange krullende wimpers, was zachtmoedig en dromerig, onzeker in zijn optreden. Een studieboek sloeg hij zelden open. Hij speelde met passie viool. Hij had naar het conservatorium gewild, maar zijn moeder en oudste broer hadden doorgezet dat hij politieke wetenschappen ging studeren.

Ondanks haar ontzag voor zijn autoriteit in Democrates besefte Emma, dat zijn theoretische kennis niet diep ging. Je kreeg de indruk dat hij een rol speelde, die eigenlijk niet bij hem paste.

Gustaaf Rodrigues was de intellectueel van de familie. In snel tempo was hij afgestudeerd en nu werkte hij voor zijn promotie op een theoretisch historisch onderwerp. Hij had esoterische neigingen en een sterk gevoel voor intrige.

Binnen de partij had hij een oppositieclubje opgericht, samen met Albert Rodrigues, de vader van Daan en Ab, die geen familie van hem was, een humoristisch, piekfijn gekleed heertje uit de joodse aristocratie, met een gouden brilmontuur en links-socialistische sympathieën. Het groepje heette Actueel Socialisme.

Kort na de oprichting verbood het partijbestuur deze 'celvorming' en Actueel Socialisme werd opgeheven.

Gustaaf, die omzag naar nieuwe activiteit, liet het oog vallen op het zieltogende Democrates, dat officieel nog hoorde bij de partij. Hij nam de zaak over, zette het 'papieren' bestuur af en benoemde een nieuw bestuur, waarin hij zijn broer Koos 'internationaal secretaris' maakte. Daarmee was hij nog niet tevreden. De hele socialistische jongerenbeweging wilde hij naar zijn hand zetten. Het paste in zijn strategie dat Democrates zou fuseren met de Arbeidersjeugd en de PvdA-jongerenclub Morgenrood.

Op een vergadering van deze club dienden Ada, Jan en Koos een motie in, die fusie eiste. De opkomst was die avond niet groot. De familie Rodrigues met aanhang kreeg de motie er makkelijk door. Het bestuur van Morgenrood trad af. Ada, Jan, Koos en Ankie, het meisje van Koos, namen plaats achter de bestuurstafel.

Ook Leon was op die vergadering. Hij woonde nog niet lang in Amsterdam. Van Gustaaf had hij wel eens een lezing bijgewoond en daarvan was de strekking hem goed bevallen. Hij betuigde zijn adhesie aan het nieuwe bestuur. Zo maakte hij kennis met deze Rodrigues-tak.

Gustaaf zag mogelijkheden in Leon. Hij benoemde hem tot landelijk voorzitter van Democrates.

Met voldoening zag Guus op de achtergrond hoe de vereniging zich, onder de niet aflatende ijver van Leon en Koos, hun onvermoeibaar ronselen en werven in de studentenwereld, weer krakend oprichtte en vervolgens opbloeide tot een spraakmakende club.

Vervolgens richtte hij zijn aandacht op de niet-studerende jongeren. Zijn zuster en zwager, Ada en Jan, zette hij aan het werk voor de oprichting van de Jeugd voor Socialistische Opbouw. Het beginselprogramma van de jso, evenals dat van Democrates, schreef hij zelf. Hij suggereerde de onderwerpen voor de acties, demonstraties, resoluties en openbare vergaderingen.

Emma had er aardig slag van gekregen schamper te lachen wanneer een spreker een gematigde sociaal-democratische opmerking maakte, bijvoorbeeld een nuancering op het Democrates-standpunt dat Nederland uit de NAVO moest en dat alle atoombommen moesten worden afgeschaft.

Op een avond, toen Emma lopend naar huis ging, liep Henk met haar mee, met zijn fiets aan de hand. Er viel niet aan te ontkomen. Emma wist niet zeker of hij, in de woorden van Leon en Koos 'te vertrouwen' was.

Henk zette zijn standpunt uiteen. Het was onmogelijk, betoogde hij, om alle atoomwapens af te schaffen. Die waren er nu eenmaal. Er zou een conventionele oorlog uitbreken. Uiteindelijk zou het toch uitlopen op een atoomoorlog. Een van de partijen zou een bom gooien. Als Japan in de tijd van Hirosjima en Nagasaki een atoombom had gehad, had het teruggegooid. Dat kon het einde van de wereld betekenen. Het opheffen van de NAVO zou zelfmoord zijn. De Russen waren ook een kernmacht. Zonder risico zouden ze West-Europa binnenvallen.

Emma wierp tegen dat de NAVO, met leden als Griekenland en Portugal, een fascistisch apparaat was. Ze wilde Henk niet toegeven dat hij de twijfel verwoordde, die ze zelf aldoor had gevoeld.

'Emma,' zei Henk, in zijn proletarische intonatie, 'je bent een aardige meid hoor, maar van polletiek weet je niks. Dan ken je beter gaan vissen.'

Hij stapte op de fiets en reed weg.

Na ampel beraad besloot Emma aan Leon advies te vragen in haar morele crisis. Hij wist immers alles. Ongevaarlijk was de onderneming niet. De vrees was allerminst ongegrond, dat hij ook haar zou gaan indelen bij de 'onbetrouwbaren'.

Ze vroeg het toen ze in een café zaten, voorzichtig en bedeesd. Hij was in een goede stemming.

Als de NAVO er niet was, vroeg Emma, dan kon het Westen zich toch niet meer verdedigen?

Ze moest het zo zien, antwoordde Leon. Het kon niet zo blijven als het was. De kapitalistische wereld zou zich moeten overgeven aan het socialisme.

Angstig keek Emma hem aan. Het leek haar een weinig aantrekkelijk vooruitzicht.

De Sovjet-Unie, legde Leon uit, leed nog sterk onder de misdaden van Stalin, maar dat wilde niet zeggen dat het systeem van de dictatuur van het proletariaat niet bruikbaar was. Het 'Joegoslavische model', bijvoorbeeld, was heel interessant.

Emma begreep dat er een eind moest komen aan een systeem waarin 'tot 't merg d'arme uitgezogen' werd en de 'rijkaard zelfzuchtig voort' leefde. In dat licht mocht zij niet denken aan haar eigen hedonistische comfort. Wel hoopte ze heimelijk dat de verschuivingen nog even zouden uitblijven.

Leon vertelde over Trotski. Hij en Lenin hadden voor Stalin gewaarschuwd. Trotski was belasterd en verbannen. Zijn leven in ballingschap was een tragedie geweest. Zijn vier kinderen had hij overleefd. Stalin had zijn twee zoons laten vermoorden. Ten slotte drong een handlanger van Stalin, in de gedaante van een leergierige bewonderaar van Trotski, binnen in zijn tot vesting omgebouwde Mexicaanse woning en dreef hem in zijn studeerkamer een ijshouweel de hersens in.

Trotski was de eigenlijke uitvoerder van de Russische Revolutie. Hij had het Rode Leger opgericht, maar in geen enkel Sovjetboek was zijn naam te vinden. Een jaar lang, in de burgeroorlog, woonde hij in een trein die het land doorkruiste, van het ene front naar het andere. Onderweg las hij Franse literatuur. Hij was een fijnzinnig mens.

In Europa had hij weinig volgelingen, maar in Zuid-Amerika en op Ceylon had hij nog altijd een grote aanhang. Ook in Nederland bestond, in het geheim, een kleine sectie van Trotski's Wereldpartij. De 'Nederlandse sectie' werkte ondergronds. Dat was een idee van Trotski zelf. De partij zou bestaande partijen en organisaties uithollen en op die manier de wereld veroveren. Dat heette 'intrede-politiek'.

Emma drukte haar sigaret uit in de asbak. Dromerig stak ze een nieuwe aan. Ze leunde voorover, met haar vingers rond het voetje van het jeneverglaasje, haar armen op het Perzische kleedje. In de roezige warmte van de kroeg zag ze een studeerkamer vol boeken. Aan het bureau zat een wijze, vaderlijke man, een kenner van de Franse literatuur, verdiept in het scheppend werk dat de wereld zou redden. Hij zag niet dat de jongeman, die achter hem stond, boven zijn grijze hoofd een houweel had geheven. Trotski, de martelaar, de Verlosser.

Ze keek naar Leon die zwijgend de kastelein wenkte en op hun glaasjes wees.

Nog nooit in haar leven had ze iemand ontmoet als hij. Behalve met haar vader en haar tante was ze vrijwel nooit met iemand omgegaan van wie ze het gevoel had dat ze iets kon leren. Om er op school bij te horen, had ze de gewoonte aangenomen zich dommer voor te doen dan ze was, zoals ze krom was gaan lopen omdat ze op haar twaalfde langer was dan haar vriendinnetjes. Op school moest je zorgen dat je niet achterbleef, maar al te intelligent mocht je evenmin zijn. Dat was niet meisjesachtig, niet vrouwelijk en vooral, wat veel erger was: joods – zoals slordigheid, hard praten en tactloosheid.

Emma leunde voorover aan het cafétafeltje, keek naar Leon en glimlachte. Tot nu toe, besefte ze, had ze intellectueel de pas ingehouden. Voor het eerst, sinds ze van haar vader was gescheiden, voelde ze zich in iemands nabijheid ontspannen maar ook intelligent. Ze wist nog niets, maar van Leon zou ze alles kunnen leren.

Hij zei dat ze nooit, nooit met iemand mocht spreken over de 'Nederlandse sectie'.

Emma zwoer dat hij haar volkomen kon vertrouwen.

Ze was bereid alles voor hem te doen.

Emma was er van overtuigd geraakt dat in dat stampvolle, rokerige zaaltje, boven dat café-restaurant met strijkje, wel degelijk iets te beleven viel. Het leek wel een verzamelplaats van alle politiek bewogenen: dogmatici, theoretici, demagogen, radencommunisten, anarchisten, salon-socialisten, radicalen, anti-Stalincommunisten, fellow-travellers. Vooroorlogse boekenwurmen kwamen ervoor uit hun zolderkamertjes, de intelligentia kwam er oefenen in eloquentie.

Politici en geleerden van naam kwamen, vaak na een lange treinreis, een inleiding houden of debatteren met een tegenstander, waarvoor ze niet zelden werden beloond met gefluit, geloei en hoongelach.

Maar hoe opwindend het onderwerp ook was – 'De betekenis van Marx voor onze tijd', 'Het Joegoslavische model', 'De Ambonezen en de kwestie West-Irian', 'Zes jaar oorlog in Algerije', 'Nederland en de NAVO' of 'De opslag van atoomwapens in Nederland, zojuist onthuld' – naarmate de avond vorderde bleef er slechts één thema over, dat Emma's gedachten- en gevoelsleven beheerste en kwelde: de vraag wat Leon na afloop zou gaan doen.

Vaak zat in het zaaltje een broodmager meisje met een fijn besneden maar zwaar opgemaakt, tragisch gezicht. Ze sprak geen woord en zat rechtop, roerloos als een beeld. Geen enkele emotie op haar gezicht verried dat iets van het gesprokene haar beroerde. Wanneer er werd gelachen, lachte ze niet mee.

Emma herinnerde zich dat ze op de feestavond van Justinus, toen ze Leon had ontmoet, dat tragische gezicht had gezien. Dat meisje had, toen ze vertrokken, op de trap gezeten en geroepen: 'Leon!'

Het bleek zijn vroegere meisje te zijn, Marga. Ze was met hem meegekomen uit zijn geboortestad. Binnenkort zou ze daarheen teruggaan, want tussen haar en Leon, verzekerde hij Emma, was alles uit. Ze hadden te veel ruzie. Want zo zwijgzaam als Marga was in het openbaar, zo heftig kon ze tekeergaan als ze alleen waren. Het scheen dat ze leed aan een ziekelijke jaloezie. Voor politiek interesseerde Marga zich nauwelijks.

Dat alles uit was tussen haar en Leon was een hele geruststelling, maar de vraag bleef waarom Marga, die zich niet voor politiek interesseerde, dan toch op die politieke avonden kwam.

Ook in de pauze verroerde Marga zich niet. Leon liep langs haar stoel en voegde haar in het voorbijgaan een paar woorden toe, waarbij op haar gezicht zoiets als een lachje verscheen.

Vervolgens ging hij, zoals zijn gewoonte was, met een biertje in de hand ernstig staan praten met de een of andere oude man.

Emma stond in een groepje te roken, maakte smalende opmerkingen over de opvattingen van de inleider en lachte luid, waarbij ze telkens omkeek naar Leon.

Tegen het eind van de avond hoorde ze nauwelijks meer wat er werd gezegd. Onrustig hield ze Leon in de gaten. Onder de slotwoorden van de afdelingsvoorzitter liep hij naar de deur, terwijl Marga opstond en hem volgde.

Soms stelde Emma opgelucht vast dat Marga niet was verschenen. Maar ook dan kon het gebeuren dat Leon, nog voordat de bijeenkomst was afgelopen, plotseling was verdwenen, en als Emma dan keek waar het meisje was dat ze al de hele avond wantrouwde, was dat ook weg.

Op zulke avonden ging Emma niet mee met de anderen naar de kroeg, maar liep langzaam naar haar kamer, de mogelijkheden afwegend voor een voortijdige, verlossende dood.

Renske en Emma waren hun riante woonruimte kwijt. Op de etage boven het beminnelijke, hoogbejaarde echtpaar, van wie Emma de kamer had gehuurd, recht onder Renske en Emma, woonde de zoon met zijn vrouw. De schoondochter was een magere lat, met een koolzwart geverfd kapsel en een schrille stem. Het was nauwelijks voorstelbaar dat de luidruchtige vleesklomp het produkt was van het schriele besje en de bedeesde oude man.

De eerste mooie zondagochtend al hoorden Renske en Emma op de trap geschreeuw en gekijf. Het bleek een generatieconflict te zijn, vanwege de kamer die de ouders hadden verhuurd. Zoon en schoondochter hadden met de ruimte andere plannen.

Af en toe kwam de vleesklomp naar boven klossen. Onder het uitbraken van verwensingen bonkte hij op de deur. Wat Emma en Renske daarbinnen uitvoerden 'op dat bed', wilde hij weten. Zijn woordenschat was niet groot. De kwalificaties 'hoeren' en 'lesbisch' kwamen telkens terug. Het woord 'lesbisch' sprak hij uit met dikke tong en half openhangende mond, waarbij hij de s'en uitspuugde als z's. Krijsend droeg zijn vrouw er het hare toe bij.

Sidderend zaten Renske en Emma op bed. Maanden hielden ze het vol, maar op een januari-ochtend trapte de gespierde vleesklomp de deur in. Bevend en huilend en nauwelijks aangekleed holden Renske en Emma de trap af, naar het politiebureau. De dienstdoende wachtmeester was vaderlijk. Hij had niets tegen prostitutie, vermaande hij. Hoertjes moesten er ook zijn, maar niet in een nette volksbuurt. Toen ze thuiskwamen, lagen hun spulletjes op straat.

Emma vond een piepklein kamertje, op een beletage, in een steeg in het centrum. Het bood uitzicht op een café met nachtvergunning. Flarden Duitse schlagers vlogen binnen door het open raam van het kamertje, telkens als de cafédeur openging. 's Nachts was het boeiend om te zien hoe mannenparen naar buiten kwamen en elkaar in hartstocht, die niet kon wachten, omklemden en zoenden.

Emma's vertrekje bood plaats aan een bed en een logeermatras, die zo nodig op de grond werd gelegd. Bij het voeteneind, in een hoek, kon nog juist een petroleumstel staan. De logeermatras lag altijd op de grond.

Officieel woonde Renske nog in Den Haag. Maar daar was Daan niet. Op een dag kwam Leon langs en vond Renske alleen. Hij stak een vurige liefdesverklaring af. Gevleid rapporteerde Renske het aan Emma.

Hardnekkig bleef Leon pogingen doen de maagdelijke Renske bij te schrijven op zijn Don-Juan-lijst. Renske gaf niet toe en bracht, niet zonder triomf, steevast haar vriendin verslag uit van Leons bevlogen aandringen.

In deze kwellende toestand bracht de nieuwe hospita uitkomst. Zij zegde Emma de huur op. Nu woonde Emma alleen, in een keurig zoldervertrekje, in een drukke winkelstraat.

Leon belde haar op. Of ze secretaresse wilde worden in het landelijk bestuur van Democrates. Het aanbod verbaasde Emma hooglijk. Ze wist immers niets van politiek?

Leon citeerde Rosa Luxemburg of een andere radicale denker, dat het voor de ware revolutionair eerder aankwam op instinct dan op kennis. Het ging er om dat je het hart op de juiste plaats droeg.

Snel accepteerde Emma de benoeming. Deze kans om Leon vaker te zien moest ze aangrijpen. En zo zat ze achter een bestuurstafel, met Leon en Koos.

In het zaaltje zaten studenten, een man of dertig. Om de een of andere reden bezaten ze elk recht op een groot aantal stemmen, zodat de getallen bij stemmingen over resoluties suggereerden dat hier een volksmassa bijeen was.

Urenlang werd vergaderd over de formulering van een resolutie, bijvoorbeeld dat Democrates van mening was dat de Verenigde Naties de Volksrepubliek China dienden te erkennen. Op deze omslachtige wijze werden meer opinies verwoord, waarin de afgevaardigden Nederland en de wereld maanden om terug te komen op imperialistische of Koude-Oorlogsdwalingen.

Emma notuleerde zo goed en zo kwaad als het ging. Waarom het ene woord na lang heen-en-weer-gepraat werd afgekeurd en het andere wél succes had, begreep ze absoluut niet. Nog minder begreep ze waarom Leon en Koos op zulke momenten blikken wisselden van triomf. Opgelucht lachte ze mee, wanneer er iets te lachen viel. Bij stemmingen stak ze de hand op zodra Leon en Koos dat deden.

Het werd laat. Eindelijk stonden de afgevaardigden op. Tot besluit van het congres zongen zij, de gebalde linkervuist omhoog, de Internationale.

Carrie werkte die zomer als gids bij een rondvaartrederij. Op haar voorspraak kreeg ook Emma in die branche emplooi. Geld als water verdienden ze. Het loon was laag. Om een fooi vragen was streng verboden, maar vrijwel alle gidsen negeerden dat verbod. Na afloop van de vaart hield je het hoofd verleidelijk een beetje schuin, deelde in alle talen die je kende mee dat je werkstudent was en verzocht de opvarenden gids noch kapitein te vergeten. Vervolgens rinkelde je met geldstukken in de microfoon en mompelde alvast 'Thank you very much', 'Danke schön.'

Emma had weinig zin in dat gebedel. Ze zei eenvoudig na afloop: 'Vergeet u niet de gids nog te betalen. Een gulden per persoon, alstublieft.'

Op die manier ontving ze een keer of zeven per dag veertig gulden. Dat was wel pure zwendel, maar vernederend was het niet. Trouwens, de rederij was fout geweest in de oorlog en dat was evenmin in de haak.

'Na de bevrijding hingen ze als eersten de Duitse vlag weer uit,' zei Emma's kapitein schamper.

Onderweg moest je, in vier talen, over bezienswaardigheden grapjes maken die per stencil waren uitgereikt, zoals 'zijn fiets staat er niet, dus hij is niet thuis' bij de ambtswoning van de burgemeester. Voor elk grapje minderde de kapitein vaart, maar desondanks was het een hele opgave om niet te struikelen over je polyglotte geestigheid.

Zolang de boot in het IJ voer en er weinig viel aan te wijzen, kon je de toeristen lastig vallen met dure mapjes grijze, onscherpe fotootjes van stadsgezichten. Je verdiende er een paar kwartjes op. Vooral Carrie was in de verkoop erg gewiekst. Ze rekende voor hoeveel het zou kosten om zelf tien fotootjes te maken. Om te beginnen moest je een fototoestel kopen. Bezien in dat licht was zo'n mapje spotgoedkoop! De meeste passagiers schoten in de lach om die redenering en kochten een mapje.

Met zakken vol klinkende munt gingen Carrie en Emma 's avonds naar een restaurant, waar ze de duurste gerechten bestelden en grote fooien uitdeelden. Onder het eten haalden ze herinneringen op aan de dag. Ze kraaiden Amerikaanse dames na: 'How many feet high is that?!' of imiteerden beleefde Engelsen: 'Thank you, very much indeed! Very nice indeed!' Om het hardst snoefden ze naar welke polder ze, door het opnoemen van verkeerde trams en bussen, moffen hadden gestuurd die naar 'das Anne Frankhaus' hadden geïnformeerd.

'Meneer, wilt u haar een beetje veel geven?' verzocht Carrie de ober, die de gerechten opdiende. 'Haar vader is in Indië en haar moeder leeft niet meer. Ze heeft niemand op de wereld!'

Emma probeerde haar lachen in te houden en zielig te kijken. Op deze wijze wekte Carrie tevens het medelijden op van patatboeren en ijsverkopers, zodat Emma in haar gezelschap verzekerd was van een extra schep patat of een extra bolletje ijs.

Carrie was geboren in dezelfde zomer als Emma. Op dezelfde leeftijd als Emma, twee jaar, was ze naar een onderduikadres gebracht, bij een boerengezin met veel kinderen. Carries ouders waren zelf ondergedoken en overleefden de bezetting.

Toen Carrie na de bevrijding de vreemde, donkerharige mensen zag die haar kwamen ophalen, holde ze weg en verstopte zich. In Amsterdam kon ze in de begintijd niet wennen. Als enig kind van ouders die leefden met schimmen van een uitgedunde familie, had ze hevige heimwee naar het vrolijke, kinderrijke gezin van haar onderduiktijd.

Carries moeder was klein, tenger en kittig. Haar man was niet veel groter en rond. Wanneer Emma er met Carrie op bezoek was zat hij, bij de feestelijk met snoep bedekte tafels, doorlopend treurige gebbetjes te maken.

Op het buffet stond een foto van zijn ouders. Ook toen hij zelf al een gezin had, zocht hij hen dagelijks op. Ze woonden in dezelfde buurt.

Op een dag, toen hij hun straat in kwam fietsen, zag hij dat er razzia was. Voor het huis van zijn ouders stond een vrachtauto. Op de achterbak, tussen andere joden en Duitsers met geweren, stonden zijn ouders. De auto reed weg. Zelf moest hij maken dat hij wegkwam. Zijn ouders zag hij niet meer terug.

Carrie en Emma maakten elkaar veel aan het lachen met verhalen over hun jeugd. Carrie speelde voor hoe haar moeder vroeger een nieuwe jas voor haar kocht.

Eerst speelde ze zichzelf als schoolkind. Ze ging er dik en log bij staan, met slap hangende armen.

Dan speelde ze haar moeder. 'Meneer,' zei ze. Gedecideerd keek ze omhoog naar een imaginaire winkelbediende. 'Ik zoek een jas. Voor haar.' Ze wees naar achteren.

Carrie ging er weer houdingloos bij staan als het vormeloze schoolmeisje.

Dan weer als haar moeder, kittig, tegen de denkbeeldige winkelbediende: 'Nou ja, ze is eigenlijk niks nut hoor, een jas voor op de fiets zoek ik eigenlijk. Hij hoeft niet zo duur te zijn, dat begrijpt u wel.'

Na het eten gingen ze naar de bioscoop of naar Carries kamer om platen van Ella Fitzgerald te draaien.

'I've got you under my skin,' zongen ze zachtjes mee, terwijl ze elkaar met betraande gezichten aankeken.

'Het is ons op het lijf geschreven,' zuchtten ze.

Leon en Koos waren voor een maand naar Joegoslavië. Een delegatie van Democrates was uitgenodigd om daar in een jeugdwerkkamp van de Internationale Brigade de 'partizanen' te helpen met het opbouwen van het socialisme. Ankie was ook mee.

In Leons zakboekje had Emma toevallig gezien dat Marga, met wie hij immers in het geheel geen contact meer had en die zich absoluut niet voor politiek interesseerde, uit zijn boekenkast had geleend: Friedrich Engels, *Socialisme. Van utopie tot wetenschap.*

'Ze dacht zeker: ik moet eens wat Engels leren,' zei Emma tegen Carrie.

'Met een paar woordjes Engels kom je een heel eind in de wereld,' vulde Carrie bereidwillig aan.

Nee, het moest maar uit zijn met Leon. Met pijn in het hart besloten Carrie en Emma deze zomer de kans om het socialisme te helpen opbouwen te laten schieten. Ze zouden in Amsterdam blijven om te genezen van hun uitzichtloze liefde.

Van het verdiende geld kocht Emma een grammofoon en een paar platen. Bachs Vijfde Brandenburgse concert en twee vioolconcerten en een paar symfonieën van Mozart. Geen jazz en zeker geen 'oud-blank'.

Ze had zelfs een nieuwe vriend. Toen ze het Carrie vertelde, kon ze even niet op zijn naam komen.

Ze verzonk in gepeins.

'Diederik Verbiezen,' spelde ze moeizaam.

Carrie schoot in de lach. 'Hoe heet je nieuwe vriend ook weer, Emma,' vroeg ze telkens. – 'Diederik Verbiezen,' antwoordde Carrie dan zelf, moeizaam en nadenkend.

Emma had met Diederik nauwelijks conversatie, maar ze spande zich in de verhouding vol te houden tot Leon terug was. Ze probeerde zichzelf in herinnering te roepen hoe Diederik de eerste nacht in het donker voor hen beiden een sigaret had aangestoken, hoe hij haar, met het vlammetje bij zijn donkerblauwe ogen, diep in de ogen had gekeken en hoe opwindend dat was geweest. Maar de opwinding was spoorloos verdwenen.

Hoewel Leon nog niet terug was, maakte ze het toch uit met Diederik, op een avond op een gracht, toen ze uit de bioscoop kwamen.

Hij dreigde dat hij zich zou verdrinken. Inderdaad liet hij zich half in de gracht zakken.

Emma gilde een oploop bij elkaar en liep snel naar huis, tevreden dat ook zij wreed kon zijn. Jammer dat Leon er niet bij was.

Een dikke Duitser in de boot zat te schreeuwen dat hij Emma niet verstond, terwijl ze aan de Nederlandse uitleg bezig was.

'Wat een klootzak is die rotmof,' zei ze tegen de kapitein, per abuis in de microfoon.

Een Nederlandse vrouw ging erover klagen op het kantoortje. Nu kwam ook uit dat Emma in vier talen extra geld voor de gids had opgeëist. Op staande voet kreeg ze ontslag. Terwijl ze haar spullen ging halen, kwam Carrie de trap af.

'Carrie, ik ben ontslagen,' riep Emma.

Carrie draaide zich zwijgend om, liep kordaat het kantoortje binnen en nam ook ontslag.

'We gaan het geld opmaken in Parijs,' besliste ze.

Op de Boul' Mich' kwam een man op Emma af. Een paar keer hield hij zijn tien vingers gespreid omhoog.

'Vijfhonderdvijftig francs,' schreeuwde hij.

Het was de man met wie Emma eens een nachtclub was binnengegaan en die een optelsom had gemaakt van de kosten, omdat ze niet met hem naar een hotel wilde. Emma en Carrie lachten hem in zijn gezicht uit, Emma met een zalig onkwetsbaar gevoel.

Haar geldzorgen waren achter de rug. Haar opa was gestorven. Emma erfde het deel dat haar moeder toekwam. Daarbij kreeg ze ook nog twaalfhonderd gulden, van de Duitse 'Wiedergutmachung'.

Twaalfhonderd gulden voor het 'weer goedmaken' van een dode moeder, een verdrietige jeugd, een blijvende onmacht – naar later zou blijken – tot het aangaan van een normale verbintenis, een chronische slaapstoornis.

Het was geen bedrag dat de schade volledig dekte. Emma overwoog het geld te weigeren, maar ze bedacht zich gelukkig bijtijds.

Emma sloeg de handschoenen tegen elkaar en blies een dikke wolk wasem de lucht in. Ze vroeg zich af waarom ze in de kelder bleven staan en niet even naar boven gingen, naar Leons kamer, waar de potkachel snorde, maar onmiddellijk daarop begreep ze dat warmte en gezelligheid afbreuk zouden doen aan de ernst van de zaak.

Meer mensen kwamen binnen, het werd vol in de kleine ruimte. Maup was er, Koos en Ankie, Ada en Jan.

Carrie kwam binnen en zag Ankies blonde, hoog opgekamde kapsel. Haar gezicht betrok.

Frans Calcoen was er, met zijn dispuutgenoot Emile, een student in de rechten, een fijn gebouwde knaap met een zegelring.

Het sprak vanzelf dat Jeltje en Klaas niet ontbraken. Onder haar jas droeg Jeltje haar bruine trui. Bij geen enkele gelegenheid, zomer noch winter, had Emma haar zonder dat kledingstuk gezien.

Nimmer liet het echtpaar verstek gaan bij demonstratie of actie. Revolutie was hun leven. Beiden studeerden medicijnen. Later zouden ze naar Afrika gaan om medische hulp te bieden aan het bevrijdingsleger tegen de Portugese dictator Salazar. Hun woninkje in een volksbuurt – keukentje, kamer, alcoof – lag vol pamfletten, linkse krantjes en brochures. Veel plaats om te koken hadden ze niet nodig. Ze waren vegetariër en aten rijst met wat groente.

Het was niet Jeltjes gewoonte te wachten tot anderen een demonstratie organiseerden. Veelal dwaalde ze in haar eentje met een sandwichbord door de stad en deelde pamfletten uit aan voorbijgangers. Een studieboek had ze altijd bij zich. In de cel had ze mooi de tijd om tentamens voor te bereiden.

De vriendelijke Modeste van den Muyzenberg, het verstrooide genie, stond zacht met Leon te praten. Onder zijn arm had hij een dikke tas geklemd. Nog een wonder dat hij op tijd was. Meermalen was hij in de trein zijn station voorbijgereden of had hij, terwijl hij op de stationsbank zat te wachten, niet gemerkt dat zijn trein geruime tijd stilstond en dan wegreed. Een hele dag had hij eens op zo'n stationsbank gezeten, verdiept in een of andere volumineus, minuscuul beletterd, buitenlandstalig dundrukboek tot hij, tegen de avond, honger kreeg.

Hij was zwijgzaam, maar het was niet makkelijk van hem af te komen wanneer hij eenmaal op zijn praatstoel zat over een onderwerp waarvan hij alles wist, Zuidwest-Afrika of China. Hij beheerste verscheidene talen, zoals Hongaars en Chinees, maar zijn Nederlands, zelfs al wilde je dolgraag alles weten over Zuidwest-Afrika of China, was moeilijk te volgen, omdat hij meestal brochuretaal sprak.

Leon deelde Lola-borstels rond en pakken vuurrode pamfletten. 'De EENHEIDSWET haalt onze zakken,' stond erop met grote letters. Daaronder stond in koeieletters: 'LEEG!!'

Op de gebouwen en huizen in de stad wemelde het van vuurrode pamfletten met deze leus, maar dat was het werk van de communistische jeugdbond.

Het was ergerlijk dat de communisten altijd voor alles stante pede honderden jongeren de straat op kregen. Het was noodzakelijk, zei Leon, dat ook de socialistische jeugd zich solidair verklaarde met de Belgische stakers.

Premier Eyskens van België had een wet voor bestedingsbeperking uitgevaardigd. De arbeiders waren massaal in staking gegaan. Gewoontegetrouw keurde de Nederlandse vakbond deze staking af.

Belgen kwamen demonstreren in Amsterdam. Emma liep mee en schreeuwde met de zuiderburen: 'Eyskens buiten. Eyskens au poteau! Fabiola au musée!' Ze was bereid die Eyskens persoonlijk op te knopen.

De grijs bebaarde geheelonthouder Friedrich Lijnzaad arriveerde. 'Jongens, vanavond houden we de eer van het democratisch socialisme hoog,' riep hij joviaal. Modeste en Leon groette hij niet. Nadrukkelijk keek hij de andere kant op. Zeker een conflict in de Wereldpartij, dacht Emma.

Zelfs als ze alleen waren, durfde ze Leon niet te vragen naar de Wereldpartij. Wie weet zat er een stille verklikker in de kast. De Wereldpartij was ondergrondser dan ooit. Voor haar geestesoog zag Emma al hoe men Leon zou vinden, badend in zijn bloed. Koud gemaakt door haar schuld, omdat zij haar mond voorbij had gepraat.

's Nachts als ze bij hem sliep, lag ze te luisteren naar voetstappen op straat. Ze schrok wakker omdat ze dacht dat ze de bel hoorde.

Een politiemacht had een Amsterdamse stenograaf en een Griekse revolutionair, die in Amsterdam woonde en die bekend stond als 'Carlos', met geweld van het bed gelicht. Ze hadden het Algerijnse verzet willen helpen met het drukken van vals Frans papiergeld en van valse persoonsbewijzen voor leden van het Algerijnse verzet die in Parijs woonden. Dat gebeurde in opdracht van het Wereldsecretariaat in Parijs, in een kleine drukkerij in een Duits provinciestadje.

De drukker, een zekere Wessels, lid van de Nederlandse sectie, bleek een provocateur te zijn die voor de BVD werkte. De kranten meldden de arrestatie in kleine berichtjes. Daarna hoorde je er niets meer over.

Het verbreken van Emma's betrekkingen met Leon was niet uitvoerbaar gebleken zolang zij een functie bekleedde in het landelijk bestuur. Het was een winter vol activiteit. Vrijwel dagelijks was er werkoverleg tussen algemeen voorzitter en algemeen secretaresse.

In het najaar opende Democrates het seizoen met een avond over 'de kwestie West-Irian'. Na de pauze raakten twee groepen Ambonezen bijna slaags, omdat ze het oneens waren over de strategie van terugkeer naar het land van herkomst.

Als Leon in een goede bui was, liet hij Emma op zijn Indisch een spreekster uit de zaal imiteren, die de partijen wilde verzoenen: 'Door de Eeuwen Trouw; hij wil terug! De RMS; hij wil terug! Waarom dan niet saaamén!?!'

Steeds groter zalen huurde Democrates voor het toestromende publiek. Voor colleges had Emma allang geen tijd meer.

Ze tikte brieven om sprekers uit te nodigen, schreef adressen voor convocaties, trapte zich een ongeluk achter een bakfiets met een stencilmachine, stencilde, stond pamfletten rond te delen op drukke kruispunten. Ze fietste langs kranteredacties om aankondigingen in de bus te stoppen of ingezonden brieven.

Partijgetrouwe studenten hadden een andere club opgericht, die Morgen heette. Het partijbestuur wilde met Democrates breken en de subsidie intrekken.

Emma begreep niet waarom ze dat niet gewoon déden. Dat had heel wat besprekingen, vergaderingen en correspondentie gescheeld. Maar dat was blijkbaar al te eenvoudig gedacht.

Nu en dan schreef de partijgetrouwe arbeiderskrant een paar regels over het conflict, altijd volgens het standpunt van de partij. Dan stelden Leon, Koos, Henk en wie er nog meer bij was een brief op naar de krant.

Henk had als afdelingsvoorzitter de plaats ingenomen van Ludovicus, de 'kontkruiper van de partij', die was weggestemd. Langdurig discussieerden de kameraden over de formulering.

Emma zat er bij, deed ook eens een duit in het zakje en tikte het eindresultaat uit.

Democrates nodigde een Belgische stakingsleider uit als spreker op een solidariteitsvergadering. Voor de Partij van de Arbeid was de maat nu vol. Zij brak definitief met Democrates.

Op sinterklaasavond zat Emma op haar kamer. Leon belde op om te vragen of ze kwam. Hij had zelfs een cadeautje voor haar, een boekje over Indische literatuur.

Met oud en nieuw vroeg hij haar mee naar zijn stad van herkomst. In de trein vertelde hij over zijn moeder en voorspelde wat zij zou doen en zeggen.

Het kwam precies uit. Zijn moeder was bang dat ze doof werd.

'Moeder,' riep Leon.

'Ja, jongen.'

Leon bromde iets onverstaanbaars.

'Hè, zie je nu wel, jongen, daar heb je het al! Ik versta er niets van,' riep zijn moeder. 'Ik word stokdoof!'

In twee happen schrokte Leon zijn taartje op. 'Ik lust nog wel zo'n ding,' bromde hij.

'Hè, jongen, aan jou is ook geen gezelligheid aan,' mompelde hij, alleen verstaanbaar voor Emma.

'Hè, jongen, aan jou is ook geen gezelligheid aan,' mopperde zijn moeder.

'Moeder, weet je nog in *Op hoop van zegen*,' vroeg Leon, 'dat Barendje niet naar zee wou?'

'O ja, Barendje wou niet naar zee,' zei zijn moeder met haperende stem. En daar kwamen de waterlanders, zoals Leon had voorspeld.

Ze vertelde vrolijke familieverhalen.

'En toen kwam die rotoorlog,' zei ze na elk verhaal en huilde een deuntje. Lachend stond ze op: 'Ach, we willen nog wel een kopje koffie.'

Haar familie was in de oorlog vermoord. Ze was van plan van de Wiedergutmachung een televisie te kopen.

Oudejaarsavond zaten ze met oliebollen bij de radio en luisterden naar Wim Kans conférence, waarom ze alle drie hard moesten lachen.

Emma bracht de nacht door in een klein kamertje, naast de slaapkamer van zijn moeder. Leon sliep op zolder. Aan vrijen viel niet te denken.

Aan tafel, toen zijn moeder naar de keuken was, pakte Leon Emma's hand en dirigeerde die naar een vervaarlijke zwelling in zijn broek. Hij liet direct haar hand los toen zijn moeder binnenkwam, met dampende schalen.

Zij was over Emma zeer te spreken, vooral over het feit dat Leon nu eindelijk 'een Jiddisch meisje' meebracht. Jammer alleen dat Emma's haar veel te kort was. Dat stond niet, als je zo'n lange hals had.

'De volgende keer is dat haar langer,' besliste ze. Zonde ook dat Emma haar gezicht verfde. Zonder verf zou ze 'veel natuurlijker' zijn. Maar Emma's make-up was heilig vergeleken bij die van Marga, die met haar pancake wel 'een Egyptische mummie' leek.

Op nieuwjaarsochtend maakten ze met hun drieën een wandelingetje door de stad. Nu en dan kwam iemand 'uit de kille, wat er nog van over is', met een brede glimlach op hen af en feliciteerde Leons moeder, dat haar zoon 'een Jiddisch meisje' had.

's Middags gingen Emma en Leon samen uit. Ze betraden een druk beklant café. Bij het tweede pilsje begon Emma zich eindelijk te ontspannen, toen ze in de menigte het expressieloze, inderdaad onder een laag pancake bedekte, gezicht van Marga zag. Leon ging naar de wc en bleef lang weg. Bij terugkomst vertelde hij dat Marga had geïnformeerd waarom 'die meid met die vissekop' er ook was.

Sindsdien was 'vissekop' een van de dingen waarmee hij haar plaagde.

Op nieuwjaarsdag was er een vredesoptocht van het comité Kerk en Vrede en nog een paar goedwillende organisaties. Een kleine stoet van de jso en Democrates wandelde mee met de leus: 'Beter nu actief dan straks radio-actief!'

In Krasnapolsky, waar de deelnemers na afloop samenkwamen, beklom Ada het spreekgestoelte en waarschuwde, in eenvoudige zinsbouw, dringend voor het atoomgevaar. Er was een ordedienst van jso'ers, in hun uniform: blauw overhemd, rode das. Nu en dan barstten ze op commando uit in een yell: 'Jee-Es-OO, Jee-Es-OO!'

Nogal gênant, vond Emma.

De Bescherming Burgerbevolking verspreidde huis aan huis richtlijnen voor een eventuele kernoorlog. Je moest onder je bureau kruipen en een voorraad gedroogde bonen in huis hebben, want het zou geruime tijd duren voordat je weer naar buiten kon. De jso hield een humoristische optocht. De deelnemers hadden, als hoeden, vierkante dozen op als 'b b-blokhoofd' en droegen zakjes bruine bonen.

Emma begreep niet hoe de burgers zo zorgeloos door de stad konden wandelen, met die verschrikkelijke atoomdreiging.

In slapeloze nachten was ze nu niet meer bevreesd voor ziekte of gekraak op zolder van ratten of muizen; ze was bang voor de Bom. Ze liep naar het raam en zag aan de overkant de huizen instorten. Als 's nachts de atoombom viel en ze was alleen op haar kamer, aan wie kon ze dan vragen wat ze moest doen? Een bureau had ze niet. Een bed evenmin. Haar matras lag op de grond. Moest ze onder tafel kruipen? Hoe lang moest ze daar blijven?

Plichtsgetrouw maar ook gefascineerd had Emma boeken gelezen die Leon haar had geleend: over de Russische revolutie, over Lenin en Trotski, de geschiedenis van de Nederlandse arbeidersbeweging.

Ontzet las ze in brochures, tijdschriften en buitenlandse kranten hoe het toeging in exotische landen waar de zon scheen, hoe slecht het in de wereld was verdeeld, hoe weinig mensen in arme landen de kans kregen om een redelijk tevreden bestaan tot een goed einde te brengen. Maar wat er moest gebeuren om dat te veranderen, begreep ze niet. Een wereldrevolutie? Nog meer dood en verderf? Zou er nooit meer een Stalin zijn? Ze twijfelde, kon geen standpunt verdedigen, begreep de grote lijnen niet.

Zij kwam niet op het idee bij iemand haar licht op te steken. De vijand was duidelijk afgetekend: alle voorstanders van apartheid, het militarisme, het imperialisme. Ook het partijbestuur was de vijand, evenals het bestuur van Morgen.

Daar zit ook wel iets in, dacht Emma soms als ze een partijbons iets hoorde argumenteren of iemand van Morgen. Ze schrok er zelf van. Als niemand het maar aan haar merkte!

Ze zorgde er wel voor dat ze het altijd eens was met Leon en Koos, dan kon haar niets gebeuren.

In een hoek van de kelder stonden emmers met stijfsel. Paarsgewijs kregen ze er een: Koos en Ankie, Ada en Jan, Carrie en Frans, Jeltje en Modeste, Klaas met Arnold, Maupie met een onbekende, nieuwe vlam, Emma en Leon.

Emma slaakte een zucht van verlichting. Ze was bang geweest dat het onbekende meisje iets met Leon te maken zou hebben.

Leon verdeelde de routes.

'Als je wordt aangehouden,' zei Jan, 'dan zeg je maar tegen die agent: "Ik mag hier plakken volgens artikel elf van de plakwet."'

Hij zette komische ronde ogen op. 'Daar trapt-ie in. Néé! Natuurlijk bestaat er geen plakwet! Maar weet zo'n agent veel!'

Lachend gingen ze de straat op. Buiten stonden ze te springen. Felle kou beet in je gezicht. Het leek wel of er ijspegels in je ogen stonden. Onbelemmerd drong de snerpende wind door kleren en schoenen en joeg wolken stuifsneeuw tegen hen aan. Met pijnlijke handen roerden ze de borstel door de stijfsel om te voorkomen dat die zou bevriezen.

Ze gingen op weg.

Op de hoek van de Weesperstraat, juist toen Emma de kwast hief en Leon een pamflet, kwamen twee agenten aanfietsen, blazend van de kou. Ze stapten af. Voordat Emma het besefte was ze met Leon, tussen twee agenten in, op weg naar het politiebureau. Daar zaten Ada en Jan, Jeltje, Modeste, Maup en het meisje.

Het was er gezellig warm. Pijnlijk tintelend ontdooiden Emma's handen en voeten. Ze had al vier sigaretten gerookt toen er eindelijk een agent verscheen, die hen opriep een voor een binnen te komen voor verhoor. Emma was eerder aan de beurt dan Leon.

Achter een bureau zat een rechercheur. Hij vroeg haar waar ze waren begonnen met plakken.

'Op het Waterlooplein,' antwoordde Emma.

Terwijl ze terugliep naar de andere arrestanten liep Leon langs haar heen. Ze keken elkaar aan.

'Waterlooplein begonnen,' fluisterde Emma nauwelijks hoorbaar.

Ter bevestiging vernauwde Leon, schier merkbaar, een oog.

Zo redde Emma de Kalverstraat en het Rembrandtsplein. Het was een ogenblik van intense voldoening en saamhorigheid.

Ze zat in het verzet.

Maart

'Wat een mooie bloemen!' zei Emma.

'Lentebloesem,' zei haar vader. 'Die gaf ik elk jaar aan je moeder. Je weet toch wel welke datum het vandaag is?'

'Natuurlijk,' zei Emma.

Het was 5 maart, de verjaardag van haar echte moeder. Op die dag, toen ze pas in hun huis in Den Haag woonden, stak haar vader een bloesemtakje achter het lachende gezicht met de jolig scheve baret en de schuin overdwars geschreven belofte: 'Ik kom terug.'

Haar vader kwam de kamer binnen. 'Het lijkt hier wel het Water-looplein,' zei hij. 'Die stoel is een museumstuk.'

'Dat is een prachtige stoel,' zei Emma. 'Hij komt inderdaad van het Waterlooplein.'

Ze zette een plaatje op dat Leon had gemaakt met een jazzorkest. 'Mooi hè?'

'Ja, heel aardig,' vond haar vader.

Ze reden langs de Amstel, langs Het Kalfje, een uitspanning halverwege Ouderkerk.

'Daarheen ging ik 's zondags, als we in Amsterdam waren, met je moeder en opa en oma,' zei haar vader. 'Opa had een auto. In die tijd was dat iets bijzonders.'

'Ik moest daar op mooie zondagen naar toe wandelen, met tante Lea en Ruth,' vertelde Emma. 'Wat een verveling! Ik liep altijd een beetje achter ze, net of ik er niet bij hoorde en lonkte onderweg naar fietsende jongens.'

'In Het Kalfje hebben ze de beste groentesoep van Europa,' zei haar vader, heel serieus.

'En voor de lekkerste rookworst moet je bij de HEMA zijn,' vulde Emma aan.

In Ouderkerk wist haar vader een goed visrestaurant. Hij was een gul en gezellig gastheer, die hield van het goede leven. In Den Haag had hij er altijd iets feestelijks van gemaakt, als er iets lekkers in huis was. Emma zag hem opeens voor zich hoe hij, in het gewemel van de benedenstad in Djakarta, tussen de bazaars en eettenten, met stelligheid het beste Chinese restaurant wist, waarheen hij met zwier het gezelschap dirigeerde.

'Weet je nog de Rode Tafeltjes?' vroeg ze. 'Al die heerlijke, ingewikkelde gerechten?'

'Ik stel voor,' zei haar vader, 'dat we sole fruits de mer nemen.'

Hij keek haar vergenoegd aan. 'En heeft u een flesje wijn die een beetje te drinken is,' vroeg hij de ober.

Hij stond op. 'Even handen wassen,' zei hij. 'Sorry, I'll go for a minute behind that tree to wash my hands.' Hij knipoogde.

Zodra hij weer zat, kwam de ober aandragen met een fles witte wijn. Hij liet Emma's vader het etiket zien. Haar vader bekeek het zorgvuldig. Hij knikte.

'Ja, dat lijkt me wel wat,' zei hij.

De ober ontkurkte de fles. Hij schonk Emma's vader een bodempje in. Haar vader rook aan het glas, nam een teugje en liet dat heen en weer spoelen in zijn mond. Secondenlang was het stil. Gespannen keken de ober en Emma haar vader aan. Tenslotte slikte haar vader en glimlachte.

'Een uitstekend wijntje,' vond hij.

De ober schonk Emma's glas vol, daarna dat van haar vader.

Emma was nerveus en onuitgeslapen, met een nawerkende slaappil. Ze popelde om een flinke slok wijn te nemen, maar durfde dat niet te doen, voordat haar vader ten tweede male het glas had geheven. Ze was hier niet met haar vriendjes in de kroeg. Haar vader bracht een ceremonie terug, die ze lang was ontwend. Onrustig schuifelde ze op haar stoel. Hij dronk niet. Het voorgerecht werd voor hem neergezet. Emma's vader nam een hap. Nog steeds raakte hij zijn glas niet aan.

'Mag ik een slokje nemen?' vroeg Emma.

Hij hief het glas en knikte haar toe. Ze dronken en hieven nog even het glas naar elkaar, zoals het hoorde.

Emma knapte op van de wijn. Ze moest oppassen dat ze het glas niet te snel leegdronk.

'Sinds je terug bent is dit pas de derde keer dat ik je zie,' praatte ze. 'Veel belangstelling heb je niet voor me. Tante Thérèse had me uitgenodigd om Sinterklaas te komen vieren. Dat heb ik afgezegd omdat jij terug zou zijn. Maar toen je mij eindelijk kwam opzoeken, was het januari. Je was er al een maand. Ik had je bijna drie jaar niet gezien. Ik weet niet eens hoe jullie nieuwe huis eruit ziet.'

'Mama en jij hebben elkaar veel verdriet gedaan,' zei haar vader. 'Ze kan het nog niet aan dat je naar Den Haag komt. Ik heb nog een jong kind. Jij bent een grote meid, die voor zichzelf kan zorgen. Voor mij is het ook een moeilijke situatie. Dat begrijp je toch wel? Het komt echt wel goed.'

Emma zweeg. Ze zag haar moeder voor zich, in Den Haag, aan de grote ronde tafel, met de naaimand, onder het lamplicht. Met haar kleine, beringde handen zoomde ze een jurk van Emma, die ze zou meenemen naar Amsterdam.

Uit Djakarta had ze Emma een ansichtkaart gestuurd: 'Dit is Pasar Baroe waar we samen gaan winkelen.' Wat was er toch telkens verkeerd gegaan? Emma bedacht dat haar afwezige vader in vrijwel al haar wakende uren bij haar was geweest, zelfs in de intiemste situaties met jongens. Achteraf begreep ze, dat ze onbewust hem in haar vriendjes had gezocht.

'Begrijp je het?' vroeg hij dwingend.

Ze knikte.

De ober kwam de tong fileren.

Haar vader vertelde over vroeger. 'Je had zo'n mooie, lieve, verstandige moeder, Emma,' zei hij. 'Een schoonheid was ze, met haar blauwzwarte haar. Iets heel bijzonders. Als ze een restaurant binnenkwam, keek iedereen haar na.'

'Ja?' zei Emma.

'Er is één ding waarvan ik altijd spijt heb gehad,' vertelde hij. 'Een middag, in de oorlog, was ze uitgegaan. Na Sperrtijd was ze nog niet terug. Ze was onderweg opgehouden. Ze zat er erg over in dat ik dodelijk ongerust zou zijn. Maar ik zat te studeren en had niet gemerkt dat ze te laat was. Dat heeft ze me erg kwalijk genomen – dat ik niet eens ongerust was.'

Hij verzonk in gepeins.

'Drie keer,' zei hij even later. 'Drie ontsnappingspogingen hebben we voor haar georganiseerd. Ze heeft het niet gewild. "Nee! Ze hebben me gedreigd. Als ze me pakken ga ik naar Ravensbrück. En dat is het allerergste. Nu ga ik naar een werkkamp. Dat overleef ik wel. Ik ben sterk." Dat zei ze de laatste keer dat ik haar zag, op het station. Wás ze maar naar Ravensbrück gegaan.'

Het leek Emma eerlijk gezegd niet erg om op je dertigste te sterven. 'Zij had tenminste iemand die van haar hield,' zei ze.

Onverwacht kreeg ze het te kwaad. Ze pakte haar servet.

Haar vader was ook ontroerd.

'Dat krijg jij ook nog wel, Emmaatje,' zei hij. 'Laat die Leon toch schieten. Zoek een lieve, goede man, die van je houdt.'

'Het gaat de laatste tijd heel goed tussen mij en Leon,' zei Emma onwillig.

Hoe kon haar vader begrijpen dat haar wereld zonder Leon niet kon bestaan? Leon had zijn plaats ingenomen.

'Oud en nieuw heb ik met Leon bij zijn moeder gelogeerd,' vertelde ze. 'Dat was leuk. We hebben naar Wim Kan geluisterd, die in topvorm was over De Quay.'

'Lijmen, Jan! Lijmen, Jan!' zong haar vader lachend.

Emma zong mee. De laatste weken zag ze Leon niet veel. Hij had een verhouding met een oud mens. Het scheen dat ze al achtendertig was. Leons nieuwe vlam deed veel moeite om een jonge indruk te maken. Ze slaakte hoge gilletjes. Laatst was ze een zaaltje binnengekomen waar Emma met anderen bezig was affiches op te hangen. Leon was er ook. Met een jeugdig sprongetje nam ze plaats op tafel en somde namen op van kunstenaars die ze kende. Waar iedereen bij was noemde ze Leon 'liefste'. Renske kon haar goed nadoen. Emma kon er niet om lachen.

'En met Sinterklaas ben ik ook bij Leon geweest,' zei ze.

'Je vertelt het of het iets bijzonders is,' zei haar vader. 'Het is toch een natuurlijke zaak, dat je de feestdagen samen doorbrengt, als je met elkaar bent. Tussen man en vrouw is het geven en nemen, Emma. Ik heb de indruk dat die Leon van jou erg goed voor zichzelf zorgt. Ik wil wel eens met hem praten. Ik wil een schoonzoon die zijn schoonvader behoorlijk kan onderhouden.'

Emma lachte beleefd.

'Ja dat is een oud grapje van me,' zei haar vader. 'Maar toch wil ik hem wel eens ontmoeten.'

Emma zweeg ongerust. De eerste keer dat haar vader haar kwam opzoeken, had Emma hem gevraagd naar Leons huis te rijden. Ze belde drie keer aan en floot wel tien keer uit alle macht de beginregel van de Internationale, maar Leon deed niet open, hoewel zijn leeslamp brandde.

Intussen had ze het besluit genomen dat ze Leon en haar vader ver van elkaar zou houden. Terug in het kikkerland bleek haar vader een heel andere man te zijn dan haar zwierige, ongedwongen, zorgeloze vriend onder de tropenzon, in het ongeregelde, bacchanalistische, postkoloniale wereldje.

Haar vader informeerde met klem hoe het met haar studie ging. 'Wat denk je eigenlijk te gaan doen?' vroeg hij. 'Opa's geld is niet onuitputtelijk. Wat dacht je van een secretaresse-opleiding? Directiesecretaresse bij Philips of Unilever is een goede baan. Ook dan heb je met politiek te maken.'

Emma in dienst van het grootkapitaal! Dat had Leon eens moeten horen! Ze antwoordde niet.

'Ik wil wel eens een inleiding houden voor Democrates over Indonesië,' bood haar vader aan. 'Daar weet ik wel het een en ander van.'

'Ik zal het zeggen,' zei Emma.

'Doe dat maar,' drong hij aan. 'Laat Leon mij maar opbellen.'

'Ik geloof dat de avonden voorlopig zijn volgeboekt,' loog Emma. Ze betwijfelde of haar vader de 'gerechtvaardigde strijd van de koloniale volkeren' wel 'onvoorwaardelijk' steunde. Ze hoorde het gefluit al, het geschreeuw en het hoongelach. Daarvoor hield ze te veel van hem. In de koffiekamer keek ze altijd met diep medelijden naar Annet Wardenburgh, de dochter van een bekende rechtse commentator. Een vader als Wardenburgh, dat was wel een blamage.

'Zeg nou eens eerlijk,' vroeg Emma's vader. 'Hadden de Indonesiërs, toen we weg gingen, het echt zo slecht? Leden ze honger?'

'Op Tandjong Priok wonen de mensen in verpakkingsmateriaal,' zei Emma.

'Dat is echte armoede,' zei haar vader. 'Daar heb ik het niet over. Dat vind je in al die landen. Ik heb het over de mensen waar je mee te maken had, de kokkie en de fietsenmaker. Nou? Het kolonialisme heeft ook zijn goede kanten gehad.'

'Kolonialisme is uitbuiting,' verklaarde Emma. 'De bevolking is driehonderd jaar uitgezogen. Miljoenen zijn gevallen in de koloniale oorlogen.'

'Miljoenen!' vroeg haar vader. 'In Indië? Kom nou!'

'In Algerije is al zes jaar een koloniale oorlog aan de gang. Een miljoen doden. Twee miljoen in concentratiekampen.' De tranen sprongen haar in de ogen.

'Denk je heus dat het marxisme een bruikbaar alternatief is?' vroeg haar vader. Hij had *Das Kapital* gelezen en sloeg haar met argumenten om de oren.

Emma was woedend. Minachtend kijken was haar enige verweer. Ze wilde niet meer over politiek praten, maar telkens wanneer ze over iets anders begon, kwam haar vader er weer op terug.

'Waarom zijn jullie toch zo tegen de N A V O ?' vroeg hij bij de koffie.

De wijn was op en Emma's oogleden werden weer zwaar. 'De N A V O, dat is Luns,' zei ze moeilijk. 'Dat is het fascistische Portugal. Het grootkapitaal houdt kunstmatig de bewapening in stand. Ach, laat maar.'

'Wat laat maar!' riep hij kwaad. 'Wat is dat nu voor argument, laat maar! De N A V O is het slot op onze deur. Als we de N A V O opheffen, wordt het Warschaupact dan ook opgeheven? Ik ben echt niet dol op belasting, maar voor defensie betaal ik het graag. Het is leuk om een mooi huis te hebben, maar zonder slot op de deur voel ik me er niet veilig. Dacht je dat de Russen rustig thuis blijven als wij geen verdediging meer hebben? Eén ding garandeer ik je: een nieuwe bezetting zal ik niet meemaken. Ik heb nog steeds een pistool. De eerste dag pleeg ik zelfmoord. Niet nog eens onderduiken. Niet nog eens die angst. Niet nog eens oppassen met wat ik zeg. Dat verdom ik!'

'Ja, dat begrijp ik wel,' zei Emma. 'Praat niet zo hard. De mensen kijken. Als de N A V O blijft bestaan, kan er elk ogenblik een atoomoorlog uitbreken.'

'Hoe kom je dáár nu bij!?' riep haar vader. 'Er is toch evenwicht? Geen van de twee grootmachten zal toch het risico nemen dat de ander teruggooit? Echt niet, Emma. Er komt geen oorlog. Ben je daar bang voor? Ik zie het er nog eerder van komen dat Amerika en Rusland zich samen tegen China keren, als dat land ooit een atoombom ontwikkelt. Maar ook dat zal de eerstvolgende decennia niet gebeuren.

Emma keek hem aan. Als dat eens waar was! Maar dat zou al te eenvoudig zijn. En de richtlijnen van de Bescherming Burgerbevolking dan? De demonstraties tegen de atoomdreiging waren er toch niet voor niets? Kerk en Vrede en de J S O wisten er vast meer van dan haar vader. Toch voelde ze zich opgelucht. Anders sprak ze nooit iemand die zei dat er geen oorlog zou komen.

Hij reed haar naar huis.

'Nou dag,' zei ze. 'Dank je wel voor de lunch.'

Hij sloeg zijn arm om haar heen. Ze begon prompt te huilen.

'Dag mijn rode, domme, ignorante kind,' zei hij.

Internationaal

Leon kondigde aan dat ze met Koos naar Parijs zouden gaan en daarna naar Engeland, om de internationale banden van Democrates te versterken.

In Parijs, op een congres van een linkse, met de PSP verwante, maar aanzienlijk massalere partij, beklom Leon het spreekgestoelte en sprak een korte redevoering uit, die Emma voor hem in het Frans had vertaald. Een daverend applaus was zijn beloning. Vooral de zin 'le soi-disant socialiste Guy Mollet' oogstte veel bijval.

Koos fotografeerde het succesvolle optreden, maar doordat hij, naar later bleek, slecht had gemikt, stond Leon op het katheder zonder hoofd.

'Dat hoofd is ook veel te groot voor een foto,' constateerde Emma toen ze het zag.

Er waren verscheidene, overvloedig met Franse wijnen besproeide ontvangsten, waar het er Babylonisch toe ging. Koos sprak zijn talen op zijn Amsterdams, Leon op zijn Achterhoeks.

Leon droeg bij tot de verspreiding van de goede zaak door in het donker, als ze wankel naar hun nachtverblijf liepen, besmuikt een krijtje te voorschijn te halen uit de zak van zijn montycoat en hier en daar op een muur te krassen: 'P.M.', de initialen van de Parti Mondiale.

Voorzichtigheid was geboden, want Rode Hand en Deuxième Bureau lagen op de loer.

Na de overtocht per boot, waar ze ruimschoots gebruik maakten van de belastingvrije whisky, liftten ze door het lieflijk glooiende Noord-Engeland naar een landhuis 'van een onteigende grootgrondbezitter,' zoals de organisator triomfantelijk meedeelde. De Jonge Socialisten hielden er een conferentie.

Tot slot van het congres, waar veel constructieve plannen waren gesmeed voor een linkse toekomst, werd het socialistische strijdlied 'Red people's flag' aangeheven. Emma was er van tevoren niet van op de hoogte dat de melodie overeenkwam met die van het kerstlied 'O denneboom' en daarom trof het haar onvoorbereid dat Koos, die naast haar stond, uit volle borst, in zijn hoge, Amsterdamse intonatie, zong: 'Ik heb u iiin het park zien staan. Toen zaten èèèèr geen kaarsjes aan.'

Ze kreeg het op de lachspieren. Vergeefs trachtte ze zich te beheersen, wiste zich de tranen af, kreeg buikkrampen en ten slotte een hevige hoestbui. Nog nasnikkend piepte ze de 'Internationale' mee. Een pijnlijk voorval, te meer daar ze, als buitenlandse eregasten, vooraan stonden.

's Avonds om acht uur begon het slotfeest. Tegen negen uur lagen de meeste congressanten laveloos, al dan niet vrijend, op de vloer. Om elf uur bleek waarom. Er werd geen drank meer verstrekt en het feest was afgelopen.

'Wat zijn die meiden hier lelijk,' klaagde Koos. 'Net havermout. Ik vroeg eentje ten dans. Ze had maar één oog. Ze zei: "Nee, maar mijn vriendin die danst wel." Maar die had een mank been.'

Emma danste met een kameraad in een versleten trui. Hij was vrijwel tandeloos en rook sterk naar whisky. Van wat hij tegen haar zei verstond ze niets, behalve dat hij uit Ierland kwam.

Koos bleef achter in het landhuis om contacten te leggen tussen de Jonge Socialisten en Democrates. Tenslotte was hij internationaal secretaris. Leon en Emma liftten alvast naar Londen, waar de Jonge Socialisten van plan waren met links geschreeuw een congres van de Labour Party op te luisteren.

Onderweg bezochten ze een idyllisch, heuvelachtig plaatsje uit een Agatha-Christie-boek, waar Leon een partijgenoot wilde spreken. In een kronkelend straatje gingen ze een scheefgezakt boekwinkeltje binnen, waarvan de voordeur van binnen was volgeplakt met afbeeldingen van halfblote juffrouwen. Ook de etalage lag vol boekjes met wervende kaften. Nadat Leon zich had voorgesteld, legde de boekhandelaar geheimzinnig uit dat die seksboekjes de dekmantel waren van zijn werkelijke belangstelling. In het achterkamertje stonden kasten vol politieke werken zoals *Stalin by Trotsky*.

Als iemand die aan een vertrouweling zijn geheime pornografieverzameling toont, ontsloot de boekhandelaar een bureautje waarvan de laden waren volgepropt met brochures. Pas tegen sluitingstijd kwam er een eind aan hun gemompel. De klandizie was niet groot. Kwam er toch iemand binnen, dan deed de boekhandelaar het bureautje even op slot. Om de verveling te verdrijven bladerde Emma filmsterrenblaadjes door.

In Londen logeerden ze bij een jong echtpaar. De man, ook lid van de Wereldpartij, kwam uit India.

Aan tafel schertste Leon met het zusje van de gastheer, een ragdun dametje van piepklein formaat, dat tot grote hilariteit van de aanwezigen telkens met een doordringend stemmetje, scherp als een beo, langgerekt kraste: 'Dennis, they're tea-ea-sing me!'

In hun kamer lachten Leon en Emma er samen om.

'Den-nis, they're tea-ea-easing me,' piepte Emma met een lange, hoge "ie".'

'Die meid is stapelgek,' stelde Leon vast.

Het was te lang goed gegaan. De kleine beo was er de oorzaak van dat Emma en Leon op een avond, op een lege, verregende Tottenham Court Road, letterlijk slaags raakten.

Het ergste was dat de gastvrouw en gastheer nu ook getuige waren van Emma's vernedering. 's Nachts lag ze eraan te denken hoe ze haar tas zou pakken en alleen de trein zou nemen, naar de boot. Zonder iemand te groeten, zou ze afreizen.

Gelukkig kwam Koos naar Londen. Op het congres riep Emma somber maar plichtsgetrouw 'hear, hear' of 'shame', al naar gelang.

Ze liepen mee met de vredesmars van het plaatsje Aldermaston naar Trafalgar Square. Het was twee dagen lopen, een heel eind, te meer daar het aanhoudend motregende. 's Avonds stonden ze in de rij voor soep met brood. Emma overnachtte in een grote meisjestent.

Koos maakte foto's van de mars. Alweer had hij zo slecht gemikt, dat het op een van die kiekjes leek of Emma, in plaats van mee te lopen in een massa-optocht, eenzaam een wandeling maakte langs een verlaten grote weg.

Het pinksterkamp

Het was warm, helder weer. Prachtig weer voor een pinksterkamp in een bosrijke omgeving. Emma deelde een tent met Carrie, die erg teleurgesteld was, dat Koos niet was komen opdagen. Leon stond erop dat hij een tent voor zich alleen zou krijgen, want hij las altijd een uurtje voor het slapen gaan.

Maar op de ochtend na de eerste nacht merkte Emma aan het gedrag van Aaltje, het peervormige meisje dat er die avond na Emma's eerste Democrates-vergadering bij Reijnders ook bij had gezeten, dat ze bij Leon had geslapen.

Emma had hem al vaker met dat meisje gezien. Aanvankelijk maakte ze zich daarover geen zorgen. Ze kon zich niet voorstellen dat Leon die grote mond zou willen kussen, waarmee Aaltje, op overdreven proletarische toon, linkse gemeenplaatsen schreeuwde.

Naderhand was de angst voor Aaltje toch gekomen. Op haar kamer oefende Emma in het plat Amsterdams praten, want dat had ze nog altijd niet onder de knie. Ze wist dat haar uitspraak verried dat ze er toch niet echt bij hoorde. Bijna iedereen met wie ze de laatste anderhalf jaar omging, sprak met het een of andere streek- of stadsdialect. Carrie sprak accentloos, maar ze plaagde Emma met haar blijkbaar al te hoog beschaafde dictie en schold haar uit voor 'tante Lea', die ze een keer had ontmoet.

Emma schaamde zich diep voor haar burgerlijke afkomst. Het lukte niet om Aaltje te imiteren. Ze voelde zich als Hugo uit Sartres *Les mains sales*, de telg uit de bourgeoisie die zich, letterlijk tot het uiterste, vergeefs inspant om zich aan te passen aan de proletarische kameraden.

Evert de Beer, de vroegere voorzitter van de Arbeidersjeugd, een jeugdleiderstype met een zware knevel, opende het pinksterkamp met een toespraak. Hij wenste de nieuwe organisatie Vrijheid! veel succes.

De Arbeidersjeugd, die al sinds 1920 bestond, had zichzelf opgeheven. De tijd van het dansen rond de meiboom was voorbij, meende De

Beer. De moderne jeugd was volgens hem met socialisme niet meer te paaien. Waarom Leon, zijzelf en de anderen naar de Paasheuvel waren gekomen, wist Emma niet, maar om de een of andere reden moesten ze erbij zijn.

Voor verstrooiing 's avonds had Vrijheid! ruimschoots gezorgd. Er was cabaret, muziek en dans. Er was een spreker, die een beroemd dagboek schreef in een sociaal-democratische krant en die als humorist bekend stond.

Met een borreltje erbij had Emma nog wel met Carrie kunnen lachen om de burgerlijkheid van het cabaret en om de verwatenheid van de spreker, maar helaas, ze moest de lijdenskelk tot op de bodem ledigen: op de Paasheuvel hield men nog altijd de geheelonthouderstraditie hoog, al was dan het socialisme afgeschaft.

Dóór de abstinentie kon ze 's nachts de slaap niet vatten, op het nauwe grondzeil naast Carrie, die in het genot bleek te zijn van een nachtrust waar zelfs liefdessmart geen inbreuk op kon maken.

Overdag zat Leon met Aaltje en een paar anderen in een conspiratieve kring waarin, toen Emma er even bij kwam zitten in de schadow op het zachte gras, een pijnlijke stilte viel, zodat ze direct opstond en wegliep.

Een half uurtje later holde een meisje met grote tanden huilend uit de kring.

'Wat willen we nou eigenlijk,' jankte ze, 'willen we een s u l of willen we geen s u l?!'

Het groepje onder de boom was bezig met het oprichten van een nieuwe jeugdbeweging, Socialistisch Universeel Links, s u l. Emma hoorde het van Carrie. Zelf was ze te dof in het hoofd om zich met politiek bezig te houden. Carrie was kwaad, de j s o bestond toch al? Emma had zich er al over verbaasd dat Ada, Jan, Koos en Ankie niet naar de Paasheuvel waren gekomen.

Later zou ze horen wat er aan de hand was: een scheuring in de Nederlandse Sectie van de Wereldpartij. De afsplitsing had dringend behoefte aan een eigen jeugdbeweging. Volgens de onvolprezen 'intredepolitiek' zou s u l Vrijheid! omvormen tot een links-strijdbare massabeweging voor de arbeidersjeugd.

Maar de voornaamste, zij het geheime doelstelling van s u l was het wegvagen van de j s o, de creatie van Guus Rodrigues. Henk, de nieuwe 'betrouwbare' afdelingsvoorzitter van Democrates, was weggelopen met een kwaaie kop, toen hij in de gaten kreeg dat hij, met afdeling en al, was gebruikt voor de 'intredepolitiek' van Trotski's evangelisten.

Met hem verdween een deel van de aanhang. Zijn vertrek luidde het eind in van Democrates' bloeitijd. SUL kreeg nooit veel meer aanhang dan de gezworenen van de Paasheuvel. De JSO daarentegen groeide in de loop van het decennium en bracht menigmaal een omvangrijke politiemacht in het geweer, compleet met paarden, honden en waterkanon.

Op tweede pinksterdag zette iemand hun groepje bij elkaar en maakte een foto. Vrolijk lachend stonden ze erop, de linkervuist strijdbaar geheven, behalve Emma, die erbij zat met opgetrokken schouders, neergetrokken mondhoeken en de linkervuist lusteloos half in de lucht. De diepe kringen onder haar ogen en de uitdrukking van intense droefheid op haar gezicht gaven het kiekje iets sinisters. Ze leek een ter dood veroordeelde krijgsgevangene die, gelaten met de handen omhoog, straks op bevel het volkslied van de vijand zal aanheffen.

Een nieuwe Maigret

Leon zat aan een tafeltje met Frans Calcoen, toen Emma de eetgelegenheid Het Behouden Huys binnenkwam. Ze ging erbij zitten. Even later kwam Renske er ook bij.

'Hoe is het met de zinnelijke joodse typetjes de laatste tijd?' vroeg ze plagerig aan Frans.

Carrie was toch een keer bij Frans blijven slapen. Zijn hospita had het gemerkt. Ze was nogal tekeergegaan. In haar fatsoenlijke huis, liet zij weten, duldde zij geen 'zinnelijke joodse typetjes'.

'Wat ga je vanavond doen?' vroeg Emma aan Leon, die zijn lege bord had weggeschoven.

Hij stond op. 'Ik heb een afspraak,' zei hij met een scheve grijns. Hij liep naar achteren om af te rekenen en ging de deur uit.

Frans en Renske keken naar Emma, die met haar vork in haar hutspot prakte en probeerde haar tranen in te houden.

'Ik begrijp niet dat je je zo laat behandelen, Emma,' zei Frans. 'Je bent net een hondje, dat staat te bedelen bij de slagerswinkel. Als de slager de deur opendoet, ga je kwispelstaartend naar binnen. Heeft hij er geen zin in, dan druip je af met je staart tussen de poten.'

'Hij behandelt je als een dweil,' vond Renske. 'Leon moet je niet, dat is toch duidelijk? Ik heb het met Daan toch ook een paar keer uitgemaakt? Nu gaat het goed. Misschien komt het later met jou en Leon ook nog goed. Maar dan moet je het nu eerst uitmaken.'

Ja, als je je eerst zwanger laat maken, dacht Emma.

Renske was het haar snikkend komen vertellen: 'Jij bent toch mijn beste vriendin.' Ze zou gaan trouwen. Emma zou met Ab getuige zijn. Het was waar dat Renske het met Daan een paar keer had uitgemaakt. Nu was ze zeker van hem, maar wolkeloos was haar hemel niet. Daans ouders hadden het bericht van de aanstaande bruiloft opgevat als een zware slag. Zijn moeder maakte een hartverscheurende scène. Nog steeds heerste daar in huis een stemming of het lijk nog boven de grond stond. Een sjikse als schoondochter, erger kon een jood het niet treffen. Tevergeefs riep Daan de naam van Emma aan, Renskes joodse vriendin.

Ook zonder de toorn van Daans ouders was het voor een meisje dat pas uit Den Haag kwam niet eenvoudig om zich te redden in zijn wereld. Door zijn familie kende hij veel bekende mensen uit de Amsterdamse socialistische intelligentsia. Ab en Daan waren charmant, makkelijk in het leggen van contacten, scherpzinnig en snel in het opnemen van parate feiten. Renske deed erg haar best om Daans flitsende geestigheid bij te houden. Dat ging ten koste van haar galgehumor, haar vroegere bijtende zelfspot.

'Frits is best slim,' zei Renske ernstig over een professor die een omvangrijk oeuvre op zijn naam had staan.

Leon had zijn best gedaan om Renske te verleiden. Ze had met hem in cafés gezeten en boeken van hem geleend. Maar ze kende hem niet. Ze zou hem nooit naar waarde schatten. Dat had Renske, vond Emma, niet in zich.

Leon miste iedere diplomatie, iedere charme voor mensen die hem niet interesseerden. Afgezien van zijn jacht op meisjes zocht hij vooral contact met mensen voor wie hij oprechte achting voelde en dat waren er niet zoveel. Hij zocht het gezelschap van oude mensen, getuigen van de geschiedenis. Hij was uit op het verbreden van zijn kennis, niet van zijn kennissenkring.

Leons waarden waren de ware in het leven, vond Emma. Zonder Leon zou ze weer geestelijk lui worden, zoals vroeger. Zonder zijn grappen zou ze nooit meer lachen. Ze dacht aan de domme gesprekken in 'artiestencafés', het doffe geslenter over de Parijse boulevards. Zonder Leon was ze verloren.

Ze wilde Frans, die haar aankeek met warme sympathie, uitleggen wat Leon voor haar betekende, hoe bang ze was voor de middelmatigheid van een leven zonder Leon.

'Je kent hem niet,' zei Emma tegen Frans.

'Hij is verstokt gelovig in het trotskisme, als een ouderling in God,' zei Frans met zijn lijzige stem. 'En jij bent zijn gelovige slavin. Wie laat zich nou zo vernederen? Ik kan dit echt niet langer aanzien.'

'Je moet het uitmaken,' herhaalde Renske.

Koos, die aan een ander tafeltje had gegeten, kwam naar hen toe.

'Er draait een nieuwe Maigret,' zei hij. 'Ga je mee, Emma? Laat je studie voor vanavond maar eens rusten. Morgen haal je wel in wat je vanavond hebt gemist. De boog kan niet altijd gespannen zijn. Je kunt niet altijd met je neus in de studieboeken zitten, toch?' Hij lachte blazend.

'Mag Ankie niet mee?' vroeg Renske spottend. 'Of Carrie?'

'Graag,' zei Emma. Ze stond direct op.

'Eet toch eerst je bordje leeg,' vermaande Koos. 'Ik wacht wel.'

Maar Emma pakte haar jas.

'Ik dacht aldoor al dat die kerel de dader was,' zei Koos. 'Maar eigenlijk kon hij er niks aan doen. Het was de schuld van die vrouw. Toch wel zielig, eigenlijk. Nou ja, het is maar een film, hè?'

'Ja,' zei Emma. De intrige was haar grotendeels ontgaan. Haar gedachten zaten haar concentratie in de weg.

Ze waren op weg naar het Leidseplein. Het begon te regenen.

'Er brandt licht bij Leon,' zei Koos. Ze stapten van hun fiets. Koos floot schel de Internationale.

De voordeur werd opengetrokken. Met een onbehaaglijk voorgevoel zette Emma haar fiets naast die van Koos.

Bovenaan de trap stond Leon. Aan zijn gezicht zag Emma dat er iets mis was. In de kamer was iets vreemds aan de hand. De grammofoon piepte als gewoonlijk, maar de leeslamp stond op de grond en het licht was afgedekt met een doek. Op de vloer stonden flessen. Op tafel stonden glazen en borden met etenswaren, zoals noten en brokken kaas en worst.

In een stoel zat een meisje. Aaltje was het niet. De gast zat achterovergezakt zodat haar rok was teruggeschoven. Haar lange, blote benen had ze over elkaar geslagen. Het meest opvallende aan haar was de absolute ontstentenis van een kin.

'Wat doet dat meisje gek,' constateerde de gast na een poosje, nadat Emma een paar flessen omver had geschopt.

'Een beetje moe,' zei Emma. 'We zijn vannacht laat naar bed gegaan, hè, Leon? Maar we hebben ook lekker lang uitgeslapen, hè? Ga je mee Koos?'

Ze rende de trap af.

Koos stommelde haar achterna.

'Leon hoorde aan de Internationale dat ik het was,' zei hij op straat. Als we hadden aangebeld, had hij nooit opengedaan.'

'Die flessen,' snikte Emma. 'Al die lekkere dingen. Voor mij haalt hij nooit iets in huis.'

Emma stapte af bij Leons voordeur. Ze haalde de brief te voorschijn die ze de vorige avond had geschreven:

'Leon. Ik verzoek je mij niet meer op te bellen of aan te spreken. Op Democrates-vergaderingen kan het natuurlijk niet anders, maar verder wil ik je niet meer zien. Emma.'

Ze keek naar boven. De leeslamp brandde. Ze zag hem zitten met een krant. Het leek of ze het ruisende gepiep hoorde op de koffergrammofoon. Als ze nu aanbelde, zou ze over een paar minuten tegenover hem zitten. Schuldbewust zou hij lief zijn en attent. Er zou nog wel een borreltje over zijn. Ze zouden eten, Chinees misschien, 's avonds nog wat lezen en daarna zou ze lekker warm slapen in zijn blauw gestreepte pyjamajasje. De brief zou ze ongemerkt door de wc spoelen.

Ze dacht niet langer na, deed de klep van de brievenbus omhoog, gooide de envelop naar binnen, stapte op de fiets en reed hard weg. Vlak bij huis, bij café Het Hoekje stapte ze af.

'Kind, er is geen hand vol, maar een land vol,' troostte Claartje, het barmeisje, tegen elf uur 's avonds.

'Je kent hem niet,' snikte Emma, nu ook tegen Claartje. 'Als je man dood is, krijg je bloemen en rouwbeklag,' bracht ze er met moeite uit. 'Nu lacht iedereen je uit. Terwijl dit veel erger is. Was hij maar dood.'

Ze legde haar hoofd op de bar en droomde weg.

'Weet jij waar je een pistool kunt kopen?' vroeg ze Claartje in haar droom.

'O ja,' zei Claartje. 'Ik weet wel iemand. Hij woont op de Zeedijk.'

Emma kocht het pistool. De man legde haar uit hoe ze moest schieten. Ze fietste naar het huis van Leon. Het licht brandde. Ze belde aan. Hij stond bovenaan de trap. Toen ze boven kwam zat hij in een stoel, met *Le Monde*. Naast hem een kopje thee en brood met pekelvlees.

Hij keek Emma aan. Ze richtte. Zijn gezicht stond verbijsterd. Emma schoot. Hij zakte opzij en viel.

Andere klanten klopten haar op de rug en zetten nieuwe glaasjes jenever voor haar neer, maar toen ze niet meer kon ophouden met hikken en snuiten, lieten ze haar links liggen. Tegen sluitingstijd rekende ze af in een tranenvloed en liep, met de fiets aan de hand, snuitend naar huis.

Ik heb zeker wel een bad vol gehuild, dacht ze, voordat ze in slaap viel.

Een paar weken later zag ze hem weer.

Het was een stralende junidag. Voor het eerst was Emma weer overdag op de been.

Sinds haar brief aan Leon had ze de dagen doorgebracht in bed en de avonden, vanaf de schemering, in Het Hoekje.

Ze stonden op het Leidseplein, een groepje van een man of twaalf. Emma had een sandwichbord om.

'BVD — Rode Hand: één pot nat!' stond er op geschilderd.

Op andere borden stonden de namen van de stenograaf en de Griekse revolutionair, die valse papieren en bankbiljetten hadden gedrukt ten bate van het Algerijnse verzet. Een vol jaar hadden de stenograaf en de Griek in voorarrest gezeten, in het Huis van Bewaring. Vandaag stonden ze eindelijk terecht.

De demonstranten liepen met hun borden in een kringetje rond en gingen ten slotte op de grond zitten.

'Emma,' schreeuwde een mannenstem. 'Sta op! Doe niet zo gek! Je maakt je belachelijk!'

Dat zou wel een vroegere kennis uit Reijnders zijn. Emma geneerde zich voor de anderen en deed of ze het geroep niet hoorde.

Een politiebusje van het bureau Leidseplein kwam voorrijden. Er kwamen agenten uit. Ronkende motoren met zijspan kwamen aanscheuren. Ze kwamen tot stilstand. Agenten sprongen er af. Twee aan twee pakten de politiemannen de demonstranten bij hun lurven en gooiden ze in het busje. In een oogwenk was de demonstratie opgeruimd.

'Fascisten,' gilden ze, tegenspartelend. 'Gestapo!' Ada en Aaltje zetten de grootste keel op.

Op het bureau werd proces-verbaal opgemaakt. Ze konden gaan.

Buiten stonden een paar verslaggevers hen op te wachten. Het groepje liep naar Reijnders, voor een welverdiend kopje koffie.

Emma liep achter Aaltje en Leon. Hij droeg een bloes met korte mouwen, zij een mouwloos zomerjurkje. Hun blote bovenarmen raakten elkaar.

De aanblik van die elkaar rakende blote armen dreef Emma plotselijk tot razernij. Ze greep Leon bij de schouder en gaf hem uit alle macht een mep. Zijn bril zeilde een eind door de lucht. Aaltje viel op de knieën op straat, kroop tussen benen door en raapte hem op. Liefdevol zette ze Leon de bril weer op zijn neus.

Emma liep weg. Ze voelde zich niet onvoldaan.

Deel drie
De kuil

Huiselijk verkeer

Elvina zat aan de bar. Ze zag er behuild uit. Haar ogen waren gezwollen. Haar gezicht glom. Zwarte mascaravlekken zaten onder haar ogen. Vuurrood vlamde in haar wang een scherp getande, langwerpige, dichtgenaaide wond.

'Wat heb je?' vroeg Emma ontdaan.

Elvina's dikke ogen stroomden over. Tante Beppie achter de bar gaf uitleg. Elvina's pooier had haar een jaap met een mes gegeven. Elvina bewoog haar lippen.

'Is het erreg ge-eh-hecht,' stamelde ze op vragende toon, met dikke tong.

'Een flesje jonge zeker,' vroeg tante Beppie begrijpend aan Emma. Ze kende Emma's dagelijkse bestelling.

Emma knikte. 'En een pilsje voor de gezelligheid,' zei ze.

'Is het erreg ge-hecht,' vroeg Elvina nog eens lodderig.

Emma klom op de barkruk naast Eddie, een goedlachse neger, een oude nathals.

Sinds het uit was met Peter Sanders, met wie ze twee jaar had samengewoond, kwam ze niet meer in de binnenstadscafés. Ze dronk te veel om kennissen onder ogen te komen.

's Avonds at ze, steevast met dezelfde hoeren, in de snackbar. Na de koffie stak ze de straat over naar Het Hoekje. De aankoop van het flesje diende vooral als excuus om alleen een kroeg binnen te stappen. Maar dan moest je overdag wel zorgen dat het vorige flesje leeg raakte.

Emma schertste met tante Beppie om Eddie, die zo dronken was dat je van zijn gesputter weinig meer kon onderscheiden dan af en toe de zelfvermaning: 'Eddie! Be careful!'

'Ja hoor, Eddie geeft een rondje,' teemde tante Beppie vals. Ze schonk iedereen in, Elvina informeerde nog maar eens of het erreg gehecht was.

Misschien, droomde Emma, terwijl tante Beppies felle kleuren voor haar ogen vlekkerig zwommen, zou straks de deur opengaan. Peter zou binnenkomen. In zijn warme armen zou hij haar sluiten. Tegen zijn suède jasje, waarop ze iedere vlek kende, zou ze wegsmelten in tranen en alles, alles zou goed komen.

'Zij is geil op negers!' kraste Elvina's schorre stem opeens door de kroeg.

'Waarom gaan jullie niet samen weg? Je zit hier te droogzwemmen, rothoer! Negers heet maken en niet neuken! Of ben je soms een pot, vuile drel? Het wordt tijd dat jij eens een paar opdonders voor je sodemieter krijgt!'

Ze stond op en kwam op Emma af.

'Maak je niet druk, Elvina,' zei tante Beppie poezig achter de bar. 'Eddie en Emmie gaan vanavond samen weg, hè Emmie?'

Eddie sputterde sussende orakelklanken. Elvina kwam dreigend dichterbij. De sfeer werd sinister. Emma pakte haar flesje en betaalde. Uit angst gaf ze tante Beppie een royale fooi.

Op de hoek stond Rachel, voor de klandizie 'Lydia', Emma's benedenbuurvrouw.

'Hallo,' zei ze. 'Kijk jij even naar Marlene? Ze ligt alleen. Appie is weer eens de hort op.'

Emma knikte. 'Kijk dan maar goed uit wie je meeneemt,' maande ze.

Marlene was Rachels kind. Het waren de klanken van een Brandenburgs concert, die Emma aanvankelijk, toen ze pas in het huis woonde, een verkeerde indruk hadden gegeven van haar buurvrouw.

Rachel was van goede komaf. Ze had drie jaar gymnasium. Haar man was van beroep goochelaar, maar in deze professie net niet bedreven genoeg om de kost te verdienen voor vrouw en kind. Hij was kelner geworden in een groot café-restaurant. In deze functie had hij, bij het afrekenen met de klanten, zijn vingervlugheid ten eigen bate aangewend en hij was op staande voet ontslagen.

Op een avond had zijn vrouw, om de huur te betalen, een van de mannen meegenomen die haar op straat lastig vielen. Sindsdien was ze in de ban van het geld. Zat ze 's avonds thuis, dan werd ze onrustig en berekende ze in gedachten haar inkomstenderving.

Dat was nu al een paar maanden zo. Het geld stroomde binnen. Rachel en haar man hadden nieuwe meubels gekocht, allerlei huishoudelijke apparaten en geavanceerde geluidsapparatuur. Rachels bruine, springerige haar was nu opgekamd in spinnewebben en zwart geverfd als teer. Haar optreden en spraakgebruik waren vulgair. Bach draaide ze niet meer.

Emma dronk soms in de vooravond een glaasje bij het echtpaar, totdat Rachel zei: 'Ik ga aan het werk. Het wordt tijd.'

Met de dag werd ze pissiger tegen Emma, die niet mee wilde. 'Kom nou, tut,' maande Rachel. 'Als je je haar een beetje lekker opkamt, kan je best goed verdienen.'

Als ze weg was, bleef Emma soms nog even zitten om Appie te troosten, die sterk leed onder de verandering van de situatie. Hij was uithuizig geworden. Emma hield een oogje op het kind, want Rachel werd nogal eens opgepakt en een nacht opgesloten op het politiebureau.

Emma trotseerde sissend en gore, inviterende praat uitslaand manvolk in de Utrechtsestraat en sloeg de hoek om.

Ze wankelde Rachels woning binnen, ging bij Marlenes bedje staan, keek geruime tijd betraand neer op het slapende kindje en beklom de trap.

Op haar kamer zette ze een grote spiegel op de grond. Zo voelde ze zich minder alleen. Ze schonk een kopje vol jenever, dronk en kroop naar de spiegel. Het gezicht en de ogen in het glas werden vloeibaar en namen monsterachtige proporties aan.

Tegen de vrouw in het glas hield ze een redevoering waarin veel woorden voorkwamen zoals 'dood' en 'graf'. Ze weende en zuchtte.

'Ik ben straallazarus,' stelde ze vast. Languit tuimelde ze op de grond en sliep in.

Op een nacht had hij in de Halvemaansteeg gestaan, in de menigte die zich verdrong voor de broodjeszaken die elkaar beconcurreerden. Door de openstaande keukenluiken verkochten ze goulasjsoep en broodjes hamburger. Volgens politievoorschrift waren de deuren gesloten.

Emile, de student met de zegelring, die op een koude avond met Democrates had helpen meeplakken om de eer van de sociaal-democratie te redden, sprak Emma aan terwijl ze juist haar mond opensperde om een hap te nemen van een 'broodje bal', een enorm gevaarte, dat met een kwak ketchup en mayonaise werd verstrekt.

Emile was met dispuutgenoten, die een aangeschoten indruk maakten. Emma raakte in gesprek met een student die Peter heette, een jongen met een rechte neus, een 'klassiek profiel', dik golvend haar, dat evenals zijn ogen in het schijnsel van het nachtleven dezelfde kleur had als zijn suède jasje.

Hij vroeg of ze meeging iets drinken op zijn kamer. Ze liep mee. Met haar hoofd kwam ze tot zijn schouder. Alles wat hij zei, sprak hij uit op flirterige, ironische toon, als iemand die veel meisjes versiert en vervolgens niets meer van zich laat horen, waarna de meisjes hem vergeefs achterna lopen.

Zijn kamer was vlakbij, op een achterafgrachtje. Thuis ging hij op zijn bed zitten, nam een gitaar op de knie en zong een paar chansons van Georges Brassens. Emma was daar niet dol op, tenzij Brassens zijn creaties zelf ten gehore bracht. Maar ze luisterde beleefd tot het afgelopen was.

Peter legde de gitaar op een tafeltje, legde zijn hand in Emma's nek en vroeg correct of dat gepermitteerd was.

'Doe het maar niet,' zei Emma.

Ze keken elkaar aan. Snel stond Emma op. Ze voelde er niets voor een liefdesnacht met hem door te brengen om vervolgens niets meer van hem te horen. Nog nooit had ze iemand, die zo dichtbij was, op het eerste gezicht zo aantrekkelijk gevonden. Zijn aanwezigheid gaf een algehele indruk van zachtheid. Zijn ogen waren groot en lief. Zijn mond was iets te week, maar mooi gevormd.

Voor de zekerheid liet ze haar adres achter.

Een paar dagen later belde hij aan om haar te eten te vragen. Ze ging mee, bleef eten en slapen.

'Jij bent net een groot meer,' fluisterde hij in het donker, de eerste nacht dat ze bij elkaar lagen. Zo voelde ze het ook. Hij was zelf een groot meer. Zo zacht en vanzelfsprekend had ze de liefde nooit eerder beleefd. Tot de ochtend lagen ze te vrijen, te praten en te lachen. Hij maakte het soort kinderachtige grappen waar Emma dol op was. Hij vertelde opwindend over vroegere erotische avontuurtjes. Emma vertelde over Leon, over Parijs en over de tijd dat ze op het rattenkamertje had gewoond en 's nachts bang was geweest.

Hij vertelde over zijn familie in Arnhem. Zijn moeder was concertpianiste met, vooral in Arnhem, een redelijke bekendheid. Peter speelde zelf ook verdienstelijk piano. Hij had zelfs overwogen om naar het conservatorium te gaan, maar hij had toch gekozen voor een letterkundige richting.

Zijn moeder was joods, maar had in de oorlog met een verzetsgroep samengewerkt. Haar eerste man, Peters vader, was gefusilleerd. Ze was nu getrouwd met een veel jongere man, een beeldhouwer.

Elk weekend was het huis vol vrienden van Peters ouders, vertelde hij, merendeels kunstenaars, die zijn moeder uit het verzet kende. Peter ging elk weekend naar Arnhem met een tas vol vuile was. Emma moest zaterdag maar meegaan, dan kon ze het zelf meemaken.

Het weekend hoorde ze niets meer van hem en de daarop volgende dagen evenmin. Ze had er chronische maagpijn van maar probeerde te berusten in het onvermijdelijke verlies. Ze had het van tevoren geweten. Het zou wel slijten. Ongetwijfeld had ze iets verkeerd gedaan of gezegd, waardoor hij was bekoeld.

Ze bleef veel thuis en probeerde te lezen. Op een avond snerpte de bel door de stilte. Op de stoep stond Emile. Zodra hij zat begon hij over Peter.

Dat was een meisjesjager, zoals je ze zelfs in studentenkringen zelden tegenkwam, zei Emile. Hij had hem al met een ander meisje in de bioscoop gezien. Na haar slopende jaren met Leon deed Emma er beter aan een rustiger vriend te nemen, meende Emile, bijvoorbeeld iemand als hijzelf.

Emma stuurde hem weg en nam zich voor de nacht te vergeten dat ze 'een groot meer' was genoemd.

Op vrijdagmiddag ging de bel. Peter kwam de trap op. Hij vroeg of ze meeging naar het strand. Emma keek uit het raam. Het was koud en regenachtig. Maar ze was zo blij dat hij was gekomen dat ze haar jas pakte.

Terwijl ze naast hem liep, worstelend met de storm bedacht ze hoe afzichtelijk ze moest zijn met haar achterover waaiende natte haar.

Over het plankier van een dichtgetimmerd strandtentje liepen ze de boulevard op. Het was al bijna donker. Ze gingen een klein Chinees restaurant binnen.

Ze waren de enige klanten. Op de wc keek Emma in de spiegel en daarna wanhopig in haar tas. Ze had vergeten er make-up in te doen. Haar haren, die vettig waren en klef van het zout, lieten zich niet voor haar gezicht kammen, zodat haar neus, rood en glimmend, onbeschermd, onbarmhartig naar voren priemde.

Verlegen liep ze terug naar het tafeltje waaraan Peter zat.

'Jij loopt zo grappig,' zei hij.

Op een servetje tekende hij een vrouwtje met de handpalmen onzeker naar voren gekeerd, of ze op een evenwichtsbalk liep. In de houding van het figuurtje herkende Emma treffend zichzelf.

Terwijl ze een verwarmend borreltje dronken, vertelde ze Peter dat Emile hem een meisjesjager had genoemd. Peter leek oprecht geschokt.

'Nu ontmoet ik eindelijk een meisje zoals jij,' zei hij verontwaardigd, 'en nu overkomt me dit!'

Bij de tjap-tjoy en de fou-yong-hai vertelde hij dat hij ging verhuizen naar een onbewoonbaar verklaard maar nog heel bewoonbaar grachtehuisje. Een dispuutgenoot had de deur opengebroken en had zich geïnstalleerd in het benedenhuis. Boven woonde een andere dispuutgenoot. De eerste verdieping was nog vrij.

'Er zijn twee kamers en een keuken,' vertelde hij. 'Kom je daar bij me wonen?'

'Dat lijkt me een leuk idee,' zei Emma verlegen. 'En als ik dan 's nachts bang ben, klop ik bij je aan.'

'Dan hoef je alleen maar naar de andere kant van het bed,' zei Peter.

Emma legde haar lepel en vork neer. Het onverwachte geluk had haar overweldigd. Ze was bang dat ze zou gaan huilen. Hij was ook ontroerd, zag ze.

Rond haar linkeroog voelde ze felle steken. Ze duwde de vracht dekens, jassen en slaapzakken van zich af, richtte zich op, rilde, duizelde, liet zich achterover vallen en trok de vracht weer over zich heen.

In de voorkamer hoorde ze Peter scharrelen. Ze krabbelde overeind. Naakt stond ze te klappertanden. Ze sloeg een deken om en liep naar de voorkamer.

Glinsterende sneeuw overdekte de daken van de trapgeveltjes aan de overkant. Twee in ruitjes verdeelde, ruitvormige parallellogrammen van zonlicht glommen op de planken vloer. Emma keek in de spiegel aan de muur. Hoewel het glas, door weer van eeuwen aangetast, flatteerde, weerkaatste het een vreemd palet van achtergebleven resten make-up, een donkerblauw oog en blauwe plekken rond de hals.

Ze pakte een borstel en streek ermee over haar hoofd. Grote plukken haar bleven steken in de tanden.

'Peter!' gilde Emma.

Peter zat in de stoel bij het raam. Hij staarde in een krant. Hij keek haar niet aan.

'Peter!!' riep Emma in paniek. 'Alsjeblieft, wat is er gebeurd?'

Hij haalde de schouders op. Beelden van de vorige avond kwamen vaag bij haar op. Gedrang, geschreeuw, geweld.

'Peter! Alsjeblieft!' schreeuwde ze.

Hij trok weer met de schouders. 'Je maakt mij niet wijs dat je er niks meer van weet,' zei hij. 'Jij bent niet in orde. Je moet naar het gekkengesticht.'

Huilend duwde ze de krant weg, kroop op zijn schoot en legde haar hoofd tegen zijn borst.

'O, Peter!' snikte ze. 'Ik houd zoveel van je. Er is iets verschrikkelijks gebeurd. Ik weet alleen nog dat we naar de bioscoop zijn geweest. Verder weet ik niets meer. Echt niet. Vertel het me, alsjeblieft!'

Ze huilde hartstochtelijk. Hij begon ook te huilen en sloeg zijn armen om haar heen.

Hij vertelde. Langzaam kregen de beelden van het pandemonium contouren. Een vol café op het Spui. Emma vond het er heel gezellig. Geanimeerd stond ze te praten met een paar journalisten. Ze probeerde niet op Peter te letten, die er zwijgend bij stond, met een somber gezicht.

'Zullen we weggaan?' vroeg hij ten slotte.

Ze liepen naar de Nieuwendijk, naar een kroeg met nachtvergunning. Daar barstte de ruzie los. Nu herinnerde ze het zich weer. Zoals gewoonlijk was haar gedrag met anderen de aanleiding.

Peter zei dat ze het niet de moeite waard vond om aandacht aan hem te schenken wanneer er schrijvers of journalisten in de buurt waren. Ze had zich hitsig aangesteld, vond hij, en zich belachelijk gemaakt.

Emma antwoordde dat hij nooit zijn best deed om zich sociaal te gedragen, dat ze zich voor hem dood geneerde, enzovoort.

Ondertussen bleven ze drank bestellen. Andere caféklanten bemoeiden zich ermee.

Een opdringerige, beschonken kerel adviseerde Peter om Emma maar eens een goede beurt te geven, dan zou het wel afgelopen zijn met die kuren van haar. De man kwam aan hun tafeltje zitten en bleef gore opmerkingen maken.

Emma gooide hem een glas bier in het gezicht.

'Tyfuswijf!' schreeuwde de man en gaf Emma een klap die dreunde in haar oren.

'En toen begon je te gillen,' zei Peter. 'Je was volstrekt hysterisch. "Fascisten," gilde je. Je timmerde op die man. Hij sloeg je tegen de grond. Iemand belde een taxi. Je was er bijna niet in te krijgen. Achterin gaf je mij ook nog een paar meppen. Daarom heb ik je aan je haar getrokken. Hier in huis maakte je ook nog een verschrikkelijke scène. Ik kneep mijn handen om je keel. Ik dacht dat ik je had vermoord!' Hij vertrok zijn mond en legde het hoofd in de handen. 'Dat blauwe oog heb je van die man.'

Verslagen keken ze elkaar aan.

'Waren er nog kennissen?' vroeg Emma.

'Ik geloof het niet,' zei Peter.

'Dat is tenminste iets,' zei Emma. 'Hou je nu nog wel van me?'

'Ik hou ontzettend veel van je,' zei hij. Ze klemden elkaar vast en kusten elkaar. Kussend stonden ze op en liepen naar de slaapkamer. Zachtjes snikkend maakten ze de verzoening compleet.

Peter stond op om in het keukentje eieren te bakken. Emma ging zich aankleden.

'Ik heb de zonnebril maar weer te voorschijn gehaald en om mijn hals zal ik maar weer een sjaal knopen, als ik straks uitga,' zei ze lachend. 'Het verhaal wordt wel eentonig!'

'Straks halen de buren de politie er nog bij,' zei Peter. 'Ik mishandel je.'

'Ik mishandel jou,' zei Emma. 'Jij bent gewoon sterker dan ik. Daar helpt geen moedertje lief aan.'

Peter zette borden op tafel en kwam binnen met de pan. Ze dronken thee en haalden toch maar een flesje bier uit de keuken, om op te knappen.

'Weet je dat je in de wasserette ook sokken kunt wassen?' vroeg Peter met volle mond.

Geërgerd door de banaliteit van de opmerking zweeg Emma. Hoe kon je zoveel van iemand houden, die je tegelijkertijd zo irriteerde?

'Ik irriteer je,' stelde Peter vast.

'Helemaal niet!' verzekerde Emma.

'Jawel!' zei hij. 'Ik zag het aan je gezicht. Als ik een schrijver was of een journalist, dan had je zo'n opmerking over de wasserette heel gewoon gevonden. Maar dat ben ik niet, sorry hoor.'

Emma zuchtte en stond op. 'Ik ga een eindje om,' zei ze. 'Over een uurtje ben ik terug.'

'Dan ben ik er misschien wel niet meer,' zei Peter.

'Dat zien we dan wel weer,' zei Emma. Ze pakte haar jas en holde de trap af.

Half glijdend over bevroren sneeuw liep ze over het grachtje en sloeg een zijstraat in, naar de Jordaan. Ze ging een café binnen, bestelde een glas bier en ging ermee voor het raam zitten.

Hoe kon het toch, overpeinsde ze, dat Peter en zij niet met elkaar overweg konden, terwijl ze het toch geen dag zonder elkaar uithielden? Het leek wel dat ze niet konden leven zonder ruzie. Zo hard mogelijk fietste Emma 's winters van college of het avondgymnasium naar huis, vol verlangen naar Peter en de warme kachel. Kwam hij een half uur later thuis dan hij had beloofd, dan was ze dodelijk ongerust.

Maar zodra ze tien minuten bij elkaar zaten, was er weer een onoverkomelijk misverstand, een kleine ergernis die uitgroeide tot een conflict van kolossale proporties – een conflict dat ze niet konden relativeren, als waren ze mensen zonder een spoortje humor. Het samenleven was benauwend, het samen ontbijten, onvermijdelijk na elk feest weer samen naar huis moeten. ·

Daartegenover stond de vanzelfsprekende verknochtheid. Emma hield van zijn ouders, van de warme gezelligheid in het Arnhemse huis. 'Peter en Emma' zijn voor zijn ouders, of 'Emma en Peter', dat was een geluk dat ze nooit eerder had beleefd. Het zou haar veel verdriet doen zijn ouders te moeten missen, maar als het uit was met Peter zou ze er niet meer heengaan.

Elke zondag zat, in een hoekje van de bank gedoken, een blond meisje. Dat was een van Peters vroegere vriendinnetjes. Ze deed Emma aan tante Froukje denken.

In gedachten voelde ze Peters arm om haar nek in de bioscoop. Ze voelde hem naast zich, warm en bruingebrand, in de achterbak van een vrachtauto die door het Griekse landschap reed, een zomer dat ze samen door dat deel van Europa liftten. Haar blik was gevallen op zijn bestofte, slanke, bruine voet in een sandaal. Ze had die voet vastgepakt, zonder dat hij op die vanzelfsprekendheid reageerde.

Ik heb het recht om dat te doen, dacht ze. Die voet is ook van mij.

Ze dacht aan de gendarmes in het Franse hotel, een andere vakantie, toen ze daar, in het snikhete hotelkamertje, een miskraam kreeg en van pijn dagenlang niet uit bed kon komen, nadat ze een paar weken had geleefd met de onwezenlijke dagdroom van zichzelf met man, kind en schoonouders.

De hotelhouder eiste dat ze de matras zouden betalen. Op de tapkast keerden ze hun portemonnee om. De gendarmes begrepen dat het van een kikker slecht veren plukken was en lieten hen gaan.

Lichamelijke verslaving aan zijn bijslaap; irritatie in zijn bijzijn; als hij er niet was de plotselinge schrik: nu heb ik echt alles verpest; gevolgd door verdriet en angst, die alle energie en werkkracht verlamde: zelfverwijt, liefde en hevig verlangen, tot ze weer samen waren en alles weer van voren af aan begon.

Emma wist dat haar verhouding met Peter niet lang meer kon duren. Dat besef maakte haar razend van woede op hem en zichzelf, als ze dronken was.

Ze zou weer alleen zijn, voor altijd. L'enfer, c'est moi toute seule.

Maar ze kon niet blijven bij iemand die haar provoceerde tot zulke onwaardige taferelen.

Plotseling bang dat hij was weggegaan, stond ze op, rekende met bonzend hart snel af en ging naar huis.

Hij was thuis. Jezus was weggelopen, zei hij bezorgd. De poes. Hij had al overal gekeken en geroepen. 's Avonds ging hij er nog een keer op uit. Het etensbakje nam hij mee. Ruim een half uur liep hij door de buurt, met Jezus' etensbakje, waarop hij telkens tikte met een vork. 'Jezus!' riep hij klaaglijk. 'Jéézus!'

Intussen bevond Jezus zich slapend achter de butagasfles. Emma ging de deur uit, in de richting van het getik en geroep.

Pas toen ze hem had ingehaald, zagen ze er het komische van in. Niemand in de buurt had gereageerd. Wie let er nou op de zoveelste halve gare, die de blijde boodschap wil uitdragen?

's Avonds laat hadden de benedenburen bonje, Claudia en Henkie. Lekker warm in bed, met de weergevonden Jezus aan het voeteneind, luisterden Peter en Emma geamuseerd.

Eerst kwam Henkie thuis. 'Hey man,' hoorde ze hem mompelen onder gesnuif, getrippel en geblaf.

Henkie zette Freddie, Claudia's hond, op de gang en deed de deur op slot. De hond blafte, jankte, drentelde rond en blafte weer.

Even later kwam Claudia. Ze bonkte op de deur. 'Henkie!' krijste ze. 'Doe open! Henkie!! Dat vind ik shit van je, weet je, dat je die hond buiten hebt gezet. Helemaal te gek, weet je wel! Die hond heeft je niks gedaan, weet je wel!'

Na een stilte weer gebonk op de deur. 'Dat vind ik helemaal te shit van je, weet je, dat arme beest, te gek gewoon, shit,' riep Claudia. 'Doe open!'

De hond jankte. Nog ruim een uur bleef Claudia bonken en gillen dat het 'shit' was van Henkie, 'echt te gek, weet je wel' en dat het arme beest hem niks had gedaan.

Boven klonk rumoer. De bovenburen spraken met stemverheffing. Simon, de buurman kloste naar beneden en zei iets tegen Claudia.

Claudia snikte zachtjes. 'Dat hij die hond eruit heeft gezet,' klaagde ze, 'dat vind ik gewoon hélemaal te shit van hem, weet je wel.'

'Henk doe open, doe niet zo lullig!' riep Simon.

Het slot knarste open, Freddie hijgde en kwispelstaartte.

Simon liep de trap op. Even later was het huis in diepe rust.

De hele dag scholden Peter en Emma lachend op elkaar dat het 'shit' was en 'gewoon helemaal te gek'.

'Hey man, dat vind ik gewoon helemaal te shit van je, dat je mijn ballpoint hebt weggemaakt,' zei Emma. 'Dat ding had je niks gedaan.'

'Freddie heeft hem opgegeten,' zei Peter. 'Dat vind ik gewoon helemaal te gek, weet je wel?'

's Nachts stommelden Peter en Emma de trap op. Het werd al licht. Ze kwamen van een feest. Dronken.

Binnen kregen ze direct ruzie. Emma ging tegen hem tekeer. Peter had omstrengeld met een meisje in een stoel gezeten. Op het volgende feest zou ze hem dat met een ander betaald zetten.

'Dat doe je al vaak genoeg!' riep Peter. 'Het is gewoon gênant zo hoerig als jij je gedraagt. Het is geen gezicht zoals jij met je billen draait onder het dansen!'

Er kwam geen eind aan het bekvechten. Ze kwetsten elkaar waar ze maar konden.

'Domme puber!' riep Emma.

'Hoer!' schreeuwde hij. 'In Parijs heb je ook de hoer gespeeld!'

Hijgend stond Emma tegenover hem. 'Dat vind ik smerig van je,' gilde ze. 'Je maakt misbruik van vertrouwen!'

Ze pakte een vuil bord dat nog op tafel stond. 'Als je dat nog één keer zegt,' zei ze hijgend, 'dan krijg je dit bord naar je kop! Ik meen het hoor!'

Een groot deel van het servies was al gesneuveld.

'Pas op dat je geen toeval krijgt,' waarschuwde Peter. 'Je begint aardig op je broertje te lijken.'

'Klootzak!' krijste Emma buiten zichzelf.

'Hoer!' riep Peter.

Ze smeet het bord in zijn richting. Het kletterde tegen de muur, boven zijn hoofd. Scherven vielen op hem neer.

Tante Pop

Het stationsplein bood een troosteloze aanblik. Volgens de dienstregeling had de bus er al moeten staan. Zacht weer was voorspeld, maar de scherpe wind maakte het guur.

Emma rilde en kokhalsde even. Ze had kort geslapen. Ze dacht aan de vorige avond, rond zes uur.

'Nou, eentje dan!' hoorde ze zichzelf zeggen.

Fatale woorden. Tegen Willem de Boer, een journalist die ze van Democrates kende. Op een gracht, op weg naar huis, liep ze hem tegen het lijf, pal voor een mooi stoffig kroegje.

Ze gingen naar binnen en stapten in een bad van warme gezelligheid. Ze dronken een paar borreltjes.

'Mag ik jou eens iets vragen?' vroeg ome Ben aan Emma.

'Ja hoor!' zei Emma.

Ze wist wat er zou komen.

'Ben jij soms van eh, Jiddische... eh semitische... eh.'

'Ja, ome Ben, ik ben een jodin,' zei Emma.

'Ach,' zei ome Ben geschrokken.

'Kind!' riep ome Piet. 'Daar hoef je je helemaal niet voor te schamen hoor! Je hebt jodenstreken en je heb christenstreken!'

'Dankuwel, ome Piet,' zei Emma.

'Hebben jullie ome Bram nog gekend?' vroeg de kastelein goedig. 'Dat was zó'n goser, hoor. Geen kwaad woord. Nou ja, je moest wel een beetje op je tellen passen, maar dat heb je ook met christenmensen.'

'O zeker!' beaamde Emma. 'We spelen prachtig viool maar vertrouw ons niet in de handel!'

'Wat drinkie van me kind?' vroeg ome Piet. 'Nog een borreltje zeker?'

Er was geen sprake van dat ze dat nu kon afslaan.

'Geef Esther ook nog iets van mij!' riep ome Ben.

Dat kon Emma vanzelfsprekend evenmin weigeren.

Ze raakte de tel kwijt. De klanten schreeuwden diepzinnigheden door elkaar over hemel, aarde en eeuwigheid. Een kleine oude man liet aan één stuk door bierviltjes op de grond vallen, om de wet van de zwaartekracht te illustreren.

Emma dacht dat ze het zou besterven van het lachen. De tranen liepen over haar gezicht. Met naast zich Willem, die haar liefdevol aankeek, zette ze luchthartig de gedachte van zich af dat ze de volgende dag naar tante Pop zou gaan.

In de knusse roezigheid legde ze haar hoofd op zijn schouder. Of hij daarop had gewacht, legde hij zijn hoofd op het hare.

Omstrengeld gingen ze de straat op, waar ze elkaar omhelsden alsof ze elkaars verloofden waren, die door de oorlog lang gescheiden waren geweest. De mogelijkheid dat Emma zich van hem zou losmaken om alleen naar haar koude kamer te gaan, bestond niet meer. Willem troonde haar mee. Kobie was met de baby voor de kerst naar haar moeder. Willem zou nakomen.

Om een uur of vijf kon Emma het in bed niet meer uithouden. In Kobies pannetje warmde ze een beker melk op. Ze dronk hem leeg, kleedde zich aan en ging naar huis.

Om negen uur pakte ze de hoorn van de haak. Ze overwoog tante Pop te zeggen dat ze een dag later zou komen, maar ze kon geen geldige reden bedenken. Het leek makkelijker om maar te gaan.

Een bus waarin het heerlijk warm moest zijn, reed voor, bleef verleidelijk staan met draaiende motor en reed weg. Eindelijk, daar was de bus naar tante Pops dorp.

Hoewel het niet ver was, duurde de reis drie kwartier. Ten slotte stopte de bus bij de marechausseekazerne. Opgelucht stapte Emma in de frisse lucht. Ze spuugde een straaltje maagzuur uit.

Hier was in het begin van de oorlog een protest-oploop geweest, tegen de moffen. De veldwachter had opdracht de samenscholende boeren weg te jagen. Tante Pop deed wel eens voor hoe hij dat deed.

'Doorlopen!' riep ze bars.

'Stoan blieven!' sprak ze direct daarop binnensmonds, met haar hand schuin voor haar neus.

Vanaf hier was er geen openbaar vervoer naar tante Pops huis. Het was nog een eind lopen. De bestrate bosweg was makkelijk te vinden.

Emma's koffer was zwaar. Dat kwam door alle boeken die ze er maar had ingegooid, omdat ze geen keus kon maken.

Aan de linkerkant van de weg was open hei met stukken dennenbos en wit zand. Ook rechts was dennenbos. Verderop kwamen villa's met beboste erven.

Nu en dan sprong Emma snel in de greppel wanneer een auto langs raasde. Tussen de villa's waren zandwegen, die namen hadden van levende en dode leden van het koninklijk huis.

Langzaam maar onverbiddelijk begon het te regenen. Emma nam de koffer eens in de andere hand en keek op haar horloge. Ze liep al ruim een half uur. Was het werkelijk zo ver? Ging ze wel de goede kant op?

Ze had last van hevige aandrang in de blaas. Bij een stuk dicht bos ging ze de weg af en liet in het natte kreupelhout haar broek zakken.

Terwijl ze de warme straal liet lopen hoorde ze achter zich geritsel. Hevig geschrokken draaide ze het hoofd om. Ze keek in de verwonderde ogen van een ree. Sierlijk sprong het beest op zijn dunne poten het bos in.

Emma liep langs de witte berg van de zandafgraverij, die haar bekend voorkwam. Eindelijk een bordje: Hertenweg.

Ze sloeg rechtsaf en liep over de zandweg waarin knoestige boomwortels heuvels en diepe kuilen maakten. Aan het eind van de weg, bij de hei, zag ze tussen dennebomen, het rode dak en de blauwe luiken van De Waringin. Het raam van de huiskamer was bestoven met kunstsneeuw en er hing een grote rode kerstster. Daarachter brandden schemerlampen. Er zou koffie zijn en kerstkrans.

Met een warm geluksgevoel droeg Emma haar koffer het erf op, over het grindpad, naar het granieten stoepje. Ze overwoog achterom te lopen, de keuken in, zoals vroeger – maar belde toch aan.

Dadelijk ging de deur open. Tante Pop, klein en mollig, stond in de gang en klemde Emma tegen haar boezem.

'Dag Emmekèè,' zei ze op haar zangerige, Indische toon. 'Zet je koffer maar in de gang, lieverd. En kijk maar eens in de huiskamer.'

O, tante Pop,' riep Emma. 'Wat prachtig!'

De muren waren vol dennegroen, rood crêpepapier, zilverig glinsterende slingers, glimmende ballen en kerstklokjes. Bij de theetafel stond een kleine denneboom, waarvan de takken waren omwikkeld met engelenhaar en doorbogen van engeltjes, klokjes, ballen, fondantjes, chocolade kerstkransjes en tientallen elektrische kaarsjes, in felle kleuren. De tafel was uitgeschoven en bedekt met een rood kleed waarop ook dennegroen, engelenhaar, rood crêpepapier, slingers, klokjes, kaarsen in kandelaars en kaarsjes, gestoken in fondanten kerstkransjes. Er stonden twee bordjes met kerstservetjes en schalen met kerstkrans en tulband.

'Komen er nog meer mensen?' vroeg Emma.

'Dat weet ik nog niet hoor,' zei tante Pop. 'Maar Emmeke lust toch wel wat? Of is ze weer bang dat ze dik wordt? O, o, wat is dat meisje dik! Wat is dat meisje ver-schrik-ke-lijk dik! Houd me vast!'

Stel je voor dat ik had afgebeld! dacht Emma. Ze keek zoekend rond. Er was iets vreemds in de kamer. Plotseling drong het tot haar door. Ze kon zich niet bedwingen.

'Tante Pop!' riep ze uit. 'Wat hebt u gedaan? Wat vreselijk!'

De kamer was gemoderniseerd. Gewoon glas had de glas-in-loodruitjes vervangen, aan de zijkanten van de ramen. De hangende lampen met de zijden kappen met franje boven de tafel en in de zitkamer waren weg. Dicht tegen het plafond kleefden nu twee grote bollen van geel matglas.

Het Indische rooktafeltje met het bewerkte koperen blad en de zes uitschuifbare poten met houtsnijwerk stond er nog wel. In de oorlog, toen iedereen koper moest inleveren, was het blad verstopt.

Opa en oma's rechte, met roodbruin fluweel beklede crapauds met mahoniehouten leuningen waren verdwenen. Daarin had Emma op opa's schoot gezeten en met zijn horlogeketting gespeeld, of ze had alleen op de zitting naar haar voeten zitten kijken, die halverwege de stoel hingen en de grond nog lang niet raakten.

De 'kepo's' hadden plaatsgemaakt voor nieuwe leunstoelen, waarvan de schuin aflopende zittingen waren bekleed met grove beige stof. De leuningen waren van blank geschaafd hout. Het waren stoelen zonder persoonlijkheid, zonder geschiedenis.

Tante Pop schaterde. 'Ja, dat dacht ik wel!' riep ze. 'Dat vindt Emmeke nooit goed! Van Emmaatje mag niets veranderd worden in opa en oma's huiskamer. Je kent je eigen huis niet meer, hè scháát. Maar het went wel hoor, kindje! Kijk maar eens in de badcel. Daar heb ik nog iets nieuws. Een douche! Dat mocht zeker ook niet, hè schat?'

Emma keek in de badcel en beklom, met gebogen hoofd vanwege de lage zoldering, de smalle houten traptreden.

Ze ging tante Pops kamer binnen, waar ze de laatste oorlogswinter met zijn vieren en Theseus hadden gewoond. Tante Pops verzameling sprookjesboeken met de sierlijke prinsessen en feeën op de kaften en het dikke boek *Sagen en sproken van het Oude Gelre* stonden nog in de kast, achter glazen schuifdeurtjes. Voor de deur naar het onderduikkamertje hing nog steeds de sarong met de kris.

Ze daalde af. Drie moddervette katten stonden in de keuken te mekkeren met de staart omhoog. Een van de katten, een rooie, was zelfs van een angstwekkende omvang. Alleen al zijn kop had het formaat van een voetbal.

'Dat zijn Koening, Ketjil en Bagoes,' stelde tante Pop voor. 'Je kent toch nog wel Maleis, hè schat?'

'Ja, ja, poeties!' riep ze. 'O, o, wat hebben ze honger! Ze krijgen nooit wat hè, arme beestjes, o wat zijn ze zielig! Houd jij van kip met appelmoes, Emmeke?' zong ze zonder overgang.

'O, heerlijk!' riep Emma.

'Ja, dat is tante Pop niet vergeten! Maar lust het meiske misschien eerst een kopje koffie? Met tulband?'

'Ja, daar had ik op gerekend!' zei Emma lachend.

Ze ging in een van de nieuwe stoelen zitten. Tante Pop schonk koffie, sneed tulband af en liet zich zuchtend in een stoel zakken. Ze vertrok haar gezicht of ze hevige pijn had.

'Wat is er?' vroeg Emma.

'Let maar niet op mij, hoor schat,' zei tante Pop. 'Tante Pop is niet goed, de laatste tijd. Ze heeft vreselijke last van astma. Dat weet je nog wel, hè, dat tante Pop 's nachts zo benauwd was? En nu heb ik een gezwel in mijn buik. Zó'n gezwel!'

Ze hield de handen een flink eindje uit elkaar.

'Er is een specialist bij geweest en die is zich kapót geschrokken! Hij zei: juffrouw Den Ouden, zei hij, hij zegt: "Dit is het gróótste gezwel dat ik ooit heb gezien!" Hij wil het laten zien aan een specialist uit Canada.'

'Bent u dan geopereerd?' vroeg Emma.

Ze was geschrokken, maar ze herinnerde zich hoe ze een jaar of twaalf geleden, nadat ze bij tante Pop was geweest, huilend bij tante Lea en Ruth binnenkwam omdat tante Pop binnenkort dood zou gaan. Daarvan had tante Pop haar toen overtuigd.

Het was meegevallen. Maar tante Pop was inderdaad niet gezond. Ze had een zwaar leven. Ze werkte in de stad. Om half zeven 's ochtends ging ze de deur uit. Weer of geen weer, ze fietste naar de bushalte in het dorp.

's Avonds na achten kwam ze haar erf op gefietst. Dan kookte ze en elke avond stofzuigde ze het hele huis. 'Dat doe ik voordat ik ga zitten,' placht ze te zeggen. 'Anders ben ik bang dat ik het niet meer doe.'

'Nee, die operatie komt nog,' zei tante Pop. 'Ze hebben er foto's van gemaakt.'

'Doet het erge pijn?' vroeg Emma meewarig.

'Nee, hoor,' zei tante Pop, met hevig vertrokken gezicht.

Ze legde haar hand op haar buik en kromp in elkaar.

'Nee, hoor, kindje, helemaal niet. Maak jij je maar niks ongerust over tante Pop.'

'Heb jij een vriend, Emma?' vroeg tante Pop nadat ze tegenover Emma met gesloten ogen en samengeknepen mond had gebeden voor de kip en appelmoes.

Emma aarzelde. 'Ja,' zei ze maar.

'Hij is nooit getrouwd geweest, hoop ik,' vroeg tante Pop streng.

'Nee hoor,' zei Emma.

'Wat doet hij?' vroeg tante Pop.

Plotseling zag Emma voor haar ogen een tafereel: een wilde, ongeremde, dronken liefdesdaad. Bijna lijfelijk voelde ze gespierde armen, een mannenborst. Begeerte vlamde in haar op. Ze ging verzitten. Zou hij haar nog eens opbellen?

'Journalist,' zei ze.

'Journalist?!' riep tante Pop. 'Je ging toch om met een student? Wat is er met hém gebeurd? Hoeveel vrienden heb jij eigenlijk wel gehad?'

Wat zou ze zeggen, dacht Emma. Ze zweette. Had ze maar een glaasje bier. Eentje maar.

'Vier,' improviseerde ze.

Tante Pop kwam half overeind. 'Vier!' riep ze. 'Vier! Heb jij je al vier keer aan een man gegeven? Opa had gelijk. Hij zei tegen me: "Het gaat niet goed met Emma in Amsterdam."'

'Opa?' vroeg Emma.

'Ja, opa!' beaamde tante Pop. 'Al is opa dan niet meer onder de levenden, daarom leeft hij nog wel! Hij kijkt op ons neer en als hij het nodig vindt, daalt hij naar ons af. Je weet toch wel dat opa hele bijzondere ogen had? Met de kracht van zijn ogen joeg hij de moffen op de vlucht. Tante Aleid, die ken je toch nog wel?'

Op zijn Indisch promoveerde tante Pop buren en kennissen altijd tot Emma's ooms en tantes.

'Je weet wel, mijn vriendin van de Prins Bernhardweg, haar borsten zijn afgezet, ja, dat is verschrikkelijk geweest, eerst hebben ze de verkeerde afgezet, die was nog helemaal gezond, de andere zat helemaal vol, bárstensvol gezwellen. – Je gebruikt toch geen deodorant, Emma? Weet je dat je daar borstkanker van krijgt? Ja?! Dat weet je toch?!'

Ja, ze vergissen zich vaak hoor, de dokters. Een kennis van tante Nettie, je weet wel, tante Nettie uit Ommen, die hebben ze het verkeerde been afgezet, nee, niet tante Nettie, die is zelf pas geholpen aan een vleesboom, nee, een kennis van tante Nettie. Jáááá, die kwam thuis met haar ene been en moest toen hals over kop terug naar het ziekenhuis omdat ze zo'n verschrikkelijke, ondraaglijke pijn had in het andere been. Trouwens, in het been dat is afgezet, heb je ook altijd verschrikkelijke, ontzettende pijn, weet je dat? Dat komt door de zenuwen die zijn afgesneden. En je weet wel, ook Arthur, die is nu bijna helemaal blind...'

'Ja, maar wat heeft opa daarmee te maken?' vroeg Emma haastig.

'Nou, tante Aleid zat hier op bezoek, in dezelfde stoel als waar jij in hebt gezeten en ik zat bij de kachel en toen vroeg ze ineens – en ze had opa nog nooit gezien, nog nóóit – toen vroeg ze zomaar: "Zeg, jouw vader, ziet die er zo en zo uit? Draagt hij een bril met een rond gouden montuur, een donker pak met een licht streepje, een horloge-ketting?"

Het klopte allemaal precies! Precies! Ik zeg: "Ja," zeg ik. "Hoezo? Waarom vraag je dat?" "Die zie ik daar zitten," zegt ze. "Hij zit in die leunstoel tegenover me." Ik zeg: "Goed zo, nou zie jij het ook eens!"

Nou, en opa kwam op een avond bij me en zei: "Het gaat niet goed met Emma in Amsterdam." Opa zei' – tante Pop verhief retorisch haar stem – '"Wij hebben haar het leven gered. En ze heeft niet het recht dat leven te vergooien." Dat zei hij!'

Fel keek ze Emma in het gezicht.

'Ach, het valt heus wel mee,' zei Emma ongemakkelijk. Ze stak een sigaret op.

'Ik ben nog niet klaar met eten, Emma,' zei tante Pop, streng uit de hoogte, hoewel ze haar mes en vork allang had neergelegd.

'O, sorry!' zei Emma.

'Ja, dat zijn slechte manieren!' zei tante Pop kattig.

's Middags, terwijl tante Pop in de keuken was, bracht Emma haar koffer naar haar oude kamer aan de voorkant. Even zat ze op de be-kende witte, gehaakte sprei met bloemfiguren en keek naar de glas-in-loodruitjes en de dennebomen daarachter.

Met een van de meegebrachte boeken, *De donkere kamer van Da-mocles*, ging ze in de huiskamer bij de kachel zitten.

Tante Pop kwam binnen. 'Wil je niet een van de sprookjesboeken lezen van tante Pop?' vroeg ze. 'Daar was je toch altijd zo dol op? En ik heb prachtige natuurboeken. Kijk maar.'

Emma stond op om de boekenplanken onder de vensterbank te be-kijken.

'Er is een interessant boek bij over de taal der dieren,' zei tante Pop. 'En een boek over de natuur in ons oude Indië. Het schijnt tegenwoor-dig een beestenbende te zijn wat de inlanders van ons land hebben ge-maakt. Al boden ze me een miljoen, dan ging ik er nog niet heen. Een kennis van tante Trui komt er net vandaan. Een mooie boel is het daar! Ze moesten toch zo nodig zelf regeren?'

'Het heet nu Indonesië, tante Pop,' zei Emma. 'En het zijn geen in-landers meer maar Indonesiërs. Het is hún land.'

'O ja? Je bedoelt dat ze het van ons hebben afgepikt!' riep tante Pop met vertrokken mond. 'Hier in de buurt hebben we een Ambonezenkamp. Die zijn net zo. Lui dat ze zijn! Morgen maar, hoor. O, we hebben zoveel begrip voor ze! Ik ken de inlanders toch? Ik heb tot mijn vijfentwintigste jaar in Indië gewoond.'

'Ik heb in Indonesië gewoond,' zei Emma.

'In Indonésië, pff!' riep tante Pop. 'Voor mij is het Indië hoor. Neem me alsjeblieft niet kwalijk! Sinds die Ambonezen hier wonen, wordt er gestolen als de raven. Ik weet wel hoe je met die lui om moet gaan, hoor. Een vriendin van me, tante Lottie, die is in Arabië geweest en die zegt: als je daar steelt – dat klinkt wreed, Emma, maar het is wél waar – dan wordt je hand eraf gehakt! En dan zul je zeggen: dat is erg. Maar je kunt er wél je tas laten staan, zonder dat ze hem stelen, dat wel!'

Ze liep de kamer uit. Emma keek in haar boek, maar de letters vormden geen woorden. Een ijzeren band die om haar slapen klemde, schroefde zich vaster en vaster. Ze kreunde hardop.

Tante Pop kwam de kamer binnen.

'Hebt u misschien een aspirientje?' vroeg Emma.

'Heb je hoofdpijn, schat?' vroeg tante Pop.

Ze kwam achter Emma's stoel staan en legde haar vingers op haar hoofd. 'Hier zit de pijn, hè? Daar worden mijn handen als het ware naar toe getrokken.'

Ze masseerde zachtjes. 'Tante Pop heeft genezende handen,' zei ze.

De pijn zakte inderdaad.

'Je hoort tegenwoordig zoveel kritiek op Zuid-Afrika, hè,' zei tante Pop sarcastisch, nog steeds masserend. 'Maar die mensen vergeten één ding, wat een schóften negers zijn!'

Abrupt draaide Emma haar hoofd om. Ze keek tante Pop aan. 'Tante Pop!' zei ze geschokt, 'u die zoveel heeft gedaan in de oorlog, die zo moedig de joden heeft geholpen, die haar leven heeft gewaagd, omdat mensen om hun ras werden vervolgd. Hoe kunt u zulke dingen zeggen?'

'Dat is iets heel anders,' vond tante Pop. 'Ons vaderland was bezet. Onze koningin was weggejaagd. De goddelozen hebben de joden vermoord. God heeft ons bevolen de joden te helpen. En toen kregen we zo'n héééél klein jodenmeisje! Jáááá!'

Ze drukte Emma's hoofd tegen haar boezem.

'Ja, maar het regime van Verwoerd is toch onmenselijk,' riep Emma. 'Trouwens, Verwoerd is een bewonderaar van Hitler, hoor!'

'Onmenselijk,' riep tante Pop, 'waarom is dat onmenselijk? Je moet eens kijken hoe de zwarten elkaar afmaken in die zogenaamde vrije republieken! God heeft nu eenmaal gewild dat het blanke ras zal heersen over het zwarte ras, Emma. Dat is Gods woord!'

Na het avondbrood ging tante Pop bij de kerstboom zitten.

'Het is kerstavond!' kondigde ze aan.

Ze zong 'Stille Nacht', 'Er is een kindeke geboren op aard', 'De herdertjes', 'Daar ruist langs de wolken' en 'Kindeke teer'.

Ze had nog steeds een mooie stem. Voor zover ze de liedjes nog kende, zong Emma mee, een beetje schor, want ze werd er erg sentimenteel van.

'Als u vanavond alleen was geweest,' vroeg ze, 'had u dan ook die liedjes gezongen?'

'Liedjes,' riep tante Pop, 'líederen! Natúúrlijk had ik die liederen gezongen! Het Christuskind is geboren. Daarom moeten we zingen. Dat wil God zo.'

'Hoort God dat dan?' vroeg Emma.

'God hoort alles!' verzekerde tante Pop.

'Hebt u nooit een vriend gehad, tante Pop?' vroeg Emma later op de avond in de keuken, terwijl ze met een droogdoek een afgewassen bord van haar aanpakte.

Willems schim viel haar telkens hinderlijk lastig.

'Jazeker!' zei tante Pop. 'Hij kwam bij opa en oma in Indië. Voor mij kwam hij. We zaten op de voorgalerij. Maar hij is gestorven. Aan een hersenziekte.'

Emma wist nooit of ze tante Pop helemaal moest geloven.

'Hij wacht boven op mij,' zei tante Pop stellig. 'Hij komt soms hier en dan zegt hij: "Kind, ik wacht op je. Ik ben bij de engelen." Ik ben dan ook helemaal niet bang om dood te gaan.'

Ze gingen weer bij de kachel zitten.

'Maar ik ben ongeschonden!' riep tante Pop, weer fel opeens. 'Wat ik van God heb gekregen heb ik bewaard. En daar ben ik trots op! Zorg jij dat je opa niet te schande maakt!'

Op tante Pops aandringen ging Emma onder de nieuwe douche. Nadat ze had 'gebaad' mocht ze, net als toen ze klein was en uit de teil kwam, nog even in haar 'nachtgoed' in de huiskamer zitten, bij de kachel, al was het dan nu een moderne gashaard.

Zodra ze in bed lag kwam tante Pop bij haar op de rand zitten. In een onstuitbare woordenstroom vertelde ze bloedstollende verhalen. Haar kennissenkring leek louter te bestaan uit lieden die 'hals over kop' naar het ziekenhuis waren vervoerd en waren teruggekeerd met afschuwelijke verminkingen. Toen ze eindelijk 'nacht, schat' zei was het over enen.

In het donker hoorde Emma voetstappen, die naderbij kwamen. Was dat opa, die terugkwam?

Met een ruk zakte de deurknop omlaag, kermend ging de deur open. Kil van schrik ging Emma rechtop zitten en knipte het lampje aan.

De dikke Poetie, of Ketjil, of Bagoes, of wie het ook mocht wezen, kwam mauwend binnen. Of was het misschien toch opa? Die lieve opa, die Engelse zeemansliedjes voor haar had gezongen, zou die haar in Amsterdam in de gaten houden? Het poezegezicht had een strenge uitdrukking.

Om zes uur berustte Emma erin dat er van slapen niets meer zou komen. Ze kleedde zich aan en ging in de voorkamer zitten. Eindelijk las ze nu toch een hoofdstuk in *De donkere kamer van Damocles*.

Monter kwam om kwart over acht tante Pop in haar kimono beneden. Ze ging naar de keuken om water op te zetten.

'Heb je goed geslapen, schat?' vroeg ze toen ze terugkwam. 'Ik niet,' zei ze met vertrokken gezicht. 'Ik heb zo'n vréselijke pijn in mijn buik gehad, zo'n ver-schrik-ke-lijke pijn!'

'Heb ik je verteld dat ik lid van de natuurwacht ben?' vroeg ze even later opgewekt, terwijl ze haar beschuit in haar kopje sopte. 'Ja!' voegde ze er triomfantelijk aan toe, 'ik heb de bevoegdheid om hier in de bossen te bekeuren. In het najaar liep ik door het bos en toen zag ik opeens iets wits. Weet je wat dat waren? De blote billen van een man! Ja, er waren er twee bezig. Hij lag er bovenop. En tekéér dat ze gingen! Ik heb ze meteen bekeurd. Je had ze moeten zien kijken! Jáááá, ha, ha, die moest ik even storen!'

'Ik ga een eindje wandelen,' zei Emma na de koffie.

'Ja, schat, je hebt nu Tessie niet meer om mee te wandelen, hè?' zei tante Pop.

Met tranen in de ogen wees ze naar buiten.

'Dat bergje daar bij de moestuin, dat is zijn graf. En die kleine heuveltjes, dat zijn Kacheltje en Sriati en Tjies en Titi. Zul je wel altijd lief zijn voor dieren, schat?'

Emma was vergeten hoe weids het uitzicht was over de hei als je op de heuveltop stond, vooral in de kale winter. Over het bospad liep ze terug.

Een man kwam aanlopen uit tegenovergestelde richting. Een beetje angstig was het wel. Ze was blij toen hij voorbij was.

Even later kwam hij terug, liep hard langs haar heen en verdween in het bos. Terwijl ze doorliep, zag ze hem plotseling staan. Hij droeg niets anders meer dan een blauw truitje. Zijn onderlichaam was naakt. Hij had een flinke erectie.

Emma vermande zich en liep fluitend door, zonder verder nog te kijken. Er gebeurde niets meer. Waarschijnlijk was hij teleurgesteld doorgelopen.

'Nou, tante Pop, ik ben hier niet voor niets gekomen!' riep Emma vrolijk, terwijl ze haar voeten veegde en de keuken binnenstapte.

Tante Pop keek haar vragend aan.

'Ik mocht een mannelijk lid aanschouwen in al zijn proporties,' zei Emma lachend. 'Het was een flinke, dat moet ik toegeven. Hij zal het wel koud hebben gehad!'

Tante Pop verdween in de gang en kwam direct terug met haar jas aan. 'Waar, wáár?!' vroeg ze gejaagd.

'Op het bospad, vlakbij,' zei Emma.

Een seconde later was tante Pop verdwenen op de fiets. Onverrichter zake kwam ze terug.

Voor het middageten had tante Pop een kleine rijsttafel gemaakt.

'Hoe ga jij dat eten, Emmaatje?' vroeg ze. 'Als een Hollands kind, met mes en vork, of als een Indisch kind, met vork en lepel?'

'Als een Indisch kind, tante Pop,' zei Emma gehoorzaam.

'Ik eet niet,' zei tante Pop. 'Ik heb een zwaar dieet van de dokter. Ik mag géén vet, géén suiker, géén meelspijzen, géén korrel zout, géén vlees, matig groenten, géén kruiden.'

Maar ze tastte toch aardig toe.

Ze vertelde hoe in Makasar, toen ze een klein meisje was, Sinterklaas werd gevierd.

'Om vier uur begon het. Om Pokoel Boem. Zo noemden ze dat vanwege de gong. Dan reed Sinterklaas op een wit paard naar de Sociëteit. Maar wij vierden het thuis. Opa had op zijn reizen cadeautjes voor ons gekocht.'

Ze zuchtte. 'We hebben in Garoet gewoond, in Batavia, in Bandoeng, in Malang, maar Makasar was het allermooist. Als de toestand eender was gebleven, dan was ik daar nooit, nooit meer weggegaan. Nooit.

Maar ja, as is verbrande turf, hè. We gingen regelmatig met verlof naar Holland. Kinderen moesten "doorvriezen", zeiden de dokters. Dat was toen iets nieuws. Vreselijk vond ik het. En als we dan terug waren in Batavia, dan logeerden we altijd in Hotel der Nederlanden. Daar waren veel tokéhs. En als we dan de tokéh hoorden roepen: "tokéh!", dan keken moeder en ik elkaar aan en dan zeiden we: "Hè, hè, we zijn weer thuis." '

Tante Pops ogen vulden zich met tranen.

'Dat was mijn thuis. Dat was mijn land. En nu ben ik daar niet meer gewenst.'

Emma was ontroerd. Arme tante Pop.

De telefoon ging.

'Alwéér de telefoon,' zei tante Pop koket. Ze stond op. 'Ja, ja, zo gaat het hier nu altijd! Het lijkt hier soms wel een gekkenhuis hoor!'

'Tante Aleid komt vanmiddag,' kondigde ze aan nadat ze de hoorn had neergelegd.

Even later werd er gebeld. 'Tante Aleid' was een matrone-achtige vrouw met kort wit haar en een bril met een zwaar hoornen montuur. Zodra ze zat, haalde ze een grijs, onduidelijk breiwerk te voorschijn. Koening, Bagoes en Ketjil lagen naast elkaar te spinnen op de divan.

Nadat tante Pop en Emma thee en kerstbrood hadden geserveerd, moest Emma nog eens in geuren en kleuren de exhibitionist beschrijven. 'Voor geen geld' zou tante Aleid alleen in de bossen wandelen. Ze was veel te bang dat ze werd verkracht.

Ze vertelde een paar voorvallen, waarbij ze daaraan op het nippertje was ontsnapt. Pas nog had een man haar van de fiets willen trekken om haar te verkrachten. Maar ze had hem zo dreigend aangekeken dat hij het toch maar achterwege had gelaten.

Emma vroeg zich af of dat zich vóór of na de operaties had afgespeeld. Zou dat vreselijke verhaal van die medische vergissing wel waar zijn? Onder de gebreide hertekoppen op haar borst had tante Aleid wel degelijk welvingen.

'Castreren moeten ze zulke mensen!' vond tante Pop met stelligheid.

'Ken je Jet nog?' vroeg ze aan Emma. 'De dochter van tante Dé en oom Rik. Die is getrouwd met Joop. Ze hebben een kindje. En wat denk je dat Joop op een dag tegen haar zegt? Wat denk je?!'

Tante Pop pauzeerde dramatisch.

'Hij zegt: "Ik ben homoseksueel." Jawel! Pats! Toen heeft ze tegen hem gezegd' – tante Pop sprong op – '"je mag kiezen!"' riep ze met het gezicht geheven, of Joop daar stond, '"je mag kiezen uit twee dingen! Of je gaat naar de psychiater en je laat je behandelen. Of je gaat eruit en je ziet mij en je kind nooit meer!" Nou maar hij gíng wel naar de psychiater, hoor!'

Triomfantelijk ging ze weer zitten.

Emma had in Amsterdam een homo leren kennen. Paul heette hij. Ze vond hem heel aardig. Eerst had ze in de omgang met hem het onderwerp zorgvuldig vermeden, omdat het misschien pijnlijk voor hem was. Maar Paul deed er heel openlijk en vrolijk over. Hij dácht er niet over om naar de psychiater te gaan.

Met haar handen gaf tante Pop nog eens de uitzonderlijke proporties aan van haar gezwel. Nu kwam het onderwerp op bovennatuurlijke geneeswijzen en op frappante, mysterieuze gebeurtenissen.

Tante Aleid bevestigde dat ze op een dag opa had zien zitten, 'in de stoel waarin Emma nu zit'.

Ze had bijzondere gaven, zei tante Aleid, 'het tweede gezicht'. Ze vertelde een paar treffende voorbeelden van voorspellingen die ze had gedaan.

'Net als oma!' riep tante Pop. 'Op een dag stond oma van tafel op om een extra bord uit het buffet te pakken. "Emma komt," zei ze beslist. Emma woonde toen al in Den Haag. "Maar moeder, daar is toch helemaal niet over opgebeld?" "Emma komt," zei moeder. En nog geen vijf minuten later kwam er een auto de weg oprijden. En wie stapten uit? Emma en haar vader. Ze hadden onverwacht een lift kunnen krijgen. Ze konden zó aan tafel gaan zitten! Ja, dat was omdat oma zoveel van haar kleine meisje hield.'

Tante Pop vertelde nog eens hoe opa de moffen had aangekeken, die Emma kwamen halen, hoe ze daar 'als vastgenageld' stonden en hoe ze zich 'als ledenpoppen' hadden omgedraaid en waren weggemarcheerd.

Vervolgens begon tante Pop aan haar repertoire anekdotes over de kleine donder, die de ondergedoken Emmaatje was geweest, hoe ze opa het 'bloed onder de nagels' had weggetreiterd en hoe streng tante Pop soms had moeten optreden.

Onbehaaglijk ging Emma verzitten. Buiten scheen nu de zon. In de kamer was het drukkend heet. Die verhalen kon ze woordelijk dromen.

'En je blijft in je kamer tot je gekalmeerd bent!' gilde tante Pop schel.

Met een verbeten gezicht keek ze Emma aan.

Emma overwoog tante Pop erop te wijzen, dat ze geen kleuter meer was.

'En toen we in de huiskamer zaten, ging de deur zachtjes open. En wie kwam daar binnen? Emmaatje! Op handen en voeten! "Woef, woef!" riep ze en zo blaffend kwam ze naar opa toe. Nou en toen smólt opa, helemaal, hè? Ha! ha! ha! Hoe vind je 't?'

Ze werd ernstig.

'Als je vader niet was teruggekomen, was je bij ons gebleven. Dan had je in Apeldoorn naar de mulo kunnen gaan.'

Tante Aleid stond op.

'Hoe lang blijf je nog?' vroeg ze Emma.

Emma nam een besluit. 'Ik moet morgenochtend weg,' zei ze.

Tante Pops gezicht betrok. 'Wil je nú al weg?' vroeg ze. 'Het is morgen tweede kerstdag. Je zou een week blijven! Ik heb nog een dag vrij. Daarna kun je hier je gang gaan. Dit is toch zonde van je reisgeld? Waarom heb je dan zo'n grote koffer meegenomen?'

Tante Pop en tante Aleid keken Emma aan.

'Het spijt me verschrikkelijk,' zei Emma. 'Ik heb voor tweede kerstdag een afspraak. Daar kan ik echt niet onderuit.'

's Ochtends bij het opstaan aarzelde ze toch. Ze had beter geslapen. Zou ze niet nog een dag blijven om te wandelen?

Maar in de keuken was tante Pop bezig stukken tulband en kerstbrood voor haar in te pakken. In een apart zakje deed ze fondanten en chocolade kerstkransjes.

Emma pakte haar koffer en droeg hem de kamer binnen. Tante Pop liep naar de telefoon.

'Weet je waarop ik Emmeke eens zal trakteren?' riep ze vrolijk. 'Op een taxi naar de bushalte! Wat vindt mijn kleine meisje daarvan?'

Emma kreeg een waas voor ogen. Ze slikte. 'Dank u wel, tante Pop,' zei ze schor.

De taxi reed voor. Tante Pop liep mee naar buiten om de chauffeur te betalen.

Ze omhelsde Emma stevig.

'Dag scháát!' zei ze op haar zangerige, langgerekte toon. 'Kom je gauw weer eens terug? Want dit blijft toch jouw huis!'

Uitgeverij Krakauer

Emma duwde haar kaart in de prikklok. Ze keek op de klok aan de muur. Bijna kwart voor negen. Dertien minuten over tijd. Voor elke minuut dat je te laat was, hielden ze salaris in. Aan het eind van de maand scheelde dat aardig in je loonzakje. Langs de kleine handzetterij, die in vol bedrijf was, liep ze naar de trap.

Pront zat Judith achter haar bureau. 'Mijnheer Gijssen kon gisteren die brief van de KVP niet vinden,' zei ze vinnig. 'Je had hem in het verkeerde dossier gestopt. Je moet wel een beetje opletten, hoor! Volgende week hou ik ermee op. Dan moet je het zelf doen.'

Ze droeg een nauw wit bloesje met korte mouwtjes en een laag decolleté, waaruit haar voluptueuze boezem puilde. Ze was hoogzwanger. Haar dikkroezige zwarte haar was zonder poespas kort afgeknipt en haar sproetige gezicht was niet opgemaakt.

Judith was een felle zioniste. Ze was pas getrouwd. Haar man was vijftien jaar ouder dan zij en minstens een kop kleiner. Hij was pas gepromoveerd in de psychologie en benoemd aan de universiteit. Hij zou wel hoogleraar worden.

Ze hadden elkaar ontmoet in de zionistische jeugdbeweging. Judith had niet gerust voordat hij voor haar zijn vrouw in de steek liet, die jarenlang hard had gewerkt om zijn studie te betalen. Trots liep Judith op zijn promotiefeest, in plaats van de echtgenote die ze had verslagen, naast hem. Zodra het kind was geboren zouden ze naar Israël gaan.

Voorzichtig ging Emma zitten. Tot half vijf had ze in het nachtcafé Het Uiltje geanimeerd geconverseerd over een nieuw op te richten studentenvakbond. Maar met een peppil zou ze het voorlopig wel even redden.

'Ik begrijp niet goed waarom wij Gijssens politieke werkjes moeten opknappen,' zei ze. 'Daar zijn we niet voor.'

'Het hoort erbij,' vond Judith. 'Je bent zijn secretaresse. Je moet er trots op zijn dat je chef kamerlid is geworden.'

Hoewel Gijssen zo tofelemoons was als gemalen poppestront, had

Emma haar nieuwe baan te danken aan het feit dat ze joods was. Gijssen was de enige rooms-katholieke werknemer in een joods familiebedrijf, een kleine tijdschriftenuitgeverij.

Daan had Emma opgebeld met de mededeling dat Judith, die hij nog kende uit de joodse jeugdbeweging, met werken zou ophouden en dat Krakauer een joodse vervangster zocht.

Emma solliciteerde. Het leek een uitweg uit de vicieuze cirkel van dronkenschap en katers. Maanden van lusteloosheid waren voorbijgegaan, afgewisseld met korte perioden van intellectuele opleving, het lezen van klassieken, weetgierigheid, verliefdheid op deze of gene, om dan weer – veelal volkomen onverwacht – te vervallen in het besef van de absolute zinloosheid van iedere poging er nog iets van te maken. Depressies die wekenlang duurden, waarin je nauwelijks uit bed kwam, in de hoop dat je eens, op een wolkeloze ochtend, fris als een hoentje vol levenslust uit de veren zou springen.

Haar erfenis raakte op. Ze moest een nieuw leven beginnen.

In het sollicitatiegesprek wees de heer Krakauer haar op een onvergeeflijke fout. In de aanhef van haar brief had ze Gijssen met één s geschreven in plaats van met twee s'en. Toch was ze aangenomen, omdat ze de enige joodse sollicitante was.

Wanneer Emma zich in de gedachtenwereld van haar werkgevers verplaatste, moest ze toegeven dat de firma er beter aan had gedaan een desnoods niet-joodse kracht aan te nemen, maar dan wel iemand met aanleg voor kantoorwerk. Want hoezeer Emma zich ook inspande, ze miste het vermogen een brief zonder fouten te typen. Soms liet Gijssen haar dezelfde brief drie keer overtikken, waarbij het resultaat telkens erbarmelijker werd.

Judith belde haar man op. 'We eten bij de Gijssens. Om vijf uur worden we verwacht,' riep ze luid en helder door de telefoon, met een zijdelingse, triomfantelijke blik op Emma.

Een meisje kwam binnen met koffie en overdadig bespoten slagroompunten. Er was weer eens iemand jarig op kantoor. Uit beleefdheid zette Emma haar koffielepeltje in het gevaarte, maar schoof het direct van zich af.

'Ben jij soms ook zwanger?' informeerde Judith.

Ze trok haar schoteltje naar zich toe en at de taartpunt met smaak op. Ze keek op haar horloge, zei gewichtig dat ze een afspraak had en vertrok.

Zodra ze weg was kwam Yvette, de secretaresse van Krakauer, binnentrippelen op haar naaldhakjes. Ze had een modeblad bij zich en bleef, al bladerend en gezellig kletsend, een half uurtje zitten. Ze had een charmant Frans accent.

Nadat Yvette was weggetrippeld, begon Emma aan haar taak. Gijssen had lijsten achtergelaten met een stuk of duizend adressen. Emma moest ze verifiëren in telefoonboeken of andere naslagwerken en daarna netjes overtikken. Na een uurtje had ze er elf gedaan.

Thomas Oostveen keek om de hoek van de deur. Hij was een van de twee redacteuren van *Spectator*, een actueel politiek-wetenschappelijk tijdschrift.

'Waar is mevrouw Judith?' vroeg hij vrolijk. 'De onvergelijkelijke schoonheid van het uitverkoren volk? Vertrokken met het hoofd van Holofernes onder de arm? Moet u ook altijd zo oppassen dat u haar niet bij ongeluk "Judas" noemt? Wat is dat, juffrouw Morgenblatt? Hebt u alweer geen trek in uw taartje?'

'Nee,' zei Emma lachend. 'Dat zou me te veel gaan zwemmen, mijnheer Oostveen.'

'En een glaasje bier, straks bij de lunch, met mij bijvoorbeeld?'

'Dat zou er misschien wel in gaan,' veronderstelde Emma.

Verkwikt door het inspirerende gezelschap van de twee redacteuren van *Spectator* ging Emma na de lunchpauze achter haar bureau zitten.

Hoewel ze beiden onder de dertig waren, noemden de redacteuren elkaar plechtig 'mijnheer Oostveen' en 'mijnheer Hammelburg'.

Hammelburg, met zijn zwarte snorretje, leek op een van de Marxbrothers. Hij was intelligent en uitzonderlijk belezen, maar iemand die hem voor het eerst hoorde praten, zou hem voor niet goed snik houden. De wereld was voor hem één grote absurditeit. Bij alles wat hij vertelde, of het nu ging over de kapper die zijn snor te kort had geknipt, over de oorlog in Vietnam of over zijn voornemen binnenkort zichzelf van kant te maken, articuleerde hij luid en nadrukkelijk, op een toon of het om een kapitale grap ging. Zijn aanstaande zelfmoord was zijn favoriete onderwerp. Wanneer Emma hem op straat tegenkwam en in haast naar zijn gezondheid informeerde, antwoordde hij meestal dat hij zich binnenkort van het leven zou beroven, zodat ze moest afstappen om hem ervan te weerhouden.

Op een ochtend verscheen hij niet op zijn werk. Volgens de conciërge van het gebouw waar hij woonde reageerde hij ook niet op gebons op zijn deur. Ongerust overwogen Thomas Oostveen en Emma de politie te waarschuwen. Tegen de middag arriveerde Hammelburg: hij had zich verslapen. De avond tevoren had hij zich bezopen. 'Hoe zou ik toch in mijn de-plo-ra-be-le toestand zijn thuisgekomen?'

Hij bewoonde een piepklein kamertje in een ouderwets tehuis voor arbeidersvrijgezellen. Daar had hij zijn 'natje en zijn droogje'. Voor zijn overige behoeften begaf hij zich van tijd tot tijd naar de hoerenbuurt.

Om de blik te verruimen was hij naar Hamburg gereisd, waar zich een kolossaal erotisch centrum bevond. Dat was iets geweldigs! Mijnheer Oostveen en juffrouw Morgenblatt moesten daar beslist eens een kijkje nemen!

Emma's chef zat al achter zijn bureau. 'Goedenmiddag, juffrouw,' zei hij afgemeten.

Aan die formulering kon Emma horen dat hij kwaad op haar was. Was hij goed geluimd, dan zei hij: 'Dag Emma.'

Hij was broodmager en tanig, met het uiterlijk van een maaglijder. Sinds kort was hij kamerlid voor de KVP. Hij was hoofdredacteur van het politieke weekblad, maar hij had het zo druk met zijn partijcarrière dat hij het werk overliet aan de redactie.

Nu en dan voelde hij zich geroepen zich er mee te bemoeien, vertelde Thomas. Dan wachtten hij en Hammelburg beleefd tot hij was uitgesproken en gingen aan het werk, zonder zich iets van zijn woorden aan te trekken.

Gijssens politieke inzicht was allerminst overweldigend, vond Thomas. Daaraan had het hem als jongeman al ontbroken. Tot ver in 1943 had hij bijdragen geleverd aan een politiek-literair tijdschrift van een fascistische zwartrok.

'Weet je trouwens dat Pier Gijssen tot je aanbidders behoort?' vroeg Thomas. 'Hij zegt: "Als secretaresse is het niks, maar het is een heerlijke vrouw." Hij vindt het jammer dat hij nu net kamerlid is geworden. Nu kan hij zich geen overspel meer permitteren.'

Woedend keek Emma door het ruitje naar haar chef. 'Mijnheer Gijssen,' sprak ze binnensmonds, 'afgezien van het feit dat u kamerlid bent, zou ik u met geen tang willen aanraken. Wat denk je wel, schijnheilige paap!'

Hardop kon ze er natuurlijk niets over zeggen. Ze mocht Thomas niet verraden. Maar frustrerend was het wel. Driftig smeet ze met dossiers.

Hij stond op en kwam naar haar toe. Hij leek in een betere stemming. 'Ik zal je een brief dicteren, Emma,' kondigde hij aan. Hij schoof een stoel bij en kwam achter haar zitten. Emma schoof papier in de schrijfmachine en wachtte.

Haar chef dicteerde de naam van de minister van Buitenlandse Zaken. 'Amice' kwam er boven te staan. Hij formuleerde een paar alinea's over Israël, waar hij met een delegatie kamerleden een week was geweest.

'Als ik jood was,' dicteerde hij, 'dan zou ik in Israël willen wonen.'

Emma draaide zich om. 'Waarom?' vroeg ze driftig. 'Waarom moet elke jood in Israël wonen? Een Nederlandse jood is toch ook Nederlander? Is dat soms de invloed van Judith? Ik moet het trouwens nog zien dat die naar Israël gaan, waar ze met de helft van zijn salaris moeten rondkomen. Nee, die blijven comfortabel zionist in Nederland.'

'Ik zeg alleen maar dat ik, als ik jood was, in Israël zou willen wonen,' zei Gijssen.

'Ja, maar zo'n zin in een brief aan de minister van Buitenlandse Zaken is niet vrijblijvend,' zei Emma kwaad. 'Dat betekent dat u vindt dat een jood in Israël hoort. Wat een eng standpunt! Moet ik soms ook naar Israël? Ik blijf liever hier, hoor, als u het goed vindt.'

'Dat zég ik helemaal niet,' riep Gijssen. 'Ik zeg alleen maar... Ach.'

Driftig stond hij op en schoof zijn stoel opzij. 'Ik voel me helemaal niet geroepen om met u te discussiëren. U bent mijn secretaresse. U heeft alleen maar te typen wat ik u dicteer.'

Met grote stappen liep hij naar zijn bureau.

Even later kwam hij terug.

'Binnenkort is je proeftijd voorbij,' zei hij. 'Dan moet je maar iets anders zoeken.'

Emma begon te huilen. Weer mislukt. Wat moest er van haar worden? Wat zou haar vader zeggen? En nu zou ze Thomas nooit meer zien.

Gijssen keek op haar neer. 'Jij bent,' zei hij, 'eh, hoe zal ik het zeggen... te artistiek.'

Het Huis der Vreugde

Ze liepen door een gang met inhammen, elk met zes bedden. Met zichtbare inspanning sjouwde de verpleegster een van Emma's koffers, die met de boeken. Bij een inham stond ze stil.

'Dit is uw bed,' wees ze. 'Zullen we eerst een bad nemen?'

'Moet ik naar bed?' vroeg Emma. Het was een zonnige ochtend. 'Ik ben toch niet ziek?'

'U bent hier toch niet voor niets?' vroeg de verpleegster retorisch.

Schoon gebaad, in een roze gestichtspyjama, lag Emma even later ingestopt in kraakhelder beddegoed. Zacht gesnurk kwam uit het bed aan de overkant. Een pluizig bosje haar kwam boven de deken uit. De andere bedden waren leeg.

De zuster kwam aandragen met Emma's handtas en een boek. 'Die medicijnen die in uw tas zaten, heb ik er maar uitgehaald,' zei ze met een lachje.

Emma knikte begrijpend. Haar tas voelde leeg en hol, zonder de vertrouwde potjes waak- en slaappillen.

De zuster legde een boek op Emma's nachtkasje, *The human comedy* van Saroyan. Emma had het als reserve meegenomen. Ze had er een paar bladzijden in gelezen en vond er niet veel aan.

'Daarvoor ben ik nu niet in de stemming,' zei ze. 'Mag ik even kijken wat ik nog meer bij me heb? Ik wil graag een paar boeken bij de hand houden.'

'Uw kleren en andere boeken heb ik al in het magazijn gesloten,' verklaarde de verpleegster kordaat. 'U heeft daar al een boek.' Ze stapte weg.

Even later kwam ze terug met een blad. Daarop stonden een plastic bekertje en kleine potjes met pillen in verschillende, felle kleuren.

'Dokter Griffioen zegt dat u deze dosis dagelijks moet slikken,' kondigde ze aan.

Emma slikte alles door. Even later klonk een bons. *The human comedy* viel op de grond. Emma sliep.

De avond dat Gijssen haar ontslag had aangezegd, ging Emma vroeg naar bed. Versuft van het huilen op kantoor sliep ze direct in.

Kort na middernacht werd ze wakker. In het donker tastte ze naar sigaretten en aansteker, stak op, kreeg een hevige hoestbui, knipte het licht aan en ging rechtop zitten. Blaffend, sigaret in de hand, kwam ze overeind, stommelde naar de wc en spuwde gal in de pot.

Als ze zich vlug aankleedde kon ze voor sluitingstijd nog naar de kroeg. Wie weet wat zich in de stad afspeelde, terwijl zij er niet bij was.

Ze had honger en ging het keukentje binnen. Met walging keek ze rond. Gasstel en aanrecht waren bedekt met beschimmeld vaatwerk en aangekoekte etensresten. Kam en tandenborstel dreven op een half opgedroogde plas melk. Ze zocht in de kastjes. Er moest toch nog een rol koekjes zijn. Ze haalde een kastje leeg. Een tube tandpasta, een fles ketjap, aspirine, een potje Nescafé. Geen koekjes. Die had ze zeker op een nacht dat ze dronken thuis kwam gedachteloos opgegeten.

Een lege maag. Een mooi excuus om de deur uit te gaan. Een mens moet toch iets gebruiken. Menige nachtelijke uitsmijter had Emma genuttigd op de Zeedijk, vaak in haar eentje, in een snackbar vol hoeren. Amusant tafelgezelschap.

Jenever was er nog wel. Ze schonk zich een half waterglas in, keek naar haar kleren op de stoel, beheerste zich en stapte in bed. Ze dacht na.

Emile had haar het adres gegeven van een apotheek die peppillen verkocht, zonder recept.

'Een fles hoestdrank,' mompelde je tegen de apotheker. 'Een buisje aspirine. Een zakje drop. O ja en geeft u ook maar een buisje dexidrine.'

Dat laatste was de wonderpil waarmee je toch nog op tijd op je werk kon zijn. Je voelde je tot alles in staat. Na een paar uur werd je plotseling doodmoe. De pil was uitgewerkt. Snel slikte je er nog een. Daarna desnoods nog een. Maar de tweede pil bracht je al in een staat van opwinding, die de hele nacht kon duren. Razende dorst kreeg je ervan. Je snakte naar grote glazen bier. Drank en pep. Een duivelskring, zonder uitweg.

'Drink dan niet,' had Renske gezegd.

Een uitstekend advies. 's Ochtends was dat ook wel te verwezenlijken. Maar hoe kwam je zonder opkikkertje de middag en de avond door? Wie kon zonder bier avondeten door de keel krijgen?

Renske had weinig tijd om zich bezig te houden met Emma. Ze woonde met Daan en het kind op een kamer, met gebruik van keuken. De hospita was een goedhartige vrouw met een lichte neiging tot zeuren.

Daan verdiende wat met enquêtewerk. Emma had dat ook wel ge-daan. In weer, wind en kou liep je door straten en over flatgalerijen. Je belde aan, zei dat je bezig was met een 'onderzoek' naar het gebruik van waspoeder of pakjessoep, al naar gelang en of je een paar vragen mocht stellen. Meestal werd de deur voor je neus dichtgesmeten, voordat je was uitgesproken.

Emma vulde dan zelf de vragenlijst in. Ze keek naar de voordeur en vulde de merken in die de daarachter verschanste bewoonster wel zou prefereren.

Renske zorgde voor aanvulling van het gezinsbudget. Ze maakte ar-tistieke jurken voor kennissen. Dat deed ze heel handig op een aftand-se naaimachine, een afdankertje van haar moeder. Voor schilderen had ze nauwelijks tijd, een frustratie die haar uit de slaap hield. Zo'n kindje was nog een heel werk.

'Drink dan niet!'

Dat was ook Carries bondige advies. Ze was getrouwd. Haar man, die ze nog uit de Justinushof kende, studeerde rustig af. Uit het feit dat Carries trouwring regelmatig door de lucht zeilde in openbare ruim-tes, waarin zij en haar man zich bevonden, concludeerden kennissen dat het huwelijk geen lang leven leek beschoren.

Een slecht huwelijk, een zenuwslopende affaire. Maar Carrie leed er niet meer onder dan nodig was. Ze huilde dikke tranen, stond op, waste haar gezicht en ging over tot de orde van de dag.

Ze had een baan bij een krant, die haar grotendeels in beslag nam. Ze maakte interviews, soms met beroemde sterren uit het buitenland.

De energieke, kordate Carrie had er geen geduld voor dat Emma haar plaats in het leven niet kon vinden.

Leon was getrouwd met Marga, die zomaar zwanger was gewor-den. Emma kwam eens een café binnen, waar ze samen zaten, Marga met haar dikke buik. Leon groette Emma nauwelijks merkbaar. Mar-ga keek woedend. Ze zou Emma nog altijd wel een vissekop vinden.

Peter woonde samen met een zekere Margreet. In de Bijenkorf liep Emma Annie Wolf tegen het lijf, Peters moeder. Margreet was gauw jarig, vertelde Annie gezellig ongecompliceerd. Ze moest een cadeaut-je kopen.

'Margreet en Peter' gingen gauw met vakantie. 'Margreet en Peter' hadden zo'n leuk huis. 'Margreet en Peter' kwamen haast elk week-end. En hoe ging het met Emma? Ze misten haar erg in Arnhem. Ze moest gauw weer eens komen.

Emma pakte het potje slaappillen naast haar bed en nam er een uit.

Het kon toch niet goed zijn, dacht ze, dat ze zich nergens thuis voelde, behalve in de binnenstadscafés. Een scène kwam haar voor de geest, die zich had afgespeeld bij het laatste bezoek aan haar ouders. Dat was toen ze pas bij Krakauer werkte.

Haar ouders en zusje bewoonden een ruim benedenhuis met voor- en achtertuin, in een rustige straat, aan de rand van een bos. In de buurt woonden ministers, hoge militairen, ambtenaren, stadsnotabelen.

Zodra Emma door de straat liep, raakte de zoom van haar rok los of sprong er een ladder in haar kous.

Ze had een bos bloemen bij zich. Het was borreltijd. Ze belde aan. Haar vader deed open en omhelsde haar verheugd. Haar moeder kwam haar tegemoet. Emma gaf haar de bloemen. Haar moeder bedankte hartelijk.

In de kamer was het lekker warm. Haar ouders lieten nieuwe aankopen zien, stoelen, een bank. Die stonden tussen de meubels, de schilderijen en de antieke voorwerpen uit Emma's jeugd.

In de kamer was het schoon en sfeervol. De meubels glommen. Verspreid in de huiskamer stonden al verscheidene, vers gesneden boeketten in vazen. Emma's moeder nam er een op en ging er mee naar de keuken. Even later kwam ze terug met de vaas, met Emma's bloemen erin. Ze zette hem op tafel. De bloemen werden bewonderd.

Feestelijk vroeg haar vader wat ze wilde drinken. Haar moeder kwam aandragen met schalen toostjes met zalm en paling. Ze ging even zitten en glimlachte, zoals vroeger, als er bezoek was.

Haar vader schonk sherry in en voor zichzelf jenever. Katja kwam er bij zitten.

Emma zette haar glaasje neer, bij ongeluk naast het onderzettertje. Haar moeder kwam terug met een mandje met boenwas en een doek. 'Dat geeft zulke kringen,' zei ze met een verontschuldigend glimlachje.

Nadat het kwaad was hersteld, ging ze de kamer uit en kwam terug met een ingepakte staande lamp. Emma kreeg tranen in de ogen. 'Dankjewel, mama,' zei ze.

Emma's vader vertelde over zijn werk. Het ging hem goed. Hij maakte carrière. Hij had een verantwoordelijke baan. Het werk was zwaar. Zeven uur op; vaak tot laat in de nacht nog stukken lezen. Vergaderingen en beslissingen overdag. Maar het werd gewaardeerd.

Hij kwam te praten over de sociale aspecten van het regeringsbeleid. Emma luisterde gespannen. Voorzichtig opperde ze bezwaren. Direct kwam hij met tegenargumenten. De feiten kende hij beter dan zij. Maar Emma geloofde dat er ook andere feiten waren, die háár gelijk gaven, al kende zij ze niet. In haar vaders jeugd en jonge jaren was de maatschappij keihard. Wie dat niet accepteerde, leed honger, kou en ellende. Hij had leren vechten.

'Daar heb ik geen medelijden mee!' was een van zijn veel gebruikte uitdrukkingen.

Er kwam een punt in zijn betoog dat Emma, vond ze, niet over haar kant kon laten gaan. Ze ging er tegenin. Al spoedig spraken ze met stemverheffing. Hun meningen waren onwankelbaar. Ten slotte gaf ze hem gelijk. Zonder overtuiging, dat merkte hij heel goed.

Er viel een stilte. Emma pakte een nieuwe sigaret.

'Rook nu eens even niet!' zei haar vader geërgerd.

Emma trok haar hand terug.

'Vertel jij nu eens wat!' zei hij.

Emma zocht in gedachten naar een nieuwtje. In een Amsterdams café kostte het vertellen haar geen enkele moeite, maar nu kon ze niets bedenken.

Haar vader begon over een satirisch televisieprogramma. De makers hadden zich tot doel gesteld: hoe kwetsen wij zoveel mogelijk bevolkingsgroepen? Het leverde cabaret op van hoog niveau. De uitzendingen waren rechtstreeks, vanuit een zaaltje in de stad. Emma zorgde er meestal wel voor dat ze erbij was.

De reacties in het land waren verbijsterend. Van tijd tot tijd ontving de presentatrice een postpakket met poep en antisemitische scheldbrieven, die nergens op sloegen want de vrouw was, hoewel donkerharig, niet joods.

Emma's vader vond het programma onbehoorlijk. Het had de kroonprinses beledigd, die 's ochtends heel vroeg in de tuin was gaan wandelen met een Duitse jongeman. Een fotograaf die in de struiken op de loer lag, had hen geknipt.

De prinses kon zich niet verdedigen, betoogde Emma's vader. Dat programma had mensen gekwetst in hun liefde voor het Oranjehuis.

'Je kunt zo'n programma toch ook afzetten!' mompelde Emma geërgerd.

'Mag ik nog een glaasje?' vroeg ze.

Haar vader schonk in.

Zoals gewoonlijk kregen ze hooglopende ruzie over de oorlog in Vietnam.

'Vanwege de bezeten communistenangst van Amerika zijn er in Vietnam al honderden Amerikaanse jongens gesneuveld!' riep Emma kwaad.

'Voor onze vrijheid zijn heel wat meer Amerikaanse jongens gesneuveld!' riep haar vader. 'Had je daar ook zo'n medelijden mee? Als ze dat niet hadden gedaan, dan waren de Duitsers hier nog, hoor! Maar jij en ik hadden hier dan niet gezeten. Dat hadden we niet meer meegemaakt!'

Intussen dekten haar moeder en zusje de tafel. Op een wit met kruissteekjes geborduurd tafellaken legden ze zorgvuldig het tafelzilver. Ze zetten borden neer en schalen van het mooie servies. Toen Emma nog thuis woonde, was haar moeder begonnen het bij elkaar te sparen. Voor haar verjaardag en voor Sinterklaas vroeg ze kopjes, borden, een ontbrekend schaaltje, een suikerpot, kandelaars, alles met hetzelfde motief.

Emma's vader stond op. 'Emma, kom eens mee,' gebood hij.

Met jongensachtig plezier troonde hij haar mee naar de wijnkast. Hij pakte een fles. 'Ik had gedacht er een flesje Bordeaux bij te drinken,' zei hij. 'Wat dacht je hiervan?' Hij liet haar het etiket zien.

'O, dat lijkt me heerlijk!' zei Emma.

Haar vader stak de kaarsen aan. Hij ging naar de keuken om nog even ongevraagd advies te geven over een laatste ingrediënt. Aan tafel maakte hij grapjes en woordspelingen. Katja keek Emma af en toe nieuwsgierig aan.

Het eten was lekker.

'O, wat heerlijk, mama!' zei Emma telkens, met zoveel verve, dat ze zelf vond dat het onnatuurlijk klonk. Maar haar moeder glimlachte.

Haar vader vertelde een anekdote over Emma's grootvader. Na zijn middagslaapje liet hij altijd zijn gulp openstaan. 'Albert!' riep Emma's oma dan scherp. Opa floot een deuntje, draaide zich om en knoopte fluitend zijn gulp dicht.

Emma keek naar haar moeder. Die hield er niet van als Emma's familie ter sprake kwam. Dan voelde ze zich buitengesloten, net als vroeger.

'Wat is het vlees heerlijk, mama!' zei Emma nog maar eens. Haar moeder glimlachte.

'Je tante Anna, de romanschrijfster, heb je nooit gekend, hè?' vroeg haar vader.

'Nee,' zei Emma. Ze ontspande. '"En zij legde haar kopje aan moeders borst,"' citeerde ze lachend. '"En droogde haar tranen met haar kussen." Dat was een lievelingscitaat van Ruth. Daarbij pakte ze een theekopje en legde dat aan de borst van tante Lea. Vervolgens nam ze een kussen van de stoel en legde dat tegen tante Lea's gezicht.'

'Ja, die boeken waren mierzoet,' zei haar vader.

Emma voelde zich nu helemaal op haar gemak. 'Ken je dat verhaal over tante Anna in de oorlog?' vroeg ze. 'Tante Anna woonde in een joods bejaardenhuis in Apeldoorn. Omdat de Duitsers dreigden het huis leeg te halen ging tante Thérèse haar ophalen, met de trein. Tante Anna's ster werd afgetornd en in haar zak gestopt. Ze zaten in de trein,' vertelde Emma, 'tante Thérèse en tante Anna, zonder ster. Tante Anna was een beetje doof en praatte veel te hard. "Ssst," zei tante Thérèse telkens angstig. "Even mijn neus snuiten," roept tante Anna opeens. Ze haalt haar ster uit haar zak en snuit daarin die enorme neus!'

Emma schaterde er zelf om. Lachend keek ze de tafel rond. Haar vader glimlachte.

'Tante Thérèse was een moedige vrouw,' zei hij. 'Ik heb heel veel aan haar te danken.' Hij verzonk in gepeins.

Haar moeder stond op. Met een boos gezicht liep ze naar de keuken. Emma zweette en werd even duizelig. Ze was weer tactloos geweest. Met het verhaal was ze te ver gegaan.

Het verleden mocht je in haar moeders bijzijn niet oprakelen. Indonesië was taboe, evenals hun geldgebrek in de jaren vijftig. Haar moeder was nu de vrouw van een hoge ambtenaar. Dat was, als het aan haar lag, altijd zo geweest. De politieke meningsverschillen die Emma had met haar vader vond ze eigenlijk onfatsoenlijk. Laat staan dat je de oorlog ter sprake mocht brengen en dan nog in verband met Emma's familie!

Even later kwam haar moeder terug en ging weer zitten.

'Wat een mooie jurk heb je aan, mama,' zei Emma nerveus. Haar moeder glimlachte. Met haar mooie ogen keek ze Emma's vader aan.

'Hoeveel denk je dat die heeft gekost?' vroeg ze.

'Honderd gulden?' waagde Emma. Ze wist dat ze te hoog schatte.

'Twintig gulden!' zei haar moeder.

'We hebben hem samen gekocht,' zei Emma's vader. 'In de uitverkoop van de Bonneterie. Ik kan tegenwoordig heel goed een nieuwe jurk voor je moeder betalen, maar ze blijft zuinig. Ze koopt nooit iets als het geen uitverkoop is. Voor goedkoop vlees fietst ze nog altijd een eind om, hoewel het helemaal niet nodig is.'

Haar moeder keek Katja aan. 'Als je hem zijn gang liet gaan,' zei ze, 'dan zou hij het wel merken in zijn portemonnee. Daar zou hij nog raar van opkijken!'

Emma's vader schonk nog eens in. Hij hief zijn glas en keek de tafel rond. 'We hebben het goed met elkaar,' zei hij bewogen. 'Dat is wel eens anders geweest.'

Emma wierp een angstige blik op haar stiefmoeder. Die reageerde niet. Ze keek naar Katja. Inderdaad, tegenwoordig leken ze wel een gewoon gezin: vader, moeder en twee dochters.

Emma's moeder stond op. 'Koffie?' vroeg ze.

Katja stond op en begon de tafel af te ruimen. Emma stond ook op. Ze pakte een vuile schaal.

'Laat maar, Emma!' zei haar moeder, nogal scherp opeens. 'Blijf maar zitten!'

Haar vader liep naar de kast. Vergenoegd kwam hij terug met een fles bijzondere likeur en een schaaltje bonbons.

Ze dronken. Nu had Emma eigenlijk moeten vertrekken, maar dat ging niet.

Ze stonden van tafel op en gingen in de voorkamer zitten. Emma's moeder glimlachte nog steeds, maar de spanning was voelbaar. En jawel, haar vader vroeg of Emma van plan was bij Krakauer te blijven en zo ja, of ze zich had voorgenomen zich voor de volle honderd procent voor het werk in te zetten. Zo niet, wat ze dan verder met haar leven dacht te gaan doen.

Met trillende vingers stak Emma een sigaret op. Ze dacht aan het staartje wijn dat nog in de fles zat en aan de fles likeur. Nu ze drank nodig had, werd het niet meer verstrekt. Het bonsde in haar hoofd.

Ze kon haar vader niet geruststellen. Ze wist niet wat ze met haar leven wilde. Ze had geen man, geen studieresultaten en dat werk bij Krakauer zou ze niet lang volhouden. Ze dronk te veel. Ze gaf het allemaal toe.

Ze greep weer naar het pakje sigaretten op tafel.

'Rook nou eens even niet,' riep haar vader. Hij werd kwaad en schreeuwde.

Emma schreeuwde terug. Ze begon te huilen. 'Laat me toch met rust!' riep ze.

Hij hield niet op. Zijn zinnen striemden haar hoofd.

Emma sprong overeind. 'Ik ga weg,' schreeuwde ze. 'Ik laat me niet langer beledigen! Bemoei je met je eigen zaken. Ik heb altijd alles zelf opgeknapt. En nu opeens wil je me de wet voorschrijven!'

Ze liep naar de gang en pakte haar jas.

Haar vader kwam haar achterna. 'Als je nu wegloopt,' zei hij, 'dan kom je er nooit meer in. Dan knap je het inderdaad zelf maar op!'

Emma barstte uit in gehuil, hing haar jas op en ging weer in de kamer zitten. Haar moeder en haar zusje vormden van het drama het zwijgende publiek.

Hij bracht haar naar de bushalte. Hij droeg de lamp, die ze haar cadeau hadden gedaan. Zwijgend stonden ze op de halte. De bus kwam aanrijden. Ze stapte in en pakte de lamp van hem aan.

'Dag kind,' zei hij, 'houd je goed!'

De bus reed weg. Door het raam zag Emma hem de straat oversteken. Een joodse man met gebogen hoofd.

Met zo'n hevig schuldgevoel kon je niet naar huis. Vanaf het Centraal Station nam ze de laatste tram naar het Spui. Ze ging Hoppe binnen, zette de lamp bij de kapstok in de hoek; hing haar jas op en wrong zich naar de bar. 'Evert!' riep ze, 'een grote pils en een jonge!'

Ze boog zich over naar het bol volgeschonken glaasje op de tap en dronk het half leeg. Ze nam een flinke slok bier.

Ze wendde zich om en keek rond. Paul kwam op haar af en kuste haar op beide wangen. 'Emmaatje!' zong hij.

Emma was niet verrast hem te zien. Ze was eigenlijk voor hem gekomen. Hij was er altijd. Sinds kort had hij een hartstochtelijke maar hopeloze verhouding met een gehuwde bankdirecteur, die behept was met een dodelijke vrees voor zijn reputatie.

Twee nachten tevoren waren Emma en Paul samen doorgezakt. Op een brug hadden ze in het ochtendgloren staan kijken naar de meeuwen, die over de gracht scheerden.

'Ach wat mooi!' kirde Emma, bijna in tranen. 'Ze zijn roze! Wat mooi!'

'Die Möwen sehen alle aus, / alsob sie Emma hiessen,' citeerde Paul de dichter Morgenstern.

'Wat juist opgemerkt!' riep Emma in extase. 'Het is zo! Precies!'

'O Mensch, du wirst nie nebenbei,' vervolgde Paul, 'der Möwe Flug erreichen. Wofern du Emma heissest, sei zufrieden, ihr zu gleichen.'

'O, wat prachtig!' riep Emma, bijna schreiend. 'Ja, dat zal ik doen! Daar moeten we nog een laatste borreltje op drinken! Is er nog iets open?'

Paul wees op de lamp. 'Wat heb je nu bij je?'

'Ik kom uit Den Haag,' zei Emma. 'Dat wist je toch?'

Hij knikte.

Op een regenachtige middag had Emma, toen ze bij hem in de buurt was, eens bij hem aangebeld. Hij bewoonde een huurkamer in een statig huis in Zuid. De hospita wees haar de weg naar boven. Ze klopte op een kamerdeur.

In een schone, opgeruimde kamer zat hij elegant in een leunstoel en las in een dik boek. Het waren verhalen van Thomas Mann.

Van deze schrijver had Emma nooit iets gelezen. Paul vertelde bevlogen over het werk. Hij gaf haar *Buddenbrooks* te leen.

Hij was leraar Duits op een lyceum en zat in het jaar voor zijn doctoraal. Zijn hoogleraar, die veel in hem zag, had hem een baan aangeboden op de universiteit. Paul had het aanbod afgeslagen en zijn studie laten schieten. Hij had er geen zin meer in.

Hij schonk thee en vroeg of ze van Wagner hield. Emma zei dat ze het niet wist. Ze dacht van niet.

Hij zette een plaat op. Het noodlotsdrama *Tristan en Isolde*. Het liefdesduet. Klanken overstroomden de kamer; orgiastisch aanzwellende golven.

'Tristan!' 'Isólde!!' 'Ewig, einig!'

Emma schreide hete tranen.

Ongemerkt werd het avond. Paul ging naar beneden, naar de keuken en kookte spaghetti. Ze dronken alles op wat hij in huis had, wijn, jenever, een staartje whisky.

Onder het eten draaide hij Marlene Dietrich, 'Vor der Kaserne'. Emma vertelde waar ze dat lied voor het eerst had gehoord: op meneer Dinaux' tropische veranda.

Ze vertelden elkaar over hun kindertijd.

'Mijn zusje en ik zaten altijd te lezen,' vertelde hij. 'Dat was de enige manier om het thuis uit te houden. "Het lijkt hier wel het Leesmuseum!" riep mijn moeder dan kwaad.'

'Alle kinderen schaatsen, maar Emmaatje zit weer met een boek bij de kachel!' riep Emma schamper.

Ze lachten vergenoegd.

'Ik stond op een rantsoen van drie bibliotheekboeken per week,' vertelde Emma. '"Dan lees je een van die boeken nog maar eens een keer!" zei mijn vader als ik erover zeurde. Kom daar nu eens om bij de jeugd van tegenwoordig!'

Paul liep weer naar de grammofoon. Met engelachtige ironie zong Elisabeth Schwarzkopf liederen van Wolf.

'Dat was de lievelingszangeres van mijn moeder,' vertelde Emma. 'Zelf hield ik alleen maar van Doris Day.'

'Daar was ik ook gek op,' zei Paul. 'Doris Day had in haar genre de mooiste zangstem.'

'Juist!' riep Emma verrukt.

Kort daarop gingen ze naar de opera. Behalve de jammerlijke avond, toen ze pas terug was in Amsterdam en haar ontslag had gekregen bij de operastichting, had ze er nooit een gezien.

Terwijl de held, neergestoken, met in zijn tuniek het nog nazwiepende, vijandelijke zwaard, op de planken tuimelde en de zwaarlijvige heldin haar wanhoop hoog uitgilde boven de veelstemmige klaagzang van het koor, snoot Emma haar laatste papieren zakdoekje vol.

Het publiek barstte los in orkanen van applaus en geroep. In golven rezen de rijen klappende handen, als massaal opvliegende klapwiekende vogels.

In extase stond Emma in het aanzwellende geruis en droeg er uit alle macht toe bij. De sopraan kwam nog eens voor het doek, hand in hand met de herrezen held, daarna alleen.

'Bravo!' stentorde Paul.

'Bravo!' krijste Emma schor.

Woordeloos, nog betraand, drong het wachtende publiek bij de jassen. Het sprookje was uit. De wrede buitenwereld wachtte. Het regende. In de kroeg stonden mensen te schreeuwen, die het wonder niet hadden meebeleefd. Je kon alleen maar hopen dat er gauw weer een opera zou zijn.

Ze ging met hem naar het Concertgebouw. Daar werd je, op voorwaarde natuurlijk dat er niet vals werd gespeeld of gezongen, voor een paar uur opgetild naar een hogere vorm van het bestaan, een sensatie die heftig emotioneerde. Het leek of je gehoor zich concentreerde in je middenrif en vibreerde in je centrale zenuwstelsel.

Ze keek om zich heen, naar het publiek, dat er aandoenlijk weerloos bij zat, in bewogen overgave. Het gaf een kerks gevoel. Op zo'n ogenblik hield ze niet alleen van Paul, die naast haar zat, zonder een spoor van zijn gebruikelijke cynisme, maar ook van de onbekende kakmadam aan haar andere flank, of van de mensen op de rij achter haar, een liefde die omsloeg in haat zodra daar iemand rochelde, kletste of ritselde.

Emma bestelde nog eens voor Paul en voor zichzelf. Angélique – die eigenlijk Annie heette, een vrouwtje met licht gebogen rug – kwam struikelend op haar af.

Een paar keer was Emma met Paul op een van Angéliques feestjes geweest. Een paar kroegtijgers waren er, allemaal nichten, een paar drankzuchtige vrouwen. Het gezelschap had er zich tot taak gesteld: zo snel mogelijk half bewusteloos raken van de drank, schreeuwen, lallen en gieren van het lachen.

Emma dronk mee en liet zich wegzinken. Al gauw zat ze mee te lallen en zich tranen te lachen. Wat verbeeldde ze zich wel, dacht ze bij zichzelf, dat ze zich te goed voelde voor deze omgeving? Wat stelde ze zelf voor? Wat presteerde ze? Deze mensen mochten dan weinig inspirerend zijn: hier hoefde ze zich er tenminste niet om te bekommeren of ze slechte manieren had, maatschappelijk iets voorstelde, mooi of lelijk was, tactloos was of dom.

'Bestel voor mij maar een Bokma!' kraste Angélique.

Van onder haar pony priemden haar oogjes fel omhoog. Ze kwam voor Emma staan. Ze bracht haar gezicht omhoog, dicht bij het hare. 'Ik heb al een week niet genaaid,' gromde ze half binnensmonds. 'Hoe lang heb jij al niet genaaid?'

Emma dacht aan Willem de Boer, de journalist. Hoe lang was dat niet al geleden?

'Ook zoiets,' zei ze maar.

'Veel te lang!' vond Angélique.

Emma staarde naar een schilderij boven de tapkast. Een landelijk tafereeltje. Een herbergierster reikte een bierpul over naar een man op een paard. De contouren waren Breitner-achtig vervaagd.

Hier, dacht Emma, in de warme volte van deze kroeg, hoorde ze thuis. Den Haag, haar ouders waren heel ver weg. De vooravond vervaagde tot een gevoel van onbehagen, dat bij elk pilsje zwakker werd.

Angélique posteerde zich naast een man met een snor. 'Mafkees!' hoorde Emma haar krijsen. 'Nou, bestel dan maar een oude Bokma voor me!'

Maar de kastelein was aan het afrekenen. Bestellingen nam hij niet meer aan.

'Kom je nou nog!' riep Angélique even later, ongeduldig stampvoetend.

'Ja, ja,' zei hij. Hij rekende af.

Angélique kuste Paul. 'Dag schat!'

Ze pakte de snorremans bij de hand en trok hem mee.

'Ze krijgt het toch maar weer voor elkaar,' zei Emma tegen Paul. 'Zij is zeker twintig jaar ouder dan hij.'

Ze snakte naar meer bier. Ze smeekte Paul om nog naar een andere kroeg te gaan. Paul wilde naar een mannendanstent, maar hij zwichtte.

Ze stapten de deur uit.

'Emma!' riep de kastelein. 'Je vergeet je lamp!'

'O ja, bedankt!' zei Emma geschrokken.

Ze liepen naar het nachtcafé in de steeg waar Emma vroeger met Renske had gewoond. Paul droeg de lamp. Ze zetten hem bij de garderobe. Emma verzocht de portier hem in de gaten te houden.

Ze duwden het zware gordijn opzij. Binnen was het geanimeerd. De wanden waren bekleed met oudroze gestulpte tafzij. Feeëriek licht kwam uit roze lampekappen. Er waren bijna alleen mannen. Mannen aan de bar zongen met perfecte mimiek en intonatie mee met de zware stem van Zarah Leander uit de jukebox: 'Was wissen Männer, ja Männer, von Liebe?'

Anderen zaten sierlijk op een barkruk, met een likeurtje voor zich, bemoeiden zich met niemand en keken met opengesperde, zwart omrande ogen hunkerend naar de deur.

Paul was somber. De bankdirecteur had al een tijdje niets van zich laten horen. Emma klaagde over Thomas Oostveen. Eindelijk had ze iemand ontmoet die bij haar paste. Maar andermans gezin moest je met rust laten. Ze kende zijn vrouw niet. Misschien deugde die vrouw niet of was ze dom en niet goed genoeg voor een man als Thomas. Hoe zou het verder gaan?

Paul wees naar de tap. 'We kunnen het die oude nicht vragen,' opperde hij. 'Die kan de toekomst voorspellen. Dat zeggen ze tenminste.'

Aan de bar zat een man van middelbare leeftijd. Hij had valse wimpers en een rood geverfd, gelakt, hoog kapsel.

'Wacht even,' zei Emma. Ze liep naar de bar.

'Schat, wil je een pilsje?' vroeg ze gemeenzaam aangeschoten aan de waarzegger. Ze had hem nooit eerder ontmoet. 'En voorspel je me dan even de toekomst?' voegde ze eraan toe.

Met een fonkelend beringde hand maakte hij een afwerend gebaar. 'Nee hóór!' zei hij, met een hoge uithaal. 'Daar heb ik hélemaal geen zin in!'

Hij draaide zich om naar Emma en keek haar scherp aan. 'Die vreselijke dingen had je niet tegen je vader mogen zeggen,' zei hij. 'En je moeder... nee, je echte moeder leeft niet meer, dat is je stiefmoeder. Maar toch houdt ze van je. Je moet het gauw weer goed maken!'

Hij keerde Emma de rug toe.

Toverkollen, weerwolven en gnomen verdrongen zich rond een etenskar. Traag bewoog zich een processie gedrochten door de gang en de bedden-inham.

Bij het muurtje, dat Emma's bed van de gang scheidde, stonden twee tandeloos grijnzende, identieke kabouters met lange neuzen en feesthoedjes op.

Zacht jammerend zat op een bed een jonge vrouw met zware borsten en kwijlende, openhangende mond met dikke rode lippen.

Een vrouwelijke kolos, met een kop als een buldog, stond bij Emma's bed, keek haar met hondeogen aan, hief zeer, zéér langzaam de hand naar de kaak, waarbij ze het gezicht pijnlijk vertrok.

De vrouw in het bed tegenover Emma was wakker geworden. Ze was al heel oud. Met een krijtwit gezichtje op het kussen keek ze in het rond en praatte honderd uit.

'Och, zoudt u mij een groot plezier willen doen en even een taxi voor me bellen,' vroeg ze met een hoogst aristocratische intonatie. 'Het nummer is 864588, ik moet namelijk onmiddellijk naar een receptie, ik moet onmiddellijk weg, het nummer is 354637, och wilt u zo goed zijn dat even voor me te regelen?'

Schel schoot haar stem de hoogte in: 'O grote god! O, nee, god, o grote god! Ankie! Ankie! Saul! Saul!'

De buldog schuifelde op weg naar haar bed. Een kous was afgezakt. In een hand hield ze een lok haar, in de andere een krulspeld. Loom draaide ze een krul omhoog en omlaag.

Een fee in een wit gewaad en lang blond haar schreed langs. Een piepklein heksje met bolle, felle ogen, een pruik en een hoofddoek, liep prevelend rond.

Emma richtte zich op. Ze moest maken dat ze hier wegkwam. Zwaar zakte ze terug op het kussen. Moeizaam werkte ze zich uit bed om naar de wc te gaan.

Ze wankelde, zag sterretjes, viel en kwam weer bij zinnen terwijl ze op de grond lag, met het hoofd tegen de verwarming.

Een verpleegster tilde haar op, hielp haar in bed en bracht een ondersteek. De hoofdzuster kwam kijken.

'Wat is dat nu?' vroeg ze.

'Ik sodemieterde tegen de verwarming,' prevelde Emma. De zuster trok een boos gezicht. Ze legde de hand tegen de oorschelp.

'Wat hóór ik?' vroeg ze met nadrukkelijke articulatie. 'Wat ís dat voor taal?!'

Er bestonden pillen tegen de drank. Zodra je zo'n pil had geslikt, lustte je geen alcohol meer.

Die pillen moet ik hebben, besloot Emma in de nacht na haar ontslag bij Krakauer. Zo gaat het niet langer. Als ik blijf doordrinken zal ik altijd en overal ontslagen worden.

Ze ging naar een huisarts en vroeg om een recept. Hij verwees haar naar de Stichting voor bestrijding van drankmisbruik.

Ze ging er direct heen met de tram. Het was ergens in een buitenwijk. De receptioniste zei dat ze 's avonds moest terugkomen. Dan zou er spreekuur zijn.

Toen ze 's avonds kwam had ze al aardig wat op.

'Gaat u maar naar binnen,' zei de receptioniste. 'Meneer Drogenbroek kan u nu ontvangen.'

De directeur zat achter een bureau. Joviaal stak hij de hand uit. Hij legde een blocnote voor zich en stelde vragen. Waar ze vandaan kwam. Wat haar vader deed. Hoeveel ze dronk. Met hoeveel mannen ze naar bed was geweest. 'Ja, maar die pillen,' zei Emma telkens. Daar ging het haar om.

Een misverstand, legde Drogenbroek uit. Die pillen gaven ze niet zomaar. Dat zou veel te gevaarlijk zijn. Het was niet waar dat je door zo'n pil opeens geen drank meer lustte. Je lustte het nog steeds en als je dronk met zo'n pil in, werd je heel erg ziek.

Hij keek haar streng aan. 'U moet zich laten opnemen,' verklaarde hij. 'Jammer genoeg hebben we geen alcoholistenklinieken voor vrouwen. Daarvoor zijn er niet genoeg vrouwen aan de drank. Kent u Beth Simcha? Een joodse instelling. Huis der Vreugde betekent dat. Een kliniek. Prachtig gelegen, midden in de bossen. Nou?'

Hij keek haar aan. Emma aarzelde. Een rusthuis in de bossen. Slapen en wandelen.

'Over twee maanden is er plaats,' verklaarde de directeur. Hij greep in een stapel telefoonboeken. Suffig keek ze toe. Hij draaide een nummer.

Emma verstijfde van schrik.

'Mijnheer Morgenblatt,' hoorde ze hem zeggen, 'u spreekt met Drogenbroek van de Stichting ter bestrijding van drankmisbruik.'

Dat was nu twee maanden geleden. Aan Emma's bed stond een verpleegster. In haar handen had ze *Vrij Nederland* in een adresbandje, een pakje en een dikke expresbrief. Emma herkende het handschrift van Thomas.

Kort na Emma's bezoek aan Drogenbroek kwam Thomas 's avonds laat bij Hoppe binnenlopen. Emma was er natuurlijk ook.

'Hé, juffrouw Morgenblatt!' riep Thomas. Hij was lichtelijk aangeschoten. Dat was toevallig! Hij bood aan haar naar huis te brengen. Hij stelde voor door het Vondelpark te lopen. De maan scheen helder. Sindsdien hadden ze een verhouding.

Dolblij strekte ze de hand uit. De zuster trok alles terug. 'Het is vrijdagavond,' zei ze. 'De sabbat is ingegaan. U mag geen brieven openscheuren. Morgenavond breng ik u alles.'

'U bent niet joods,' zei Emma. 'En ik doe er niks aan. U kunt me die post gerust geven.'

'Daar gaat het niet om,' vond de zuster. 'We houden ons aan de regels.'

Vanwege de sabbat bracht de etenskar die avond geen brood met muisjes, maar kip met appelmoes. De hoofdzuster kwam bij Emma's bed staan.

'We hebben vandaag feesteten,' zei ze. 'Kip. Dan lezen we niet onder het eten.'

'Ik lees altijd bij het eten,' zei Emma, die niet van haar boek opkeek. Zonder de verschansing van het boek zou de eetlust haar vergaan.

'Dan eten we geen kip,' besliste de hoofdzuster. Ze griste Emma's bord weg en stapte ermee weg.

'Tyfuswijf!' gilde Emma haar achterna.

De hoofdzuster kwam aanlopen met de injectienaald. Voor de zekerheid had ze een andere verpleegster bij zich. Ze sloegen de dekens terug en deden Emma's pyjamabroek omlaag.

Emma sliep bijna een volle week. Daarna moest ze nog een week in bed blijven. Nu wilde het slapen niet meer lukken. 's Nachts lag ze te luisteren naar het gereutel, gerochel en gesnurk. Ze lag zich af te vragen of ze zelf niet gek werd. Ze dacht alleen nog maar wartaal.

Op een nacht stierf haar overbuurvrouw. Emma was opgelucht. Nu was het tenminste afgelopen met dat gegil van: 'Ankie! Ankie! Saul! Saul!'

Terwijl het lijk werd weggereden snikte de vrouw in het bed naast dat van Emma erbarmelijk.

'Hebt u haar goed gekend?' vroeg Emma.

De vrouw schudde het hoofd.

De blonde fee, tenger in haar witte nachtjapon, kwam langs. Beide handen hield ze rond een beker. 'Warme melk,' zei ze. 'Dat drink ik voor het slapen gaan. Het geeft even een beetje troost.'

Eindelijk, na anderhalve week, iemand om mee te praten. Emma stond op en liep met haar mee naar haar kamer.

Het meisje heette Chantal. Haar wereld was het Leidseplein. Ze had met een vriendinnetje samengewoond. Een paar keer hadden ze elk een of meer buisjes sterke slaappillen geslikt. De kamer was niet op slot. Er was altijd wel iemand die de bewusteloze meisjes vond en de GGD alarmeerde. In het ziekenhuis werd hun maag leeggepompt.

In een café had Chantal een nieuwe vriend ontmoet. Ze ging met hem mee naar huis en bleef een paar dagen weg. Intussen slikte haar vriendin weer een buisje slaappillen.

Het was net een keer te veel. Nu had Chantal de kamer alleen. Zelf slikte ze ook maar weer een buisje. Juist op tijd was ze gevonden. Daarom was ze nu weer hier.

Op een nacht, toen ze hier voor het eerst was, lag er opeens een kindje tussen haar benen. Nooit gemerkt dat ze zwanger was. Geen mens die het was opgevallen. Ze was net zo broodmager als altijd.

Het kind was naar de couveuse gebracht. Een jongetje. Telemachus heette hij. Zijn pleegouders kwamen elke zondag met hem op bezoek. Bijna twee was hij. Chantal had alvast een stapel kinderboeken voor hem gekocht, die ze zelf verslond.

'Zeven uur! Opstaan, dames! Luiwammesen!'

Kreunend en klagend kwamen de patiënten in beweging. Vandaag moest ook Emma opstaan. Ze ging naar arbeidstherapie. Daar was, toen ze binnenkwam, het gezaag, geklop en getik al in volle gang.

In een hoek zat een vrouw het Hatikva te zingen, het op een motief uit de Moldau gecomponeerde zionistische partijlied, nu het volkslied van Israël. Zo te horen kende de vrouw de Hebreeuwse woorden uit het hoofd. Ze zong met welluidende stem. Zodra het lied uit was, begon ze opnieuw.

Met een schok besefte Emma dat het tante Saartje was, die na de bevrijding korte tijd haar pleegmoeder was geweest, de weduwe van oom Maurits. Nog altijd droeg tante Saartje het haar, inmiddels grijs geworden, kort recht afgeknipt, met een bakelieten speld opzij.

Uitdrukkingloos keek ze Emma aan. Emma liet het maar zo. Beter dat tante Saartje haar niet herkende. Ze hadden geen goede herinneringen aan elkaar. Als Irma's beste vriendin had Saartje het vuur van de vijandelijkheden tussen stiefmoeder en stiefdochter flink opgestookt. 'Tante Saartje zegt ook: het is een schandaal dat je'... Emma hoorde het haar stiefmoeder nog zeggen.

Onvermoeibaar zong tante Saartje de hele ochtend haar lied. Ongetwijfeld had ze dat geleerd in de joodse jeugdbeweging, samen met oom Maurits.

'Kom, meneer Nathans!' riep de lerares monter. 'Schiet eens een beetje op! Zo komen we niet verder!'

Meneer Nathans, log, met opgetrokken schouders en doffe ogen, gaf met een hamer een zwakke klap op een stuk hout. Hij was een van de patiënten met een concentratiekampsyndroom. Zijn familie en gezin waren omgekomen. Voor de oorlog was hij een violist met een internationaal bekende naam. Aan zijn pafferige gezicht was nog te zien dat het ooit knap was geweest. Emma stelde zich voor hoe hij, als jongeman, voor een symfonie-orkest stond, op het podium van het Concertgebouw. In gedachten zag ze hem met zijn vrouw en kinderen, zijn trotse ouders. Een gelukkige, succesvolle, knappe jonge man.

Nog decennia later zou Emma hem regelmatig zien in het Concertgebouw. Hij zat meestal alleen, log, met opgetrokken schouders en niets ziende ogen. In de pauze zat hij aan een tafeltje in de koffiekamer, een eiland.

Om twaalf uur was het etenstijd. Voor het eerst at Emma in de eetzaal. Toen ze binnenkwam zaten de meesten al. Verpleegsters zetten schalen op tafel.

De uitwerking was verbijsterend. Zonder een woord gristen de aanzittenden elkaar de schalen uit handen, laadden hun borden vol en begonnen in elkaar gedoken, zonder te communiceren, kwijlend en spugend te schrokken. Je moest aardig op je tellen passen, anders kreeg je niets. Nu begreep Emma waarom de meeste patiënten zo dik waren. Zelf had ze razende honger. Dat kwam door de medicijnen.

Aan een tafeltje apart zaten juffrouw Baruch en Chantal, rechtop, beheerst.

'Mag ik bij Chantal zitten?' vroeg Emma de zuster die langs kwam.

'We blijven allemaal op onze plaats, waar we horen,' sprak de zuster.

Op woensdagmiddag had Emma bezoek. Thomas was er. Zijn trouwring had hij afgedaan. Hij had *Time*, *Der Spiegel*, *Vrij Nederland* en een vracht boeken voor haar meegebracht: *Het land van herkomst*, *De blikken trommel*. Hand in hand zaten ze in de conversatiezaal, te midden van murmelende groepjes.

Thomas zei dat hij geschrokken was, zo slecht als Emma eruitzag. Zou die behandeling echt wel gezond zijn? Zelf was hij ook bleek. Hij werkte hard en zat 's nachts tot vier uur aan Emma te schrijven of aan haar te denken. Zijn vrouw wist van zijn verhouding. Toch kon je het huwelijk werkelijk niet slecht noemen. Zijn vrouw en hij kenden elkaar van school. Ze waren aan elkaar gehecht. Ze hadden kinderen. Het brak zijn hart als hij haar zo zag huilen.

'We moeten het uitmaken,' zei Emma.

Ze strengelden de handen in elkaar.

'Gedraag je een beetje,' klonk opeens een schelle stem.

Gehuld in breiwol, met grijze permanentkrulletjes, stond juffrouw Dunnebier, de directrice, voor hen en keek hen door haar bril fel aan.

'Lekker vrijen met je vriendje, hè?' fluisterde ze hard. 'Dat zou je wel willen, hè? Je denkt zeker dat het hier een hotel is. Laat elkaar los.'

Ze liep weg. Bezoek en patiënten keken triomfantelijk toe.

'Goed dat ik mijn trouwring heb afgedaan,' zei Thomas.

'Ik zal nooit meer iemand zo haten als dat wijf,' zei Emma.

Het bezoekuur was voorbij. Ze liep hem achterna de gang in. 'Ik wil met je mee,' zei ze. 'Naar Amsterdam. Kom je nog eens terug? Schrijf je?'

'Ik kom je opzoeken zolang je hier bent,' zei hij.

'De bezoekuren zijn 's zondags en 's woensdags van twee tot vier,' zei Emma.

'Elke woensdag kom ik,' beloofde hij. ''s Zondags kan ik thuis niet weg.'

Ze omhelsden elkaar. Een verpleegster met een kolossale sleutelbos stond erbij te kijken. Stel je voor dat hij zijn trouwring nog om had!

De verpleegster tilde de bos op en stak een sleutel naar voren. Een slot knarste open. Een andere sleutel opende het tweede slot. Thomas stapte naar buiten. Hij wuifde. Emma wuifde terug en probeerde tegen hem te lachen.

Die zondag kwamen haar ouders. Haar moeder had een kolossaal vierkant blik meegebracht met allerlei soorten koekjes. Toen ze weg waren, nam de hoofdzuster het blik mee.

'Dat is niet koosjer,' besliste ze. 'Dat zijn hier nu eenmaal de regels.' Waarschijnlijk vrat ze op haar kamer het blik leeg.

Haar ouders maakten van de gelegenheid gebruik om ook hun oude vriendin op te zoeken, die hen bij elkaar had gebracht. Nog altijd zong Saartje het Hatikva, dat ze slechts onderbrak om te eten of voor haar korte nachtrust. De andere patiënten werden er gek van. Daarom was tante Saartje tijdelijk overgeplaatst naar een andere afdeling.

Bij binnenkomst van haar bezoek zat tante Saartje het Hatikva te zingen. Ze gaf geen blijk van herkenning. Emma's ouders gaven haar een doosje chocolaatjes. Tante Saartje onderbrak het zingen om het doosje leeg te schrokken. Daarna hervatte ze haar lied.

Een andere zondag kwamen Renske en Daan. Ook Paul kwam op bezoek.

Thomas schreef dat hij toch maar ging scheiden. Emma schrok ervan en liet de brief zakken.

Wat een verantwoordelijkheid! Misschien zou zijn vrouw ziek worden van verdriet of zelfmoord plegen. En zou Thomas wel met haar, Emma, gelukkig worden? Na 1945 had ze nauwelijks ervaring opgedaan met samenleven in harmonie.

Het was of hij plotseling daalde in waarde. Iemand die van haar, Emma, hield, dat kon niet veel zaaks zijn. Ze zag zichzelf op een verdiepinkje, met hem, die nu bijna letterlijk de man was van al haar dromen. Op slag voelde ze een onbedwingbare aanvechting er vandoor te gaan.

Zou het misgaan tussen haar en Thomas, dan had ze vier mensen – Thomas, zijn vrouw en twee kinderen – in het ongeluk gestort. Nu maakte ze alleen zichzelf ongelukkig.

Het was beangstigend. Blijkbaar kon ze alleen van iemand houden die onbereikbaar was. Was ze werkelijk niet in staat om met iemand te leven? Als dat zo was, zou ze in eenzaamheid haar dagen slijten en eenzaam zou ze sterven.

Ze schreef Thomas dat hij geen overhaaste beslissing mocht nemen.

Hij schreef terug dat ze gelijk had.

De brief maakte haar depressief. Voor altijd had ze haar kans vergooid op een harmonisch bestaan.

Een gaaf geval voor een psychiater leek het. Ze besloot erover te praten met dokter Griffioen, als hij haar zou ontbieden. Tenslotte was dit een psychiatrische inrichting.

's Ochtends om koffietijd deed dokter Griffioen de ronde met de directrice, een groepje lagere dokters, broeders en zusters. De patiënten dronken lichtbruin drab dat koffie werd genoemd.

De medische processie wendde zich tot elke patiënt: 'Hoe gaat het?'

'Slecht dokter. Zo ellendig. Niet geslapen. Zo'n hoofdpijn. Zo benauwd 's nachts. Nachtmerries.'

'Goed zo! Goed zo! We zijn op de goede weg! Wél, mevrouw Cohen! En hoe maken we het vandaag?'

'Slecht, dokter, zo'n verdriet.'

'Goed zo! Goed zo! We zijn op de goede weg.'

'Wel mejuffrouw Morgenblatt, hoe gaat het vandaag?'

'Ik wil naar huis,' was Emma's vaste antwoord.

'Daar praten we nog wel over,' beloofde dokter Griffioen. 'Een dezer dagen zal ik u ontvangen.'

Emma had een serie vragen voor hem. Over Thomas. Over haar ouders. Kon hij haar genezen van haar mensenhaat? Was het waar dat mensen die hun leven bederven dat onbewust doen om hun ouders te straffen? Sloeg dat ook op haar?

In de spreekkamer begon ze over haar ouders.

Daarvoor was ze hier niet, antwoordde de dokter kortaf. Ze was in de kliniek om van de drank af te komen. Ze las veel, had hij gezien. Ze hield van Russische literatuur. Hij ook. Kende ze *Schuld en boete*?

Snel vroeg Emma of ze Russisch mocht studeren in de tijd van de arbeidstherapie. Dat was goed, zei de dokter.

Wanneer ze naar huis mocht. Dat viel nog te bezien. Het was gevaarlijk om de behandeling voortijdig af te breken, waarschuwde hij.

Meneer Lodz

Met het georganiseerde jodendom stond Emma op gespannen voet. Op een dag was er bij haar aangebeld. 'De joodse gemeente!' riep een mannenstem van beneden. Voetstappen sloften de trap op, onder begeleiding van gesteun en gesnuif. Magere Hein zelf verscheen op het portaal en hijgde: 'Mijn naam is Lodz.'

De bezoeker kwam de kamer binnen. 'Wilt u uw sigaret doven,' beval hij scherp. 'In Auschwitz zijn mijn tonsillen beschadigd. Daar heb ik mijn vrouw en kinderen naar de gaskamer zien gaan.'

Wat heb ik daarmee te maken? dacht Emma kwaad. 'Mag ik vragen waarvoor u komt?' vroeg ze.

'U bent nog geen lid,' zei de man. 'Dat kom ik even in orde maken.'

'U had zich de moeite kunnen besparen,' zei Emma. 'Ik word geen lid. Ik ben voorstander van assimilatie.' Ze schrok van de uitwerking van haar mededeling.

Het gezicht van de man werd rood. Zwaar steunend legde hij zijn hand op zijn borst, greep een stoel bij de tafel en liet zich zakken. 'Hoe kunt u dat zeggen?' schreeuwde hij, terwijl hij met de vlakke hand op het tafelblad sloeg.

Emma pakte ook een stoel. Een paar seconden zaten ze zwijgend tegenover elkaar.

'Assimilatie!' riep de heer Lodz. Hij sprong overeind. 'Er zijn bijna geen joden meer over en u zegt: assimilatie!'

'Ja,' zei Emma, 'ik ben socialist.'

'Socialist,' riep de man schamper. 'Dacht u dat meneer Marx iets nieuws had uitgevonden? Dat de materialistisch-dialectische gedachte nieuw was? Een geestelijke ideologie boven de sociologische geledingen van de maatschappij? Dat bestaat in het jodendom nog maar veertig eeuwen hoor! Dat heeft Mozes al uitgevonden, juffrouw! De tien geboden zijn ideologische voorschriften voor het dagelijks leven.' Hij hijgde even uit.

Emma was pas naar een openbaar college over Spinoza geweest. 'Dat zit nog,' zei ze. 'Spinoza zegt dat de tien geboden helemaal niet van Mozes afkomstig zijn.' Triomfantelijk keek ze meneer Lodz aan.

'U heeft de klok horen luiden, maar u weet niet waar de klepel hangt,' zei Lodz ijzig. 'Spinoza baseert zich in zijn godgeleerd-staatkundig vertoog op de vrijdenker Ibn Ezra, die de Mozaïsche herkomst van de Pentateuch ter discussie stelt.'

'Ja,' zei Emma, 'en de joodse gemeente heeft Spinoza er uitgetrapt, verketterd, vervloekt, meervoudig vervloekt, bij dag en bij nacht, bij liggen en opstaan en iedereen die met hem onder één dak zou verkeren was ook vervloekt, of hoe was het ook weer precies? Alleen omdat hij het waagde na te denken.'

Afwachtend keek ze naar de oude man.

'Dat is een betreurenswaardige gebeurtenis,' zei Lodz. 'De Spaanse en Portugese joden leefden met het trauma van de Inquisitie. Nooit van de Inquisitie gehoord, juffrouw? Honderdduizenden joden afgeslacht, opgehangen, geradbraakt, levend verbrand, levenslang gekerkerd, hun vrouwen verkracht, kinderen aan het mes geregen, hun geld en goed verbeurd verklaard, omdat hun afkomst zich niet liet verloochenen. De auto-da-fe was in Spanje net zo'n volksvermaak als het stieregevecht!'

'Schreeuwt u niet zo!' riep Emma gekweld. 'Ik ben niet doof!'

'De joden die dat hadden overleefd, klampten zich vast aan de thora,' zei meneer Lodz. 'Spinoza was een tragische figuur. Hij was een eenzaam mens. Hij hoorde nergens thuis.'

'Ik ook niet,' zei Emma.

'Morgenblatt,' zei Lodz. 'Een geassimileerde naam. Hebt u levieten in de familie?'

'De familie van mijn moeders kant heette Levitan,' zei Emma. 'Die van mijn vaders kant Abramov. De familie heeft de naam veranderd. Gelukkig maar. Ik schaam me toch al voor mijn achternaam. Zodra een man met een niet-joodse achternaam mij wil hebben, trouw ik.'

'Die afstamming geeft u een zware verantwoordelijkheid,' vond meneer Lodz. 'De levieten stammen rechtstreeks af van de priesters in het rijk Juda. Ook Mozes stamde af van de levieten. Hij leefde aan het hof van de farao in volle vrijheid. Hij kon lezen en schrijven wat hij wilde. Hij was geassimileerd. Met zijn volk had hij een mensenleeftijd geen contact meer gehad, maar hij voelde zich verantwoordelijk. Uw meneer Marx, juffrouw, stamde van vaders- en moederskant uit een rabbijnengeslacht, maar hij liet zich luthers dopen. Hij werd christen, na al het lijden dat zijn volk is berokkend, uit naam van Jezus van Nazareth, een duistere figuur van wie niet eens zeker is of hij ooit heeft bestaan. In de twintig delen joodse geschiedenis van Flavius Josephus, die tot in de kleinste details die periode beschrijft, komt de hele me-

neer Jezus van Nazareth niet voor, juffrouw. Zestig jaar na de vermoe-
delijke dood van dat heerschap is er allerlei onzin over hem opgeschreven. Waarschijnlijk was Jezus een van de velen die zich door Johannes
de Doper lieten dopen in de Jordaan. Galilea lag ver buiten Jeruzalem.
Het was een primitief gebied en een broeinest van hysterische sekteleí-
ders.

Jezus riep zichzelf uit tot Messias. Hij predikte afschaffing van de
thora. De Romeinen hadden Judea bezet. De Sadduceeën, adellijke
joodse priesters, beseften dat het volk zonder wet reddeloos verloren
zou zijn. De politieke situatie is Jezus noodlottig geworden.'

Emma luisterde geboeid. 'De joden hebben Onze Lieve Heer vermoord,' zei ze spottend.

'De kruisdood was toen een gangbare straf, juffrouw,' riep Lodz.
'Honderden joden zijn gekruisigd. U weet misschien wel dat de Ro-
meinen Jeruzalem hebben verwoest, de tempel in brand gestoken en
Judea Judenrein gemaakt. Tot de laatste man waren de joden ver-
moord, gedeporteerd of ze hadden zelfmoord gepleegd. Voor de joden die voor die tijd waren geëmigreerd, was de diaspora begonnen.
Onder hen was ook een groepje aanhangers van Jezus van Nazareth.
Als in Alexandrië de joodse farizeeër Saul, die zich Paulus noemde,
geen propaganda voor hem had gemaakt, had nooit iemand meer van
Jezus van Nazareth gehoord. Paulus vond bij de heidenen een gewillig
oor. Hij plantte in onontgonnen grond. Van de wederopstanding van
Adonis, een heidens voorjaarsfeest, maakte hij het feest van de herrij-
zenis van Christus. In de vierde eeuw bekeerde de Romeinse keizer
Constantijn zich tot het christendom. Daarmee is de officiële jodenon-
derdrukking en jodenhaat begonnen, die nog voortduurt tot op de
huidige dag.'

'Verschrikkelijk,' zuchtte Emma.

'Erg mooi dat socialisme van u,' zei Lodz sarcastisch, 'maar van
historisch besef hebben jullie nog nooit gehoord. Jullie denken dat de
nazi's een eenmalig verschijnsel waren en dat met de dood van meneer
Hitler alles weer in orde is. Assimilatie!' schreeuwde hij opeens weer.
'Hoe vaak heeft het joodse volk niet op het punt gestaan aan assimilatie ten gronde te gaan! Dat begon al in het oude Kanaän, toen Phoeni-
ciërs, Ammonieten, Filistijnen, Arabieren en andere volken de Israë-
lieten omringden en bedreigden.'

'Waren de joden toen maar in die andere volken opgegaan!' zei Emma. 'Zoals de Ammonieten of zo. Dan was er ook geen antisemitisme
geweest. Dan hadden uw vrouw en kinderen nog geleefd. En mijn
moeder ook, mijn beide oma's, ooms en tantes.'

Van opwinding stond ze op. Wijdbeens, met de handen in haar

broekzakken stond ze voor hem. 'Ik ben er echt niet zo blij mee dat ik joods ben, meneer,' riep ze. 'Het joods zijn is een groot ongeluk. Alle joden hebben een trauma. Joden zijn paranoïde, hypochonder, neurotisch. Joden zijn niet in staat ergens van te genieten. Daarvoor zijn ze te nerveus. Ze kunnen niet lekker op hun rug in het gras liggen met een sprietje in hun mond en naar de schapewolkjes kijken. Nee, na een paar seconden springen ze op, gaan op hun nagels bijten en willen er vandoor. Een jood is een eeuwig slachtoffer. Ik wil geen slachtoffer zijn maar een gewoon meisje. Lekker op mijn rug in de zon liggen!'

'Juffrouw,' donderde meneer Lodz als een god der wrake, 'heeft u dan echt helemaal geen ontzag voor de geschiedenis van het eeuwige volk waartoe u behoort, dat al vijfduizend jaar bestaat ondanks dat de buitenwereld zich geen moeite heeft bespaard het te verdelgen? Assimilatie heeft nimmer een jood geholpen. Denkt u maar aan de anoessim.'

'Wat zijn dat?' vroeg Emma.

'Weet u dan helemaal niets,' schreeuwde meneer Lodz. 'De marranen, juffrouw. Joden die zich gedwongen lieten dopen. De Spanjaarden noemden hen marranos, varkens! Heeft de naam Morgenblatt uw Duitse familie geholpen?' Hij stokte en staarde naar Emma, die haar pakje shag had gepakt.

'Ik rook niet,' zei Emma, 'ik rol er vast een. Voor als u weg bent.' Ze ging zitten. Haar hoofd bonkte en haar handen beefden. Ze had een hevige kater en hunkerde naar nicotine. 'Ik heb trouwens een belangrijke afspraak,' zei ze. Ze keek op haar naakte pols. 'Ik moet nu echt weg.'

Meneer Lodz luisterde niet. Nooit zou hij meer weggaan.

'U bent pacifist,' riep hij. 'Het joodse volk is het meest vredelievende volk ter wereld. Luister maar naar de profeet Jesaja: "En zij zullen hun zwaarden slaan tot ploegscharen en hun speren tot wintermessen. Een volk zal nooit tegen een ander volk het zwaard opheffen." '

'Ja ja, dat zien we wel in Israël,' zei Emma.

Al het zichtbare vlees van Lodz kleurde purper. Straks gaat hij hier nog dood, dacht Emma.

'Mag het joodse volk zich niet verdedigen?' schreeuwde Lodz. 'Behoeft het joodse volk geen vluchtoord?'

'Waarom?' vroeg Emma. 'Er is geen antisemitisme meer. We hebben het hier goed.'

'Het is het joodse volk wel eens meer tientallen jaren goed gegaan,' zei Lodz. 'Als het weer eens bijna was uitgeroeid. In de Babylonische ballingschap zijn de joden twee eeuwen met rust gelaten. Jeruzalem lag in puin, de tempel was verwoest, de joden waren afgeslacht, gevangen of gedeporteerd. Niets was er meer over. Niets! Maar de joodse geest leefde. En het joodse volk keerde naar Jeruzalem terug en herbouwde de tempel. Opnieuw werden de joden verdreven en opnieuw zijn ze teruggekeerd. Wilt u de joden in Rusland iedere hoop ontnemen?'

'In de Sovjet-Unie bestaat geen antisemitisme,' verzekerde Emma hem. 'Dat is een klasseloze maatschappij. Leest u er Sartre maar op na.'

'Sartre,' riep Lodz sarcastisch.

'In Rusland mogen we geen matzes bakken,' zei Emma. 'Dat mogen de andere Russen ook niet. Zo is die maatschappij nu eenmaal. Niemand mag matzes bakken. Dat is ook helemaal niet nodig.'

'Ik zal u niet lastig vallen met de jodenprocessen van Stalin,' zei de oude man vermoeid. 'De tsaren stuurden horden barbaren op de sjtetls af, om de joden af te slachten, de synagogen te ontheiligen en de thora en de talmoed te vertrappen of te verbranden. Maar de joden klampten zich vast aan de thora en overleefden. De thora heeft het joodse volk altijd weer gered, ook nu, na Hitler. Maar de bolsjewieken hebben de joden die beschutting afgenomen. De bolsjewieken hebben het Russische jodendom geliquideerd. En dat keurt u goed. Geen jood mag de oren sluiten voor de kreten van angst, van smart van de joodse martelaren, overal ter wereld.'

Meneer Lodz kreeg een rochelende hoestaanval.

'Wilt u een kopje koffie?' bood Emma zwakjes aan. Als ze koffie zette, zou hij misschien nog langer blijven. Lodz negeerde de vraag en snoot zijn neus. Nog nahoestend vervolgde hij: 'Sinds aartsvader Abraham, sinds de Egyptische slavernij, de bouw van de piramiden, de moord op de eerstgeborenen, de getto's, de pogroms, altijd zijn er ergens ter wereld joden die onderdrukt, bedreigd en vermoord worden. Uw lot, juffrouw, is met dat van de andere joden verbonden, of u wilt of niet. Het gaat u nu goed. Dat komt omdat het ook West-Europa goed gaat. Het hoeft maar even slecht te gaan of er zijn weer processen wegens rituele moorden, dan is bloed van christenbaby's weer een onontbeerlijk ingrediënt voor Pesach-matzes, dan bedreigt de internationale jodenkliek de mensheid weer, de joods-maçonnieke, joods-bolsjewistische, joods-kapitalistische plutocratie, de zionistische internationale samenzwering!'

'Ja, maar in Holland zijn nooit pogroms geweest!' riep Emma. 'Ik ben er trots op dat ik Nederlandse ben, dat ik een burger ben van dit tolerante land. Daar ben ik trots op! Neemt u me dat niet af!' Ze schreeuwde nu ook.

Lodz begon een verhandeling over de Duitse bezetting, waarin de meeste Nederlanders de joden rustig lieten weghalen. Emma ging weer aan tafel zitten en droomde weg onder zijn woordenstroom. Ze dacht aan Leon. Van Selbsthass had hij geen last. Hij begreep niet eens wat Emma bedoelde toen ze er over begon. Hij behandelde het jodendom zoals hij zijn moeder behandelde, met liefdevolle spot. Hij was overdreven dol op kippesoep met matzeballen. Hij gebruikte veel Jiddische woorden. Soms ging hij voor de grap quasi-Jiddisch praten. Omdat Emma zich ergerde aan dat 'joods doen' deed hij er, om haar te plagen, vaak een schepje bovenop. Op zijn kamer had hij een tallith, een gebedskleed, een gestreepte wollen doek met franje ('Spreekt tot de kinderen Israëls en zegt hen, dat zij zich franjes maken aan de hoeken hunner kleren in al hun nageslachten...'). Als Emma er was, had hij dat kleed wel eens om gedaan als hij met een boek in zijn leunstoel ging zitten. Schreeuwend, half lachend, half woedend, had Emma aan dat kleed staan rukken om het van zijn schouders te trekken. Leon kankerde op de behoudzucht van de meeste joden en hij was trots op de vooroorlogse joodse intelligentsia. Sinds Emma Leon kende, voelde ze het jodendom niet meer als een schande, een verminking, zoiets als het litteken op haar arm, waar je je mouw overheen trok. Schaamte had plaatsgemaakt voor het besef dat het jodendom ook wel interessante kanten had. Ze viel Lodz in de rede.

'Weet u wat ik de aardigste mensen vind?' vroeg ze. 'Joodse assimilanten! Weet u waar ik trots op ben? Op de vooroorlogse scherpzinnige joodse schrijvers en humoristen, waaraan de Westeuropese cultuur zoveel te danken heeft. Maar dat is tot stand gekomen ondanks joden zoals u! Ze vochten zich vrij van u en uw hooghartige behoudzucht. Honger in de wereld,' riep ze schamper, 'apartheid, alles best. Als de joden maar in de talmoed kunnen vorsen en de spijswetten kunnen naleven! Als ze De Telegraaf maar kunnen lezen!'

Uitdagend keek ze meneer Lodz aan.

'Die scherpzinnige intelligentsia van u,' zei hij, 'heeft zijn scherpzinnigheid te danken aan onze behoudzucht, zoals u dat noemt. Die joodse schrijvers en denkers zijn de afstammelingen van mensen die eeuwenlang hun geest hebben gescherpt aan de talmoed. Maar dat zegt u niets. Overigens zou ik in uw plaats maar niet zo trots zijn op die intelligentsia. Over uw intelligentie kan ik geen oordeel vellen, maar van uw historische kennis heb ik geen hoge dunk.'

'Nu heb ik een afspraak,' zei Emma ferm. 'Dus als u het niet erg vindt...' Ze deed een paar stappen naar de deur. Meneer Lodz deed zijn tas open, haalde er een formulier uit en legde dat voor Emma op tafel. Ze las haar naam en geboortedatum.

'Men kan niet in de ene wereld leven en de andere, als een verlaten geboortehuis, van tijd tot tijd eens binnengaan,' zei Lodz. 'Dat zegt de grote joodse historicus dr. Josef Kastein. Want het is heel goed mogelijk dat men op zekere dag beide gesloten vindt, het tehuis van de wereld en het tehuis van de afkomst. Dan laat het tehuis van de wereld de jood in de steek en er is geen terugkeer meer.'

Hij tikte met de wijsvinger op het formulier. 'Tekent u maar,' zei hij. 'Het kost u geen cent. U verdient geen salaris. U zit onder het fiscale minimum.'

Emma staarde naar haar naam op het papier.

'Voor de buitenwereld blijft u een jodin,' zei Lodz. 'Zoals Spinoza, Heine en Marx joden waren. En Trotski, die zijn jodendom verloochende. Maar daar moest hij toch op terugkomen. Door schade en schande wijs geworden.'

Hij gaf haar een pen. 'Hier moet u tekenen.'

Emma zette haar handtekening.

Meneer Lodz stapte naar de deur. Op de drempel draaide hij zich om. 'Ik zal u een witz vertellen,' zei hij. 'Een Duitse jood heeft zich laten schmadden. Hij is gedoopt, helemaal een geassimileerde mof. Hij draagt een monocle, een martiale snor. Hij spreekt blaffend, op snijdende, militaristische toon. In een badplaats raakt hij bevriend met een professor met een bochel. Voor zijn vertrek bekent hij zijn nieuwe vriend: "Professor, ik moet u een geheim vertellen. Ik ben van joodse afkomst." "Dan moet ik u ook een bekentenis doen," zegt de professor. "Ik heb een bochel." '

Meneer Lodz strompelde de trap af. Emma stak een sigaret op van de stapel, die ze in zijn bijzijn had gerold en inhaleerde diep.

Bij de post was een brief van de joodse gemeente. Het was een rekening van driehonderd gulden.

Emma besefte dat ze niet meer onder het fiscale minimum viel. Daaraan had ze niet gedacht. Ze werkte al een paar maanden bij Krakauer. Waar moest ze dat geld in godsnaam vandaan halen?

Ze belde het nummer van de joodse gemeente. 'Ik wil mijn lidmaatschap opzeggen,' zei ze.

Dat kon pas in januari, zei de juffrouw aan de telefoon.

In januari belde Emma opnieuw.

'Voor dit jaar is het te laat,' hoorde ze. 'Opzeggen kan volgend jaar weer.'

Emma begon te trillen. 'Stuurt u mij nog maar een rekening!' schreeuwde ze. 'Vijfhonderd gulden! Duizend gulden! U doet maar! Ik betaal geen cent! Sleept u mij maar voor de rechter. Dan zal ik voor de rechtbank eens vertellen hoe ik gechanteerd ben door uw doodzieke meneer Lodz. Hoe is het met hem? Is hij al overleden? Nee? Zo gezond als een vis, zeker? Druk in de weer met zieltjes winnen, zeker? Nou, ik spreek u wel voor de rechter. Dan zal ik wel even uit de doeken doen, hoe u uw handtekeningen vergaart!'

Ze smeet de hoorn erop.

Nieuwjaar

Het was een vrije dag, Rosj Hasjana, joods nieuwjaar.

Emma zat op bed met pen en blocnote. 'Lieve Thomas,' schreef ze. 'Dag lieve schat. Gelukkig nieuwjaar.'

Ze liet de blocnote zakken en huilde een deuntje.

'Thomas is getrouwd,' zei ze ter verklaring tegen haar kamergenoot, de zwijgzame juffrouw Baruch.

Haar dagelijkse gezeur bij de autoriteiten had geholpen en ze was verhuisd van de zaal naar een tweepersoonskamertje. Juffrouw Baruch knikte begrijpend. Ja, dan kon je beter een eind maken aan zo'n vrijage, vond ze.

Een zuster kwam binnen. 'Emma,' maande ze. 'Een beetje opschieten! Ga je eens aankleden!'

Emma trok een kamerjas aan. Ze liep de gang op naar de zuster die bij het magazijn stond.

'Mag ik bij u een verzoek indienen?' vroeg ze sarcastisch. 'Tot het ontsluiten van het magazijn, ten einde mij te voorzien van schone kleren?'

Na enig zoeken op Emma's plank overhandigde de zuster haar met een effen gezicht een rok en een bloes. 'Het is feest,' verklaarde ze. 'We kleden ons netjes aan.'

Even later slenterde Emma, netjes aangekleed en opgemaakt, naar het koffiehoekje, waar ze alleen Esther aantrof, een marktkoopvrouw in groenten en fruit, met een depressie. Ze was verdiept in een breiwerkje, een roze babymuts.

'Thomas is getrouwd,' zuchtte Emma, nu ook tegen Esther.

'Dan weet ik maar één oplossing,' zei Esther, 'en die weet je zelf heel goed.'

'Ja,' zei Emma.

'Komt een boer bij de rabbi,' zei Esther. 'Hij heeft een kip en een haan. Een groot probleem. Wat moet hij doen? "Slacht ik de kip, heeft de haan verdriet, slacht ik de haan, heeft de kip verdriet." De rabbi gaat naar huis. Hij peinst en peinst. De hele nacht peinst hij. Pas als het ochtend wordt, heeft hij de oplossing. Komt de boer terug. "Slacht de haan," zegt de rabbi. "Maar dan heeft de kip verdriet!" roept de boer. Zegt de rabbi: "Zál de kip verdriet hebben!" '

Esther legde het breiwerk neer en breidde de handen uit in een berustend gebaar.

Emma lachte bedroefd. 'Niet slecht,' vond ze.

Ze stond op. Ze slenterde door de gang, over het glimmend gewreven linoleum. Hevig snuivend en steunend slofte een oude man langs, zeker op weg naar het huisjoeltje. Vandaag was er, ter gelegenheid van Rosj Hasjana, een dienst.

Emma aarzelde. Kon ze zich wel in de synagoge vertonen, na haar schampere opmerkingen over het koosjere eten en het naleven van de sabbat? Maar ze was al op weg. Ze was nog nooit in een synagoge geweest.

De huisrabbijn, rabbijn Goud, beviel haar niet. Een rabbi moest een man zijn met een lange witte baard, een intens goed mens, wijs als God zelf. Maar rabbijn Goud was een jonge kerel. Wanneer hij door de gang liep, groette hij niet. Sprak een patiënt hem aan, dan gaf hij joviale maar eenlettergrepige antwoorden. Een baard had hij vanzelfsprekend, maar die was kort en donkerblond. Voor zover Emma wist was hij het enige joodse personeelslid, en dan was hij nog niet eens in vaste dienst.

De middag tevoren was door de bomenlaan een man komen aanlopen die er meer uitzag als wonderrabbi. Hij droeg een lange zwarte lakense jas, een zwarte hoge hoed en zijn baard was lang en wit.

'Zou dat een jehoede zijn?' vroeg Esther, die naast Emma aan het raam stond en hem ook zag aankomen. Voor de grap dikte ze haar zware joodse accent nog wat aan.

De synagoge was een kamer, achter in de kliniek. Achterin stonden houten banken. Voorin leidde een trapje naar een verhoging, waar de wetsrol werd bewaard.

In een open ruimte stonden een paar mannen met hoeden, petten of keppeltjes op. Meneer Nathans was erbij. Op de banken zaten vrouwen.

Een kinds Pools vrouwtje zat er, met een hoofddoek om. Ze sprak uitsluitend Jiddisch, waarmee ze in deze strikt koosjere instelling bij niemand terecht kon. Soms weigerde ze koppig een hele dag spijs en drank.

'Jom Kippoer,' zei ze dan.

'Nein, Jom Kippoer! Niks, niks Jom Kippoer!' schreeuwden de zusters, maar het vrouwtje klemde koppig de lippen op elkaar.

De twee tandeloze kaboutervrouwtjes waren er ook, met hoofddoeken en met elk aan haar zijde een verpleegster.

Emma schoof aan. Iedereen had een gebedenboek voor zich. Een vrouw kwam haar er een brengen. Emma kende haar niet. Ze droeg een mantelpak, een bloes met glimmend witte schubben en een krullenpruik van bruin poppehaar.

Emma sloeg het boek open. Het was fraai uitgegeven, goud op snee en gebonden in zwart leer. De vrouw met de schubben stond achter Emma en wees: je moest het lezen van achteren naar voren. Ze wees de bladzij aan.

De man met de witte baard, die voorzanger bleek te zijn, droeg op melodieuze toon voor van een perkamenten rol. De mannen bogen op de maat van zijn woorden. Nu en dan zong hij een lied met een echte melodie, een psalm. Sommigen bromden mee. De vrouw met de schubben zong mee met hoge stem. Een dikke jongeman met een vrolijk, bol gezicht zette een instrument aan de mond, een ramshoorn. Daarop blies hij een beverige, lange toon.

Emma probeerde de gebeden mee te lezen, maar raakte telkens de draad kwijt. De vrouw met de schubben bleef achter haar zitten en corrigeerde af en toe.

De gebeden gingen over Abraham, tegen wie de Here, zo zegt de bijbel, eens sprak: 'Neem nu uw zoon, uw enige, dien gij liefheeft, Izak, en ga heen naar het land Moria, en offer hem aldaar tot een brandoffer, op een van de bergen, dien Ik u zeggen zal.'

De jongen klaagde niet, zegt de bijbel, en jammerde niet. 'En Abraham strekte zijn hand uit, en nam het mes om zijn zoon te slachten. Maar de Engel des Heeren riep tot hem van den hemel, en zeide: Abraham, Abraham! En hij zeide: Zie, *hier* ben ik! Toen zeide Hij: Strek uw hand niet uit aan den jongen, en doe hem niets! want nu weet Ik, dat gij God vrezende zijt, en uw zoon, uw enige, van Mij niet hebt onthouden.' In plaats van zijn zoon slachtte Abraham een ram. De gebeden dankten de Koning aller Koningen, begreep Emma, dat hij in zijn goedertierenheid de jongen had gespaard.

De jongeman blies nog eens op de ramshoorn. De man met de baard zette, zoet gevooisd, opnieuw een psalm in.

Emma staarde op een bladzij. De andere aanwezigen, zag ze, konden het evenmin bijhouden. Het Poolse vrouwtje snikte zachtjes. Ook andere vrouwen zaten te huilen. Tranen stonden in de grote bruine kijkers van de schubbenvrouw. Meneer Nathans veegde telkens zijn ogen af.

Emma huilde ook. Een warme stroom van tranen liep over haar gezicht. Ze schaamde zich, maar het viel niet te verhelpen. Ze wist zelf niet goed waarom, maar ze huilde nog het ergst van allemaal.

Anders werd het avondbrood opgediend om klokslag vijf uur. Nu was het al over half zeven. Vanwege de middagdienst was het later geworden.

De eetzaal zag er feestelijk uit. Op de tafels lagen witte kleden. Kaarsen brandden in zilveren kandelaars. Op de borden stonden kleine bordjes met op elk een gepoft appeltje met honing. Er stonden wijnglazen bij.

De patiënten kwamen binnenlopen, de meesten voetje voor voetje. Zeer, zéér langzaam zetten ze zich aan tafel. Ze hadden hun beste kleren aan. De mannen, ook de niet-joden, hadden een keppeltje op, een hoed of een pet. De vrouwen hadden doekjes om het hoofd geknoopt, behalve de ongetrouwde, zoals Chantal, juffrouw Baruch, juffrouw Dunnebier en Emma.

Aan het hoofd van de grote tafel zette zich rabbijn Goud. Naast hem zat de man met de lange witte baard. Hij zette opnieuw gebeden in. Er scheen geen eind aan te komen. Emma was misselijk van de honger. Ze droomde weg en dacht aan Thomas. Ze wilde hem schrijven over het feest.

Juffrouw Dunnebier hief streng en vroom het gezicht naar de rabbijn. Vouwen van vroomheid plooiden haar dichtgeknepen mond. Ook Chantal keek vroom. Emma ergerde zich daaraan en besloot haar vriendin straks af te straffen met schamper cynisme.

Opeens had ze berouw van de manier waarop ze de heer Lodz van de joodse gemeente te woord had gestaan. Ze had hem haar handtekening moeten weigeren en hem met respect moeten bejegenen, vond ze.

Rabbijn Goud nam het woord. Hij verklaarde dat het de eerste dag was van het nieuwe jaar, de 'Dag van het Bazuingeschal', de eerste van de tien Ontzagwekkende Dagen, waarvan de laatste Grote Verzoendag was. Hij vertelde over de priester Ezra, die zijn volk had teruggevoerd naar Jeruzalem, onder Nehemia, stadhouder van koning Ataxerxes, twee eeuwen na de verwoesting van de eerste tempel. In Jeruzalem sprak Ezra tot het verzamelde volk over zijn cultuur, die toen al eeuwen oud was. De thora proclameerde hij tot leefregel. In deze periode was het jaar opnieuw ingedeeld. Sindsdien was het nieuwjaar in de herfst.

Verpleegsters gingen rond met flessen wijn. Emma kreeg een bodempje in haar glas.

Ze keek de tafels rond, naar de geknakte kinderen Israëls. De meeste feestgangers zaten in elkaar gedoken alsof de last van hun ontzagwekkende geschiedenis zwaar op hen woog.

In kindertaal, die komisch aandeed na de onbegrijpelijke gebeden, vertelde rabbijn Goud over de Romeinse bezetting van Jeruzalem en de verwoesting van de tempel.

'En de joden,' vertelde hij, 'deden het in hun broek van angst.'

Enkele aanzittenden kregen een lachbui. Een paar vrouwen gierden het uit. Anderen, zoals meneer Nathans, bleven dof voor zich uit staren.

De rabbijn hief het glas. Elk jaar, zei hij, tweeduizend jaar lang, hadden de joden in de verstrooiing het glas geheven en tot elkaar gezegd: 'Het volgend jaar in Jeruzalem.' Nu was deze wensdroom verwezenlijkt. De joden bezaten nu een prachtig land, de bloeiende jonge staat Israël.

'Sjana tova,' wenste hij, 'gelukkig nieuwjaar.'

Emma hief haar glas en dronk het slokje wijn. Het bezorgde haar onmiddellijk, al dan niet suggestief, zware hoofdpijn.

Eindelijk kwamen verpleegsters binnen met schalen. Ze dienden brood op met kalfsragoût. Nog wilder dan anders, nog heviger kwijlend, snakkend en graaiend, vielen de genodigden aan en schrokten het voedsel, zonder een woord te zeggen, naar binnen.

Het afscheid

Emma en Thomas zaten in de conversatiezaal. Hij kwam tegenwoordig met Chantals vriend, een imposant besnorde autohandelaar. 's Zondags liet ook de vriend verstek gaan wegens huwelijkse plichten, maar 's woensdags kwam hij trouw. Voordat hij uit Amsterdam vertrok, haalde hij Thomas op. Erg aardig van hem.

Chantal en haar vriend waren nergens te bekennen. Chantal had al 'vrij wandelen'.

'Wat een conversatie heeft die vent,' zei Thomas geërgerd. 'Sport. Geld. Auto's. Vrouwen. Vooral vrouwen.'

'Chantal en ik,' zei Emma. 'Dat is nu echt *Huis clos*. Wij zijn onafscheidelijk. Je bent op elkaar aangewezen en dat wordt op den duur de hel. Ze houdt van moeilijke woorden, die ze te pas en te onpas gebruikt. "Traumatische depersonalisatie-neurose" of zo. "Pontificaal" is haar lievelingswoord. "Pontificaal zegt-ie tegen me..." Elke keer als ze "pontificaal" zegt, wil ik haar een klap geven.'

'Je bent te kritisch,' zei Thomas lachend.

'Het ergste hier zijn de schizofrenen,' zei Emma. 'Die kunnen zo hinderlijk vrolijk zijn. Chantal is tenminste neerslachtig, zoals ik. Maar de irritatie is wederzijds. We zullen elkaar later niet meer opzoeken.'

'Heb je *De blikken trommel* al uit?' vroeg hij.

'Nog niet,' zei Emma. 'Het speelt in Danzig, waar mijn vader is opgegroeid. Ik lees niet veel. 's Ochtends, wanneer de anderen op arbeidstherapie boekenleggers vlechten, zit ik in de lege eetzaal Russische thema's te kalken, waarvan ik weet dat ze wemelen van de fouten. Of ik schrijf aan jou. Maar het lezen vlot niet erg. Dat komt door injecties. Sinds ik hier ben, zijn mijn geestvermogens sterk achteruit gegaan. Ik gebruik het boek als verschansing tegen mijn omgeving. Het is een mooi, groot formaat.'

Voorzichtig keek hij om zich heen of niemand het zag en nam haar hand. 'Ik zou je willen verpletteren in mijn armen,' fluisterde hij. 'Ik heb je al in een eeuwigheid niet gekust.'

Dokter Griffioen kwam binnen, keek naar Thomas en Emma, liep naar juffrouw Dunnebier en zei iets tegen haar. De directrice kneep haar mond tot een dunne streep en keek in hun richting.

Griffioen kwam op hen af. 'Gaan jullie maar een eindje wandelen,' zei hij. 'Maar om vijf uur moet je terug zijn. Heb je een horloge?'

Hij wenkte een verpleegster. Ze ging Emma en Thomas voor naar de glazen tuindeur. Ze tilde de kolossale bos sleutels op, die aan haar zijkant hing en stak er een van in het slot. Ze draaide twee maal. Daarna nam ze een andere sleutel en stak die in een ander slot.

Een hevig snuivende, corpulente man van een jaar of vijftig kwam er bij staan. De deur ging open. De verpleegster gaf de man een por tegen zijn vest, een slordig gebreid produkt van huisvlijt, duwde Emma en Thomas naar buiten en draaide de deur op slot.

Het regende. Emma ademde diep in. 'Lucht,' zei ze. 'Ook de ramen zijn bij ons beveiligd met dubbele sloten. Door het glas zie je het bos. Huis clos.'

'Eigenlijk is het een prachtig gebouw,' merkte Thomas op. 'Het lijkt meer op een luxe-hotel in een subtropisch land, Israël bijvoorbeeld, dan op een Hollands gesticht.'

Alsof Onze-Lieve-Heer zelf zijn opmerking wilde illustreren, brak de zon door. Razendsnel verdwenen de regenwolken. De lucht werd blauw, op een paar witte wolkjes na.

De kliniek was gebouwd in langgerekte hoefijzervorm, overal één verdieping, met grote ramen en glazen deuren. Rieten stoelen rond tafeltjes gaven het terras een vriendelijk aanzien. Rond het uitgestrekte, nog heldergroene gazon stond nog veel in bloei. Het park was mooi aangelegd, met siersparren, vlierstruiken, oranje lijsterbessen en eeuwig donkergroene coniferen.

Over het tuinpad kwam een verpleegster aanlopen, met een tenger oud vrouwtje, dat ze voorttrok aan de arm. Het vrouwtje tilde bij elke stap een gepantoffelde voet hoog op, met gestrekte tenen, als een hoogbejaarde ballerina. Ze jammerde zachtjes. Toen de vrouw Emma zag, bleef ze stokstijf staan, koppig als een ezel, terwijl de verpleegster, een meisje van een jaar of zeventien, vergeefs aan haar arm rukte en trok.

Emma en Thomas liepen verder, langs de keuken. Daar lagen op lange houten tafels een stuk of dertig cakes uitgestald, als staven goud. Een man met een koksmuts op stond er naar te kijken of hij ze bewaakte.

'Voor het volgende feest zeker,' veronderstelde Emma, 'Jom Kippoer misschien, de avond na het vasten.'

Het volgende raam vertoonde een verlaten pingpongtafel en een televisietoestel op een hoog voetstuk. Achter het volgende hingen poppen van stof, gefiguurzaagde marionetten en speelgoedkarretjes. Er stonden tafeltjes en stoeltjes, een naaimachine en een draaibank.

Thomas en Emma liepen over een pad van zorgvuldig slordig neergelegde sierstenen in het gazon, naar het bos erachter.

Ze sloegen een zanderig bospad in, waar de boomwortels overdwars boven de grond groeiden. Het was een mooi gemengd bos. Door de uitgedunde boomkruinen wierp de zon gele vlekken op de grond, die was bedekt met sprokkelhout, denneappels, eikels, kastanjes, een dikke laag dennenaalden en verrotte bladeren.

Een Vlaamse gaai vloog op. Bij een kruising van twee paden stond een enorme boom. De stam liep uit in brede takken, die zich verdeelden in dunnere takken, die zich steeds dunner vertakten tot ragfijne twijgjes. Het was een boom zoals Emma steevast tekende wanneer ze op tekenles of bij een psychologische test opdracht kreeg een boom te tekenen. Pas nog had ze het zo gedaan in de kliniek. 'Tekenen kunt u niet,' stelde de psychologe als diagnose.

'Dit is de grote beuk,' vertelde Emma. 'Als we onder leiding wandelen komen we altijd hier langs.' Ze ging zitten in een kromming van een van de hoge boomwortels. Thomas bleef erbij staan.

'Nu zou ik kunnen weglopen,' zei Emma.

'Niet doen,' zei Thomas geschrokken.

'Ik doe het ook niet,' zei Emma. 'Bijna alles wat ik aan kleren bezit en alle boeken die ik heb meegenomen, zijn in het magazijn opgeborgen. Ik zie te veel op tegen de rompslomp om alles terug te krijgen.' Ze raapte een beukenootje van de grond en kraakte het tussen de tanden.

'Je kunt je beter aan de voorschriften houden van Griffioen,' vond Thomas. 'Hij zegt dat het gevaarlijk is de behandeling af te breken. Dat schijnt waar te zijn. Hammelburg zegt het ook. Hij heeft er het een en ander over gelezen.'

'Ik voel me te beroerd om weg te lopen,' zei Emma. 'Van die injecties en pillen ben je altijd duizelig,' legde ze uit.

Ze plukte aan een dikke tros elfenbankjes. 'Trouwens, ik zou na bijna drie maanden niet weten wat ik in Amsterdam op mijn kamer moest doen. Ik kan niet meer voor mezelf zorgen. Het is eigenlijk wel lekker om opgesloten te zijn. Zeven jaar geleden kende ik niemand in Amsterdam. Nu wel. Maar ik heb alleen maar kennissen die te bereiken zijn in kroegen. Behalve jij. Maar jij en ik zullen elkaar over een tijdje niet meer zien. Thomas, wat moet ik doen? Ik leef op je brieven.'

Ze herstelde zich met moeite en stond op. 'De schors is kletsnat,' zei ze.

Ze wreef over het zitvlak van haar spijkerbroek.

'Zo nu en dan kom ik er zelfs toe die bijzonder lullige foto van jou te bekijken,' vervolgde ze. 'En die vind ik dan nog mooi ook. Zo ver is het met mij gekomen.'

Ze liepen verder. Hij sloeg zijn arm om haar heen. 'Ik zou je zo verdomd graag willen helpen,' zei hij. 'Maar ik kan je niets bieden. Geen geborgenheid, geen status. Mijn vrouw weet van mijn bezoeken aan jou. Ik heb haar beloofd dat ik je niet meer zal zien als je terug bent in Amsterdam. We zouden er alle drie aan kapot gaan. En de kinderen ook.'

Emma veegde haar ogen af. Ze liepen het bos uit en kwamen aan een grote verkeersweg. Een legertruck vol soldaten raasde langs. Daarna een motorfiets. Daarna een Solex. Daarna niets meer.

'Je leven blijft zinloos als je er niets aan doet,' zei Thomas dwingend. 'Je moet het drastisch anders inrichten. Volwassen worden. Hard zijn voor jezelf. Als je om te beginnen eens leerde de rotzooi achter je op te ruimen. Je kamer is een puinhoop. Je moet jezelf geschikt maken voor een baan, de ambitie hebben van een baan te maken wat er in zit.'

'Jij hebt makkelijk praten,' zei Emma, 'jij hebt leuk werk.'

'Ik geloof dat jij jouw werk onderschat,' zei hij. 'Je doet het zonder dat het tot je doordringt wat ze van je verlangen. Als je gezegd wordt dat je een fout hebt gemaakt, begin je te lachen. Gijssen ergerde zich daar kapot aan. Het is inderdaad een fundamenteel onjuiste houding. De maatschappij is nu eenmaal geen kleuterklas. Er moet gewoon winst gemaakt worden. Je zou het best kunnen. Iedereen met een redelijk IQ kan het werk doen.'

'Talent voor iets is ook het willen doen,' zei Emma. 'Een kind met aanleg voor tekenen, tekent graag. Dat is een belangrijk deel van het talent. Ik kan geen brief zonder fouten tikken die een ander heeft geformuleerd. Ik vind dat werk vernederend en daarom kan ik het ook niet.'

'Dat is hoogmoedig,' vond Thomas. 'Jij overschat het intellectuele beroep. Je moet het werk zelf inhoud geven.'

'Inhoud geven aan het overtikken van drieduizend adressen voor een katholieke partij kan ik niet,' zei Emma. 'Ik wil geen concessies doen. Ik ga nog liever de fabriek in dan dat ik weer, zoals vroeger, elke met slakkegang voortkruipende weekdag moet doorbrengen op kantoor met domme, ranzige grappen makende afdelingschefs en met over mode kakelende typistes. Kleren zijn voor mij functioneel. Ik heb een spijkerbroek, een rok voor kantoor en een paar truien. Dat is genoeg. Over mode kan ik niet meepraten. Binnen een week lig ik er uit bij de collega's.'

'Dan doe je een beetje moeite om je aan te passen,' zei Thomas. 'Dan léés je een paar modebladen. Je vergeet dat in de intellectuele sfeer de mensen veel erger tegenvallen. De sfeer moeten we zelf scheppen. We mogen blij zijn als we iemand treffen met wie we van gedachten kunnen wisselen over wat we gelezen hebben. Zo iemand vind je meestal niet op het werk. Jij en Hammelburg zijn uitzonderingen.'

Ze kwamen aan een driesprong. Aan de overkant van de straatweg was een hotel-café-restaurant. Het was een mooi ouderwets, wit, vierkant gebouw met een schuin aflopend, rood pannendak.

'Dat is café Harskamp,' zei Emma. 'Daar heb ik wel eens met Chantal en een verpleegster koffie gedronken. Zullen we daar iets drinken? Heb je geld bij je?'

'Ja, maar op voorwaarde dat je geen alcohol drinkt,' zei hij.

Alle oude rieten stoelen op het terras waren leeg. Ze gingen binnen aan een tafeltje zitten.

'Een Perzisch tafelkleedje,' zei Emma. 'Zo hoort het.'

'Wil je appeltaart?' vroeg Thomas. 'Met slagroom?'

'Dat is goed,' zei ze.

Hij bestelde.

Emma keek om zich heen. Aan de ronde tafel zaten soldaten met een biertje. Verderop zat een vrouw met een onbestemd uiterlijk, met donkerblonde permanentkrulletjes. Emma herkende haar uit de kliniek. Ze zat aan een tafeltje met een vrouw, die sprekend op haar leek, met hetzelfde kapsel. Haar zuster, ongetwijfeld.

De zuster streek troostend over haar arm. De vrouw huilde een beetje. Er was nog een medepatiënt, een man van een jaar of zestig. Hij zat met een jonge vrouw, zo te zien zijn dochter. Met betraande ogen praatte ze heftig op hem in. Emma wist dat de man nauwelijks meer iets begreep.

De ober bracht koffie, met slagroom en een koekje. Hij zette de appeltaart met slagroom neer. Emma dronk koffie en at het koekje op. De koffie was voortreffelijk.

'Wat een verschil met dat gootwater in het gesticht,' zei ze.

Thomas keek haar aan. 'Je zegt dat je niet buiten Amsterdam wilt wonen,' zei hij.

'Nee,' zei Emma, 'nooit.'

'Waarom eigenlijk niet?' vroeg hij.

'Moet ik helemaal alleen in een provincieplaats gaan wonen?' vroeg Emma kwaad. 'Waar ik niemand ken?'

'Je leert vanzelf mensen kennen,' zei hij. 'Contactuele eigenschappen heb je.'

'Buiten Amsterdam wonen geen mensen!' zei Emma kortaf.

Hij at zijn stuk appeltaart op. Emma zweeg stuurs en keek opzij. De dochter van de man praatte niet meer. Betraand keek ze in de richting van de soldaten. Met tegenzin stak Emma haar vorkje in de slagroom.

'Wat zie ik, juffrouw Morgenblatt,' zei Thomas lachend, 'hebt u alweer geen trek in uw taartje?'

Emma legde haar vorkje neer. Kramp in de slokdarm dwong haar daartoe. Ze sperde haar ogen open, of ze ergens hevig van was geschrokken.

Eens was hij drie dagen niet op zijn werk verschenen. In die dagen viel Emma twee kilo af. Het was in de tijd dat ze zelfs zichzelf nog niet durfde bekennen wat er met haar aan de hand was.

Op kantoor hield ze de blik gericht op het telefoontoestel. Rinkelde het, dan werd ze duizelig van schrik. Op straat dacht ze een paar keer dat ze hem zag. Angstaanjagend bonkte haar hart. 's Nachts schrok ze wakker na een paar uur slaap.

Verliefdheid, zo'n poëtisch lentewoord. Een verrijking van je leven! Stekende pijn in de borstkas, ingewandsstoornis, een beslagen tong, braakneigingen, koorts, duizelingen, huilerigheid. Gespannen als een vioolsnaar; zum Tode betrübt. Behekst, radeloos, rusteloos, slapeloos, versuft, hysterisch, Oostindisch doof. Lezen? Onmogelijk! Sociaal verkeer? Hinderlijk! Waarover hadden de mensen het in 's hemelsnaam, terwijl zij, Emma, zich met droge keel afvroeg waar Thomas was, waaróm hij niet had opgebeld. Had ze iets miszegd? Voor de zoveelste keer woog ze elk woord uit hun laatste gesprek.

Nu zat hij met zijn gezin aan tafel. Nu zat hij met zijn vrouw in de kamer te lezen. Nu lagen ze in bed! Een dolkstoot.

Immoreel egoïsme. Was ze een gevaar voor een gelukkig gezin? Niets aan te doen. Dat was het noodlot.

Op de avond van de derde dag ging bij haar thuis, beneden op de gang, de telefoon. Haar hospita nam op. 'Emma!' riep ze.

Hij was het. Hij zat een stukje te schrijven. Hij wist de juiste spelling niet van een plaats in Indonesië. Kon juffrouw Morgenblatt hem misschien helpen?

Dat kon Emma niet. Hij bezat trouwens zelf een goed archief en een atlas. Het grootste deel van de nacht lag ze over hem te dagdromen. Wie het eerste gebaar zou maken. Hoe het zou gaan.

Zijn gezin ging met zomervakantie. Thomas bleef achter. In die weken waren hij en Emma onafscheidelijk. 's Avonds zaten ze in cafés, aan de bar, dicht tegen elkaar aan. Emma praatte en praatte. Ze had haast hem alles over zichzelf te vertellen.

'Wil je nog koffie?' hoorde ze hem nu vragen.

Ze schudde van nee. Ze keek hem nog steeds aan. Hij wenkte de ober en rekende af.

'Zullen we gaan?' vroeg hij.

Mechanisch stond ze op; half verdoofd. De noodzaak van een definitief afscheid was tussen hen een geliefd gespreksonderwerp. Het werkte als afrodisiacum.

Nu drong het tot haar door dat het ernst was. Ze stond weer alleen. Ze was teruggezet in een wereld zoals die van haar medepatiënte, die aan een tafeltje in een café-restaurant zat te huilen, terwijl haar zuster haar over de arm streek. Een wereld zonder houvast, met geen andere liefde dan de vanzelfsprekende liefde van een bloedverwant. Emma had zich verheven gevoeld boven die vrouw, als iemand die het beter had getroffen. Maar dat was een illusie geweest.

Ze moest zich voorbereiden op een periode van rouw, waarvan niet te voorspellen viel hoe lang die zou duren, wanneer het eindelijk zou slijten, een gemis dat even hevig kon zijn als wanneer de geliefde was gestorven, maar geen mens die er medelijden mee had. Eigen schuld! Iemand met ongelukkige liefdes moest er maar aan zien te wennen.

Achter Thomas aan liep ze naar buiten. Het motregende. Ze staken de weg over. Aan de overkant was een viaduct. Ze ondernamen de terugweg, het bos in.

'Als je er niets aan doet,' zei Thomas, 'blijft je leven zo uitzichtloos als nu.'

Hij keek opzij. Emma trapte bladeren omhoog en denneappels. Ze bukte zich om een kastanje op te rapen en stak die in haar zak. Ze brak een tak af.

'Weet je,' zei hij, 'als ik depressief ben, heb ik een geweldige behoefte om alleen te zijn. Dan ga ik een eind wandelen. Als jij een depressie hebt, ga je naar de kroeg. Probeer je een leven in te denken zonder kroeg, zonder vrienden, zonder de kennissen van vroeger. Zo'n leven schrikt je af. Maar probeer je er vertrouwd mee te maken.'

Emma plukte een takje hulst af.

'Luister eens,' zei hij, 'toen ik nog gelovig was, kwam ik aanvankelijk vooral rationeel tot de overtuiging dat er geen God is. Toch heeft het een paar jaar geduurd voordat ik het emotioneel kon aanvaarden. Een wereld zonder God leek me volslagen zinloos. Al mijn zekerheden vielen weg. Ik durfde God niet te beledigen door hem uit mijn leven weg te gooien. Als ik mij het leven voorstelde zonder God werd ik bang en stond ik voor een afgrond. Ik bereidde me voor op een leven zonder God en ik merkte dat het niet arm was. Bereid jij je mentaal voor op een leven zonder kroeg. Dan merk je dat het vanzelf gaat.'

Hij stond stil en nam haar hoofd tussen zijn handen.

'Kon ik maar voor je zorgen!' zei hij.

'Konden we maar trouwen!' zei Emma zonder overtuiging. 'Zullen we emigreren? Naar Brazilië bijvoorbeeld. Jij richt een Nederlands krantje op en ik leer Spaans en geef les in Engels, Frans en Russisch. Behalve Zuid-Afrika en Israël vind ik alles goed.'

'Vaak denk ik eraan hoe het zou zijn als ik met jou zou leven,' zei hij. 'Aanvankelijk dacht ik dat ik je vrij zou laten. Modern, sophisticated. Zelf ook fijn vrij. Maar nee, ik denk dat ik je zou willen hebben als trouwe huisvrouw, moeder, minnares en dan pas als intelligente, talentvolle, eigenzinnige kameraad. De rol van vrouw en moeder zou je beter liggen dan je denkt. Jij zou kinderen moeten hebben. Ik geef toe, het is mannelijke hoogmoed, maar naar mijn overtuiging is dat toch de eerste levensvulling van een vrouw.'

Wat u zegt! dacht Emma.

Ze liepen langs een diepe kuil. Emma sprong omlaag, op de natte, verende laag herfstbladeren. Ze greep Thomas' hand. 'Laten we het doen,' stelde ze voor. 'Hier.'

Hij keek om zich heen.

'Ze kunnen ons zien,' zei hij.

'Er is niemand,' stelde Emma hem gerust.

'Onze kleren worden doornat en smerig,' wierp hij tegen. 'Het uur is bijna om. Ik heb Griffioen beloofd dat ik je zou terugbrengen.'

Ze trok aan zijn hand. 'Toe nou!' zei ze.

Hij keek haar aan en sprong haar achterna. Hij trok zijn regenjas uit en legde die op de grond. Emma sloeg haar armen om zijn hals. Ze klemden zich aan elkaar vast. Ze fluisterden 'liefste', 'lieveling', 'ik houd van je', 'hou je van me?' en meer van dat soort opwindende woorden.

'Een beetje rustig!' maande hij even later, half lachend, om zich heen kijkend.

'Kom hier!' riep Emma. 'Het kan me niet schelen wie het hoort of ziet!'

Hevig gepassioneerd, met gesloten ogen, gaf ze zich over aan het afscheidsduet, dat de apotheose inzette, met bazuingeschal, uit een andere, maar zeker niet minder heilige en ontroerende ramshoorn. Het was de derde van de tien Ontzagwekkende Dagen van het jaar 5726.

Ze bleven nog even liggen. Emma kuste zijn natte haar. Ze wist niet dat hij niet lang meer te leven had. Voor zijn dertigste zou hij sterven.

Over zijn schouder zag ze de grijze lucht, de toppen van de eikebomen en de dennen. Vaag hoorde ze een auto. Vogels. In de verte doffe geweerschoten.

357

'Zomer 1965 zal ik nooit vergeten,' zei Thomas. 'Zo lang ik leef.'

Emma duwde hem zachtjes van zich af. Ze richtte zich op en bukte zich naar haar spijkerbroek, die in de natte modder lag. Haar haren zaten vol rotte herfstbladeren.

Bij de rand van de kuil verscheen een eekhoorn. Hij klemde iets tussen zijn pootjes. Zeker een beukenoot. Zijn pluimstaart kwam bijna tot zijn kopje, met pluimen achter de oortjes. Koket wipte het beestje, niet groter dan een mannenhand, heen en weer, alsof hij wist hoe adembenemend mooi hij was, met zijn glanzend kastanjebruine haar, in zijn herfstige, voor Emma's ogen onverwachte wazig wordende omgeving. In die nevel blonken zijn kraaloogjes. Ze keken Emma geruststellend aan. De eekhoorn knikte haar bemoedigend toe.

'Kom,' zei Thomas, 'ik breng je terug.'

'Ssst,' zei Emma.

Maar het was al te laat. Abrupt keerde de eekhoorn zich om en rende weg. Razendsnel klom hij langs een boomstam omhoog en verdween in de takken.